Klaus Hinrichsen

Das große
Navy CIS - Buch 2017

Das NCIS TV-Serienbuch: Navy CIS Staffel 1-14
Navy CIS: L.A. Staffel 1-8   Navy CIS: New Orleans Staffel 1-2

* * *

Haftungsausschluss

Für Aussagen und Hinweise des Autors in diesem Buch kann keinerlei Garantie übernommen werden. Eine Haftung für Personen-, Sach- oder Vermögensschäden ist ausgeschlossen.

Für die Recherche dieses Buches wurden viele Bücher, Informationsschriften und Zeitungsartikel gesichtet. Auch das Internet war eine hilfreiche und ergiebige Quelle.

Obwohl zu keiner Zeit beabsichtigt war und ist, Texte aus fremden Quellen unzitiert zu übernehmen, kann der Autor aber nicht gänzlich ausschließen, dass der eine oder andere gelesene Teil eines einmal gelesenen Artikels sich so (positiv) im Gedächtnis festgesetzt hat, dass er sich so oder ähnlich an der einen oder anderen Stelle dieses Buches wieder findet. Dies ist nur der Versuch des Autors, allen NCIS-Fans ein umfassendes Buch zu den Navy CIS-TV-Serienstaffeln zur Hand zu geben.

Der Autor steht in keiner Verbindung zu Belisarius Productions, CBS Broadcasting oder Paramount Pictures. Alle Rechte an NCIS bzw. Navy CIS bzw. NCIS: Los Angeles bzw. Navy CIS: L.A. sind Eigentum von Belisarius Productions, CBS Broadcasting und Paramount Pictures.

Jede Verwertung aller Texte, Bilder und Clipparts (auch auszugsweise) ist ohne Zustimmung des Autors rechtswidrig und strafbar. Dies gilt insbesondere für Vervielfältigungen, Übersetzungen, Mikroverfilmungen und die Speicherung bzw. Verarbeitung mit bzw. in elektronischen Systemen.

Klaus Hinrichsen

Das große
Navy CIS - Buch 2017

Das NCIS TV-Serienbuch: Navy CIS Staffel 1-14
Navy CIS: L.A. Staffel 1-8   Navy CIS: New Orleans Staffel 1-2

***

Herstellung und Verlag: BoD - Books on Demand, Norderstedt
Printed in Germany

ISBN: 978-37460-174-40

Navy CIS
Naval Criminal Investigative Service

Die immer wieder spannende und unterhaltsame Auflösung der Kriminalfälle von Special Agent Leroy Jethro Gibbs, dargestellt von Mark Harmon (Cover, rechtes Foto), mit seinem NCIS-Team begeistert seit mehr als 14 Jahren weltweit eine große Anzahl von Fernsehzuschauern und machte NCIS zu einer der erfolgreichsten Serien unserer Zeit. Sowohl in den USA als auch in Deutschland ist NCIS derzeit eine der meist gesehenen Fernsehserien.

Dieses Fanbuch zu den Navy CIS TV-Staffeln 1-14 enthält neben allgemeinen Informationen zur Serie Daten und Kurzbeschreibungen aller bislang veröffentlichten Episoden, ausführliche Steckbriefe der Hauptcharaktere, Beschreibungen der Nebenfiguren, Informationen zu den Schauspielern und natürlich die besten Sprüche von Gibbs, Tony, Kate, Ziva, McGee, Bishop, Abby, Ducky, Palmer & Co.

Ergänzt wird dieses Navy CIS-Buch durch jeweils eigene Abschnitte für die Ableger Navy CIS: L.A. und Navy CIS: New Orleans mit Informationen zur Serie, den Schauspielern und natürlich den entsprechenden Episodeninfos der zum Zeitpunkt der Buchveröffentlichung ausgestrahlten Fernsehfolgen zu den Navy CIS L.A. - Staffeln 1-8 mit NCIS Supervisory Special Agent G.Callen, dargestellt von Chris O´Donnell (Cover, linkes Foto), und seinem Team sowie Informationen zur Staffel 1-2 von Navy CIS: New Orleans.

Inhalt

Inhalt

Navy CIS: L.A.
Naval Criminal Investigative Service

Inhalt

Navy CIS: New Orleans
Naval Criminal Investigative Service

Navy CIS (NCIS)

Der NCIS (Naval Criminal Investigative Service) ist eine Spezialeinheit, die jedwede Straftaten, die abschliessend vor dem Navy-Militärgericht verhandelt werden, im Zusammenhang mit Angehörigen der Navy oder des Marine Corps im In- und Ausland untersuchen, wobei es unbedeutend ist, ob die Betreffenden als Täter oder Opfer verwickelt sind. Im Alltag kommt neben den absurdesten Kriminalfällen insbesondere auch der Kampf gegen den Terrorismus auf die Spezialagenten zu, wobei auch Aufgaben zur Spionageabwehr zum Tagesgeschäft gehört. Früher waren die Ermittlungen der NCIS-Behörde im Gegensatz zu FBI- und CIA-Untersuchungen eher unbekannt, was sich jedoch durch den massiven Erfolg der TV-Serie geändert hat. Der Einsatz spezieller Berater, insbesondere auch von echten NCIS-Agenten, während der Dreharbeiten vermitteln dem Zuschauer eine intensive Authentizität und sorgt regelmäßig für spannende Unterhaltung. Nach einem zunächst verhaltenen Serienstart gehört Navy CIS (Original: NCIS) mittlerweile weltweit zu den erfolgreichsten Fernsehserien überhaupt und hat es mittlerweile auf 14. Staffeln mit jeweils enormen Zuschauerquoten geschafft.

Das Konzept der Fernsehserie ist im Grunde nichts neues - zuvor gab es bereits die ebenfalls erfolgreichen Serien CSI, CSI:Miami und CSI:NY, alle basierend auf den spannenden, den Zuschauer in seinen Bann ziehende Untersuchungen im Kriminallabor mit all seinen technischen Facetten. Der übermäßige Erfolg von Navy CIS macht nicht unbedingt die natürlich auch spannenden Fälle aus, sondern es ist wohl diesem unglaublich gut zusammengestellten NCIS-Team, angeführt vom mundfaulen, kantigen, strengen, aber auch sehr gerechten Special Agent Leroy Jethro Gibbs, geschuldet. Jede Figur im Team hat einen unverwechselbaren Charakter mit all den zugehörigen Stärken und Schwächen, die der Zuschauer schnell gerne annimmt und vielleicht insgeheim träumt, im wahren Leben auch ein mal so einem Dreamteam angehören zu dürfen. So schaut man auch gerne über einen vielleicht etwas weniger spannenden Fall hinweg und erfreut sich an den immer wieder lustigen Dialogen der Teammitglieder, sprich der Zuschauer kann so gut wie immer humorvoll fasziniert werden. Ein weiterer wichtiger Unterscheidungspunkt zum CSI-Franchise besteht darin, dass Navy CIS sich nicht nahezu auf einen bestimmten Ort beschränkt, sondern hier spielen auch insbesondere die Ermittlungen außerhalb der Labore eine gewichtige Rolle.

Die bisher mehr als 300 ausgestrahlten Folgen in 14 Staffeln boten überzeugende, spannende Unterhaltung. Neben tragischen, zum Teil auch traurigen Momenten bot die Serie einen ordentlichen Schuss trockenen Humor, welche dem Zuschauer, gleich welcher Generation angehörend, jedes Mitglied mit seinem persönlichen Charme ans Herz wachsen ließ.

Auf diesen Erfolg gründend wurde im Jahr 2009 ein Ableger von Navy CIS erschaffen: Navy CIS:L.A. spielt in Los Angeles.

Während der elften Staffel wurde in einer Doppelfolge ein weiteres NCIS-Team vorgestellt, das für das Spin-off NCIS: New Orleans diente.

TV-Ausstrahlung

USA

In den USA begann die Ausstrahlung der ersten Staffel am 23. September 2003 und endete am 25. Mai 2004. Seitdem wird jährlich im September mit der Erstausstrahlung einer neuen Staffel begonnen, die im darauffolgenden Mai endet. Der übliche Sendeplatz ist der Dienstag um 20:00 Uhr auf CBS. Am 22. September 2009 startete die Ausstrahlung der siebten Staffel in den USA, und sie endet mit dem Staffelfinale „Rule Fifty-One" am 25. Mai 2010.

Die Zuschauerzahlen haben sich nahezu kontinuierlich von Staffel zu Staffel erhöht und seit der 6. Staffel gehört die Serie zu den Top-5 in den Vereinigten Staaten. Die Serie erreichte mit der neunten Staffel den 3. Rang in der Gesamtwertung und hatte damit die meisten Zuschauer seit Beginn der Serie. Am 11. Januar 2011 erreichte die Serie erstmals seit Beginn der Ausstrahlung im Jahr 2003 fast die 22-Millionen-Marke. Damit stellte die Serie einen neuen Rekord auf. Am 1. Februar 2011 stellte die Serie abermals einen neuen Rekord mit 22,85 Millionen Zuschauern auf. Nach dem Erfolg der Folge vom 1. Februar 2011 wurde am 2. Februar 2011 NCIS frühzeitig für eine neunte Staffel verlängert.

Die 200. Folge der Serie wurde am 7. Februar 2012 ausgestrahlt. Im Februar 2016 verlängerte CBS die Serie um zwei weitere Jahre (Staffel 14 und Staffel 15).

Erstausstrahlung und Einschaltquoten TV-Serie NCIS in den USA

Staffel	Episoden	Premiere	Finale	Rang	Reichweite ab 2 J. (Mio.)
1	23	23. Sep. 2003	25. Mai 2004	28	11,84
2	23	28. Sep. 2004	24. Mai 2005	22	13,57
3	24	20. Sep. 2005	16. Mai 2006	16	15,21
4	24	19. Sep. 2006	22. Mai 2007	16	13,89
5	19	25. Sep. 2007	20. Mai 2008	15	14,53
6	25	23. Sep. 2008	19. Mai 2009	5	17,89
7	24	22. Sep. 2009	25. Mai 2010	4	19,33
8	24	21. Sep. 2010	17. Mai 2011	5	19,46
9	24	20. Sep. 2011	15. Mai 2012	3	19,49
10	24	25. Sep. 2012	14. Mai 2013	1	21,34
11	24	24. Sep. 2013	13. Mai 2014	3	19,77
12	24	23. Sep. 2014	12. Mai 2015	3	18,25
13	24	22. Sep. 2015	17. Mai 2016	3	20,19
14	24	20. Sep. 2016	16. Mai 2017	3	14,63

Quelle: [36]

TV-Ausstrahlung

Deutschland

In Deutschland läuft die Serie seit dem 17. März 2005 beim Privatsender Sat1. Der Sender strahlte die ersten beiden Staffeln (mit kurzer Unterbrechung) und die ersten sechs Episoden der dritten Staffel hintereinander vom 17. März 2005 bis zum 7. Januar 2007 immer donnerstags um 21:15 Uhr aus.

Am 13. August 2006 wechselte Sat1 den Sendeplatz und setzte die Ausstrahlung der dritten Staffel am Sonntag um 20:15 Uhr im Rahmen des Crime Sonntags fort. Seit dem 17. Oktober 2016 strahlt Sat.1 die Serie erstmals montags um 20:15 Uhr aus

Erstausstrahlung und Einschaltquoten TV-Serie Navy CIS in Deutschland

Staffel	Premiere	Finale	Reichweite ab 3 J. (Mio.)	Marktanteil ab 3 J. (%)	Reichweite 14–49 J. (Mio.)	Marktanteil 14–49 J. (%)
1	17. Mär. 2005	25. Aug. 2005	2,48	8,9	1,49	12,8
2	01. Sep. 2005	09. Mär. 2006	3,11	10,1	2,07	15,7
3	16. Mär. 2006	07. Jan. 2007	3,6	10	2,5	17,3
4	04. Mär. 2007	11. Nov. 2007	3,57	10,5	2,4	17
5	02. Mär. 2008	19. Okt. 2008	3,49	10,5	2,36	16,7
6	01. Mär. 2009	15. Nov. 2009	3,73	11	2,46	17,3
7	28. Feb. 2010	31. Okt. 2010	3,79	10,8	2,41	16,4
8	13. Feb. 2011	13. Nov. 2011	3,65	10,2	2,15	14,5
9	29. Jan. 2012	28. Okt. 2012	3,68	10,3	2,11	14,3
10	6. Jan. 2013	20. Okt. 2013	3,82			14,9
11	5. Jan. 2014	19. Okt. 2014	3,54	9,9	1,89	13,6
12	4. Jan. 2015	08. Nov. 2015	3,08			11
13	10. Jan. 2016	28. Nov. 2016	2,92		1,23	9,5
14	19. Dez. 2016	04. Dez. 2017				

Quelle: [36]

Preise und Nominierungen

ASCAP Award
Gewonnen – Top TV-Serie – Matt Hawkins, Maurice Jackson, Neil Martin (2004, 2006, 2007, 2008, 2009)
Gewonnen – Top TV-Serie – Steven Bramson (2004)

BMI Film & TV Awards
Gewonnen – BMI TV Music Award – Brian Kirk (2008, 2009)
Gewonnen – BMI TV Music Award – Joseph Conlan (2005)

Emmy Awards
Nominiert – Herausragende Stunts – Diamond Farnsworth (2008) in Folge 5x07 Alte Wunden
Nominiert – Bester Gastdarsteller in einer Dramaserie – Charles Durning (2005) in Folge 2x07 Der Held von Iwo Jima
Nominiert – Beste Dramaserie (2010)

NAACP Image Awards
Nominiert – Bester Nebendarsteller in einer Dramaserie – Rocky Carroll (2010)

People's Choice Awards
Nominiert – Beliebteste Dramaserie (2009, 2010, 2011, 2012, 2015)
Nominiert – Beliebtester Schauspieler in einer Dramaserie – Mark Harmon (2009)
Nominiert – Beliebtester Schauspieler in einer Dramaserie – Mark Harmon (2013, 2014)
Nominiert – Beliebtester Schauspieler in einer Dramaserie – Pauley Perrette (2013)

Imagen Foundation Awards
Nominiert – Beste Nebendarstellerin einer TV-Serie – Cote de Pablo (2009)
Gewonnen – Beste Nebendarstellerin einer TV-Serie – Cote de Pablo (2006)

Young Artist Awards
Nominiert – Beste Aufführung einer TV-Serie – Junger Gastdarsteller – Dominic Scott Kay in Folge 5x09 Gesucht und gefunden

Quelle: [36]

DVD-Veröffentlichungen

Während in den USA und Großbritannien immer die ganze Staffel in einer DVD-Box erscheint, wird in Deutschland eine Staffel in jeweils zwei Teile getrennt.

Ebenso enthalten die DVD-Versionen in den USA stets Bonusmaterial wie Kommentare der Autoren, Regisseure oder Schauspieler sowie Making-of-Szenen, während die deutschen DVD-Boxen einschließlich der dritten Staffel ohne Bonusmaterial erschienen sind. Lediglich die DVD-Box des zweiten Teils der dritten Staffel enthält eine Reportage über den echten NCIS sowie weitere Extras.

Eine weitere Besonderheit ist, dass die deutschen DVD-Boxen unter dem Originaltitel NCIS erscheinen, obwohl die Serie in Deutschland Navy CIS heißt.

Die vierte Staffel ist seit dem 23. Oktober 2007 in den USA erhältlich. Zum Bonusmaterial gehören unter anderem ein Feature, bei dem die Castmitglieder Fragen der Fans beantworten, sowie Audiokommentare (unter anderem für „Die kleine Schwester" mit Sean Murray und Terrence O'Hara, dem Regisseur der Episode, sowie ein weiterer Kommentar mit Sean Murray und Cote de Pablo). Die vierte Staffel ist seit dem 5. Juni 2008 in Deutschland erhältlich. Wie bei den vorherigen Staffeln auch, ist diese in zwei Halbstaffelboxen getrennt.

Die fünfte Staffel ist erstmals in einer Box zusammengefasst worden und am 7. Mai 2009 erschienen.

Am 5. August 2010 wurde die sechste Staffel in zwei Halbboxen veröffentlicht. Außerdem gibt es Sammelboxen, die die Staffeln eins bis sechs beinhalten.

Die siebte Staffel ist in zwei Hälften am 9. Juni 2011 erschienen.

Eine in zwei Halbstaffelboxen geteilte Veröffentlichung der achten Staffel ist am 14. Juni 2012 erschienen.

Am 13. Oktober 2012 erschien eine Komplettbox mit den ersten acht Staffeln. Die zwei Halbstaffeln zur neunten Staffel wurden am 6. Juni 2013 veröffentlicht. Am 3. Januar 2014 wurde die zehnte Staffel in Form von zwei Halbstaffeln auf DVD veröffentlicht.

Quelle: [36]

Soundtrack

Zur Serie sind drei Soundtrackalben erschienen.

Ersteres erschien am 10. Februar 2009 in den USA als CD und als MP3-Download unter dem Titel NCIS: The Official Soundtrack. In Deutschland erschien die CD daraufhin unter dem Titel NCIS: The Official TV Soundtrack – Vol.1 als CD-Import.

Der Soundtrack ist in zwei CDs gegliedert, auf CD 1 sind zwölf allgemeine Songs enthalten, die in der Serie vorkommen, CD 2, die den Titel Abby's Lab trägt, enthält zehn Lieder, die in der Serie in Abbys Labor laufen.

Das Lied Fear ist in Zusammenarbeit mit Pauley Perrette, der Darstellerin von Abby Sciuto, entstanden. Cote de Pablo, die Darstellerin von Ziva David, ist die Interpretin des Liedes Temptation, eine Coverversion eines Stücks von Tom Waits, welches sie in der ersten Episode der sechsten Staffel singt.

Einige der Songs waren zum Zeitpunkt der Veröffentlichung des Albums noch nicht in der Serie vorgekommen.

Am 3. November 2009 folgte das zweite Album mit dem Titel NCIS: The Official Soundtrack – Vol. 2 in den USA als CD und MP3-Download, in Deutschland als CD-Import. Auf diesem Album mit zwölf Titeln ist das Stück Bitter and Blue von Michael Weatherly, dem Darsteller von Anthony DiNozzo, enthalten.

Am 29. März 2011 erschien das dritte Album unter dem Titel NCIS: The Official TV Score sowohl in den USA als auch in Deutschland als MP3-Download und CD bzw. CD-Import. Das Album enthält fünfzehn Songs, die der NCIS-Komponist Brian Kirk aus dem Score von NCIS zu eigenständigen Musiktiteln gemixt hat. Unter den Songs ist auch das NCIS Main Theme zu finden.

Quelle: [36]

Die US-Behörde „Naval Criminal Investigative Service"

Der U.S. Naval Criminal Investigative Service (NCIS) ist die Militärstrafverfolgungsbehörde des United States Department of the Navy (Marineministerium der Vereinigten Staaten). Er ist sachlich für die United States Navy (Marine) sowie für das United States Marine Corps (Marineinfanterie) zuständig.

Der NCIS ist die direkte Nachfolgebehörde des früheren Naval Investigative Service (NIS). Ursprünglich war der NIS Teil des Marinegeheimdienstes Naval Intelligence, der seit dem Ersten Weltkrieg für den Schutz der Truppen und Gegenspionagemissionen zuständig war. Später wurde auch die Strafverfolgung bestimmter Delikte zur Aufgabe des NIS, die zum Großteil von zivil angestellten Agenten bewältigt wurde. Diese Praktik unterschied sich von der Arbeit des vergleichbaren Dienstes der US Army, der Criminal Investigation Division (CID). Die CID verließ sich bei ihrer Arbeit ausschließlich auf militärisches Personal. Das U.S. Air Force Office of Special Investigations verfuhr in der Personalfrage ähnlich wie der NIS.
1966 wurde der NIS vom Marinegeheimdienst getrennt und ein Echelon-II-Kommando mit eigenem Budget gegründet, das dem Chief of Naval Operations direkt unterstand. 1985 wurde Cathal Flynn, ein früherer Kommandooffizier des Naval Special Warfare Command, der erste Flaggoffizier, der den NIS kommandierte. Während dieser Phase wurde dem NIS auch das neu gegründete Anti-terrorist Alert Center (ATAC), ein Fusion Center, mit Aufgaben im Bereich der Anti-Terror-Aufklärung, unterstellt. Im Jahr 2002 wurde ATAC zu MTAC (Multiple Threat Alert Center) umbenannt, um den Aufgaben des NCIS Rechnung zu tragen.
Die Hauptverwaltung (NCIS Headquarters) ist seit dem 15. September 2011 auf der Marine Corps Base Quantico im Russell Knox Building, indem sich ebenfalls der Army CID und die Ermittlungsbehörde der Air Force befindet. Die ursprüngliche Hauptverwaltung südöstlich der US-Hauptstadt Washington, D.C. am Westufer des Anacostia auf dem historischen Washington Navy Yard wurde aufgegeben.
Derzeitiger Direktor des NCIS ist seit dem 7. Oktober 2013 Special Agent Andrew L. Traver. Derzeitiger stellvertretende Direktor ist Special Agent Mark D. Ridley.

Im Jahre 1992 wurden die Aufgaben der Behörde neu definiert. Sie wurde in eine zum Großteil zivile Behörde umgewandelt und in NCIS umbenannt. Ray Nedrow, ein früherer Leiter des US Marshals Service, wurde zum ersten zivilen Direktor des umbenannten Dienstes. Das gesamte 2.500 Mann starke NCIS-Personal besteht aus vereidigtem Zivilpersonal; etwa die Hälfte sind ausgebildete Special Agents. Der Personalkörper besteht aus bewaffneten Bundesagenten bzw. Ermittlern der US-Bundesjustiz. Da der NCIS heute direkt dem Secretary of the Navy (SECNAV) unterstellt ist, stehen die Agenten organisatorisch außerhalb der Kommandokette und sind nicht an die militärischen Rangstrukturen gebunden. Dennoch arbeiten sie eng mit Militärpersonal, insbesondere der Militärpolizei der amerikanischen Streitkräfte, zusammen. Special Agents haben das Recht, inner- und außerhalb von militärischen Anlagen zu ermitteln sowie Militärangehörige und Zivilisten zu inhaftieren.

Die andere Hälfte der Mitarbeiter wird unterstützend für die Special Agents eingesetzt. Es ist ein Kader von Analysten und anderen Experten, unter anderem ausgebildet in den Disziplinen Forensik, Überwachung und ihre Abwehr, Computerermittlungen wie auch physischer Sicherheit.

Die Ausnahme bildet eine kleine Anzahl Angehöriger der Militärreserve, die in der Gegenspionage eingesetzt werden. Der NCIS rekrutiert sein Personal, wenn er es nicht selbst ausbildet, auch aus anderen Behörden der Bundesjustiz. So gibt es dort vereinzelt auch ehemalige Militär- oder Ex-Polizisten.

Durch die aktiv vorausschauende Arbeit des NCIS sind Agenten der Behörde oftmals die ersten Personen die an Tatorten eintreffen. So geschehen beim Anschlag auf den Zerstörer USS Cole oder dem Öl-Tanker Maritime Jewel. Beide Schiffe wurden von Schlauchbooten gerammt, welche Sprengstoff an Bord hatten.

Die Einheit für ungeklärte Kriminalfälle des NCIS hat seit 1995 über 50 Morde aufgeklärt. Einer von diesen Morden wurde, zum Zeitpunkt der Wiederaufnahme der Ermittlungen, vor mehr als 33 Jahren verübt.

Der NCIS ist heute in insgesamt 19 Abteilungen unterteilt: Cold Case Homicide Unit, Multiple Threat Alert Center, Central Adjudication Facility, Major Case Response Team, Law Enforcement Information Exchange, DONCAF, Contingency Response, Senior Executive Service, Personal Operations & Services Department, Cyber support office, Forensic Analysis, Protective Operations Division, Recruitment, NCIS Police & Security, Joint Terrorism Task Force, Armory und dem Office of Special Projects.

Soldaten der Streitkräfte der Vereinigten Staaten unterliegen einem besonderen Wehrstrafrecht, dem Uniform Code of Military Justice (UCMJ), woraus sich die Legitimation für eigenständige militärische Ermittlungsbehörden ergibt.

Der NCIS untersteht direkt dem Department of the Navy und ist für die Verfolgung und Aufklärung von Straftaten durch respektive gegen Personen oder Sachen der U.S. Navy und des U.S. Marine Corps zuständig. Außerdem ist die Behörde für Sicherheitsüberprüfung von Militärpersonal, Truppenschutz, grenzüberschreitenden unerlaubten Drogenhandel sowie für Gegenspionage und Terrorismusbekämpfung eingesetzt. Aus diesem Grund ist auch das MTAC beim NCIS untergebracht. Weitere Ermittlungsgegenstände sind Computerspionage, Mord, Vergewaltigung, Betrug, Kindesmissbrauch und vermisste Personen.

Der NCIS ist eine „Behörde zweiten Grades" in der Strafverfolgung (Second Level Agency). Bei Kompetenzstreitigkeiten mit zivilen Strafverfolgungsbehörden, beispielsweise mit der Polizei, dem Secret Service oder der Drug Enforcement Administration, bei denen diese Behörden ebenfalls zur Behandlung dieses Falles befugt wären, entscheidet im Zweifel das Federal Bureau of Investigation als „Behörde ersten Grades" (First Level Agency). Meist entsteht jedoch eine enge Kooperation zwischen diesen Behörden.

Dienstanfänger müssen das Criminal Investigators Training Program (CITP) am Federal Law Enforcement Training Center (FLETC) in Georgia absolvieren.

Das Motto des NCIS lautet Beyond Boundaries „über [alle] Grenzen". Die NCIS mission lautet investigate and defeat criminal, terrorist, and foreign intelligence threats to the United States Navy and Marine Corps, wherever they operate, ashore or afloat („kriminelle, terroristische und von Auslandsgeheimdiensten ausgehende Bedrohungen für die United States Navy und das Marine Corps untersuchen und abwehren, wo immer diese operieren, zu Lande oder zu Wasser"). Die Kurzform (NCIS mantra) lautet Prevent Terrorism, Protect Secrets, and Reduce Crime(„Terrorismus verhindern, Geheimnisse schützen und Verbrechen verringern").

Die seit 2003 produzierte US-amerikanische Fernsehserie Navy CIS beschreibt die Arbeit eines Teams von Ermittlern und Forensikern beim NCIS Washington Field Office. Sie wird auch im deutschsprachigen Fernsehen (3plus, 13th Street, Sat1, Kabel eins und ORF 1) ausgestrahlt. Seit 2009 wird auch ein Spin-Off der Serie produziert: Navy CIS: L.A.. In der ebenfalls US-amerikanischen Fernsehserie JAG – Im Auftrag der Ehre wird der NCIS, neben den beiden Backdoor-Pilot-Folgen für Navy CIS (Folge 20 und 21 der 8. Staffel), mehrfach erwähnt.
Auch im Film Eine Frage der Ehre mit Tom Cruise und Jack Nicholson spielt der NCIS, der damals noch NIS heißt, eine Rolle.

Der NCIS ist ständig an über 140 Orten der Welt sowie auch auf einer schwimmenden Einheit vertreten. Das NCIS-Hauptquartier als Operationszentrum überwacht alle NCIS-Einsätze sowie Außenstellen und deren untergeordnete Einheiten.

Quelle: [37]

Dienststellen:
Carolinas Field Office im Marine Corps Base Camp Lejeune, North Carolina, mit den unterstellten Dienststellen (Subordinate Offices)
Naval Criminal Investigative Service Resident Agency (NCISRA) in Camp Lejeune
NCISRA Cherry Point, North Carolina (Marine Corps Air Station Cherry Point)
NCISRA Charleston, South Carolina
NCISRA Parris Island, South Carolina
Central Field Office in Great Lakes, Illinois, mit den Subordinate Offices
NCISRA Great Lakes, Illinois
NCISRA Pensacola, Florida (Naval Air Station Pensacola)
NCISRA Corpus Christi, Texas
NCISRA Dallas, Texas
NCISRA Arlington, Texas
NCISRA Memphis, Tennessee (Millington Naval Air Station)
NCISRA New Orleans, Louisiana
HRO Memphis Field Office, Hancock County, Mississippi (John C. Stennis Space Center)
NCISRA Gulfport, Mississippi/NCB Center
Naval Criminal Investigative Service Resident Unit (NCISRU) in St. Louis, Missouri
NCISRU Panama City, Florida (Naval Support Activity)
NCISRU Cleveland, Ohio
NCISRU Crane, Indiana

NCISRU Pascagoula, Mississippi
Contingency Response Field Office (CRFO) in Glynco, Georgia
Europe and Africa Field Office in Neapel mit den Subordinate Offices
NCISRA Rota, Spanien
NCISRA Sigonella, Italien
NCISRA Dschibuti
NCISRU Rom, Italien
NCISRU Marseille, Frankreich
NCISRU Valletta, Malta
NCISRU Souda Bay, Kreta, Griechenland
NCISRU London, Großbritannien
NCISRU Aviano, Italien
Force Protection Detachments
Tel Aviv, Israel
Athen, Griechenland
Rabat, Marokko
Accra, Ghana
Dakar, Senegal
Kapstadt, Südafrika
Des Weiteren befinden sich Dependancen in Stuttgart, Ankara, Tallinn und Mollsworth (Cambridgeshire, England, Großbritannien).
Middle East Field Office (FEFO) in Yokosuka Naval Base auf Honshū, Japan, mit den Subordinate Offices
NCISRA Atsugi Naval Air Facility, Japan
NCISRU Chinhae, Südkorea
NCISRA Misumi-Cho Iwakuni, Marine Corps Air Station, Japan
NCISRU Misawa Air Base, Japan
NCISRA Okinawa im Camp Foster, Japan (Ginowan, auf Okinawa Hontō)
NCISRU Pusan/ ROK Navy, Südkorea
NCISRA Sasebo auf Kyūshū, Japan
NCISRA Seoul in der U.S. Army Garrison, Südkorea
NCISRU USS George Washington (CVN-73) Special Agent Afloat
Hawaii Field Office in Naval Station Pearl Harbor auf Oʻahu mit den Subordinate Offices
NCISRA Kaneohe, Hawaii (Marine Corps Base Hawaii)
NCISRA Marianas in Santa Rita, Guam
Marine Corps West Field Office im Marine Corps Base Camp Pendleton, Kalifornien
NCISRA Miramar, Marine Corps Air Station Miramar in San Diego, Kalifornien
NCISRA Yuma, Arizona (Marine Corps Air Station Yuma)
NCISRA Twentynine Palms, Kalifornien (Marine Corps Air Ground Combat Center)
Norfolk Field Office in Norfolk, Virginia (Naval Station Norfolk), mit den Subordinate Offices
NCISRU Oceana, Virginia
NCISRU Portsmouth, Virginia
NCISRU USNH Portsmouth, Virginia
NCISRU Little Creek, Virginia (Naval Amphibious Base Little Creek)
NCISRFU NCIS Fraud Unit (Betrugseinheit)
NCIS STAAT in Little Creek, Virginia

NCIS Northeast Field Office (NEFO) in Naval Station Newport, Rhode Island, mit den Sub.Offices
NCISRA New York City, New York
NCISRA Earle, New Jersey, Naval Weapons Station Earle (Sandy Hook Bay, Raritan Bayshore)
NCISRA New London, Connecticut
NCISRU Mechanicsburg, Pennsylvania
NCISRU Portsmouth, New Hampshire
NCISREP Schenectady, New York
NCIS Representative (NCISREP) Pennsylvania State University
NCISREP Pittsburgh, Pennsylvania
Northwest Field Office (NWFO) in Silverdale, Washington
NCISRA Bremerton, Washington (Naval Base Kitsap)
NCISRA Everett, Washington (Everett Naval Station)
NCISRA Whidbey Island in Oak Harbor, Washington (Naval Air Station Whidbey Island)
Southeast Field Office in Mayport bei Jacksonville, Florida (Naval Station Mayport) mit Sub. Off.
Force Protection Detachment Panama City, Florida
NCISRA Jacksonville, Florida
NCISRA Orlando, Florida
NCISRU Albany , Georgia
NCISRU Guantanamo Bay (Bahía de Guantánamo), Kuba
NCISRU Kings Bay, Georgia
NCISRU Key West, Florida
NCISRU Miami, Florida
NCISRU Tampa, Florida
NCISPS Jacksonville, Florida
Southwest Field Office in San Diego, Kalifornien, mit den Subordinate Offices
NCISRA Los Angeles, Kalifornien
NCISRA Port Hueneme, Kalifornien
NCISRA China Lake, Kalifornien (Naval Air Weapons Station)
NCISRA Lemoore, Kalifornien (Naval Air Station Lemoore)
NCISRU Monterey, Kalifornien
NCISRU Fallon, Nevada (Naval Air Station)
NCISRU Corona, Kalifornien (Naval Surface Warfare Center)
NCIS Washington Field Office in Joint Base Anacostia-Bolling im Anacostia Annex, District of Columbia, mit den Subordinate Offices
Marine Corps Base, Quantico, Virginia
NCISRA Annapolis, Maryland (U.S. Naval Academy)
NCISRA Patuxent River, Maryland (Naval Air Station Patuxent River)
NCISRA Dahlgren, Virginia
NCISRU Bethesda, Maryland
Singapore Field Office, PSA Sembawang Wharves
NCIS Resident Agency Singapore, Singapur
NCIS Resident Agency and Force Protection Detachment Manila, Philippinen
NCIS Resident Agency and Force Protection Detachment Sydney, Australien
NCIS Resident Unit and Force Protection Detachment Perth, Australien
Force Protection Detachment Bangkok, Thailand
Force Protection Detachment Jakarta, Indonesien

Quelle: [37]

Aus Navy NCIS wird NCIS

„NCIS" ist eine seit 2003 produzierte US-amerikanische Krimiserie, die von einem Ermittlerteam des Naval Criminal Investigative Service (NCIS) handelt, einer in Washington, D.C. angesiedelten US-Bundesbehörde. In der Serie geht es um die Aufklärung von Verbrechen, in die Angehörige der United States Navy und des United States Marine Corps verwickelt sind. Der englische Originaltitel lautete während der ersten Staffel „Navy NCIS" und wurde mit Beginn der zweiten Staffel in „NCIS" umbenannt. Die in Deutschland unter dem Titelnamen „Navy CIS" laufende Serie entstand nach einer Idee von Donald P. Bellisario und Don McGill, ist ein Spin-Off von „JAG – Im Auftrag der Ehre" und brachte seinerseits zwei Ableger hervor. Navy CIS: L.A. (2009) spielt in Los Angeles und NCIS: New Orleans (2014) in der Außenstelle in New Orleans.

„NCIS" ist sowohl in den USA als auch in Deutschland (Navy CIS) die derzeit meist gesehene Fernsehserie. Ort der Handlung ist die Stadt Washington, D.C., tatsächlich wird sie jedoch in Valencia, einem Teil der Stadt Santa Clarita (Kalifornien) produziert. Bei Außendrehs werden viele Aufnahmen im südlichen Kalifornien gemacht, sowie eher selten in Washington. Für Szenen mit dem NCIS-Hauptquartier wird das NCIS Washington Field Office im Joint Base Anacostia-Bolling im Anacostia Annex, District of Columbia genutzt. Der Produzent Donald P. Bellisario entschied sich zu Beginn der Serie für die Titelbezeichnung „Navy NCIS", um eine Verwechslung mit der populären Serie „CSI" zu vermeiden. Eine Anspielung auf dieses Thema findet man in der ersten Episode „Air Force One". Nach der Etablierung der Serie schien eine Verwechslungsgefahr weniger wahrscheinlich, sodass ab der zweiten Staffel der Titel in den ursprünglich vorgesehenen Namen „NCIS" geändert werden konnte. Sat 1 wählte dagegen mit Navy CIS eine komplett neue und grammatikalisch falsche Variante als Titel (korrekt heißt es Naval CIS).

Die Episode beginnt in der Regel mit der Darstellung eines Verbrechens oder dessen Entdeckung ohne Auftreten der Hauptdarsteller. Danach folgt der Serienvorspann, welcher von Staffel zu Staffel verändert und mit Szenen der aktuellen Staffel versehen wird. Nun treten die Protagonisten der Serie, meist im NCIS-Büro, in Erscheinung. Es wird ein Gesprächsthema, oftmals auf humorvolle Art und Weise, eingeführt, im Verlauf der Episode weiter ausgeführt und zum Ende aufgelöst oder als Spannungselement für weitere Folgen beibehalten. Unvermittelt betritt Special Agent Gibbs den Raum und setzt das Team über das Verbrechen in Kenntnis. Es folgt die Tatortanalyse, an welcher gewöhnlich alle Agents, sowie der Pathologe Dr. Mallard und sein Assistent Palmer teilnehmen. Erste Vermutungen werden angestellt und Hintergründe zu den Opfern bekannt. Anschließend beginnt die Ermittlungsarbeit: Es erfolgen die Autopsie, die Untersuchung der Beweismittel durch Abby Sciuto im NCIS Hauptquartier und jeder im Team übernimmt eine Ermittlungsaufgabe bzw. bekommt diese von Gibbs übertragen. Verdächtige werden verhört, Theorien aufgestellt und auf Stichhaltigkeit überprüft. Dabei trägt jeder der Protagonisten zur Aufklärung bei und das

Puzzle setzt sich im weiteren Verlauf immer mehr zusammen. Somit kommt es letztendlich, oft durch ein Geständnis, zur Auflösung des Falles.

Stilprägend für die Serie sind Schwarz/Weiß-Bildeinblendungen, welche die Folge umsäumen und am Ende eines jeden Kapitels auftreten, das Bild einfrieren und gegebenenfalls die letzte Einstellung des folgenden Kapitels zeigen. Zum Ende jeder Staffel kommt ein Cliffhanger zum Einsatz.

Ein zu Beginn der Staffel eingeführtes und immer weiter ausgebautes Thema der Staffel im Stile eines „Roten Fadens" wird entweder komplett aufgelöst oder in die nächste Staffel übertragen, dann aufgelöst oder fortgeführt. Ist ein Thema zu Ende erzählt, wird oftmals in derselben Episode die Grundlage für ein neues Thema gelegt.

Quelle: [1]

Hauptdarsteller Navy CIS

Rollenname	Schauspieler	Hauptrolle (Episoden)	Hauptrolle (Staffeln)	Nebenrolle (Episoden)	Nebenrolle (Staffeln)
Special Agent Leroy Jethro **Gibbs**	Mark Harmon	001–	1–		
Special Agent Anthony „**Tony**" DiNozzo	Michael Weatherly	001–306	1–13		
Abigail „**Abby**" Sciuto	Pauley Perrette	001–	1–		
Dr. Donald „**Ducky**" Mallard	David McCallum	001–	1–		
Special Agent Caitlin „**Kate**" Todd	Sasha Alexander	001–46	1–2	047–48	3
Special Agent Timothy „**Tim**" McGee	Sean Murray	024–	2–	007, 11, 18–23	1
Special Agent **Ziva** David	Cote de Pablo	050–236	3–11	047–48	3
Director Jennifer „**Jenny**" Shepard	Lauren Holly	055–113	3–5	047–54	3
Director Leon **Vance**	Rocky Carroll	114–	6–	108–109, 111, 113	5
Jimmy **Palmer**	Brian Diesen	114–210 [1] 211–	6– 10-	021–113	1–5
Special Agent Eleanor „Ellie" **Bishop**	Emily Wickersham	246–	11–	243-245	11
Special Agent Alexandra „Alex" **Quinn**	Jennifer Esposito	307–	14–		
Special Agent Nicholas "Nick" **Torres**	Wilmer Valderrama	307–	14–		
Clayton **Reeves**	Duane Henry	311–	14-	305-306	14

Anmerkung: [1] Hauptrolle, jedoch nicht in jeder Episode

Quelle: [1]

Gast- und Nebendarsteller

Zu den wichtigen Gast- und Nebendarstellern mit Auftritten in mehr als einer Episode zählen (zugehhörige Staffeln sind in Klammern angegeben):

Ab Staffel 1:

- Joe Spano als Tobias Fornell (1–)
- Alan Dale als Thomas Morrow (1–3)
- Rudolf Martin als Ari Haswari (1–3)
- Jessica Steen als Paula Cassidy (1–4)
- Pancho Demmings als Gerald Jackson (1, 3)

Ab Staffel 2:

- Troian Bellisario als Sarah McGee (2, 4)
- Tamara Taylor als Cassie Yates (2–3)

Ab Staffel 3:

- Michael Bellisario als Charles „Chip" Sterling (3)
- Muse Watson als Mike Franks (3–)
- Don Franklin als Ron Sacks (3–4)

Ab Staffel 4:

- Liza Lapira als Michelle Lee (4–6)
- Scottie Thompson als Jeanne Benoit (4–5)
- Susanna Thompson als Hollis Mann (4–5)
- David Dayan Fisher als Trent Kort (4–)
- Armand Assante als René Benoit (4–5)

Ab Staffel 5:

- Susan Kelechi Watson als Nicki Jardine (5)
- Paul Telfer als Damon Werth (5, 7)
- Jonathan LaPaglia als Brent Langer (5–6)

Ab Staffel 6:

- Merik Tadros als Michael Rivkin (6)
- Michael Nouri als Eli David (6–)
- Ralph Waite als Jackson Gibbs (6–)
- Jude Ciccolella als SecNav Phillip Davenport (6, 8)

Ab Staffel 7:

- Robert Wagner als Anthony D. DiNozzo Sr. (7–)
- Rena Sofer als M. Allison Hart (7)
- Dina Meyer als Holly Snow (7)
- Marco Sanchez als Alejandro Rivera (7–8)
- Diane Neal als Abigail Borin (7–)
- T.J. Ramini als Malachi Ben-Gidon (7–)
- Jacqueline Obradors als Paloma Reynosa (7–8)

Ab Staffel 8:

- David Sullivan als Larry Krone (8)
- Annie Wersching als Gail Walsh (8)
- Sarah Jane Morris als Erica Jane „E.J." Barrett (8–)
- Enrique Murciano als Ray Cruz (8–)
- Wendy Makkena als Dr. Rachel Cranston (8–)
- Matthew Willig als Simon Cade (8–9)
- Matt Craven als SecNav Clayton Jarvis (8–)

Ab Staffel 9:

- Matt L.Jones als Ned Dornegat (9–)
- Daniel Louis Rivas als Kyle Davis, Abby Sciutos leiblicher Bruder (9–)
- Jamie Lee Curtis als Dr.Samantha Ryan (9–)
- Scott Wolf als Jonathan Cole ak Casey Stratton (9
- Richard Schiff als Harper Dearing (9–10)

Ab Staffel 10:

- Greg Germann als NCIS Deputy Director Jerome Craig (10–)
- Oded Fehr als Mossad Deputy Director Ilan Bodnar (10)
- Colin Hanks als Richard Parsons (10–11)
- Marina Sirtis als Mossad Director Orli Elbaz (10–)

Ab Staffel 11:

- Roma Maffia als Special Agent Vera Strickland (11)
- Costas Mandylor als Tomas Mendez (11)
- Margo Harshman als Delilah Fielding (11)

Ab Staffel 12:

- Jamie Bamber als NSA Agent Jake Malloy (12–)

Ab Staffel 13:

- Jon Cryer als Dr. Cyril Taft (13)
- Laura San Giacomo als Dr. Grace Confalone (13–)

Quelle: [1]

Name:	Leroy Jethro Gibbs
Deckname/Spitzname:	Oshimaida (Paris UC), Silberfuchs, Jethro, Boss
Alter:	Nicht "bedeutend" älter als 37 Jahre (erste Staffel)
Nationalität:	Amerikaner
Religionszugehörigkeit:	Protestantisch
Augenfarbe:	Blau
Haarfarbe:	Silber-Grau
Besonderheiten:	Braucht eine Lesebrille, benötigt Unmengen an Kaffee. Hört nur 5 Songs und ist technisch nicht begabt
Position:	Supervisory Special Agent und Teamleiter
Bes. Ermittlerfähigkeiten:	spricht Russisch, Japanisch, Chinesisch, etwas Spanisch sowie die amerikanische Gebärdensprache (ASL)
Ausbildung:	Scharfschütze beim USMC
vorherige Arbeitsplätze:	Er war Gunnery Sergeant beim Marine Corps, Einsatz in „Desert Storm". Stationiert im Irak und Kuwait. Ehrenhaft entlassen mit Rang eines GunnerySgt. Erhielt den Silver Star für den Einsatz gegen den Feind in „Desert Storm" und das Purple Heart

Familie:

Seine Mutter ist tot. Vater Jackson Gibbs lebt nach wie vor in Stillwater/Pennsylvania, Gibbs' Geburtsort. 1982 heiratete er †Shannon (1962–1991). Gibbs lernte sie in Stillwater am Bahnhof kennen und mit ihr hatte er 1 Tochter †Kelly (1984 - 1991). Beide starben bei einem Autounfall, nachdem der Agent, der sie beschützen sollte, erschossen worden war.

Beziehungsstatus:

Derzeit Single

Vorherige Beziehungen:

Ex-Frau Nr.1 (Name unbekannt), Ex-Frau Nr.2 Diane, sie schlug ihn mit einem Golfschläger (7er Eisen). Während eines Undercover-Einsatz hatte †Jennifer Shepard eine Affäre mit Gibbs in Paris Ex-Frau Nr.3 Stephanie Bronwyn Flynn, mit der er für ein Jahr in Russland lebte. Sie schlug ihn mit einem Baseballschläger und rief ihn noch Jahre lang am Hochzeitstag an und heult sich aus. Hatte eine Beziehung zu Col. Hollis Mann. Steht grundsätzlich auf Rothaarige.

Hobbys:

Am liebsten verbringt er seine Freizeit im Keller damit, Boote zu bauen. Er ist gerade dabei Boot Nummer 4 "Kelly" fertig zu stellen, ohne elektrische Werkzeuge.

Auto:

Weisser Ford Pick-Up und gelber 1970er Dodge Challenger 426 HEMI

Lieblingsgetränk/Essen:

Kaffee, chinesisches Essen

Wohnort:

Im 500er Block der East Laurel Street, Washington, D.C.

Quelle: [5]

NCIS Supervisory Special Agent Jethro Gibbs ist ein ehemaliger Gunnery Sergeant des United States Marine Corps (USMC), Scharfschütze und hochdekorierter Irak-Veteran. Er ist der Leiter des Major Case Response Teams des NCIS, um welches sich die Serie dreht.

In seiner Freizeit baut er in seinem Keller Boote, er spricht fliessend Russisch und beherrscht die Gebärdensprache sowie Japanisch und Chinesisch. Ausserdem spricht er auch ein wenig Spanisch. Er ist kein Freund moderner Technik und kommt daher nur schwer mit Computern zurecht.Gibbs war bisher viermal verheiratet (davon dreimal geschieden) und hatte aus erster Ehe eine Tochter.

Während Gibbs in Kuwait für das USMC als Scharfschütze diente, wurden seine erste Frau Shannon und die gemeinsame Tochter Kelly bei einem Anschlag eines Drogenhändlers getötet. Dies ist auch ein Grund, warum er unfähig ist, neue Bindungen einzugehen. Er nimmt mit Hilfe des untersuchenden Special Agent Mike Franks am Mörder seiner Familie Rache, indem er diesen umbringt, und tritt dann 1991 dem damaligen Naval Investigative Service (NIS) bei.

Während der ersten Zeit beim NCIS ist Agent Franks sein Vorgesetzter und Mentor; Franks nennt ihn stets „Frischling". Für seine geschiedenen Ex-Frauen hat Jethro kaum ein gutes Wort übrig, wobei er äusserst selten über seine erste Frau spricht.

Nachdem er nur knapp ein Bombenattentat überlebt, quittiert er den Dienst beim NCIS und geht nach Mexiko zu seinem Mentor und alten Chef Mike Franks. Nach seiner Rückkehr tritt er den Dienst wieder an und kehrt somit zu seinem Team zurück.

In der Episode „Schlimme Tage" der fünften Staffel versetzt der neue NCIS Director Leon Vance sein komplettes Team und teilt ihm neue NCIS-Agenten zu. Im Laufe der sechsten Staffel kehrt sein altes Team aber wieder zurück. In der Episode „Vater und Sohn" der sechsten Staffel wird Stillwater als Gibbs' Heimatstadt angegeben. Dort führt sein Vater Jackson Gibbs noch immer einen Lebensmittelladen. Jethro Gibbs besucht ihn einmal; dabei schenkt ihm sein Vater einen schwarz-gelb lackierten Dodge Challenger 426 HEMI R/T Suspension (Bj. 1970).

Seine „Regeln" hat er von seiner verstorbenen Frau Shannon gelernt, die er in seiner Heimatstadt kennenlernte. Diese Regeln wendet Gibbs sowohl im beruflichen als auch im privaten Bereich an

Den Namen erhielt der Filmcharakter nach einem guten Freund des Produzenten Donald P. Bellisario.

Quelle: [1]

Gibbs' Regeln

Regel #1:   Lasse niemals Verdächtige zusammen!

Regel #2:   Trage immer Handschuhe an einem Tatort!

Regel #3:   Glaube nie, was man Dir erzählt, überprüfe es!

Regel #3:   Sei immer erreichbar! (#3 wurde doppelt verwendet)

Regel #4:   Der beste Weg, ein Geheimnis zu bewahren, ist, es für dich zu behalten. Der zweitbeste Weg ist, es nur einer anderen Person zu erzählen, wenn es sein muss. Es gibt keinen drittbesten Weg!

Regel #5:   Versuche nie etwas über das System zu bekommen, was du auch über die Leute kriegen kannst!

Regel #6:   Sag niemals „Es tut mir leid"!

Regel #7:   Benutze immer konkrete Details, wenn Du lügst!

Regel #8:   Nimm niemals etwas als gegeben hin!

Regel #9:   Gehe niemals ohne Dein Messer irgend wo hin!

Regel #10:   Lass dich niemals persönlich in einen Fall verwickeln!

Regel #11:   Gehe nach Hause, wenn die Arbeit erledigt ist!

Regel #12:   Keine Verhältnisse mit Kollegen!

Regel #13:   Beziehe niemals einen Anwalt mit ein!

Regel #14:   Warte nicht auf das, was dir zugetragen wird, sondern kümmere dich selber!

Regel #15:   Arbeitet immer zusammen!

Regel #16:   Bringe keine Ausreden, sondern Ergebnisse!

Regel #17: Suche dir immer das beste Pferd im Stall aus, feile solange an dem Deal bis er platzt. So bekommst du das zweitbeste Pferd für einen Apfel und ein Ei!

Regel #18: Es ist besser, um Vergebung zu bitten als um Erlaubnis zu fragen!

Regel #19: Marines sehen immer gepflegt aus!

Regel #20: Wenn du recherchierst, dann mit Gründlichkeit in alle Richtungen.Indizien zählen nicht!

Regel #21: Indizien zählen nicht!

Regel #22: Störe Gibbs niemals bei einem Verhör!

Regel #23: Vergreife dich niemals am Kaffee eines Marines, wenn du am Leben bleiben willst!

Regel #24: Sei niemals unpünktlich!

Regel #25: Frage deinen Boss niemals was persönliches!

Regel #26: Sei Herr über jede Situation, beherrsche sie!

Regel #27: Es gibt zwei Wege, jemandem zu folgen. Der erste: sie bemerken dich erst gar nicht. Der zweite: sie bemerken nur dich!

Regel #28: Stehe immer aufrecht!

Regel #29: Verliere niemals die Nerven!

Regel #30: Reagiere immer ruhig und besonnen. Bewahre immer die Fassung!

Regel #31: Nicht so viel Gefühl, das macht uns nur schwächer!

Regel #32: Ein gutes Pferd springt nur so hoch, wie es muss!

Regel #33: Befasse dich nie mit „Was wäre wenn"!

Regel #34: Unterstelle nie etwas!

Regel #35: Beobachte die Gaffer!

Regel #36:   Arbeitet als ein Team!

Regel #38:   Dein Fall, Deine Führung!

Regel #39:   Es gibt keine Zufälle!

Regel #40:   Wenn es scheint, als sei jemand hinter dir her, ist jemand hinter dir her!

Regel #42:   Akzeptiere nie eine Entschuldigung von jemandem, der dir gerade einen unerwarteten Schlag versetzt hat!

Regel #44:   Das Wichtigste zuerst: Versteck die Frauen und Kinder!

Regel #45:   Beseitige das Chaos, das du verursacht hast!

Regel #51:   Manchmal hast du unrecht oder du liegst falsch!

Regel #69:   Traue niemals einer Frau, die ihrem Mann nicht traut

Quelle: 3,4,5

Name: Anthony D. DiNozzo

Deckname/Spitzname: Prof. Tony DiNardo / Tony

Nationalität: Amerikaner mit italienischen Wurzeln

Religion: Katholisch erzogen

Augenfarbe: Grün

Blutgruppe: A+

Haarfarbe: Braun-Dunkelblond

Position: NCIS Special Agent
Senior Field Agent

Bes. Ermittlerfähigkeiten: Tatort - Skizzen, Ballistiker &
Flugbahnexperte. Er spricht fliessend Spanisch.

Ausbildung: Rhode Island Military Academie, Bachelor in
Sportwissenschaften am Ohio State College
(Basketballstipendium)

Vorherige Arbeitsplätze: Illinois, Police Department in Peoria, 2 Jahre
Philadelphia, Pennsylvania Police Department,
18 Monate Baltimore, MD Police Department, 22 Monate

Familie:	Seine †Mutter steckte ihn in Matrosenanzüge - auch noch als er schon 10 Jahre alt war, und das obwohl sie starb, als er acht war... Vater war von Beruf Bankier auf Long Island, hat Tony im Alter von 12 Jahren enterbt, als er sich entschied, Schauspieler zu werden. Er hat ein angespanntes Verhältnis zu seinem Sohn. Für seine Stiefmutter hat der Special Agent nicht viel übrig, er bezeichnete sie mal als "schwarze Witwe". Von seinem †Grossvater erbte er 1000 Aktien einer Internetfirma, Cousin Petey erbte vom Grossvater die Knopfsammlung. Ausserdem ersteigerte Tony bei Ebay schon Knöpfe für die Sammlung seines Cousin
Beziehungsstatus:	Derzeit Single
Vorherige Beziehungen:	Debby, Lisa, Michelle. Eine 26-jährige Frau aus der Reinigung, war nach eigenen Angaben von Tony die älteste Frau mit der er ein Verhältnis hatte. †Paula Cassidy, Jeanne Benoit
Hobbys:	Tony widmet sich in seiner freien Zeit bevorzugt dem Filme schauen, weshalb er seine Kollegen auch andauernd mit Filmvergleichen und Zitaten nervt
Auto:	90iger ZR1 Corvette. Nachdem die geklaut und zu Schrott gefahren wurde legte er sich einen 66er Ford Mustang zu
Lieblingsessen:	Fastfood und Pizza
Eigenarten/Besonderheiten:	In der Grundschule besass er eine Tom-Selleck-Lunchbox, dem grossen Vorbild von Tony
Abneigungen:	Ratten, Vampire und Putzen, weshalb er auch eine Putzfrau für seine Wohnungen arrangiert hat

Quelle: [5]

NCIS Senior Special Agent DiNozzo ist Gibbs' Stellvertreter und ein Schürzenjäger, der sich nur selten einen Annäherungsversuch bei einem weiblichen Kollegen oder einer Verdächtigen verkneifen kann. Er hat italienische Wurzeln, was unter anderem in der Folge „Ein guter Patriot" der siebten Staffel erwähnt wird. DiNozzo studierte mit einem Stipendium an der Ohio State University und spielte in der dortigen Basketballmannschaft. Er ist ein ehemaliger Polizist aus Baltimore, wo er in der Mordkommission arbeitete. DiNozzo ist Experte in Ballistik und Tatortskizzierung und spricht fliessend Spanisch.

Im Laufe der vierten Staffel wird seine Freundin Jeanne Benoit vorgestellt, die, wie es sich im Staffelfinale herausstellt, die Tochter des gesuchten Waffenhändlers La Grenouille ist; seine Beziehung zu ihr entstand daher nicht zufällig: Er wurde von Director Shepard auf sie angesetzt, um so an La Grenouille heranzukommen.

Zu Beginn der fünften Staffel entscheidet er sich gegen Jeanne und für das NCIS-Team. Nachdem Ziva David dem Team beitritt, hat er zuerst nur oberflächliche Gefühle für sie. Im Lauf der Zeit entwickelt er nicht nur freundschaftliche, sondern auch romantische Gefühle, allerdings traut er sich nicht, sich ihr gegenüber zu öffnen.

DiNozzo wird in der letzten Episode der fünften Staffel als Agent Afloat auf die USS Ronald Reagan (CVN-76) versetzt.Am Ende der zweiten Folge von Staffel sechs kehrt er jedoch wieder zum Washington Field Office zurück.

Zu seinem Vater Anthony DiNozzo senior hat er ein angespanntes Verhältnis. DiNozzo hat stets Probleme mit seinen Beziehungen zu Frauen. Bisher hatte er mit jeder ernsthafteren Beziehung Probleme. Im Laufe der vierten Staffel wird seine Freundin Jeanne Benoit (Scottie Thompson) vorgestellt, die, wie es sich im Staffelfinale herausstellt, die Tochter des gesuchten Waffenhändlers La Grenouille ist; seine Beziehung zu ihr entstand daher nicht zufällig: Er wurde von Director Shepard auf sie angesetzt, um so an La Grenouille heranzukommen.

Nachdem Ziva David dem Team beitritt, hat er zuerst nur „oberflächliche Gefühle" für sie. Im Lauf der Zeit entwickelt er nicht nur freundschaftliche, sondern auch romantische Gefühle, allerdings traut er sich nicht, sich ihr gegenüber zu öffnen.

Zu seinen Lieblingsbeschäftigungen gehört es McGee zu triezen. Falls jedoch ein anderer Neuling in Reichweite kommt, kann sich dieser sicher sein zur Zielscheibe DiNozzos zu werden. Gleichzeitig steht DiNozzo im Falle einer Konfrontation immer hinter dem Team und kann dabei (kurzzeitig) sogar ernst bleiben.

Tony erfährt im Finale von Staffel 13, dass Ziva David tot sei und sie eine gemeinsame Tochter namens Tali hätten. Daraufhin quittiert er seinen Dienst als NCIS-Agent, um sich um seine Tochter kümmern zu können.

Quelle:

Name: Caitlin Todd (†)

Deckname/Spitzname: Rosefern (beim Secret Service), Lulu / Kate, Katie

Nationalität: Amerikanerin

Religion: Katholisch

Augenfarbe: Braun

Haarfarbe: Braun-Dunkelblond

Besonderheiten: Besitzt ein Tattoo

Position: Special Agent

Bes. Ermittlerfähigkeiten: Profilerin

Vorherige Arbeitsplätze: Secret Service

Familie: Eine Schwester, die in Miami wohnt. Drei ältere Brüder

Beziehungsstatus: Zum Zeitpunkt des Todes Single

Vorherige Beziehungen: Hatte eine Affäre mit Major Tim Carrie

Hobbys: Zeichnen

Quelle: 5

NCIS Special Agent Todd kommt zu Beginn der Serie neu ins Team und gerät ständig mit DiNozzo und seiner Einstellung zur Frauenwelt aneinander. Vor ihrer Zeit beim NCIS war sie beim Secret Service für den Schutz des Präsidenten verantwortlich.

Sie ist ein ausgebildeter Profiler und kann darüber hinaus sehr gut zeichnen, weshalb sie von Gibbs oft gebeten wird, Phantombilder bzw. Charakterprofile zu erstellen.

Am Ende der zweiten Staffel wird sie von dem Terroristen Ari Haswari durch einen Kopfschuss mit einem Scharfschützengewehr Typ Bravo-51, das bei den Marines den Spitznamen „Kate" hat, getötet. Sie hat eine ältere Schwester Namens Rachel.

Quelle: 1

Name: Ziva David

Deckname: Archangel

Nationalität: Israelin

Religion: Jüdin

Augenfarbe: Braun

Haarfarbe: Dunkelbraun

Blutgruppe: AB-

Besonderheiten: Besitzt ein Tattoo, Stelle unbekannt
Schuhgrösse 7,5 (38)

Position: Zunächst Mossad Liaison Officer,
danach Special Agent

Bes. Ermittlerfähigkeiten: Spricht 9 Sprachen (Hebräisch,
Arabisch, Französisch, Englisch,
Spanisch, Russisch, Türkisch, Deutsch, Italienisch),
eignet sich sehr gut als Scharfschütze und als
Lügendetektor

Ausbildung: 2 Jahre "Grundausbildung" bei der israelischen Armee
"Tzahal", 3 Jahre Ausbildung zum 'Katsa' beim Mossad

Vorherige Arbeitsplätze: Mitglied beim Mossad, war stationiert in Kairo, im Irak,
Marokko und England

Familie: Vater, E. David ehem. Direktor beim Mossad, tot. Halbbruder
Ari ist tot (von Ziva erschossen, um Gibbs zu retten).
Schwester Tali ist tot

Beziehungsstatus: Zur Zeit Single

Vorherige Beziehungen: Gefühle für Roy Sanders, One-Night-Stand

Hobbys:	Kocht gerne
Auto:	Erst roter Mini-Cooper, dann einen Sportwagen (Cabrio)
Eigenarten/Besonderheiten:	Hat stets 3 Waffen dabei (2 Pistolen und 1 Messer). Hat ein fotografisches Gedächtnis. Kann sehr gut Dinge und Menschen sabotieren. Schnarcht laut

Quelle: [5]

NCIS Special Agent (bis zur siebenten Staffel Verbindungsoffizier (Liaison Officer) des israelischen Geheimdienstes Mossad zum NCIS) David ist die Tochter des Direktors des Mossad und Halbschwester des Terroristen Ari Haswari (Rudolf Martin), zudem hat sie eine Schwester namens Thali, die mit 16 Jahren bei einem Hamas-Selbstmordattentat getötet wurde.

Ziva wurde am 12. November 1982 in Be'er Scheva, Israel geboren. Sie stösst am Anfang der dritten Staffel zunächst als Gast zum Team, um bei der Suche nach Kates Mörder zu helfen. In der Episode Das Duell – Teil 2 der dritten Staffel erschiesst sie ihren Bruder, um Gibbs' Vertrauen zu erlangen, wie in der siebenten Staffel bekannt wurde.

Mit der neuen Direktorin des NCIS, Jennifer Shepard, ist sie eng befreundet; beide haben zuvor im Nahen Osten gemeinsam mehrere Operationen durchgeführt. Ziva wird einige Episoden später regulär vom Mossad zum NCIS versetzt. Ihre nicht gerade feinfühlige Art der Ermittlung sorgt bei Verdächtigen für Angstzustände.

Ziva spricht fliessend Hebräisch, Englisch, Arabisch, Türkisch, Französisch und Spanisch, obwohl sie manchmal einige englische Wörter (vor allem Umgangssprache) verwechselt oder nicht richtig versteht; oft äussert sich dies in Form von falsch angewandten oder mit falschen Wörtern verknüpften Redewendungen. Zudem spricht sie auch etwas Deutsch.
Anfänglich ist sie von DiNozzos Verhalten nicht sehr angetan, was sich aber schnell ändert, da er ihr mit der Zeit immer sympathischer wird, was sie aber gegenüber ihren Kollegen nicht äussert.

Auffällig wird dies nur durch ihre übertriebene Besorgnis, wenn Tony sich in brenzligen Situationen befindet. Ausserdem zeigt sie eine leichte Eifersucht auf weibliche „Konkurrenz".

Am Ende der fünften Staffel beendet der neue NCIS-Director Leon Vance die Zusammenarbeit mit dem Mossad und schickt David zurück nach Israel.

Zu Beginn der sechsten Staffel wird sie in Marokko, wo sie Undercover-Tänzerin in einem Nachtclub ist, durch eine Bombe verletzt und kehrt infolgedessen am Ende der ersten Episode zum Team zurück.

Am Ende der sechsten Staffel verlässt sie das NCIS-Team und bleibt in Israel zurück, weil sie DiNozzo nicht glaubt, dass er nur aus Notwehr ihren Geliebten und Mossad-Agenten Michael Rivkin in ihrer Wohnung in Washington erschossen hat.

Sie wird in Nordafrika von Terroristen gefangen genommen und gefoltert, um Informationen über den NCIS preiszugeben.

Ziva wird am Anfang der siebten Staffel durch eine Befreiungsaktion von Gibbs, DiNozzo und McGee aus ihrer Folterhaft befreit und kehrt zum Ende der ersten Episode zum NCIS-Hauptquartier zurück, wo sie und das gesamte Team mit Applaus empfangen werden.

Am Ende der vierten Episode der siebten Staffel wird sie offiziell volles Mitglied des NCIS und trägt damit ab nun die Bezeichnung „Agent".

Sie wird seitdem auch gerne als Bambina oder im englischen Original als Probie bezeichnet. Vorher musste sie Direktor Vance erklären, wie es zu ihrer Entführung kam, bei der die Besatzung eines Schiffes, auf dem sie sich befand, ermordet wurde. Bis dahin wurde ihr Antrag auf Einstellung abgelehnt.

In der ersten Folge der neunten Staffel endet ihre Probezeit und Gibbs händigt ihr ihren endgültigen Dienstausweis sowie ihre Marke aus, womit sie nun offiziell die Bezeichnung Special Agent tragen darf.

In der 10. Staffel verliert Ziva ihren Vater (letztes lebendes Familienmitglied von ihr) bei einem gezielten Mordanschlag auf ihn in Leon Vances Haus, der den Eindruck eines Terroranschlags erwecken soll, jedoch vom Mossad-Vizechef erdacht wurde. Diesen tötet sie schließlich.

Allerdings hat sie zu Beginn der 11. Staffel eine Sinnkrise, die schließlich darin gipfelt, dass sie den NCIS verlässt und Tony, in den sie sich verliebt hatte, zurücklässt. Sie beginnt ein neues Leben, um keine Personen mehr in Ausübung ihrer Agententätigkeit verletzen zu müssen.

Im Staffelfinale der dreizehnten Staffel stirbt Ziva David, als das Familienhaus ihres Vaters von Trent Kort (CIA-Agent) niedergebrannt wird. Es stellt sich heraus, dass Zivas und Tonys Tochter Tali den Brand überlebte. Sie lebt seit dem bei Tony DiNozzo.

Quelle: [1]

Name: Timothy McGee

Spitzname: Tim, McGee, McGeek, Probie, Bambino, Elfenkönig

Nationalität: Amerikaner

Augenfarbe: Grün

Haarfarbe: Blond

Besonderheiten: Linkshänder, spricht etwas Spanisch

Position: Special Agent

Bes. Ermittlerfähigkeiten: IT-Freak mit aussergewöhnlichen Hackerfähigkeiten

Ausbildung: Master in Computerkriminalistik am MIT (Boston) und den Bachelor in Biotechnik an der Johns Hopkins University (Baltimore). Danach auf der Polizeischule

Vorherige Arbeitsplätze: NCIS in Norfolk, hat vorher mal in einer Bank gearbeitet, hat in einer Fabrik ausgeholfen (verbrannte Chips vom Laufband gesammelt) und hat mal Dixi- Klos gereinigt

Familie: Schwester Sarah, studiert in DC an der Waverly University englisch Literatur

Beziehungsstatus: Freundin: Delilah

Auto: Schwarzer Porsche

Eigenarten/Besonderheiten: Schreibt seine Bücher auf einer alten Schreibmaschine, hört bei Schreibblockaden immer Jazz und benutzt eine Pfeife zur Inspiration. Besitzt eine Tasse auf der ein Bild seiner Oma drauf ist. Sein Buch „Deep Six" ist ein Bestseller (als Schriftsteller unter dem Namen Tom E. Gemcity).
Tim reagiert allergisch auf Giftefeu und auf Katzenhaare.
Er besitzt einen Schäferhund.

Tim besitzt keine Couch und hat einen Duschvorhang mit Affen drauf. Während des Studiums, lernte er gerne in einem Whirlpool.

Quelle: 5

NCIS Special Agent McGee ist ein ursprünglich im NCIS-Büro in Norfolk stationierter Technikspezialist. Er besitzt einen Bachelor-Abschluss in Biotechnik (Johns Hopkins University) und einen Master-Abschluss in Computerkriminalistik vom Massachusetts Institute of Technology. Er spricht ein wenig Spanisch.

Zunächst hilft er dem Major Case Response Team des NCIS nur aus, bis Gibbs ihn zu Beginn der zweiten Staffel in sein Team versetzen lässt. McGee ist zunächst Probationary Agent und wird daher von den anderen „Probie" (in der deutschen Fassung „Bambino") genannt.

In dieser Zeit entwickelt er zu Abigail Sciuto eine enge Beziehung. Im weiteren Verlauf der Serie wird er zum Special Agent befördert, aber aufgrund seiner Unerfahrenheit und gelegentlichen Tollpatschigkeit von Tony häufig geneckt und weiterhin „Probie" (bzw. „Bambino") genannt.

In der Episode „Schlimme Tage" der fünften Staffel wird McGee vom neuen NCIS Director, Leon Vance, in die Abteilung für Internetkriminalität und am Ende der Episode „Aus den Augen…" der sechsten Staffel wieder in Gibbs' Team versetzt.

McGee hat unter dem Namen „Thom E. Gemcity" (einem Anagramm von „Timothy McGee") das Buch Deep Six geschrieben, das ein Bestseller wurde. Alle Figuren seines Buches waren an seine Kollegen aus dem Team angelehnt, was insbesondere Tony zum Anlass nimmt, McGee zu piesacken.

Sein Vater und Großvater waren Admiräle in der Navy, was sich in der 9. Staffel zeigt, allerdings wird er sehr leicht seekrank. Zu seinem Vater hat er ein schwieriges Verhältnis, da dieser den Beruf seines Sohnes mit Verachtung betrachtet und McGee allgemein als erfolglosen Nerd sieht.

Er hat eine Freundin namens Delilah. Während des Backdoor-Pilot für NCIS LA entwickelt er eine Art Freundschaft mit Eric Beale. Ebenfalls ist er sehr begeistert von der Technik in der Zentrale des Teams vom NCIS aus LA.

Quelle: 1

Name: Abigail Sciuto

Deckname/Spitzname: HeLrAiSer32, Miss-Cold-Ember,
B2Killerzs, Cyberskank1982,
Deathstalker49, Vamperstein8782 ,
Abby, Abs

Nationalität: Amerikanerin

Augenfarbe: Grün

Haarfarbe: Schwarz

Besonderheiten: Körpergrösse: 1,78cm
Schuhgrösse: 41
Besitzt mindestens 10 Tattoos:
01. das Kreuz auf dem Rücken
02. das Spinnennetz am Hals
03. die zwei Engelchen/Teufelchen Figuren auf den
Schulterblättern
04. das Unendlich-Zeichen auf dem rechten Unterarm
05. ein P am rechten Handgelenk
06. ein unbekanntes am Knöchel
07. ein Smiley auf dem Mittelfinger der rechten Hand
08. ein Herzchen auf dem linken Ringfinger
09. R.I.P. am linken Unterarm
10. drei Dreiecke, das mittlere auf dem Kopf stehend
zwischen den anderen beiden am linken Handgelenk

Position: NCIS Forensik-Spezialistin

Bes. Ermittlerfähigkeiten: Herstellung von Parfüm, spricht Spanisch und die
amerikanische Gebärdensprache

Ausbildung: Dreifacher Abschluss mit Auszeichnung in Soziologie, Kriminologie und Psychologie an der Louisiana State University, Magister der Georgia State University in Kriminologie und Forensischer Wissenschaft

Vorherige Arbeitsplätze: Bestattungsunternehmen in New Orleans, Louisiana , während ihrer 4 jährigen High School-Zeit

Familie: Ihre Adoptiveltern sind taubstumm und hat einen leiblichen Bruder. Gibbs lernte sie in seinem Heimatdorf Stillwater am Bahnhof kennen. Ihre Oma war eine Schwimmerin und hat Olympisches Silber über 200 Meter Schmetterling gewonnen

Beziehungsstatus: Zur Zeit Single

Vorherige Beziehungen: Ashton, Mitarbeiter bei der NASA, Ex-Freund, mit einem komischen Gang
65 jähriger Biologieprofessor Billy Bob
Michael, der Stalker
Marty Pearson, der kleinwüchsige Techniker
Kurzzeitige Affäre mit Tim McGee

Hobbys: Bowlen mit Nonnen

Auto: Einen Leichenwagen, einen roten Oldtimer

Lieblingsgetränk: Caf-Pow

Eigenarten/Besonderheiten: Hört bei der Arbeit gerne laute Musik. Schläft gerne im Leichenhemd, schläft gerne in einem Sarg.
Kam zur Forensik, indem sie als Kind und Teenager öfter auf Schrottplätzen unterwegs war.
Sie mag kein Nougat.
Sie schaut immer Dokus, wenn sie nicht einschlafen kann.

Quelle: [5]

NCIS Forensic Specialist Sciuto ist die Computer- und Forensikwissenschaftlerin des NCIS. Sie ist exzentrisch, unkonventionell und eckt mit ihrem Gothic-Image oft an.

Sciuto ist eine Expertin für Computertechnik, Bildbearbeitung, Forensik und Ballistik. Sciuto beherrscht Spanisch und auch die Gebärdensprache, da ihre Eltern gehörlos sind.

In der Gebärdensprache unterhält sie sich manchmal mit Gibbs. In der ersten Staffel hat Sciuto eine kurzzeitige Affäre mit McGee. In der 7. Staffel untersucht sie den Mord an Pedro Hernandes, dem Mörder von Gibbs Familie und Vater von Paloma Reynosa.

Ihre Spitznamen sind „Abby" und „Abs". Sie ist fast immer mit Caf-Pow, einem fiktiven koffeinhaltigen Softdrink, zu sehen.

In der 9. Staffel findet sie heraus, dass sie adoptiert wurde und einen leiblichen Bruder hat. Sie besucht den Laden, in dem er arbeitet, gibt sich allerdings nicht zu erkennen. Am Anfang der 10 Staffel wird sie von Alpträumen geplagt. Gibbs rät ihr Kontakt mit ihrem leiblichen Bruder, Kyle Davis, aufzunehmen, was sie auch tut.

Quelle: [1]

Name: Eleanor „Ellie" Bishop

Special Agent Eleanor „Ellie" Bishop kam von der NSA zum Team. Eigentlich wurde sie nur für einen Fall in der 11. Staffel als Spezialistin hinzugezogen, aber bei diesem war sie so hilfreich, dass Gibbs ihr eine dauerhafte Position im Team anbot, die sie dann auch annahm. Sie ist sozusagen die Nachfolgerin von Ziva David. Ihre Stärke liegt allerdings mehr bei der Analyse, wobei sie manchmal merkwürdig anmutende Methoden einsetzt. In der 12. Staffel erfährt man, dass ihr Ehemann Jake Malloy Anwalt bei der NSA ist.
Nachdem Malloy ihr in der dreizehnten Staffel beichtet, dass er sie betrogen hat, zieht sie für kurze Zeit zu ihrer Familie nach Oklahoma, wo sie schon nach kurzer Zeit Besuch von Gibbs bekommt.

Quelle: [1]

Name: Alexandra „Alex" Quinn

Special Agent Alex Quinn hat lange und erfolgreich als NCIS-Agentin an vorderster Front gearbeitet und ihr Know-how danach als Dozentin am "Law Enforcement Training Center" an den Ermittler-Nachwuchs weitergegeben. Gibbs kennt und schätzt seine attraktive Kollegin schon lange - und lockt sie in den aktiven Dienst zurück.

Quelle: 1

Name: Nicholas "Nick" Torres

Nicholas "Nick" Torres gerät gleich zu Beginn der 14. Staffel als möglicher Attentäter ins Visier des NCIS-Teams: In "Neu im Team" stellen Gibbs und seine Truppe fest, dass der angeblich verschollene NCIS-Agent Torres noch am Leben ist. Offenbar hat er seine Undercover-Mission überstanden, bleibt die Frage, ob man ihm wirklich trauen kann. Gibbs gibt ihm eine Chance und bekommt ein kämpferisches, aber auch unberechenbares neues Teammitglied.

Quelle: 1

Name: Clayton Reeves

Mit Tony DiNozzos (Michael Weatherly) Abschied im Finale der 13. Staffel holt sich der NCIS Unterstützung für das Team: Clayton Reeves zieht schon in der Folge "Tödlicher Wettlauf" alle Aufmerksamkeit auf sich - und zeigt seine Klasse.
Mit seiner lockeren Art fällt es Clayton nicht schwer, sein Umfeld um den Finger zu wickeln. Unterschätzen sollte man ihn nicht: Denn der Agent hat für seine erfolgreiche Karriere beim britischen Dienst MI6 hart und konsequent gearbeitet.

Quelle: 1

Name: Dr.Donald Mallard

Spitzname: Ducky, Duck, Duckman

Nationalität: Amerikaner (gebürtiger Schotte)

Haarfarbe: Dunkelblond/Braun, grau meliert

Besonderheiten: Besitzt ein Tattoo, Stelle unbekannt
                        Schuhgrösse 7,5 (38)

Position: Chief Medical Examiner

Ausbildung: Eton Collage & The University of
                        Edinburgh (Medical School),
                        Master in forensischer Psychologie.

Familie: Einen Bruder oder eine Schwester?
                        Einen Neffen
                        Mutter: Victoria Mallard. Sie lebte und
                        starb zuletzt in einem Altersheim.
                        Tante Gertrude und Großonkel William

Beziehungsstatus: Zur Zeit wieder Single

Vorherige Beziehungen: In jungen Jahren eine Liebschaft namens Sarah
                        (dass sie im Giftefeu eingeschlafen sind, hat sie ihm wohl
                        nie verziehen). Eine Ärztin. War mehr oder weniger fest mit
                        seiner jüngeren Kollegin Dr. Jordan Hampton liiert. Er war mit
                        einer Immobilienmaklerin namens Sophia liiert. Diese mochte
                        keine Fliegen und war für den zwischenzeitlichen
                        Krawattenlook bei Ducky verantwortlich.

Hobbys: Früher spielte er mit Leidenschaft Polo und war an der Uni ein guter Mittelstreckenläufer. Spielt Golf, besitzt bzw. besass zumindest ein exklusives Set Golfschläger, das McGee ausleiht und versehentlich zerstört.

Auto: Vintage Morgan

Eigenarten/Besonderheiten: Erzählt gerne lange Geschichten aus seiner Vergangenheit, bringt sie aber nie zu Ende. Kennt sich auf fast jedem Themengebiet aus: Ducky wurde von seiner Mutter auf dem Weg von Orkney nach John O'Groat auf einer Fähre vergessen, als er noch ein Baby war. Er wohnte mit seiner Mutter und einem Haufen Corgies in Reston, Virginia. Mittlerweile ist Victoria im Altersheim verstorben. Er hasst Mulusten(Schnecken), er musste sie ständig auf Familienfeiern essen.

Quelle: [5]

NCIS Chief Medical Examiner Mallard ist der bereits etwas ältere Gerichtsmediziner des NCIS Washington Field Office.

Er redet mit den zu untersuchenden Leichen und hat immer eine passende Geschichte über einen skurrilen Todesfall aus seiner langen Karriere parat.

Der Schotte Mallard besuchte das Eton College in England, studierte Medizin an der Edinburgh Medical School und diente im Vietnamkrieg.

Dr. Mallard spricht fliessend Französisch, Deutsch und Swahili. Des Weiteren erlangt er zu Beginn der vierten Staffel einen Abschluss in Rechtspsychologie.

Mallard ist unverheiratet und hat keine Kinder. Er wohnte bei seiner an Alzheimer erkrankten Mutter Victoria Mallard, die in der siebten Staffel starb.

Ende der neunten Staffel erleidet er einen Herzinfarkt, von dem er sich allerdings rasch erholt. Sein Assistent Jimmy Palmer übernimmt in dieser Zeit die Leitung der Rechtsmedizin.

Ab Episode 3 der zehnten Staffel darf er wieder offiziell als Gerichtsmediziner arbeiten.

Quelle: [1]

Name: Jimmy Palmer

Spitzname: Schwarze Lunge

Nationalität: Amerikaner

Haarfarbe: Braun

Besonderheiten: Trägt eine Brille

Position: Medical Examiner Assistant

Beziehungsstatus: Verheiratet mit Breena, eine Tochter (Victoria)

Vorherige Beziehungen: Hatte eine Affäre mit der Agentin Michelle Lee

Eigenarten/Besonderheiten: Leidet an Diabetes

Quelle: 5

Palmer ist der Assistent von Dr. Mallard. Er stösst zum Team hinzu, als der bisherige Assistent von Ducky,Gerald Jackson, vom Terroristen Ari Haswari verwundet wird und in eine Reha-Klinik muss. Im Verlauf der vierten Staffel hat Palmer eine Affäre mit der NCIS-Agentin Michelle Lee, die er allerdings beendet, da er das Gefühl hat, nur von ihr benutzt zu werden. In der 5. Staffel wird er das erste Mal in einen Fall wirklich mit einbezogen, da auf ihn geschossen wird. Er hat in dieser Folge mehrfach Probleme mit sich selbst, weil er sich Vorwürfe macht den Täter nicht gefasst zu haben. Diese lösen sich jedoch auf als er die Ergreifung des Täters möglich macht. In der 9. Staffel ist er mit seiner Freundin Breena Slater verlobt. Am Anfang der 10. Staffel heiratet er Breena und verschiebt die Hochzeitsfeier nach Washington, um nach der Lösung des Falls um Harper Dearing mit seinem Team gemeinsam die Hochzeit zu verbringen. In der letzten Folge der 10. Staffel stellt sich heraus, dass er und Breena ein Kind adoptieren wollen. Die Adoption missglückt jedoch, da die eigentliche Mutter das Kind nach der Geburt behalten möchte. Im Laufe der 11. Staffel erfährt Palmer, dass seine Frau schwanger ist und er Vater werden wird. In Staffel 12 wird seine Tochter Victoria geboren.

Quelle: 1

Name: Jennifer Shepard(†)

Spitzname: Jenny, Jen

Nationalität: Amerikaner

Haarfarbe: Rot

Augenfarbe: Grün mit braunen Sprenkeln

Position: (Ex)-Direktorin des NCIS

Ausbildung: Wurde von Special Agent Gibbs ausgebildet

Beziehungsstatus: Single

Vorherige Beziehungen: Während eines Undercover Einsatzes hatte sie eine heisse Affäre mit Special Agent Gibbs in Paris

Familie: Vater Col.Jasper Shepard

Lieblingsgetränk/Essen: Kaffee, Pfeffersteak mit Salat

Quelle: [5]

Die ehemalige Direktorin des NCIS Shepard ist, bis sie der Ruf als neue Direktorin der Behörde erreicht, selbst im Aussen-dienst tätig. Dabei hat sie in früheren Missionen auch schon mit Gibbs zusammengearbeitet, wobei beide eine Affäre miteinander hatten.

Aufgrund ihrer gemeinsamen Vorgeschichte hat sie es oftmals nicht leicht, Gibbs Anweisungen zu erteilen. In der Episode „Der Oshimaida-Code" der fünften Staffel wird sie während eines Schusswechsels getötet.

Quelle: [1]

Name: Leon Vance

Nationalität:	Amerikaner
Haarfarbe:	Schwarz
Augenfarbe:	Braun
Position:	Direktor des NCIS
Vorherige Arbeitsplätze:	San Diego, Kalifornien
Beziehungsstatus:	Witwer
Familie:	War verheiratet mit der verstorbenen Jackie Vance, eine Tochter namens Kayla und einen Sohn
Hobbys:	Er ist ehemaliger Boxer und ein Fan von Ali
Eigenarten/Besonderheiten:	Kaut immer auf einem Zahnstocher Trennt Arbeit und Privates strikt

Quelle: 5

NCIS Director Leon James Vance wuchs in New York auf, studierte an der Harvard Law School, verliess diese aber nach einem Jahr und wechselte an eine Offiziersanwärter-Schule. Diese schloss er im Juni 1993 in Annapolis ab und ging zum NCIS, wo er bei einem Auftrag in Amsterdam Eli David kennenlernte.

Nach Jennifer Shepards Tod wird er vom stellvertretenden Direktor zum Direktor des NCIS befördert. Er veranlasst in der Episode „Schlimme Tage" der fünften Staffel die Auflösung des Teams und teilte Gibbs vorübergehend drei neue Agenten zu.

Vance schützt Gibbs auch des Öfteren, z.B. in der Episode „Damokles", vor Eli David. In der Episode „Fremde Feinde" wird er bei einem Attentat verletzt.

In der 10. Staffel stirbt seine Frau Jackie bei einem als Terroranschlag getarnten Mordanschlag gegen Eli David auf sein Haus, womit Vance zum alleinerziehenden Vater der beiden gemeinsamen Kinder wird. Dies verkraftet er schwer. Später versucht er, Ziva mit allen Mitteln zu helfen, damit sie den Mörder seiner Frau und Elis aufspüren kann. *Quelle: 1*

Nebenfiguren Navy CIS

Tobias C. Fornell

FBI Senior Special Agent Fornell tritt immer dann auf, wenn der NCIS mit dem FBI zu tun hat. Er ist bei Gibbs' Team nicht sonderlich beliebt und heiratete, trotz Warnung, Gibbs' zweite Ex-Frau, von der er schlussendlich ebenfalls geschieden wurde. In der Episode Der Maulwurf der zweiten Staffel wird Fornell verdächtigt, mit dem Mafiaboss Napolitano zusammenzuarbeiten. Fornell wird allerdings durch Gibbs' Ermittlungen entlastet. Gibbs und Fornell verbindet eine langjährige Freundschaft, was allerdings keiner von beiden offiziell zugeben würde. Ihre Besprechungen finden üblicherweise im (angehaltenen) Fahrstuhl im NCIS statt. In Staffel 11 im Backdoor-Pilot für NCIS: New Orleans ist er eine Art Vorgesetzter für Tony und McGee.

Mike Franks

Franks ist Gibbs' ehemaliger Ausbilder beim damaligen NIS und er war der Grund, warum Gibbs 1991 beim NIS anfing. Franks leitete damals die Ermittlungen im Fall der Ermordung von Gibbs' erster Frau Shannon und seiner Tochter Kelly. Er ermöglichte Gibbs Shannons und Kellys Mörder, Pedro Hernandez, per Kopfschuss zu töten, weil die mexikanischen Behörden ihn nicht ausliefern wollten. Franks ging vorzeitig in den Ruhestand, nachdem er einen Anschlag nicht verhindern konnte. Seitdem genießt er seinen Ruhestand in Mexiko. Gibbs wohnt bei ihm, nachdem er am Ende der dritten Staffel seinen Dienst quittiert. Franks ist auch derjenige, der Jenny Shepard am Ende der fünften Staffel Unterstützung gibt als sie ermordet wird. Er erschießt alle Täter, nachdem diese Shepard erschossen hatten. Franks hat einen Sohn, welcher in der Folge Der verlorene Sohn stirbt. Nachdem Gibbs sein Boot „Kelly" an Franks Enkelin und deren Mutter verschenkt hat, wird das Schiff in der Folge Das Boot mit einigen von Franks Schwiegertochter getöteten Auftragsmördern an Bord gefunden. Franks hatte versucht diesen Mord auf sich zu lenken, indem er mit einer Waffe größeren Kalibers in die Wunden schoss. In der 7. Staffel verliert er in einem Schusswechsel mit Mitgliedern des Reynosa-Kartells den rechten Zeigefinger. Er wird gegen Ende der 8. Staffel vom Hafen-Mörder erstochen, nachdem er unheilbar an Lungenkrebs erkrankte. Seinen Sarg hat Gibbs gebaut. In der 9. Staffel taucht Franks in Visionen von Gibbs wieder auf.

Trent Kort

Kort tritt das erste Mal in der Episode Der Frosch der Staffel 4 auf. Er wird zunächst für den Gehilfen des Waffenhändlers La Grenouille gehalten, später stellt sich aber heraus, dass er als Undercoveragent für die CIA arbeitet. In der Folge Schwanengesang stellt sich heraus, dass er ein Auge verloren hat. Er war Leiter des „Frankenstein-Programms", an welchem der Hafen-Mörder teilgenommen hat. Am Ende der 13. Staffel wird er durch diNozzo erschossen.

Eli David

David ist der Vater von Ziva David, Thali und Ari Haswari, wobei Letzterer unehelich geboren wurde. Eli David war Leiter des Mossad und starb in der 10. Staffel. Er lernte Vance in Amsterdam kennen. In der 8. Staffel nimmt er an einer Konferenz ehemaliger NCIS-Direktoren teil; während seines Aufenthaltes in Washington, D.C. werden mehrere Anschläge auf ihn verübt.

M.Allison Hart

Hart ist eine engagierte Anwältin, die in der siebten Staffel eingeführt wird. Sie wirkt äußerst kompetent, setzt sich oft pro bono für Verdächtige ein und vermag es, Gibbs unter Druck zu setzen. Im Finale der siebten Staffel geht hervor, dass sie Gibbs juristisch vertreten möchte. Bis zu diesem Zeitpunkt ist dem Zuschauer die Art der Beziehung zwischen ihr und Gibbs unklar, diese könnte jedoch romantischer Natur sein.

Dr.Jeanne Benoit

Benoit ist die Tochter des Waffenhändlers La Grenouille. Tony nähert sich ihr in Staffel vier als Tony DiNardo im Rahmen eines Undercover-Auftrags, ihren Vater betreffend, an. Daraus ergibt sich eine innige Beziehung. Als sie zu Beginn der fünften Staffel erfährt, wer Tony ist, flieht sie aus Washington, D.C. In der Episode Lang lebe die Königin der fünften Staffel ist sie wieder in Washington, D.C. und fragt Tony, ob zwischen ihnen irgendetwas echt gewesen sei. Tony verneint dies, obwohl er Gefühle für sie übrig hat. In der Folge ,,Verbrannte Erde" der 13. Staffel begegnen sie sich nach acht Jahren wieder. Die Folge endet damit, dass DiNozzo und McGee den Ehemann von Benoit aus der Gefangenschaft Burundischer Terroristen befreien.

Gerald Jackson

Jackson ist der erste Assistent von Dr. Mallard. Er wird von dem Terrorist Ari Haswari angeschossen, so dass er in eine Reha-Therapie muss. Gerald tritt noch einmal in den Episoden Das Duell – Teil 1 und Teil 2 der dritten Staffel auf, in der er in seinem eigenen Wagen von Ari als Geisel genommen wird.

Michelle Lee

Die ehemalige NCIS Special Agent Lee ist eine junge Agentin und Juristin asiatischer Abstammung. Da sie nach Aufnahme ins Team nun Probationary Agent ist, wird sie auch „Bambina" genannt. Nach der Rückkehr von Gibbs wird sie innerhalb des NCIS in die Rechtsabteilung versetzt. Zwischendurch hat sie eine heimliche Affäre mit Jimmy Palmer. Nachdem Ziva in der letzten Episode der fünften Staffel wieder nach Israel geschickt wurde, ersetzt Michelle Zivas Position. Allerdings kehrt David am Ende der Episode „Aus den Augen…" der sechsten Staffel zurück, so dass Michelle Lee das Team wieder verlässt. Sie wird in der Episode Verraten der sechsten Staffel als Maulwurf im NCIS enttarnt. Es stellt sich jedoch heraus, dass sie erpresst wird. In der nächsten Episode (Domino) wird sie von Gibbs erschossen, als sie hilft, ihren Erpresser zu stellen.

Thomas „Tom" Morrow

Der ehemalige NCIS Director⌐Morrow ist der Vorgänger von Jennifer Shepard. Er schätzt Gibbs und seine Arbeit, hat aber auch mit dessen eigenwilliger Art zu kämpfen. Am Anfang der dritten Staffel wird ihm der Posten des stellvertretenden Direktors der Ministeriums für Innere Sicherheit angeboten, den er annimmt. Später taucht er noch in einigen Episoden auf. Gegen Ende Staffel 13 wird er erschossen.

Paula Cassidy
NCIS Special Agent Cassidy ist Profiler und tritt vereinzelt bis zu ihrem Tod in Staffel vier auf. Sie trifft Gibbs und sein Team das erste Mal während Ermittlungen auf Guantanamo Bay, wo sie als Expertin für nahöstliche Terroristen arbeitet. In dieser Zeit hat sie ein Verhältnis mit Tony. Danach wird sie auf einen Flugzeugträger abkommandiert, wo sie nach einiger Zeit erneut auf Gibbs Team trifft. Am Anfang der dritten Staffel ist sie in einer Episode die Vertretung für Kate. In der vierten Staffel opfert sie sich selbst, um Gibbs' Team und eine Delegation hoher islamischer Würdenträger vor einem Selbstmordattentäter zu retten, der zuvor ihr ganzes Team umgebracht hat.

Hollis Mann
Lieutenant Colonel Mann ist beim Army CID und zeitweise mit Gibbs zusammen. Das erste Mal tauchte sie in der Episode Der Hintermann auf und musste mit Gibbs zusammen-arbeiten. In Giftgas kommen die beiden nach einem weiteren gemeinsamen Fall schließlich zusammen. Die Beziehung zerbricht in der Episode Dreieck, als Gibbs realisiert, dass er noch zu sehr um Shannon und Kelly trauert. Hollis verlässt ihn und zieht nach Hawaii.

Dr.Ari Haswari
Haswari spielt in fünf Episoden, die über die ersten drei Staffeln verteilt sind, mit. Er ist in dieser Zeit der Erzfeind von Gibbs, der ihn oft nur „Schweinehund" nennt. Haswari wurde 1969 als Sohn eines Israeli und einer Palästinenserin geboren. Sein Vater ist der stellvertretender Direktor des Mossad Eli David, welcher ihn schon als Kind darauf vorbereitet, ein Maulwurf in der Hamas zu werden. An der Universität Edinburgh, welche auch Ducky besucht hat, erhält er seinen Doktortitel in Medizin. Ari tauchte zum ersten Mal in der Episode Alptraum im Keller der ersten Staffel auf, in der er Ducky, Kate und Gerald Jackson als Geiseln nimmt. Er schießt Gerald und Gibbs an und entkommt. In der Episode Der Terrorist der ersten Staffel nimmt Ari Kate erneut als Geisel, um ihr zu zeigen, dass er kein Terrorist ist. Bei einem späteren Treffen zwischen Ari und Gibbs wird er von Gibbs angeschossen. Bis zur Episode Die Rückkehr der zweiten Staffel ist Ari ein Maulwurf in der Hamas. In dieser Episode kehrt Ari nach Amerika zurück, um sich an Gibbs zu rächen, verübt Anschläge auf ihn und sein Team und erschießt letztlich Kate. In den Episoden Das Duell – Teil 1 und Teil 2 der dritten Staffel wird Ari von Gibbs gejagt. Schließlich wird Ari von seiner Halbschwester Ziva David in Gibbs' Keller getötet. In der Folge Was wäre wenn... (Staffel 9) taucht er in Flashbacks von Gibbs wieder auf.

La Grenouille (René Benoit)
René Benoit, alias La Grenouille (dt. Der Frosch), ist ein französischer Waffenhändler und Vater von Dr. Jeanne Benoit. In Staffel vier wird er von Director Jenny Shepard unerbittlich durch ganz Europa gejagt. Bis zuletzt kann sie ihm nichts nachweisen. La Grenouille hat mit dem Vater von Jenny Shepard Waffengeschäfte abgewickelt, wobei die Frage aufkommt, ob dieser Schmiergelder von La Grenouille angenommen hat. La Grenouille wird am Ende der ersten Episode der fünften Staffel ermordet.

Charles „Chip" Sterling

Sterling ist in einigen Episoden der dritten Staffel Abbys Assistent. In Episode In der Falle der dritten Staffel versucht er Tony einen Mord unterzuschieben, indem er mehrere Beweise manipuliert. Sein Motiv, Tonys Leben zu zerstören, ist, dass dieser vor vielen Jahren einmal einen Gerichtsmediziner wegen schlampiger Arbeit gemeldet hat. Der Gerichtsmediziner konnte jedoch beweisen, dass nicht er, sondern der Laborant, nämlich Sterling, die Beweismittel verunreinigt hatte. Beide sind danach von niemandem mehr fest angestellt worden. Er gibt Tony die Schuld, dass sein Leben zerstört wurde. Im weiteren Verlauf bedroht er Abby, als sie diese Zusammenhänge herausfindet, und wird letztlich verhaftet.

Christopher „Chris" Pacci

Der ehemalige NCIS Special Agent Pacci wird in der Folge Wenn Tote sprechen ermordet. Er ist in der Folge Besser spät als nie aus der 8.Staffel nochmals in einer Rückblende zu sehen, als er Gibbs die Akte Tonys reicht und ironischerweise bemerkt, dass ihn sein Magen später einmal umbringen würde.

Brent Langer

Der ehemalige NCIS Senior Field Special Agent Langer wechselt vom FBI zum NCIS, nachdem er Gibbs in der fünften Staffel Informationen über eine laufende FBI-Ermittlung zugespielt hat. Er ersetzt Tony in Gibbs' neuem Team. In der ersten Episode der sechsten Staffel wird er von Michelle Lee erschossen.

Daniel T.Keating

Der NCIS Junior Field Special Agent Keating wird Teil des neuen Teams von Gibbs und übernimmt dort die Aufgaben von Special Agent McGee, bis McGee am Ende der Episode Aus den Augen… der sechsten Staffel wieder in Gibbs' Team versetzt wird.

Amit Hadar

Mossad Offizier Hadar ist ein Vertrauter von Mossad Direktor Eli David und ein ehemaliger Vorgesetzter von Ziva. Auch fungiert er als ein Leibwächter für Eli David. In dieser Funktion wird er durch einen Sprengfallenanschlag auf Leon Vance getötet.

Vivia Blackadder

NCIS Field Special Agent Blackadder ist eine weibliche NCIS-Agentin in den Backdoor-Pilotfolgen Eisige Zeiten – Teil 1 und Teil 2. Sie hatte einen Auftritt in den Backdoor-Pilotfolgen, allerdings nicht in den regulären NCIS-Episoden. Sie wechselt nach dem Anschlag auf die USS Cole, bei dem auch ihr Bruder stirbt, vom FBI zum NCIS.

Abigail Borin („Abby")

Arbeitet bei der Küstenwache und arbeitet immer, wenn es um Schiffe geht, mit dem NCIS zusammen. Außerdem wird des Öfteren klar, dass sie für Gibbs etwas empfindet. In der Folge "Im sicheren Hafen" versuchen Tony,Tim und Ziva sie mit Gibbs zusammen zu bringen.

Quelle: [1]

Serien-Spin-off Navy CIS

Den ersten Fall löst das NCIS-Team in einem Backdoor-Pilot in der Serie JAG – Im Auftrag der Ehre. In der Doppelfolge „Eisige Zeiten" der achten Staffel von „JAG – Im Auftrag der Ehre" wird der Hauptcharakter, Commander Harmon Rabb, des Mordes an Lieutenant Loren Singer verdächtigt. Die Hauptfiguren von Navy CIS werden eingeführt, um den Mord an Singer aufzuklären. Die im Backdoor-Pilot „Eisige Zeiten" auftretende Figur der Vivienne ist durch die Rolle der Spezialagentin Caitlin Todd ersetzt worden. Während die JAG-Episoden in erster Linie auf das Genre Gerichtssaal-Drama orientiert sind, stehen bei NCIS die strafrechtlichen Ermittlungen im Mittelpunkt.

Quelle: [1]

Staffel 1 (Episoden 1.1- 1.23) Navy CIS

Die erste Staffel begleitet die Ermittler des NCIS-Hauptquartiers in Washington, D.C. in der ersten Folge zur Air Force One. Dort ist ein Navy-Commander, der Verantwortliche für den Nuclear Football, plötzlich tot umgefallen. Während der Ermittlungen trifft Special Agent Leroy Jethro Gibbs, der Leiter der Einheit, auf den FBI-Mitarbeiter Tobias Fornell, der im weiteren Verlauf der Serie ein guter Freund von Gibbs wird, was keiner der beiden jemals zugeben würde.
Begleitet wird Gibbs von seinen Kollegen Tony DiNozzo und Kate Todd, die in der ersten Folge vom Secret Service zu Gibbs' Team wechselt. Zwischen Todd und DiNozzo entwickelt sich eine Art Geschwister-Beziehung. Mit Hilfe der Forensikerin Abby Sciuto und des Gerichtsmediziners Donald „Ducky" Mallard kann Gibbs' Team in jeder Folge den Täter ermitteln und überführen. Im weiteren Verlauf der Staffel wird die Figur des Timothy McGee eingeführt. McGee ist ein junger Agent aus Norfolk, der dem Team von Zeit zu Zeit mit seinen Computerkenntnissen aushilft.
Der Höhepunkt der Staffel ist das Auftauchen des Terroristen Ari Haswari, der in der Folge Albtraum im Keller Dr. Mallard und Todd als Geisel nimmt. Außerdem wird bei der Geiselnahme der Assistent von Dr. Mallard, Gerald Jackson, angeschossen und kann daraufhin nicht mehr seine Tätigkeit ausführen. Bei der Geiselbefreiung kann Ari fliehen. Bis zum Staffelfinale entwickelt sich Gibbs' Verlangen, den Terroristen zur Strecke zu bringen, zur Besessenheit; jedoch entkommt dieser immer wieder.

Quelle: [1]

Erstausstrahlung USA   23. September 2003 – 25. Mai 2004 auf CBS

Erstausstrahlung Deutschland   17. März – 25. August 2005 auf Sat 1

Episoden Staffel 1 Navy CIS

Nr.	Titel	Originaltitel	Premiere USA	Premiere D	Regisseur	Drehbuch
1.1	**Air Force One**	Yankee White	23. Sep. 2003	17. Mär. 2005	D.Bellisario	D.Bellisario & D.McGill

An Bord der Air Force One stirbt ein junger Offizier aus der nächsten Umgebung des Präsidenten offenbar an einem Schlaganfall. Kate Todd, Agentin beim Secret Service, und ihr Kollege Baer werden von dem Ermittler-Team des NCIS unter der Leitung von Leroy Jethro Gibbs verhört: Es stellt sich heraus, dass der junge Offizier mit einem schwer nachweisbaren Schlangengift getötet wurde. *Quelle:* [1, 2]

Gibbs Regel #1: Lasse niemals Verdächtige zusammen!
Gibbs Regel #2: Trage immer Handschuhe an einem Tatort!
Gibbs Regel #3: Glaube nie, was man Dir erzählt, überprüfe es!

Kate: Ich kann nicht riskieren, dass diese Pläne ins Internet gelangen.
Gibbs: Der NCIS hat keine Lecks! Wenn etwas durchsickert, dürfen Sie DiNozzo erschiessen.
Kate: Ich glaube, mein Schicksal ist es, Sie zu erschiessen.

Abby: Wow, Gibbs hat bitte gesagt!

Kate: Soll ich das in meinen Palm Pilot tippen oder es auf ein Kissen sticken?

Gibbs: Sie haben also gekündigt, Agent Todd?
Kate: Erfreuliche Neuigkeiten werden schnell bekannt. Ja, ich hab' gekündigt.
Gibbs: Ja! Wenn Sie beim NCIS so ein Mist bauen, kriegen Sie nicht die Chance, selbst zu kündigen.
Kate: Ist das ein Job-Angebot?

Quelle: [3,4,5]

⚑ NCIS FAQ

Wofür steht NCIS?

Naval Criminal Investigative Service

Quelle: [6]

Episoden Staffel 1 Navy CIS

Nr.	Titel	Originaltitel	Premiere USA	Premiere D	Regisseur	Drehbuch
1.2	**Sprung in den Tod**	Hung Out to Dry	30. Sep. 2003	31. Mär. 2005	A.Levi	D.McGill

Bei einem Trainingssprung verunglückt Larry Fuentes, ein Fallschirmjäger der Marines, tödlich. Die Navy CIS findet bald heraus, dass der Hauptschirm defekt war und der Reserveschirm sich nicht öffnen ließ, offensichtlich ein geplanter Mord. Gibbs und sein Team befragen daraufhin die Kameraden des Verunglückten - zunächst ohne Erfolg. Dann finden sich im Spind von Corporal Ramsey belastende Beweisstücke - der streitet jedoch alles ab.
Quelle: [1, 2]

Tony: Ducky, warum würde Gibbs sein Telefon vom Strom nehmen und sein Handy in einer Dose Farbverdünner versenken?
Ducky: Ach je.
Tony: Was?
Ducky: Ich hätte daran denken müssen, dass es mal wieder soweit ist Es ist sein Hochzeitstag.
Tony: Welche Ehe?
Ducky: Die Letzte natürlich. Jedes Jahr an ihrem Hochzeitstag betrinkt sich Ex-Frau Nummer 3 und ruft ihn ununterbrochen an.

Kate: Irgendwie muss man das doch umgehen können?
Gibbs: Jetzt denkst Du wie ein NCIS-Agent!

Kate: Ihre Fantasie, DiNozzo, reicht von nicht jugendfrei bis pornographisch!

Abby: Du bist wie ein Piercing Tony. Es dauert eine Weile, bis das Pulsieren aufhört und sich die Haut zurückbildet.

Kate: Wie sind Sie zum NCIS gekommen?
Tony: Mit meinem Lächeln!
Kate: Wie sind Sie hierher gekommen?
Abby: Ich hab´ne Bewerbung geschickt!

Gibbs: Weisst Du, so mancher von denen erstarrt vor dem ersten Sprung und braucht einen Tritt in den Hintern, damit er es schafft.
Tony: Ich aber nicht!
Gibbs: Nein, Du bist einer von den Kerlen, denen man schon am Boden in den Arsch treten will.
Quelle: [3,4,5]

⚑ NCIS FAQ
Navy CIS, NCIS oder Navy NCIS?

In den USA lief die erste Staffel der Serie unter dem Titel Navy NCIS. CBS (ausstrahlender TV-Sender) bestand auf das Navy, da man vermutete, der TV-Zuschauer würde NCIS mit CSI verwechseln können. Zum Start der 2. Staffel wurde dann aber der eigentlich angedachte Titel NCIS verwendet. Auch der von Sat 1 verwendete Titel Navy CIS ist somit nicht richtig, da das N ja nicht für Navy, sondern für Naval steht. Quelle: [6]

Episoden Staffel 1 Navy CIS

Nr.	Titel	Originaltitel	Premiere USA	Premiere D	Regisseur	Drehbuch
1.3	**Seadog**	Seadog	07. Okt. 2003	07. Apr. 2005	B.May	D.Bellisario & J.Kelley

Der Navy Commander Brian Farrell wird, als er mit seinem Boot zum Fischen fährt, erschossen. Farrell hat sich mit seiner Stiftung "Urban Lights" für Jugendliche eingesetzt. Wie der NCIS in Zusammenarbeit mit der DEA feststellt, wurde nicht nur Farrell getötet, sondern ganz in der Nähe auch zwei Drogendealer. Das nährt den Verdacht, Farrell sei in Drogengeschäfte verstrickt gewesen. Gibbs und sein Team stoßen auf die Spur eines saudischen Terroristen, der vom FBI gesucht wird. *Quelle: 1, 2*

Ducky: Der Mann ist geistig minderbemittelt! So was dürfte nicht mal Schülerlotse sein! Los, weg da!
Gibbs: So sauer warst Du nicht, seit Du den französischen Flic von der Klippe gestossen hast.
Fremder: Sie haben einen Flic von einer Klippe runtergeschubst?
Ducky: Darunter war ein tiefer See.
Gibbs: Ja, 20 Meter darunter!

Ducky: Im Südpazifik gibt's verschiedene Erfrischungsgetränke. Eins hab ich nie vergessen. Wo war es? Neuguinea oder Timor? Wo immer es auch war. Die Eingeborenen hatten ein wunderbar erfrischendes Getränk. Erst Jahre später hab' ich entdeckt, was es war. Eine Mischung aus Rumpunsch und Wasserbüffelurin.

Kate: Ich war beim Secret Service. Wenn wir 100 Dollar-Scheine in rauen Mengen sehen, werden wir unruhig.
Tony: Ah, das macht Sie also heiss.
Kate: Was mich wirklich heiss macht ist ein Geheimnis, das Sie niemals lüften werden.
Quelle: 3,4,5

Nr.	Titel	Originaltitel	Premiere USA	Premiere D	Regisseur	Drehbuch
1.4	**Die Unsterblichen**	The Immortals	14. Okt. 2003	14. Apr. 2005	A.Levi	D.Meyers

Seaman MacDonald, ein Besatzungsmitglied des Zerstörers U.S.S. Foster, wird tot am Meeresboden gefunden. Die Todesursache ist genauso obskur wie der ganze Fall: Das Opfer war mit Eisenketten und Gewichten um den Körper beschwert im Meer ertrunken. Langsam gerät das NCIS-Team in eine Welt zwischen Fantasie und Realität, denn das Opfer und ein anderes Besatzungsmitglied lieferten sich einen erbitterten Krieg. *Quelle: 1, 2*

Gibbs: Abby, sind diese Spiele gewalttätig?
Abby: Naja, da gibt's Diebstahl, Giftmorde, Messerstechereien, Enthauptungen, hier und da wird einer erdrosselt...
Tony: Das zählt als gewalttätig.

Tony: Wollt ihr nicht wissen, was ich Euch aus Puerto Rico mitgebracht habe?
Kate: Doch ... das ist doch wohl nicht Ihr Ernst?
Tony: Ein Bikini, Zweiteiler.
Kate: Slip,... und Hut?
Tony: Puertorikanisch!
Gibbs: Besteht die Chance, dass Sie das anziehen?
Kate: Sie zuerst!
Gibbs: Glauben Sie mir, das wird mir nicht passen.
Kate: Schweine..., ich arbeite mit Schweinen!
Quelle: 3,4,5

Episoden Staffel 1 Navy CIS

Nr.	Titel	Originaltitel	Premiere USA	Premiere D	Regisseur	Drehbuch
1.5	**Der Fluch der Mumie**	The Curse	28. Okt. 2003	21. Apr. 2005	T.O'Hara	Bellisario,McGill&Vlaming

Zehn Jahre nach seinem Verschwinden wird in einem Frachtbehälter die mumifizierte Leiche von Lieutenant Schilz gefunden. Der Mann galt, seitdem auf seinem Flugzeugträger 1,2 Millionen Dollar gestohlen worden waren, als vermisst und man nahm an, dass er seinen Tod nur vorgetäuscht hat, um mit dem Geld zu verschwinden. Gibbs und sein Team stoßen auf der Suche nach dem Mörder auf seine ehemalige Kameradin Erin Toner, die seit einem ominösen Lottogewinn in Reichtum lebt. *Quelle: [1,2]*

Gibbs: Tony, tank den Wagen auf!
Tony: Ach Gibbs, die meisten Dienststellen haben Leute für so was.
Gibbs: Hm, wir auch...

Kate: Was gibt's denn da?
Gibbs: Ein Jäger ist über einen Abwurfbehälter gestolpert. Über einen der NAVY.
Tony: Wegen eines Abwurfbehälters fahren wir nach Maryland?
Gibbs: ...in dem eine Leiche liegt.
Tony: Das ist was anderes.
Gibbs: Ja ich weiss.

Quelle: [3,4,5]

Nr.	Titel	Originaltitel	Premiere USA	Premiere D	Regisseur	Drehbuch
1.6	**Speed**	High Seas	04. Nov. 2003	28. Apr. 2005	D.Smith	L.Moskowitz & J.Vlaming

Ein junger Petty Officer rastet bei einem Landgang völlig aus. Bald stellt sich heraus, dass er unter Drogen stand, obwohl er selbst behauptet, nie welche genommen zu haben. Als ein zweites Crew-Mitglied des Flugzeugträgers mit den gleichen Symptomen in die Krankenstation eingeliefert wird, werden Gibbs und sein Team misstrauisch, denn die Crew gilt als eine der besten und schnellsten. *Quelle: [1,2]*

Kate: Wie lange hat Burly hier gearbeitet?
Abby: 5 Jahre.
Tony: 5 Jahre mit Gibbs? Erstaunlich, dass er nicht in der Zwangsjacke gelandet ist.

Gibbs: Durchsucht alles, ich meine wirklich alles! Über seiner Matratze, darunter und auch in seiner Matratze. Wenn es so was gibt wie eine 4.Matratzen-Dimension, sucht da eben auch.

Quelle: [3,4,5]

⚑ NCIS FAQ

Wofür steht NCIS?

Naval Criminal Investigative Service

Quelle: [6]

Episoden Staffel 1 Navy CIS

Nr.	Titel	Originaltitel	Premiere USA	Premiere D	Regisseur	Drehbuch
1.7	**Unter Wasser**	Sub Rosa	18. Nov. 2003	24. Mär. 2005	M.Zinberg	F.Cardea & G.Schenck

Eine von Säure zerfressene Leiche wird gefunden. Das NCIS-Team findet heraus, dass es sich bei dem Toten um einen jungen Seemann handelt, der in einem U-Boot gedient hat. Sein Verschwinden wurde jedoch von seinen Kameraden nicht bemerkt, weil ein Unbekannter seinen Platz eingenommen hat. Tony und McGee finden heraus, dass es sich um einen Öko-Terrorist handelt, der die gesamte Besatzung umbringen will, weil U-Boote mit ihren Sonartests Wale gefährden. *Quelle: 1, 2*

McGee: Ich habe Geschichten über Special Agent Gibbs gehört.
Tony: Nur die Hälfte davon ist wahr. Der Trick ist, herauszufinden welche.

Tony: Schöner Hut. Haben Sie Dich zum Bootsmaskottchen gemacht?
Kate: Das ist Deine Art mir zu sagen, dass du mich vermisst hast, richtig?
Tony: Nein.
Tony: Wenn Sie sich was eingefangen haben, sitzen Sie im Wagen nicht neben mir!
Kate: Es hat auch seine guten Seiten, eine Erkältung zu haben.
Kate: Sind wir hier im viktorianischen England, wo die Herren bei Zigarren und Brandy zusammen sitzen und die Damen nebenan Tee schlürfen? Ich bin für die Ermittlung besser qualifiziert als Tony und mich zu ersetzen, nur weil ich mir die Beine und nicht mein Gesicht rasiere, ist nicht nur unverschämt, es dient auch nicht der Auflösung des Falls.

Kate: Reagieren die Leute so, weil wir vom NCIS sind oder wirken Sie auf alle Menschen so?
Gibbs: Der Gedanke gefällt mir!

Gibbs: Das war ein Notanblasen!
Kate: Wow!
Gibbs: Ja, das sagen mir danach immer alle!

Quelle: 3,4,5

Nr.	Titel	Originaltitel	Premiere USA	Premiere D	Regisseur	Drehbuch
1.8	**Schlimmer als der Tod**	Minimum Security	25. Nov. 2003	12. Mai 2005	I.Toynton	D.Bellisario&P.DeGuere

Der Dolmetscher Sa'id wird tot in seinem Wagen gefunden. In seinem Bauch findet man Smaragde, die den Tod durch innere Verletzungen herbeigeführt haben. Gibbs befürchtet, dass Sa'id, der als Übersetzer in Guantanamo Bay gearbeitet hat, mit einigen arabischen Häftlingen Geschäfte gemacht hat. Er verhört dessen Kollegin Paula Cassidy, die Gibbs auf die Spur von Nasir bringt. Dieser behauptet, unschuldig im Gefängnis zu sitzen. *Quelle: 1, 2*

Abby: Ich werde einen Germatologen hinzuziehen. Meine Mutter hat da einen Freund, dass ist der Sohn seiner Schwester.
Gibbs: Und, hat er was drauf?
Abby: Wir waren erst einmal aus. Soweit waren wir noch nicht.

Abby: Irgend etwas stimmt da nicht. Die Dateien sind zu lang.
Ducky: Das ist nicht das einzige, was da zu lang ist.

Tony: Er hat einen Schlüssel zu ihrer Wohnung, sie hat aber keinen zu seiner.
Kate: Die meisten Frauen haben lieber Sex im eigenen Bett.
Tony: Kate, nur weil sie eine Frau sind, heisst das nicht...
Kate: Schon gut, schon gut, ich hab' Unrecht!

Quelle: 3,4,5

Episoden Staffel 1 Navy CIS

Nr.	Titel	Originaltitel	Premiere USA	Premiere D	Regisseur	Drehbuch
1.9	**Anruf von einem Toten**	Marine Down	16. Dez. 2003	19. Mai 2005	D.Smith	J.Kelley

Auf der Trauerfeier ihres Mannes erhält Sarah Kidwell einen Anruf von ihrem toten Gatten. Um herauszufinden, wer hinter diesen Anrufen steckt, muss das NCIS-Team die Leiche des tot geglaubten Marines exhumieren und stellt dabei fest, dass er bei seiner Einbalsamierung noch am Leben war. Gibbs und seine Leute kommen einem Verbrechen auf die Spur, dessen Opfer Kidwell und sein Partner, Major Peary, werden sollten. *Quelle: [1,2]*

Kate: Spracherkennung ist keine exakte Wissenschaft, Tony!
Tony: Das ist die Intuition vom Boss auch nicht, aber er hat das Gefühl, dass da noch mehr dahinter steckt.
Kate: Ich sag's Ihnen je nicht gerne, Tony, aber auch Gibbs kann sich irren!
Tony: Ein Beispiel!
Kate: Der Mann war viermal verheiratet!
Kate: Wenn wir das hier vermasseln, dann hab ich einen Vorschlag. Wir brechen in Gibbs Bastelkeller ein und zünden sein Boot an!
Tony: Sie sind eiskalt, Kate. Deshalb mag ich Sie so gern!

Kate: Was will Gibbs denn mit den US-Dollar anfangen?
Tony: Kate, das ist doch NCIS-Basiswissen!
Kate: Sie haben keine Ahnung, richtig?
Tony: Nicht die Leiseste!!!

Tony: Gibbs wird es schaffen. Er hatte sogar Zugang zu den Toten Aliens von Roswell.
Kate: Weil er sie vermutlich getötet hat.

Gibbs: *(im Frachtflugzeug)* Was suchen Sie, Kate?
Kate: Die Damentoilette! ... Okay, die Herrentoilette!
Gibbs: So was gibt's hier nicht!
Kate: Und wie soll ich dann auf's Klo gehen? *(Gibbs hält ihr eine Plastiktüte hin)* ... Nein, oh nein, ich kann warten!
Gibbs: Fein!
Kate: Ok, geben Sie her. Wo?
Gibbs: Wenn Sie für sich sein wollen, dann hocken Sie sich hinter die Kisten dort!
Kate: Ich vermisse die Air Force One!!!

Quelle: [3,4,5]

◄ NCIS FAQ

NCIS=JAG?

NCIS wird gerne mal als Spin-off von Jag bezeichnet. Natürlich gibt es ein paar Gemeinsamkeiten, aber wohl noch mehr Unterschiede. Hinter beiden Serien steht aber ein Mann, Donald Bellisario. Donald Bellisario legt selbst großen Wert darauf, das beide Serie eigenständig sind. Die Filmcrew von NCIS und JAG sind fast die selben, was wohl am guten Teamgeist liegt. Auch wurden viele Nebendarsteller die bereits in JAG mitwirkten sieht man in der Serie NCIS wieder.

Quelle: [6]

Episoden Staffel 1 Navy CIS

Nr.	Titel	Originaltitel	Premiere USA	Premiere D	Regisseur	Drehbuch
1.10	**Lebendig begraben**	Left for Dead	06. Jan. 2004	26. Mai 2005	J.Whitmore, Jr.	D.Bellisario & D.McGill

Eine Frau, die lebendig begraben wurde, schafft es, sich zu befreien. Das Einzige, an das sie sich erinnern kann, ist, dass auf einem Schiff der Navy eine Bombe explodieren wird. Gibbs und sein Team werden eingeschaltet, um das Verbrechen zu verhindern. Es stellt sich heraus, dass die Frau für eine deutsche Firma arbeitet, die Bombensuchgeräte und Sprengstoffe herstellt. Gibbs hält die Frau für eine Terroristin, die selbst plant, ein Schiff in die Luft zu sprengen. *Quelle: 1, 2*

Tony: Da wir grad' von Daten für die Arbeit sprechen. Wir arbeiten seit zwei Jahren zusammen und ich weiss immer noch nicht, wo Du wohnst.
Ducky: Ich würd' es auch sehr gern dabei belassen, Tony!

Abby: Du willst wohl wissen, welchen Keuschheitsgürtel man damit aufkriegt?
Gibbs: Seh' ich denn aus wie DiNozzo?
Tony: Nicht witzig, Boss. Ausserdem würd' ich 'nen Keuschheitsgürtel aufkriegen!
Abby: Schon mal einen gesehen? Meiner ist spitze, 18. Jahrhundert, Frankreich.
Gibbs: Das ist mehr, als ich je über Dich wissen wollte!

Abby: Vielleicht hat jemand mit dem System rumgespielt. Damals, als Fotokopierer neu auf dem Markt waren, da haben die Leute alles kopiert, von Hundertern bis zu ihren Ärschen!
Tony: Du hast bestimmt Deinen Arsch kopiert, stimmt's, Abby?
Abby: Klar!

Ducky: Jethro, ich sage nichts zu einer gerichtsmedizinischen Frage, auf die ich die Antwort nicht kenne, das weisst Du. Warum fragst Du trotzdem dauernd?
Gibbs: Macht der Gewohnheit!

Tony: Weisst Du noch, als ich bei Dir gewohnt habe und es nicht so gut lief?
Gibbs: Ja, ich werd' es nie vergessen!
Tony: Damals war ich jung, unreif, orientierungslos!
Gibbs: Das war vor sechs Monaten, Tony!
Tony: Wir müssen irgend was tun!
Gibbs: Hast Du Dir schon mal einen Fehler geleistet?
Tony: Nach Deiner oder nach meiner Ansicht?
Gibbs: Nach Deiner!
Tony: Ja.
Gibbs: Hat Dir da vielleicht jemand helfen können?
Tony: Nein!

Quelle: 3,4,5

⚑ NCIS FAQ

Was bedeutet "Semper Fi"?

Semper Fi kommt aus dem lateinischen und nur eine Abkürzung für: Semper Fidelis.
Das bedeutet so viel wie: "Immer Treu" und ist der Leitspruch der Marines. *Quelle: 6*

Episoden Staffel 1 Navy CIS

Nr.	Titel	Originaltitel	Premiere USA	Premiere D	Regisseur	Drehbuch
1.11	**Wintersonne**	Eye Spy	13. Jan. 2004	02. Juni 2005	A.Levi	F.Cardea, D.Coen & G.Schenck

Lieutenant Commander Egan wurde auf seinem Navy-Stützpunkt ermordet. Das NCIS-Team findet heraus, dass das Opfer mit einer Firma an der Entwicklung eines tragbaren Sonargeräts gearbeitet hat - allerdings ist dieses Gerät seit Egans Tod verschwunden. Bald wird klar, dass hinter dem Mord nicht unbedingt einer von seinen Kollegen stecken muss. *Quelle: 1, 2*

Tony: Ich wiege noch genauso viel, wie damals bei meinem College-Abschluss, nicht mehr und nicht weniger.
Kate: Sie wissen das ganz sicher? Steigen Sie öfter auf die Waage?
Tony: Ich wiege mich niemals!
Kate: Verstehe - na ja, im Grunde interessiert mich Ihre Figur nicht, Tony.
Tony: Ach nein?
Kate: Aber Tony - die Hauptsache ist doch, dass SIE mit Ihrem Körper glücklich sind.

McGee: Klar, da habe ich ja auch noch gedacht, Sie würden den normalen Dienstweg gehen.
Tony: Der normale Dienstweg hat zu viele Kurven.

Tony: Wissen Sie, was mein Vater über Ausreden gesagt hat?
McGee: Ja klar. Die sind wie Achselhöhlen. Alle Menschen haben sie und sie stinken.
Tony: Gesagt hat er es mit einem anderen Körperteil, aber das Prinzip wird klar.

Kate: Abgesehen davon, dass er keinen anständigen Friseur findet, kann Gibbs so ziemlich alles erreichen, was er sagt.

Kate: Ihre zweite Ex-Frau hat auf Sie mit einem 9er Eisen eingeschlagen, weil sie nicht mit ihr geredet haben. Stimmt's? Hab' ich Recht?
Gibbs: Nein, es war ein 7er Eisen!

Quelle: 3,4,5

⚑ NCIS FAQ

Was bedeutet "Gunny" ?

Gunnery Sergeants werden von höherrangigen Soldaten und Offizieren für gewöhnlich mit „Gunny" angeredet. Dieser Spitzname wird als Ausdruck Wertschätzung und auch Kameradschaft betrachtet und wird, außer in formellen und zeremoniellen Momenten, immer verwendet. Ob auch Dienstgradjüngere Soldaten den GySgt mit „Gunny" ansprechen dürfen, liegt allein am „Gunny" selbst.

Quelle: 6

Episoden Staffel 1 Navy CIS

Nr.	Titel	Originaltitel	Premiere USA	Premiere D	Regisseur	Drehbuch
1.12	**Ein Bein in West Virginia**	My Other Left Foot	03. Feb. 2004	09. Juni 2005	J.Woolnough	J.Bernstein

In einer Mülltonne wird das Bein des Marines Thomas Dorn gefunden. Im Zuge ihrer Nachforschungen stoßen Gibbs und seine Leute auf die Ärztin Dr. Chalmers. Sie behauptet, dass Thomas Dorn vor zwei Jahren bei ihr in der Praxis an Herzversagen gestorben ist und eingeäschert wurde. Zusammen mit Kate versucht Gibbs herauszufinden, wem der Fuß aus der Mülltonne gehört. Dabei finden sie sich schnell in einem Netz aus Lügen und Betrug wieder *Quelle: 1, 2*

Tony: Tattoo an einer Frau bedeutet: sie ist bereit zu allem!
Kate: Abby hat reichlich Tattoos!
Tony: Kein Kommentar!
Kate: Und was ist mit mir? Denken Sie, ich bin bereit zu allem?
Tony: Sie? Sie haben doch kein Tattoo.
Kate: Und wenn ich eins hätte, dann würde Ihre Theorie zum Teufel gehen, hab' ich Recht?
Tony: Ok, angenommen ich würde glauben, dass Sie eins haben. Wo ist es?
Kate: Da, wo Sie es niemals sehen werden!
Tony: Ist es auf Ihrem Hintern?
Kate: Ich sagte es doch, das war nur ein Scherz.
Tony: Aber nur, weil es Ihnen peinlich ist, dass sie es mir erzählt haben.
Kate: Hören Sie, ich hab' kein Tattoo!
Tony: Ein Schmetterling, hab' ich Recht? Das passt genau zu Ihnen!
Kate: Ja, es ist ein Schmetterling, auf meiner Hüfte.
Tony: Es ist kein Schmetterling, oder?
Tony: Das ist es, stimmt's? Ihr Tattoo ist ein Herz!
Kate: Fangen Sie damit schon wieder an?
Tony: Ich kann mir einfach nicht vorstellen, dass Sie sich tattoowieren lassen!
Kate: Ich war volltrunken!
Tony: Das kann ich mir auch nicht vorstellen! Also, wenn es kein Herz ist...
Kate: Es ist ne Rose. Auf meinem Hintern. Haben wir's jetzt hinter uns?
Tony: Klar!
Kate: Also legen wir es zu den Akten?
Tony: Wir legen es zu den Akten.
Tony: Kate - auf welcher Backe ist es?
Gibbs: Gibt's neue Tattoos?
Tony: Nur die Rose auf Kate's Po!
Gibbs: Das ist keine Rose!
Kate: Er hat keine Ahnung. Er lügt. Genau wie bei der Sache mit dem Digitalis. ... Ok, sagen Sie's ihnen! ... Gibbs!!!

Tony: Ein Wort mit fünf Buchstaben als Grund für ein Verbrechen?
Gibbs: DiNozzo
Tony: Das sind sieben.
Gibbs: Für mich genügt's!

Abby: Ich will gar nichts damit sagen. Aber Du weisst doch, was man von Männern mit grossen Händen und Füssen sagt, oder?
Ducky: Was denn?
Abby: Das sind Clowns!

Quelle: 3,4,5

Episoden Staffel 1 Navy CIS

Nr.	Titel	Originaltitel	Premiere USA	Premiere D	Regisseur	Drehbuch
1.13	**Todesschüsse**	One Shot, One Kill	10. Feb. 2004	16. Juni 2005	P.Ellis	G.Grant

Ein Offizier wird während seines Dienstes in seinem Büro erschossen. Während Gibbs und seine Leute noch mit dem Mord beschäftigt sind, wird bereits ein zweiter Offizier nach dem selben Muster getötet. Beide wurden mit äußerster Präzision aus weiter Entfernung erschossen. Außerdem hinterlässt der Täter bei jedem seiner Opfer eine weiße Feder. Zusammen mit Kate versucht Gibbs, den Serienmörder zu stoppen, bevor er wiederl zuschlägt *Quelle: 1, 2*

Gibbs Regel #9: Gehe niemals ohne Dein Messer irgend wo hin!

Tony: Ob Gibbs mir wohl seine Uniform fürs Wochenende leiht?
Kate: Keine Ahnung. Ich wär' nur gerne dabei, wenn Sie ihn fragen!
Gibbs: Hey, DiNozzo, das erinnert mich irgendwie an Deine Wohnung - bis auf diesen Aprilfrischen Urinduft.
Tony: Damit Du es weisst: Ich hab jetzt 'ne Putzfrau!
Gibbs: Und die kannst Du Dir leisten?
Tony: Irre, was man sich leisten kann, wenn man nicht für drei Ex-Frauen Unterhalt zahlt.
Kate: Wissen Sie wirklich, wo es lang geht?
Gibbs: Ich hab das mal beruflich gemacht.
Tony: Gab's damals schon Landkarten?
Kate: Nächstes Mal fahren Sie noch etwas schneller! Ich hab' noch etwas Adrenalin in Reserve.
Tony: Eine effiziente Spurensicherung erfordert eine baldige Ankunft, Kate.
Kate: Aber es wäre ganz hilfreich, wenn die Ermittler da nicht überall hinkotzen würden.
Gibbs: Ah....das weckt bei mir Erinnerungen.
Kate: Was für welche?
Gibbs: An meine Ehen. *Quelle: 3,4,5*

Nr.	Titel	Originaltitel	Premiere USA	Premiere D	Regisseur	Drehbuch
1.14	**Der gute Samariter**	The Good Samaritan	17. Feb. 2004	23. Juni 2005	A.Levi	J.Bernstein

Auf einem Navy-Stützpunkt in Virginia wurden mehrere Männer ermordet. Laura Seeger, die Frau des dritten Opfers, und die Marineärztin Margret Green haben beide ein Tatmotiv, doch leider auch ein hieb- und stichfestes Alibi. Da die Opfer nichts gemeinsam haben, glaubt Gibbs, dass die Morde in Wirklichkeit der Tarnung eines anderen Verbrechens dienen sollen *Quelle: 1, 2*

Gibbs: Sag es nicht, DiNozzo.
Tony: Ich wollte doch gar nichts sagen.
Gibbs: Dann denk' es nicht.
Tony: Zu spät.
Abby: Das ist der linke Hinterreifen von Commander Julius Wagen. Fällt Dir daran etwas auf?
Gibbs: Er ist aufgepumpt!
Abby: Rätst Du jetzt nur, oder weisst Du tatsächlich, worauf ich hinaus will?
Gibbs: Was denkst Du denn?
Abby: Weiss ich nicht, deshalb frage ich Dich ja.
Gibbs: Wieso rückst Du nicht damit raus?
Abby: Also weisst Du es nicht!
Gibbs: Ich will nur feststellen, ob Du es weisst.
Abby: Wir sollten mal ne Runde Poker spielen!
Gibbs: Finde ich auch. *Quelle: 3,4,5*

Episoden Staffel 1 Navy CIS

Nr.	Titel	Originaltitel	Premiere USA	Premiere D	Regisseur	Drehbuch
1.15	**Der Colonel**	Enigma	24. Feb. 2004	30. Juni 2005	T.J.Wright	J.Kelley

Im Irak ist ein amerikanischer Geldtransporter überfallen worden. Colonel Ryan, ein alter Freund von Gibbs, ist seither mit zwei Millionen Dollar verschwunden. Kurze Zeit später erhält Gibbs ein Päckchen von Ryan. Heimlich treffen sich die beiden in einer alten Lagerhalle. Dort erzählt Ryan, dass er umgebracht werden soll, da er von einer Verschwörung bis in die höchsten Regierungskreise weiß *Quelle:* [1,2]

Gibbs Regel #12: Keine Verhältnisse mit Kollegen!

Kate: Sagen Sie, bauen alle Marines Boote?
Tony: Nur die, die schon öfter verheiratet waren.
Kate: Wieso denn das?
Tony: Die anderen können sich welche kaufen.
Kate: Ducky, kannten Sie eigentlich Colonel Ryan?
Ducky: Ich weiss nur, was für einen Ruf er hatte.
Kate: Beschreiben Sie ihn.
Ducky: Professionell, zielbewusst, seine Arbeit war sein Leben.
Tony: Also war er in etwa so wie Gibbs.

Abby: Wir stehen hier vor einem Rätsel, Gibbs. Ich hab' den ganzen Tag die Flughafenbänder nach Bildern von Colonel Ryan durchsucht, und ich meine wirklich den ganzen Tag, rate mal.
Gibbs: Er ist auf keinem zu sehen.
Abby: mhh..Ja
Gibbs: Gut geraten.
Abby: Ok. Willst Du auch raten, was ich über die Originalbänder weiss, die uns das FBI geschickt hat?
Gibbs: Die Aufnahmen sind älter als zwei Tage.
Abby: Richtig... Aber kannst Du mir auch sagen, wann sie gemacht wurden?
Gibbs: Vor 1 1/2 Wochen.
Abby: ...habe ich schon erwähnt, dass ich damit den ganzen langen Tag zu tun hatte?

Quelle: [3,4,5]

Nr.	Titel	Originaltitel	Premiere USA	Premiere D	Regisseur	Drehbuch
1.16	**Alptraum im Keller**	Bête Noire	02. Mär. 2004	07. Juli 2005	P.Ellis	D.Bellisario

Bei einer Autopsie werden Ducky und Gerald von einem Terroristen überwältigt, der sich in einem Leichensack versteckt gehalten hatte. Er nennt sich selbst Ari und fordert die Herausgabe der Leiche und der Blutprobe eines anderen Hamas-Anhängers namens Qassam. Wenn seine Forderungen nicht erfüllt werden, wird er Gerald und Ducky töten. Bei dem Versuch, den Entführer zu täuschen, fällt auch Kate Ari in die Hände. Gibbs und ein Spezialkommando wollen die Geiseln befreien. *Quelle:* [1,2]

Kate: Wie sind Sie hier rein gekommen?
Ari: In einem Leichen Sack.
Kate: So kommen Sie hier auch wieder raus!

Gibbs: Verdammt.Ich benutze heute noch ein Notizbuch und einen Bleistift anstatt eines PDQ.
Tony: Ein PDA, Boss.
Gibbs: Es ist egal, wie das Ding heisst, wenn ich es nicht benutzen kann.
Tony: Ich zeig's Dir.
Gibbs: Du zeigst es mir? McGee zeigt es Dir, und Du zeigst es mir? Das ist völliger Schwachsinn... Gott, ich brauch' einen Kaffee.

Quelle: [3,4,5]

Episoden Staffel 1 Navy CIS

Nr.	Titel	Originaltitel	Premiere USA	Premiere D	Regisseur	Drehbuch
1.17	**Fünf Musketiere**	The Truth is Out There	16. Mär. 2004	14. Juli 2005	D.Smith	J.Bernstein

Ein junger Navy-Angehöriger wird in der Decke eines alten Lagerhauses tot aufgefunden. Untersuchungen ergeben, dass er bei einem Autounfall ums Leben gekommen ist. Als das NCIS-Team herausfindet, dass der Mann 40.000 Dollar in seinem Zimmer liegen hatte, wird der vermeintliche Unfall zu einem mörderischen Verbrechen. Am Abend vor seiner Ermordung hatte das Opfer noch mit seinen Freunden in dem Lagerhaus eine Party gefeiert, die mit einem tödlichen Streich endete. *Quelle: 1, 2*

Abby: Gibbs, hast Du eigentlich auch einen Fetisch?
Gibbs: Ich habe 3 Ex-Frauen, ich kann mir keinen Fetisch leisten.

Quelle: 3,4,5

Nr.	Titel	Originaltitel	Premiere USA	Premiere D	Regisseur	Drehbuch
1.18	**Falsche Fährten**	UnSEALed	06. Apr. 2004	21. Juli 2005	P.Ellis	T.Moran

Jack D. Curtin, ein wegen Mordes verurteilter Häftling und ehemaliger Navy Seal, ist aus dem Gefängnis ausgebrochen. Gibbs und sein Team sind ihm auf den Fersen und rollen den Fall noch einmal neu auf. Curtin behauptet nämlich, dass er damals seine Frau mit dem Fernsehtechniker bereits tot im Schlafzimmer gefunden hatte. Niemand will ihm glauben - nur Gibbs ist von Curtins Unschuld überzeugt und sucht den wahren Täter. *Quelle: 1, 2*

Kate: Tony, könnten Sie mir helfen, bitte.
Tony: Sie schläft mit 'ner Knarre, Boss.
Gibbs: Ist das wahr?
Kate: Irgendwie... hin und wieder..., ja.
Gibbs: Braves Mädchen.

Tony: Wissen wir, warum er im Knast war?
Gibbs: Aus demselben Grund, aus dem ich auch rein komme, wenn Du nicht gleich abschwirrst.

Quelle: 3,4,5

⚑ NCIS FAQ

Gibbs und seine Ex-Frauen?

Gibbs war noch 3 mal verheiratet, nachdem seine Frau Shannon und seine Tochter Kelly bei einem Autounfall ums Leben gekommen sind.

Heirat Shannon: '82 Tod: Februar '91
1. Ex: ca.'95
2. Ex: (Schlag mit Baseballschläger), war später mit Fornell verheiratet
3. Ex Diane: '99 (Schlag mit 7er Eisen)

Quelle: 6

Episoden Staffel 1 Navy CIS

Nr.	Titel	Originaltitel	Premiere USA	Premiere D	Regisseur	Drehbuch
1.19	**Wenn Tote sprechen**	Dead Man Talking	27. Apr. 2004	28. Juli 2005	D.Smith	F.Cardea & G.Schenck

Chris Pacci, einer von Gibbs' Special Agents, ist bestialisch ermordet worden. Den Tag zuvor hatte er Gibbs um seine Hilfe bei einem drei Jahre alten Fall gebeten. Damals hatte Lieutenant Commander Voss die Navy per Kreditkartenbetrug um Millionenbeträge erleichtert. Kurz vor Prozessbeginn starb Voss allerdings bei einem Autounfall. In diesem Zusammenhang beschattet das NCIS-Team die junge Amanda Reed. Schnell findet Gibbs heraus, dass sie etwas mit Paccis Tod zu tun haben muss. *Quelle: 1, 2*

Kate: DiNozzo, das Badezimmer ist sauber. Ich möchte es genauso vorfinden, wenn ich wiederkomme.
Tony: Kate, was denken Sie von mir?
Kate: Ich habe Sie beim Schiessen gesehen. Sie treffen zu wenig.

Gibbs: Die erste Schicht machen Kate und ich. Du und McGee, Ihr löst uns um 19 Uhr ab.
Tony: Ja!
Gibbs: Probleme?
Kate: Also, wollen Sie das McGee wirklich antun? Ich fürchte, Käpt'n Bligh wird ihn Kiel holen, aber längs.
Tony: McGee sieht zu mir auf wie zu einem Mentor.
Kate: Ach...
Gibbs: Wollen Sie mit DiNozzo in einer winzigen Wohnung festsitzen? Viel Vergnügen!

Kate: Andererseits wäre es für ihn nicht schlecht. Das bildet McGees Charakter.
Kate: Apropos mehr als nur schräg..., Tony...
Tony: Okay, na gut, geben Sie es mir Kate, ich ertrage es.
Kate: Wie war das eigentlich, einen Kerl zu knutschen?
Tony: Vergessen Sie es. Ich ertrage es nicht.

Quelle: 3,4,5

⚑ NCIS FAQ

Gibbs und sein Kaffee?

Der Chefermittler vom NCIS, ist ein Koffeinsüchtiger Junkie, das steht fest.
Ohne seine tägliche Ration ist er übellaunig und unausstehlich.
Er trinkt seinen Kaffee sehr stark und schwarz.

Es ist aber kein Starbucks Kaffee, auch wenn das Logo
auf dem Becher dem von Starbucks sehr ähnlich sieht.

Quelle: 6

Episoden Staffel 1 Navy CIS

Nr.	Titel	Originaltitel	Premiere USA	Premiere D	Regisseur	Drehbuch
1.20	Willkommen in der Hölle	Missing	04. Mai 2004	04. Aug. 2005	J.Woolnough	J.Kelley

Sergeant Bill Atlas ist verschwunden - Gibbs nimmt die Suche auf. Das NCIS-Team findet heraus, dass Atlas vor seinem Verschwinden um sein Leben fürchtete, da bereits mehrere seiner Kameraden entführt und verhungert sind. Die Opfer haben etwas gemeinsam: Sie dienten, wie Bill Atlas, 1992 unter Major Joe Sacco in Okinawa. Gibbs vermutet Sacco hinter den Serienmorden, doch als Tony plötzlich verschwindet, steht fest, dass Sacco nicht allein dahinter steckt. *Quelle: 1, 2*

Gibbs Regel #9: Gehe niemals ohne dein Messer irgend wo hin!

Kate: Sie leben bald von Sozialhilfe, wenn Gibbs Sie dabei erwischt.

Gibbs: Ihn wobei erwischt, Kate?

Kate: Bei nichts. Ich hab' Tony nur ein paar Ratschläge in Modefragen gegeben.

Gibbs: In welchen?

Kate: Ach, er überlegt sich nur, ob er sich beide Ohren piercen lassen soll.

Gibbs: Stimmt das, DiNozzo?

Tony: Das hat Kate missverstanden. Ich hab' darüber nachgedacht, mir die Ohrläppchen verlängern zu lassen.

Gibbs: Wenn Du aussehen willst wie ein schwuler Pirat ist das Deine Sache.

Tony: Gib's zu, Du hast Dir Sorgen um mich gemacht.

Tony: Du musst jetzt nichts sagen, ich weiss es auch so.

Tony: Doch, ich will, das Du es sagst, ich bin Dir wichtig, oder?

Tony: Heisst das, ich bin Dir nicht wichtig?

Gibbs: Tony, hör' zu. Soweit es mich angeht, gibt es keinen Ersatz für Dich.

Tony: Hinter der Fassade des harten Marines bist Du eigentlich ein herzlicher, weich...

Gibbs: Pech gehabt, McGee, er hat's überlebt. *Quelle: 3,4,5*

Nr.	Titel	Originaltitel	Premiere USA	Premiere D	Regisseur	Drehbuch
1.21	Verbotene Waffen	Split Decision	11. Mai 2004	11. Aug. 2005	T.O'Hara	B.Gookin

Im Wald wird die Leiche eines Marines gefunden. Gibbs und sein Team finden heraus, dass Sergeant Thomas Grimm scheinbar in illegale Waffengeschäfte verwickelt war. Er muss jedoch Komplizen aus den eigenen Reihen gehabt haben, dennoch hat jeder der Kameraden ein wasserdichtes Alibi. Bei einem Undercover-Einsatz im Waffenhändlermilieu begibt sich Gibbs in große Gefahr. *Quelle: 1, 2*

Kate: Wow, Sie haben ausser Comics doch noch was anderes im Badezimmer.

Tony: Kaum zu glauben, was?

Kate: Beeindruckend!

Tony: Vielen Dank.

Kate: Ich meinte natürlich den Krater!

Tony: McGee, haben sie 'nen Knall?

McGee: Was denn?

Tony: Sie sitzen an Gibbs Tisch und fassen seinen Computer an. Das ist so wie die Entweihung der Bundeslade.

McGee: Gibbs weiss, was ich hier tue.

Tony: Er lässt Sie seinen Rechner benutzen?

McGee: Ä-Ja...

Tony: Wirklich. Ich durfte das Ding bisher nicht mal anfassen.

Gibbs: Weil Deine Finger immer von Pommes und Pizza fettig sind. *Quelle: 3,4,5*

Episoden Staffel 1 Navy CIS

Nr.	Titel	Originaltitel	Premiere USA	Premiere D	Regisseur	Drehbuch
1.22	**Abgestürzt**	A Weak Link	18. Mai 2004	18. Aug. 2005	A.Levi	J.Bernstein

Beim Training für eine streng geheime Mission stürzt Lieutenant Rick Johnson, Mitglied der Navy Spezial-Einheit Seals, beim Klettern in die Tiefe und verunglückt tödlich. Obwohl zuerst alles nach einem Unfall aussieht, wird Gibbs hellhörig, als herauskommt, dass die Kletterausrüstung manipuliert wurde. Das NCIS-Team hat weniger als 48 Stunden Zeit, um den Mord an Johnson aufzuklären, da sonst der Sondereinsatz der Seals gefährdet sein könnte. *Quelle: 1, 2*

Gibbs: Und wenn ich die Mails unter dieser Adresse einsehen will?
Kate: Brauchen Sie einen Durchsuchungsbeschluss für die ...
Gibbs: Keine Zeit dafür! Wie komme ich schneller ran?
Kate: Hacken Sie sich in die Firma rein! Habe ich das wirklich gesagt? So was habe ich nie vorgeschlagen, bevor ich hier angefangen habe!
Gibbs: Willkommen im Club!

Gibbs: DiNozzo, Du sicherst sie.
Tony: Keine Bange, Kate, ich passe auf Sie auf!
Kate: Genau davor habe ich ja Angst, Tony.

Kate: Wo fahren wir denn hin?
Tony: Bei Gibbs weiss man das nie!

Gibbs: Tun wir so, als wüssten wir gar nichts!
Tony: Das fällt uns nicht schwer!

Quelle: 3,4,5

Nr.	Titel	Originaltitel	Premiere USA	Premiere D	Regisseur	Drehbuch
1.23	**Der Terrorist**	Reveille	25. Mai 2004	25. Aug. 2005	T.J.Wright	D.Bellisario

Seit dem Geiseldrama, bei dem Kate und Ducky von einem Hamas-Terroristen gefangen gehalten wurden, plagen Gibbs schreckliche Albträume. Er ist sich sicher, dass der Verbrecher zurückkehren wird, um Kate zu töten. Als der Geiselnehmer tatsächlich auftaucht, scheint sich Gibbs' Vorahnung zu erfüllen, denn Kate wird entführt. Doch Gibbs ist ihm bereits auf den Fersen, denn es steht nicht nur Kates Leben auf dem Spiel. Die Terroristen planen einen Anschlag auf den Präsidenten. *Quelle: 1, 2*

Gibbs Regel Nr.7: Benutze immer konkrete Details, wenn du lügst!

Gibbs: Wohnt er so lange bei Dir?
Abby: Ja.
Gibbs: Wie schläft es sich im Sarg, McGee?
McGee: In 'nem Sarg? Aber Du hast gesagt, es ist eine kastenförmige Schlafcouch.
Abby: Na ja, ist es doch auch, irgendwie.
McGee: Deswegen wolltest Du das Licht nicht einschalten. Ich 'hab in 'nem Sarg geschlafen, nicht zu fassen!
Abby: Nicht nur geschlafen!

Tony: Kate, Gibbs ist wie ein Hund. Er knabbert an einem alten Knochen rum, bis er mal ein Steak kriegt. Und wenn er das verschlungen hat, knabbert er wieder an dem Knochen rum.

Quelle: 3,4,5

Staffel 2 (Episoden 2.24- 2.46) Navy CIS

Zu Beginn der zweiten Staffel wird McGee festes Mitglied von Gibbs' Team. Er wird oft von DiNozzo und Todd aufgezogen. McGee wird von Gibbs zunächst schroff und fordernd behandelt, damit er sich ins Team einfügen kann.

Auch in dieser Staffel ermitteln die Mitglieder des NCIS in Fällen von Mord, Spionage, Terrorismus und Entführung. So wird Dr. Mallard in der Folge Blutiges Puzzle von einem Auftragsmörder entführt, wodurch Gibbs und sein Team in ein Rennen gegen die Zeit geraten und versuchen, das Leben des Gerichtsmediziners zu retten.

Des Weiteren öffnet DiNozzo zum Ende der Staffel einen Brief, in dem sich ein weiß-bräunliches Pulver befindet. Später findet man heraus, dass sich DiNozzo damit mit der Lungenpest infiziert hat. Todd wurde nicht infiziert, spielt jedoch DiNozzo vor, dass sie es wäre. Gibbs und Abby versuchen ein Gegenmittel zu finden. Letztlich kann DiNozzo gerettet werden.

Im Staffelfinale kehrt der Terrorist Haswari, der schon in der ersten Staffel auftrat, zurück, und versucht Gibbs umzubringen. Dies kann jedoch vereitelt werden. Während der Ermittlungen wird Todd von Haswari auf dem Dach eines Lagerhauses aus großer Entfernung erschossen. Die Folge endet damit, dass Todd vor den Augen von Gibbs und DiNozzo stirbt.

Quelle: [1]

Erstausstrahlung USA	28. September 2004 – 24. Mai 2005 auf CBS
Erstausstrahlung Deutschland	1. September 2005 – 9. März 2006 auf Sat 1

Episoden Staffel 2 Navy CIS

Nr.	Titel	Originaltitel	Premiere USA	Premiere D	Regisseur	Drehbuch
2.24	**Unsichtbar**	See No Evil	28. Sep. 2004	01. Sep. 2005	T.Wright	C.Crowe

Captain Watson wird erpresst: Er soll innerhalb eines Tages zwei Millionen Dollar an einen Erpresser überweisen, der seine Frau und seine blinde Tochter Sandy gefangen hält. Gibbs und sein Team werden mit dem schwierigen Fall beauftragt, die Spur führt in eine ganz andere Richtung, als das NCIS-Team zunächst annimmt. Quelle: [1, 2]

Kate: Wenn ich Kinder habe, lasse ich sie nie aus den Augen!
Tony: Wie wollen Sie das machen?
Kate: GPS-Empfänger am Fussknöchel.
Tony: Nein! Ich meinte das mit dem Kinder kriegen!

Kate: Merken sie nicht, wenn man mit Ihnen Scherzt?
McGee: Früher schon, doch dann habe ich Euch kennen gelernt!

Gibbs: McGee, ich hab' eine gute und eine schlechte Nachricht für Dich. Die Gute ist: Du bist befördert worden und die Schlechte, Du gehörst jetzt mir.

Quelle: [3,4,5]

Episoden Staffel 2 Navy CIS

Nr.	Titel	Originaltitel	Premiere USA	Premiere D	Regisseur	Drehbuch
2.25	**Die perfekte Frau**	The Good Wives Club	5. Okt. 2004	08. Sep. 2005	D.Smith	G.Grant

Das NCIS-Team entdeckt eine in ein Hochzeitskleid gekleidete Frauenleiche. Die Tote wurde in einem unterirdischen Schlafzimmer gefangen gehalten, wo sie grausam erstickte. Gibbs und seine Leute finden heraus, dass es sich um eine vor anderthalb Jahren spurlos verschwundene Navy-Soldatin handelt. Auf demselben Stützpunkt wird seit kurzem eine weitere Frau vermisst. Gibbs vermutet, dass auch sie dem psychopathischen Serienkiller zum Opfer gefallen sein könnte. *Quelle: 1, 2*

Tony: Als Gibbs uns vorgestellt hat, nannte er zuerst Dich, dann McGee, dann mich. Wieso nennt er mich zuletzt?
Kate: Das ist nicht Dein Ernst!?
Tony: Doch, wenn Gibbs die Reihenfolge plötzlich so verdreht, dann ist das, na ja, eben merkwürdig, weisst Du.
McGee: Ich glaube nicht, dass das von Bedeutung ist.
Kate: Ich würde das nicht so wichtig nehmen.
Tony: Wieso sagst Du das?
Kate: Ich glaube nicht, dass das etwas mit der Rangfolge zu tun hat.
Tony: Und womit hat's dann zu tun?
Kate: Vermutlich eher mit Intelligenz und allgemeiner Kompetenz!

Gibbs: Zieh' irgendwem ein Hochzeitskleid an.
Kate: Tony sähe süss aus!
Gibbs: Nein, der befragt gerade die Eltern des Opfers.
Kate: McGee!
Gibbs: Den hat Tony mitgenommen.
Kate: Abby!
Gibbs: Steckt bis zu den Tattoos in Laboruntersuchungen.
Kate: Und was ist mit Dir?

Quelle: 3,4,5

Nr.	Titel	Originaltitel	Premiere USA	Premiere D	Regisseur	Drehbuch
2.26	**Auge um Auge**	Vanished	12. Okt. 2004	15. Sep. 2005	T.Wright	C.Crowe

Alienalarm im NCIS: Auf einem Maisfeld inmitten mysteriöser Kornkreise wird ein verlassener Helikopter der Marines gefunden - von dem Piloten fehlt jede Spur. Als Gibbs und sein Team in der Nähe des Fundorts auf eine verkohlte Leiche in einer ausgebrannten Hütte stoßen, wird aus dem Alienabenteuer schnell ein handfester Mordfall. Wie sich herausstellt, handelt es sich bei dem Toten um den Bruder des vermissten Piloten. *Quelle: 1, 2*

Abby: Jetzt hör mal zu, McGee! Ich will Fotos davon und zwar viele! Proben von den Halmen und von den Wurzeln. Und Bodenproben aus 25 cm Tiefe, aber auch 'ne Kontrollprobe von ausserhalb des Kreises!
McGee: Abby! Wir suchen nach 2 vermissten Marines.
Abby: Komm schon, McGee. Tu' es für mich! Ich zeig' Dir auch mein neues Tattoo!
Kate: Was tut McGee eigentlich da?
Tony: Er geht durchs Feld mit 'nem Magnetometer!
Kate: Hm... lass' mich raten. Abby?
Tony: Jeder Wunsch von ihr ist ihm Befehl.
Kate: Dafür zeigt sie ihm ihr neues Tattoo! Warte, bis er erfährt, dass es an ihrem Fussknöchel ist!

Quelle: 3,4,5

Episoden Staffel 2 Navy CIS

Nr.	Titel	Originaltitel	Premiere USA	Premiere D	Regisseur	Drehbuch
2.27	**Neptuns Zeichen**	Lt. Jane Doe	19. Okt. 2004	22. Sep. 2005	D.Smith	G.Grant

Auf einem Marinestützpunkt in Norfolk wird eine Frauenleiche gefunden, der ein Dreizack in den Hals geritzt wurde. Allem Anschein nach ist sie einem Triebtäter zum Opfer gefallen, der bereits vor zehn Jahren schon einmal zugeschlagen hatte. Damals konnte Ducky den Mörder nicht finden - eine Tragödie, die ihn heute noch verfolgt. Gibbs und sein Team machen sich auf die Suche nach dem neuen/alten Täter. Doch ihre Ermittlungen führen zu einem unglaublichen Ergebnis. *Quelle: 1, 2*

Kate: Ich hätte das Geld zurückgegeben.
Tony: Ein Dollar 85?
Kate: Es geht ums Prinzip, nicht um den Betrag.
Tony: Ich hab's am Schalter nicht gemerkt. Ich hab das Geld in den Ascher geworfen und bin weg.
Kate: Du hast es nicht gemerkt, weil du die Blonde am Schalter mit Blicken ausgezogen hast.
Tony: Mit Blicken ausgezogen? Nein! Ein wenig gesabbert, mehr nicht.

Abby: McGee hilft mir den Abgleich der Fingerabdrücke unserer Jane Doe mit dem Personalregister zu beschleunigen. Ich muss sie schnell identifizieren, sonst wird mir noch der Kopf abgerissen.
Gibbs: Meine Güte. Bin ich denn wirklich so schlimm?

Kate: Ich bin seit einem Jahr hier. Ich kenne die Abkürzungen.
Tony: Ein Jahr. Kommt mir vor wie gestern, als Du den Unterschied zwischen Nephsock und Nephsack nicht kanntest. Ja, unsere Kleine wird erwachsen, nicht wahr, Boss?

Tony: (Gibbs gibt Tony eine Kopfnuss) Wofür war das?
Gibbs: Dafür, dass Du nicht erwachsen wirst.

Quelle: 3,4,5

Nr.	Titel	Originaltitel	Premiere USA	Premiere D	Regisseur	Drehbuch
2.28	**Der Maulwurf**	The Bone Yard	26. Okt. 2004	29. Sep. 2005	T.O'Hara	J.C.Kelley

Bei einem Bombenabwurfmanöver wird ein Zivilist getötet. Bei den Nachforschungen findet das NCIS-Team heraus, dass die vermeintliche Zivilperson Vic Gera ein Undercover-Agent des FBI war. Er arbeitete für Agent Tobias Fornell, der mit dessen Hilfe an den Mafiaboss Napalitano herankommen wollte. Gibbs vermutet, dass es beim FBI einen Maulwurf gibt, der Gera verraten hat. Auf der Suche nach dem Maulwurf gerät Agent Fornell selbst ins Fadenkreuz der Ermittler. *Quelle: 1, 2*

Abby: Hey, ich habe Deine Leiche identifiziert. Und weisst Du was, er ist süss!
Ducky: Will irgend jemand raten, wie er gestorben ist?

Mafia Boss: Gibbs, wenn Sie meinem Jungen etwas tun, dann töte ich Ihre Brüder, Onkel und Ihren Vater und nach den Beerdigungen töte ich Sie!
Gibbs: Keine Brüder, keine Onkel. Mein Vater verstarb vor Jahren. Ich hab' allerdings drei Ex-Frauen, deren Namen und Adressen ich gerne an Sie weiterleite.

Quelle: 3,4,5

Episoden Staffel 2 Navy CIS

Nr.	Titel	Originaltitel	Premiere USA	Premiere D	Regisseur	Drehbuch
2.29	**Schatten der Angst**	Terminal Leave	16. Nov. 2004	06. Okt. 2005	R.Director	J.Woolnough

Auf einem Supermarktparkplatz explodiert das Auto von Lieutenant Commander Miki Shields. Die Marinefliegerin hatte der Navy den Rücken gekehrt, nachdem sie in Afghanistan versehentlich zehn Zivilisten getötet hat. Bei ihren Ermittlungen muss sich das NCIS-Team gegen das FBI durchsetzen, um an dem Fall arbeiten zu können. Gerade als Gibbs und seine Leute denken, den Attentäter gefasst zu haben, geschieht ein erneuter Anschlag. Stecken etwas Terroristen dahinter? Quelle: 1, 2

Kate: Tony, wie lange bist Du schon hier?
Tony: Naja, ich weiss jetzt, dass Du nicht singen kannst ... Und Du hast Deine Beine seit einer Woche nicht rasiert.
Tony: Ich will doppelte Überstunden dafür. Der Junge ist ein Alptraum.
Gibbs: Er erinnert mich an Dich.

Tony: Sieht aus, als bräuchten wir das Infrarot -Fernrohr, McGee.
McGee: Das, mit dem man nachts durch Mauern sehen kann?
Tony: Das ist besser als Pay-TV und das Beste dabei ist, es kostet nichts.
Kate: Genau deshalb, Tony!
Tony: Deshalb was, Kate?
Kate: Deshalb kriegst Du meine Adresse nicht.
Tony: Sie ist dickköpfig, will keine Vernunft annehmen und ist offenbar gewohnt, ihren Willen durchzusetzen. Erinnert mich an jemanden.
Kate: Ja! An einen weiblichen Gibbs.
Tony: Eigentlich hab' ich Dich gemeint!

Quelle: 3,4,5

Nr.	Titel	Originaltitel	Premiere USA	Premiere D	Regisseur	Drehbuch
2.30	**Der Held von Iwo Jima**	Call of Silence	23. Nov. 2004	13. Okt. 2005	T.Wright	R.Director

Ernie Yost, ein ehemaliger Marine Corporal, ist Träger der Tapferkeitsmedaille, weil er im Zweiten Weltkrieg im Kampf gegen die Japaner seine vorgeschobene Stellung so gut wie allein verteidigt hat. Nach dem Tod seiner geliebten Frau ist er in ein großes schwarzes Loch gefallen. Völlig verwirrt erscheint er beim NCIS und behauptet, seinen besten Freund mit einer 45er-Magnum umgebracht zu haben. Quelle: 1, 2

Tony: Müssen wir es ihr sagen?
Gibbs: Special Agent DiNozzo, hier beim NCIS melden wir nur Beweise, die uns gefallen.

Henry: Sie haben mir doch diesen Sushi-Laden empfohlen.
Gibbs: Hat er Ihnen nicht gefallen?
Henry: Hat mir sehr gefallen, doch wusste ich leider nicht, dass man da auf Japanisch bestellen muss.
Gibbs: Man bestellt dort nicht. Man isst, was einem serviert wird, und zwar mit einem Lächeln, so als wäre man verheiratet!

Abby: Diese Waffe ist ungefähr aus den frühen Vierzigern.
Gibbs: Ein, zwei Jahre, bevor ich zum Corp ging.
Mr. Yost: Wie lange sind Sie schon beim Corp?
Tony: Seitdem ich Gibbs kenne.
Commander: Erkennen sie die Unterschrift?
Gibbs: Ja!
Commander: Sie sehen gar nicht so schlecht, wie es immer heisst! Quelle: 3,4,5

Episoden Staffel 2 Navy CIS

Nr.	Titel	Originaltitel	Premiere USA	Premiere D	Regisseur	Drehbuch
2.31	**Herzenssachen**	Heart Break	30. Nov. 2004	20. Okt. 2005	D.Smith	G.Schenck & F.Cardea

Commander Dornan, der in einem Krankenhaus der Navy wegen eines Herzklappenfehlers operiert wurde, stirbt kurze Zeit später im Krankenbett einen ungewöhnlichen Tod: Er explodiert von innen heraus. Gibbs und sein Team vom NCIS werden hinzugezogen, denn alles sieht nach einem äußerst grausamen Mord aus. Der Verdacht fällt auf einen jungen Ensign, der während seiner Ausbildung von Commander Dornan schikaniert wurde. Doch bei ihren Ermittlungen unterläuft Kate ein fataler Fehler. *Quelle:* [1,2]

Kate: Das ist der Beginn eines verflucht langen Tages!
Tony: Ja, zu blöd, dass die Nacht für Dich zu kurz war...

Gibbs: Sag' Ducky Bescheid, vielleicht kriegt Ihr's zusammen raus.
Abby: Alles klar, wenn er mit der Schnippelei fertig ist, ist Brainstorming angesagt.
Gibbs: Lasst Euch nicht wegwehen.

Quelle: [3,4,5]

Nr.	Titel	Originaltitel	Premiere USA	Premiere D	Regisseur	Drehbuch
2.32	**Leere Augen**	Forced Entry	7. Dez. 2004	27. Okt. 2005	D.Smith	J.Stern & J.C.Kelley

Laura Rowens, die Frau eines im Irak stationierten Soldaten, wird von einem Mann überfallen - sie schießt ihn nieder. Der Täter behauptet, sie hätten sich im Internet kennen gelernt, monatelang E-Mails geschrieben und Laura hätte ihn an diesem Abend eingeladen. Bald stellt sich heraus, dass Rowens' Computer manipuliert wurde. Schließlich finden Gibbs und seine Leute den Computer-Freak, der dafür verantwortlich ist - mit durchgeschnittener Kehle und herausgerissenen Augen. *Quelle:* [1,2]

Gibbs Regel #23: Vergreif dich niemals am Kaffee eines Marines, wenn du am Leben bleiben willst!

Gibbs: Sind Deine Brüder wirklich so?
Kate: Leider....Ja!
Gibbs: Da wird mir einiges klar!

Quelle: [3,4,5]

Nr.	Titel	Originaltitel	Premiere USA	Premiere D	Regisseur	Drehbuch
2.33	**Flucht in Ketten**	Chained	14. Dez. 2004	03. Nov. 2005	T.Wright	F.Military

Der NCIS hat Tony als Undercover-Agent auf den kriminellen Jeffery White angesetzt, der mit seinem Komplizen Lane irakische Antiquitäten gestohlen hat. Während eines Gefangenentransports wird ein Unfall inszeniert, und Tony, der sich ebenfalls als schwerer Junge ausgibt, kann mit Jeffery fliehen. Die beiden sind aneinander gekettet und wollen zu Jefferys Komplizen Lane, um gemeinsam mit ihm die Kunstschätze zu verkaufen. *Quelle:* [1,2]

Gibbs: Alle paar Minuten rufen mich Leute an, ob ich einen VW zu verkaufen habe
McGee: Einen VW?
Gibbs: Das ist ein Auto, McGee!
McGee: Ja, ja, ich wusste nur nicht, dass Sie einen VW haben.
Gibbs: Also, hören Sie mal! Seh' ich denn aus wie einer, der so ein merkwürdiges, kleines Auto fährt?
Kate: Aahh...
Abby: Alles okay mit Dir?
Kate: Gibbs fährt...
Abby: Ich bete in allen Sprachen für Dich!

Quelle: [3,4,5]

Episoden Staffel 2 Navy CIS

Nr.	Titel	Originaltitel	Premiere USA	Premiere D	Regisseur	Drehbuch
2.34	Ein Mann für unlösbare Fälle	Black Water	11. Jan. 2005	10. Nov. 2005	T.O'Hara	J.C.Coto & J.C.Kelley

Vor zwei Jahren ist der wohlhabende Navy-Lieutenant Brian McAllister spurlos verschwunden. Seine Familie hat seinerzeit eine Belohnung von einer Million Dollar für den ausgesetzt, der McAllister findet. Jetzt scheint es, als habe der Privatdetektiv Monroe Cooper in einem abgelegenen See in Virginia den Wagen gefunden, mit dem McAllister - so Coopers Vermutung - damals einen tödlichen Unfall erlitten hat. Bei der Untersuchung stellt sich Ungeheuerliches heraus. *Quelle: 1, 2*

Ducky: Glaubst Du an Fremdeinwirkung?
Gibbs: Du kennt mich, Ducky, ich glaube erst mal an alles!
Ducky: Das ist auch der Grund, warum sich Deine Frauen scheiden liessen.
Gibbs: Ich dachte der Grund war, dass ich ein Drecksack war.
Ducky: Das hat auch dazu beigetragen.

Jimmy: Kennen sie eine seiner Ex-Frauen?
Ducky: Oh, mit der Letzten habe ich ihn bekannt gemacht.
Jimmy: Was ist schief gelaufen?
Ducky: Das ist schwer zu sagen, Mr. Palmer, seither hat sie nicht mehr mit mir gesprochen.

Tony: Celebrity P.I.? Noch nie davon gehört!
McGee: Das überrascht mich nicht im Mindesten. Es sind keine Bilder in dem Buch.
Tony: Hast Du was gesagt, Bambino?
McGee: Ja, ich bin kein Trottel!
Tony: Du musst es ja wissen, Spongebob.

Quelle: 3,4,5

Nr.	Titel	Originaltitel	Premiere USA	Premiere D	Regisseur	Drehbuch
2.35	Doppeltes Spiel	Doppelgänger	18. Jan. 2005	17. Nov. 2005	T.O'Hara	D.Bellisario & J.Bernstein

Während eines Telefonats erlebt ein Call-Center-Mitarbeiter den Mord an seinem Gesprächspartner Petty Officer Dion Lambert mit. Als das NCIS-Team am Tatort eintrifft, finden sie Blutspuren, jedoch ist Lamberts Leiche in der verwüsteten Wohnung nicht auffindbar. Gibbs erscheint der Fall zu einfach und fordert von Abby und McGee eine gründliche Untersuchung. Es verstärkt sich langsam der Verdacht, dass Lambert das Telefongespräch inszeniert haben könnte - und den Mord. *Quelle: 1, 2*

Kate: Das ist das letzte Mal, dass ich Dir das sage, Tony! Lass' die Finger von meinem Telefon, von meinem Computer, von meiner Post, von meinem PDA UND von meinem Handy! Hast Du das verstanden?
Tony: Nur damit das klar ist, Kate: Von allem, was Du da aufgeführt hast, habe ich absolut nichts getan.
Kate: Und woher weisst Du dann, wo ich zum Frühstück war?
McGee: Der Aufdruck auf dem Kaffeebecher in Ihrem Papierkorb.
Tony: Hat Dich jemand um einen Gesprächsbeitrag gebeten, Bambino?
Kate: Du hast in meinem Müll gewühlt?
Tony: Hast Du mir das etwa verboten, Na? Na?
Kate: Wieso tust Du das alles?
Tony: So schärfe ich meine Ermittlerfähigkeiten.

Quelle: 3,4,5

Episoden Staffel 2 Navy CIS

Nr.	Titel	Originaltitel	Premiere USA	Premiere D	Regisseur	Drehbuch
2.36	**Blutiges Puzzle**	The Meat Puzzle	8. Feb. 2005	24. Nov. 2005	F.Wright	F.Military

Bei Ducky finden sich drei Fässer mit Leichenteilen ein. Es handelt sich um den Richter, den Staatsanwalt und den Obmann der Geschworenen eines Gerichtsverfahrens, bei dem Ducky als Sachverständiger auftrat. Dabei wurde Vincent Hanlan wegen Vergewaltigung und Mord verurteilt. Nun scheint er Rache an allen ausüben zu wollen, die für seine Verurteilung sorgten. Obwohl Ducky von Gibbs und seinem Team beschützt wird, gelingt seine Entführung - man will ihn ausbluten lassen. *Quelle: 1, 2*

Abby: Gibbs, Du hast mich erschreckt!
Gibbs: Ich bitte Dich, Abbs! Du schläfst doch mit einem Leichenhemd im Sarg.
Abby: Das Hemd trag ich nicht jede Nacht.
Gibbs: Zu viel Information...

Quelle: 3,4,5

Nr.	Titel	Originaltitel	Premiere USA	Premiere D	Regisseur	Drehbuch
2.37	**Die Zeugin**	Witness	15. Feb. 2005	01. Dez. 2005	J.Whitmore jr.	G.Schenck & F.Cardea

Eines Nachts beobachtet Erin Kendall im Haus gegenüber einen Mord. Da sie angetrunken ist, gelingt es ihr nicht, mit einer Kamera die Tat erkennbar zu filmen. Obwohl ihr die Polizei keinen Glauben schenkt, werden Gibbs und seine Leute verständigt, denn das Opfer soll ein Navy-Angehöriger sein. McGee ist erfreut über seinen ersten eigenen Fall, zumal er von Erin sehr angetan ist. Das wiederum findet Abby alles andere als erfreulich. *Quelle: 1, 2*

McGee: Was hast Du für uns?
Abby: Gibbs, muss ich dem Frischling antworten?
Gibbs: Sei bitte so gut!

McGee: Ich hatte recht! Mein Bauchgefühl war richtig.
Tony: Was Du ein Bauchgefühl nennst, Bambino, sitzt 'ne Etage tiefer.

McGee: Hab' ich irgend was vergessen, Boss?
Gibbs: Nur meinen Kaffee warm zu halten, McGee!

Gibbs: An der nächsten Essenschlacht werde ich mich beteiligen. Mit Erbsen!
Kate: Mit Tiefkühlerbsen?
Gibbs: Nein. In der Dose!

Gibbs: Was sagt Dir die Urinprobe?
Abby: Sehr viel, wir haben uns gut unterhalten.

Quelle: 3,4,5

Nr.	Titel	Originaltitel	Premiere USA	Premiere D	Regisseur	Drehbuch
2.38	**Männer und Frauen**	Caught on Tape	22. Feb. 2005	08. Dez. 2005	J.Woolnough	C.Crowe, G.Grant, J.C.Kelley

Sergeant William Moore, ein junger Marine, stürzt in einem Nationalpark beim Filmen in den Tod. Obwohl der NCIS bei diesem Fall von einem Unfall ausgeht, beginnen Gibbs und sein Team mit den Untersuchungen. Dabei spielen Moores Frau Judy, sein bester Freund Sergeant Caine und der alkoholkranke David Runion eine wichtige Rolle. Als Moores Wunden auf einen Mord schließen, wird seine Kamera zu einem wichtigen Beweismittel. *Quelle: 1, 2*

Tony: Wenn ich so ein Gespräch führen würde, würdest Du mir wieder sagen, dass ich ein Neandertaler wäre!
Kate: Dazu brauch ich kein Gespräch, um dass zu behaupten!

Quelle: 3,4,5

Episoden Staffel 2 Navy CIS

Nr.	Titel	Originaltitel	Premiere USA	Premiere D	Regisseur	Drehbuch
2.39	**Wege zum Ruhm**	Pop Life	1. Mär. 2005	15. Dez. 2005	T.Wright	F.Military

Manda King, eine Petty-Offizierin der Navy, wird im Bett eines Barkeepers tot aufgefunden. Nachdem die Laboruntersuchungen den Barkeeper entlasten, führen die Spuren das NCIS-Team zu einem Club, in dem Mandas Schwester Samantha als Sängerin auftritt. Samantha hatte ihre Schwester gebeten, sie aus einem Knebelvertrag mit dem Clubbesitzer, dem gefürchteten Kriminellen Ian Hitch, zu befreien, damit ihr Traum, ein Star zu werden, in Erfüllung gehen kann. *Quelle: 1, 2*

Tony: Ich dachte nicht, dass Du das merken würdest.
Kate: Wenn's keiner merkt ist Essen klauen ok?
Tony: Ich hab's nicht geklaut, ich hab's geteilt!
Kate: Ich wollte mein Mittagessen nicht mit Dir teilen, dass das klar ist!!!
Ducky: Zeigt doch ein bisschen Respekt - dies ist ein Ort des Friedens und der Würde.
Tony: Das war, bevor Kate hier rein kam...

Quelle: 3,4,5

Nr.	Titel	Originaltitel	Premiere USA	Premiere D	Regisseur	Drehbuch
2.40	**Blau wie Kobalt**	An Eye for an Eye	22. Mär. 2005	12. Jan. 2006	D.Smith	S.Kane

Kurz nachdem ein transsexueller Petty Officer ein Paar menschlicher Augen in seiner Post findet, begeht er Selbstmord. Die Spuren führen Gibbs und seine Leute zu Lieutenant Commander Purcell, der als Dozent den verstorbenen Petty Officer für den Geheimdienst ausgebildet hat. Tony und Kate folgen Purcell nach Paraguay, wo sie auf Ungereimtheiten über seine Tätigkeiten stoßen. Alles deutet darauf, dass Purcell tief im dortigen Verbrechersumpf steckt. *Quelle: 1, 2*

Nr.	Titel	Originaltitel	Premiere USA	Premiere D	Regisseur	Drehbuch
2.41	**Bikini Girl**	Bikini Wax	29. Mär. 2005	19. Jan. 2006	S.Cragg	D.North

Hinter den Kulissen eines Bikini-Wettbewerbs wird die Leiche eines Petty Officers gefunden. Die junge Frau wurde nicht nur ermordet, Ducky stellt auch fest, dass sie schwanger war. Selbst die beste Freundin des Opfers kann aber Gibbs und seinen Leuten keinerlei Hinweise geben, die zur Aufklärung des Mordes beitragen könnten. Durch Zufall entdecken sie Fotos in einem Männermagazin, die zum Verlobten der Freundin führen. Die Zusammenhänge scheinen sich zunächst aufzuklaren. *Quelle: 1, 2*

Tony: Ich wusste, ich kenne Sie irgend woher, es hat mich verrückt gemacht, nicht zu wissen, woher!
Gibbs: Warum hast du Sie nicht gefragt?
Tony: Ähm, weisst Du, ich hatte einige kurzlebige Beziehungen und mir fällt es schwer, mich an jede zu erinnern.
Gibbs: Kann ich verstehen, das gleiche Problem habe ich mit meinen Ex-Frauen!
McGee: Was ist denn das?
Abby: Bikinikleber! Die Kandidatinnen fixieren so die Höschen, damit sie nicht verrutschen.
McGee: Ehrlich?
Abby: Jaa. Ich hab' das Zeug tonnenweise verdonnert, als ich Kandidatin war!
Kate: Ich geb' ihm 5 Sekunden.
McGee: Bis was geschieht?
Kate: Bis Tony schnallt, hier läuft ne...
Tony: ...Bikinishow!!!! Geil!

Quelle: 3,4,5

Episoden Staffel 2 Navy CIS

Nr.	Titel	Originaltitel	Premiere USA	Premiere D	Regisseur	Drehbuch
2.42	**Stimmen**	Conspiracy Theory	12. Apr. 2005	26. Jan. 2006	F.Military	J.Woolnough

Seitdem ihr Verlobter im Irak gefallen ist, befindet sich Petty Officer Jessica Smith in Behandlung. Als sie eines Nachts Stimmen hört und einen Soldaten in ihrem Haus sieht, glaubt ihr nur der hinzugezogene NCIS. Ihr Psychologe dagegen lässt sie ins Krankenhaus einweisen, wo sie kurz darauf erhängt aufgefunden wird. Gibbs und seine Leute finden heraus, dass es Mord war. Eine Spur führt zu ihrem Vorgesetzten, gegen den gerade eine Untersuchung wegen Bestechung läuft. *Quelle:* [1, 2]

Nr.	Titel	Originaltitel	Premiere USA	Premiere D	Regisseur	Drehbuch
2.43	**Die rote Zelle**	Red Cell	26. Apr. 2005	02. Feb. 2006	D.Smith	C.Silber

Nach einer wilden Party auf einem Universitätscampus entdeckt ein Student die Leiche eines jungen Marines, der dort einen Offizierslehrgang absolviert hat. Da Ducky zweifelsfrei feststellen kann, dass es sich um einen Mord handelt, beginnen Gibbs und sein Team mit ihrer Arbeit. Dabei werden sie von einem anonymen Tippgeber unterstützt, dessen E-Mails aber zunächst etwas verwirrend erscheinen. Als auch der beste Freund des Marines ermordet wird, geben die Nachrichten einen Sinn. *Quelle:* [1, 2]

Kate: Ich sags' nicht gern, aber das war eine brillante Idee, Tony!
Gibbs: Was denn, Kate?
Kate: Tony hat ein Vorschlag, wie wir den Hacker finden!
Gibbs: Das ist sein Job. Denkt Ihr vielleicht, ich behalte ihn wegen seiner Persönlichkeit?
McGee: Was für eine Verhörtechnik ist das?
Gibbs: Die DiNozzo-Methode! Nicht besonders schön, aber sehr effektiv.

Quelle: [3,4,5]

Nr.	Titel	Originaltitel	Premiere USA	Premiere D	Regisseur	Drehbuch
2.44	**Mit allen Ehren**	Hometown Hero	3. Mai 2005	09. Feb. 2006	J.Whitmore jr.	G.Schneck & F.Cardea

Petty Officer Dobbs, der im Irak gefallen ist, soll posthum die Tapferkeitsmedaille verliehen werden. Aber als seine ehemalige Schulfreundin Emmy Pole zwischen seinen Sachen die Skelette ihrer und Dobbs' Freundin findet, kommen Zweifel an seiner Integrität auf. Gibbs und seinen Leuten vom NCIS bleibt wegen der anstehenden Ordensverleihung nicht viel Zeit, um Klarheit in den Fall zu bringen. Doch dann lenkt Emmys plötzlicher Selbstmord die Spur in eine andere Richtung. *Quelle:* [1, 2]

McGee: Auch schon da, Tony?
Kate: Tonys Wagen ist abgeschleppt worden. Der Arme musste mit dem Bus in die Stadt fahren.
Tony: Wisst Ihr, was für Leute mit dem Bus fahren?
McGee: Ja, ich zum Beispiel.
Tony: Du sagst es...
Abby: Hab' gehört, Du musst nach Norfolk?
Kate: Das ist kein Problem, wir fahren trotzdem um 6.
Tony: Ach was, wohin denn? ...ah, Ihr zwei verbringt das Wochenende zusammen ... oh ja, ich kann's mir vorstellen...
Kate: Du bist ein Schwein!
Tony: McGee, weisst Du, wo sie zusammen hin wollen?
Gibbs: In ein Wellness-Hotel.
Kate: Giiieeeebbbbs!!!
Gibbs: Er würde sonst den ganzen Tag damit verbringen, es rauszukriegen.

Quelle: [3,4,5]

Episoden Staffel 2 Navy CIS

Nr.	Titel	Originaltitel	Premiere USA	Premiere D	Regisseur	Drehbuch
2.45	**Todeskuss**	SWAK	10. Mai 2005	02. Mär. 2006	D.Smith	D.Bellisario

Ein mit Lippenstiftabdruck versiegelter Brief lässt Tony vorschnell glauben, es sei ein Gruß von einer seiner Angebeteten. Beim Öffnen steigt ihm ein weißes Pulver in die Nase, das sofort Biowaffenalarm auslöst. Zu Recht, wie sich herausstellt, denn Tony ist nun mit Pestbakterien infiziert. Kate, die sich in der Nähe befand, muss sich ebenfalls in Quarantäne begeben. Dem restlichen Team bleibt nicht mehr viel Zeit, denn Tonys Zustand verschlechtert sich zusehends. *Quelle: 1,2*

Tony: Wie wird's Dir wohl geh'n, wenn ich Milzbrand kriege?
Gibbs: Nicht so mies wie Dir, DiNozzo.

Gibbs: Ich hatte noch nie 'ne Erkältung.
Kate: Du hattest noch nie 'ne Erkältung?
Gibbs: Nein, 'ne Grippe hatte ich auch nicht.
Kate: Wieso glaub' ich ihm das?
Tony: Welche Bazille würde ihn anfallen?
Kate: Stimmt!
Gibbs: Ich wurde geschrubbt, gründlich geduscht und wahrscheinlich auch sterilisiert.

McGee: Boss, ich finde Duckys PDA nicht.
Gibbs: Sein PDA sind ein Block und ein Stift.

Gibbs: Jetzt holen Sie die Akten und die Waffen.
Palmer: Pistolen?
Gibbs: Sie können auch Armbrüste nehmen, wenn Sie das für effektiver halten.

Ducky: Ach, Kate hat sich nur um Tony gesorgt.
Gibbs: Und, wie sieht's aus?
Ducky: Er ist stur, aufsässig und natürlich weiss er nicht, wo seine Grenzen sind.
Gibbs: Dann geht's ihm doch gut!

Quelle: 3,4,5

⚑ NCIS FAQ

Woher bekomme ich Abbys Nilpferd?

Abbys Nilpferd "Bert" gibt wirklich die Geräusche von sich. Dafür hat Lead Graphic Artist Doug Reilly aus dem Art Department der Bellisarius Productions gesorgt (Soundeffekt). Bert selbst ist eigentlich eine "sie". Er wird zusammen mit einem kleinen Nilpferd als Mama und Baby angeboten. Hergestellt werden beide von Fiesta Toys (www.fiestatoy.com), nur ohne Geräuscheffekt.

Quelle: 6

Episoden Staffel 2 Navy CIS

Nr.	Titel	Originaltitel	Premiere USA	Premiere D	Regisseur	Drehbuch
2.46	Die Rückkehr	Twilight	24. Mai 2005	09. Mär. 2006	T.Wright	J.C.Kelley

Der NCIS wird zu den Ermittlungen im Todesfall von zwei Navy-Offizieren hinzugezogen. Als Gibbs und seine Leute am Tatort eintreffen, tappen sie jedoch in die Falle eines Attentäters. Sie überleben nur knapp und erfahren daraufhin, dass der Anschlag auf das Konto des zurückgekehrten Ari geht, der allem Anschein nach versucht, sich einer Al Qaida-Zelle in den USA anzuschließen. Als Gibbs ihn persönlich trifft, versucht Ari erneut, ihn zu töten.
Quelle: [1, 2]

Kate: Hör mal, wenn Du unbedingt an Tony denken willst, dann denk doch lieber daran, wie oft er uns schon gekränkt und unsere Privatsphäre verletzt hat. McGee: Du hast Recht, er kann verdammt eklig sein.
Kate: Tony hat allen Frauen unten gesagt, das Du schwul bist, das weisst Du schon, oder? Er meinte, dann hat er nicht so viel Konkurrenz.
McGee: Dieser Schweinehund!
Kate: Dieses Gefühl solltest Du bewahren, dann geht's Dir wieder gut.
McGee: Willst Du wissen, was er über Dich gesagt hat?
Kate: Ja!
McGee: Dass Du ihn neulich in Paraguay verführen wolltest.
Kate: Ich bringe ihn um.

McGee: Morrow hat gesagt er ist hier um Sie...
Gibbs: ...umzubringen. Ja, ich weiss. Ich hab' Kaffee mit ihm getrunken.
Gibbs: Sie begehen gerade den zweitgrössten Fehler Ihres Lebens!
Fornell: Und welcher ist mein Grösster?
Gibbs: Dass Sie meine zweite Frau geheiratet haben!

Kate: McGee hat mir erzählt, was Du gesagt hast.
Tony: Tatsächlich? Ach, ich bitte Dich, Kate. Ich hab' doch nur Spass gemacht. Hätte nie gedacht, dass er mir das abkauft.
Kate: Ach ja, und warum nicht?
Tony: Man sieht doch ganz deutlich, dass Deine Brüste echt sind.
Kate: Was, Du hast gesagt, ich hätte Brustimplantate?
Tony: Nein...!
Kate: Ich kann nicht glauben, das ich mir Sorgen um Dich gemacht habe! Du bist nichts weiter als eine grosse...
Tony: ...Schlange!!!!!
Kate: Ja, Genau!
Tony: Nein... Grossegrossegrossegrossegrosse Schlange... da unten!!!
Kate: Uaaaa!!!
Kate: Bist Du Dir sicher, das Du weisst, was Du da tust?
Tony: Hey, die zeigen so was doch die ganze Zeit auf National Geographic, wie schwer kann das denn schon sein?
McGee: Oh cool, ne' Kornnatter. Darf ich sie anfassen?
Kate: Nein, das ist 'ne Giftschlange, McGee!
McGee: Kornnattern sind doch nicht giftig.
Tony: Doch, das sind sie, McGee!
McGee: Was ist denn mit der aus dem "Shenandoah State Park"? Die hast Du Dir sogar um den Hals gelegt...
Quelle: [3,4,5]

Staffel 3 (Episoden 3.47- 3.70) Navy CIS

Die erste Folge der dritten Staffel beginnt mit der Rückblende des Todes von Todd. Die Jagd auf Haswari beginnt und das Team kommt dabei dem Terroristen gefährlich nah. Todd taucht in Erscheinungen der NCIS-Mitglieder auf und macht ihnen klar, dass sie sich keine Vorwürfe machen sollen. Als Haswari im Keller von Gibbs Haus droht, diesen zu töten, wird er von seiner Halbschwester Ziva David erschossen. Ziva David ist eine Mossad-Agentin, die zur Unterstützung nach Washington gekommen ist. Anschließend wird sie zur Verbindungsoffizierin für den NCIS.

Der Direktor des NCIS, Thomas Morrow, wechselt als stellv. Direktor zur Homeland Security. Seine Nachfolgerin wird Jenny Shepard, Gibbs' frühere Partnerin und Romanze. Aufgrund dieser Vergangenheit fällt es ihr oft schwer, Gibbs Befehle zu geben. Dennoch führen sie eine distanzierte Beziehung und verstehen sich gut.

Im Staffelfinale wird Gibbs von einer Explosion schwer verletzt und fällt ins Koma. Nachdem er erwacht, kann er sich an nichts mehr erinnern, was in den letzten 15 Jahren passiert ist. Nur sein Mentor und alter Freund Mike Franks kann ihm helfen, sich wieder zu erinnern. Nachdem Gibbs sein Gedächtnis vollständig zurück bekommen hat, quittiert er den Dienst, geht in Frühpension und geht mit Franks nach Mexiko.

Quelle: [1]

Erstausstrahlung USA   20. September 2005 – 16. Mai 2006 auf CBS

Erstausstrahlung Deutschland   16. März 2006 – 7. Januar 2007 auf Sat 1

⚑ NCIS FAQ

Warum wurde Kate erschossen?

Ari, ein Spitzel des Mossad und des FBIs, wusste dass er Gibbs am meisten trifft, indem er seine Agentin erschießt. Gibbs hat in Ari Erinnerungen an seinen verhassten Vater geweckt. Kate wurde übrigens von Ari mit einer Kate erschossen (Das Gewehr wird so genannt).

Quelle: [6]

Episoden Staffel 3 Navy CIS

Nr.	Titel	Originaltitel	Premiere USA	Premiere D	Regisseur	Drehbuch
3.47	**Das Duell – Teil 1**	Kill Ari (Part I)	20. Sep. 2005	16. Mär. 2006	D.Smith	D.Bellisario

Nachdem Kate von Ari erschossen wurde, sind ihre Kollegen und Freunde zunächst wie gelähmt. Gibbs ist entschlossen, Ari zu jagen, bis er ihn stellen und töten kann. Bei einer Unterredung mit Direktor Morrow erfährt Gibbs, dass sein Chef den NCIS verlässt und an seine Stelle Jenny Shepard tritt - Gibbs' alte Liebe. Sie will um jeden Preis verhindern, dass er Ari umbringt. Dann bekommt Ducky einen Anruf von Ari - er hat Gerald als Geisel genommen. *Quelle: [1, 2]*

Tony: Was haben die Deutschen bloss mit den Abkürzungen? BMW, BMG, BASF, ... Und alle fangen mit B an.
Gibbs: Hör auf Tony. Blödsinn fängt auch mit B an.

Gibbs: Ich hol mir 'nen Kaffee. Soll ich Euch welchen mitbringen?
Tony: Nein!
McGee: Nein!
Tony: Das 1. Mal...
McGee: Er nennt mich Tim...
Tony: Er klopft mir auf den Rücken...
McGee: Er ist total nett.
Tony: Nett? Nein, das will ich nicht. Er ist nicht Gibbs, wenn er nett ist.

Quelle: [3,4,5]

▶ NCIS FAQ

Wie kam Ziva zum NCIS?

Ziva ist eine Agentin vom Mossad (Israelischer Auslandsgeheimdienst). Sie kam zum NCIS, um Gibbs davon abzuhalten, Ari zu töten, da alle dachten, er hätte Kate getötet. Sie hat Ihren Halb-Bruder Ari erschossen, um Gibbs Leben zu retten. Nun ist sie ein ständiges Mitglied im Team. Sie trägt die Bezeichnung Officer David, da Sie immer noch dem Mossad angehört.

Quelle: [6]

Episoden Staffel 3 Navy CIS

Nr.	Titel	Originaltitel	Premiere USA	Premiere D	Regisseur	Drehbuch
3.48	**Das Duell – Teil 2**	Kill Ari (Part 2)	27. Sep. 2005	23. Mär. 2006	J.Whitmore, Jr.	D.Bellisario

Ari hat Gibbs auf eine falsche Fährte gelenkt, um mit Zivas Hilfe und gefälschten Papieren untertauchen zu können - allerdings will er vorher noch mit Gibbs abrechnen. Ziva, Aris Führungsoffizierin und vom Mossad zur Zusammenarbeit mit dem NCIS abgestellt, ist für Gibbs und seine Leute undurchsichtig und rätselhaft. Als Gibbs zusammen mit Shepard zu dem Haus fährt, in dem sich Ari versteckt hält, werden sie unter Beschuss genommen.
Quelle: 1, 2

McGee: Boss, der Anruf kam von Gerald Jacksons Mobiltelefon!
Abby: Den hatte ich schon fast vergessen.
McGee: Er ist bald ein Jahr in der Reha gewesen.
Abby: Womöglich hat er das von Kate gehört und Ducky angerufen.
McGee: Sie sind in einem Pub und trösten einander.
Abby: Ja!
Gibbs: Ich finde das seltsam!
Abby: Warum?
Gibbs: Egal. Ein Grund brauch' ich nicht.

Tony: Also hör zu, ich hab' so getan, als wär' ich irgendein Schwachkopf der...
Gibbs: ...Du hast so getan?
Tony: Das tut weh, Boss.

Ari: Sie wirken überrascht!
Ducky: Ich hatte erwartet, dass Sie mich erschiessen.
Ari: Dr., bitte! Ich würde einem Kollegen niemals Schaden zufügen.

Ziva: Cappucino? Trinken Sie! Es ist keine Bestechung.
Tony: Seit wann wussten Sie, dass ich Sie ...
Ziva: Dass Sie mich beschatten? Seit ich das Büro verlassen habe.
Tony: Das kann nicht sein!
Ziva: Blaues Auto, zuerst hinter einem weissen Kombi, dann hinter dem Wagen einer Telefongesellschaft versteckt. Verloren haben Sie mich in dem Kreisverkehr am ...
Tony: Schon gut! Schon gut! Sie wussten es!
Ziva: Trinken Sie, es ist kalt hier draussen. Ärgern Sie sich nicht. Ich hab' bei den Besten gelernt.
Tony: Also das gefällt mir so am Mossad!
Ziva: Unsere Ausbildung?
Tony: Die Bescheidenheit.

Quelle: 3, 4, 5

⚑ **NCIS FAQ**

Zeichensprache Gibbs & Abby

Gibbs hat die Zeichensprache von Abby gelernt. Abby hat gehörlose Eltern
und kann daher die Zeichensprache. Info stammt
aus Staffel 1, Folge 3, "Seadog".

Quelle: 6

Episoden Staffel 3 Navy CIS

Nr.	Titel	Originaltitel	Premiere USA	Premiere D	Regisseur	Drehbuch
3.49	Der Mann in der Todeszelle	Mind Games	4. Okt. 2005	30. Mär. 2006	W.Webb	G.Schenck & F.Cardea

Der Psychopath und vielfache Frauenmörder Kyle Boone wurde zum Tode verurteilt, nachdem Gibbs ihn zehn Jahre zuvor überführt hatte. Kurz vor seiner Hinrichtung erhält Gibbs vom Gouverneur den Befehl, Boone erneut zu verhören, um herauszufinden, wo der Killer die Leichen der Frauen verscharrt hat. Boone zeigt sich alles andere als kooperativ und versucht vielmehr, Gibbs mit Psycho-Spielchen aus dem Konzept zu bringen. *Quelle: 1, 2*

Abby: Ok, McGee! Ich bin schwanger. ... Zwillinge. Der Vater weiss noch nichts davon. ... Gibbs! Er ist einfach so süss mit seinem silbergrauen Haar.
Tony: Ich glaub', ich übergeb' mich gleich.
Abby: Tony! Das war ein Scherz. Aber McGee ignoriert mich schon wieder.
McGee: Au! Wofür war das denn?
Tony: Du sollst Abby nicht immer ignorieren. Sie ist sensibel!

Tony: Es gibt 'nen Unterschied zwischen heute und vor 10 Jahren, Ducky. Wir haben unseren Gibbs wieder.
Ducky: Es gibt noch einen Unterschied, Tony. Vor 10 Jahren, da war Gibbs ein völlig anderer Mensch.
Tony: Du meinst, er war damals noch fieser?
Ducky: Nein, ganz im Gegenteil. Er war... Er war Dir sehr ähnlich.

Fremder: Wissen Sie, was wir hier tun sollen?
McGee: Wir tun das, was Gibbs verlangt.
Fremder: Und das wäre?
McGee: Weiss ich nicht.
Fremder: Sie wissen es nicht und das stört Sie nicht im Geringsten?
McGee: Sie gewöhnen sich schon daran.
Fremder: Ja, genau das befürchte ich.
Tony: Gut gemacht McGee. Ich bin stolz auf Dich.
McGee: Und...?
Tony: Und was?
McGee: Sonst krieg' ich doch immer noch 'ne Beleidigung zu hören.

Ducky: Kennst Du eigentlich den Unterschied zwischen gutem und schlechtem Cholesterin?
Tony: Nein, aber das hat was mit dem Geschmack zu tun!
Ducky: Weist Du, schlecht ist, was bei Deinem letzten Bluttest rausgekommen ist.

Quelle: 3,4,5

> ⚑ NCIS FAQ
> **Was trinkt Abby?**
>
> Abby trinkt in der Serie literweise Caf-Pow. Es ist eine Erfindung für die Serie und es soll rot und koffeinhaltig sein. Bei uns wäre es einem Red Bull gleichzusetzen.
>
> *Quelle: 6*

Episoden Staffel 3 Navy CIS

Nr.	Titel	Originaltitel	Premiere USA	Premiere D	Regisseur	Drehbuch
3.50	**Sarg aus Eisen**	Silver War	11. Okt. 2005	06. Apr. 2006	T.O'Hara	J.Lurie

Die Anthropologin Elaine Burns öffnet vor laufender Kamera einen Eisensarg aus der Zeit des amerikanischen Bürgerkrieges. Neben der gut erhaltenen Leiche findet sie ein Mobiltelefon. Ducky stellt fest, dass der Tote, ein Sergeant, noch nicht sehr lang tot ist, sondern lebendig im Sarg eingeschlossen wurde und somit erstickt ist, nachdem er versucht hat, telefonisch Hilfe zu holen. Die Spuren führen Gibbs und sein Team zum alten Kriegsschauplatz in Manassas. *Quelle: 1, 2*

Ducky: Aber wie erklärt man einer Frau, dass man nicht die geringste Erinnerung an sie hat, egal wie sehr man sich auch bemüht?
Jimmy: In so 'nem Fall könnte man doch lügen.
Ducky: Sie waren wohl wieder mit Agent DiNozzo zusammen, richtig?

Ziva: Ich finde, Sie sehen nett aus, Abby!
Abby: Nett? Sie finden, ich sehe nett aus? Ich sehe aus wie... wie...
Tony: ...die Karrierebarbie!
Abby: Oh mein Gott... Er... Er hat recht!!!

Quelle: 3,4,5

Nr.	Titel	Originaltitel	Premiere USA	Premiere D	Regisseur	Drehbuch
3.51	**Rollentausch**	Switch	18. Okt. 2005	13. Apr. 2006	T.J.Wright	G.Grant

Petty Officer Jerry Smith wird von einem fahrenden Auto aus angeschossen und stürzt mit seinem Wagen in den Abgrund - er stirbt. Seine Frau Wendy hat mit ihrem Mann telefoniert, als das Unglück geschah, und meldet den Unfall. Bald findet der NCIS heraus, dass Jerry Smith offenbar nicht der war, für den er gehalten wurde. In der Schreibstube, in der er gearbeitet hat, treffen Ziva und Tony auf einen Petty Officer, der ihnen als Smith vorgestellt wird. *Quelle: 1, 2*

Ziva: Schräg, was heisst bei Abby schräg?
Tony: Das ist, wenn Sie so ein Gefühl im Bauch hat.
Ziva: Ah, verstehe. In meinem Land sagt man dazu Blähungen.

Ziva: Es dauert wohl eine Weile, bis er mit Leuten warm geworden ist, richtig?
Tony: Wollen Sie wissen, wie man sich mit ihm gut stellt?
Ziva: Aber sicher!
Tony: Ich auch!

Ziva: Ist er eigentlich immer so kindisch?
McGee: Nein, nur an Tagen mit mindestens 24 Stunden.

Gibbs: Ich würde nur ungern anfangen, Dich zu schlagen, so wie DiNozzo.
Abby: Das machst Du nicht. Oder doch?
Gibbs: ... nicht auf den Schädel!

Quelle: 3,4,5

Episoden Staffel 3 Navy CIS

Nr.	Titel	Originaltitel	Premiere USA	Premiere D	Regisseur	Drehbuch
3.52	**Voyeure im Netz**	The Voyeur's Web	25. Okt. 2005	20. Apr. 2006	D.Smith	D.J.North

Jamie Carr, die Frau eines Marines, wird in einem Internetvideo die Kehle durchgeschnitten. Sie hatte mit einer Nachbarin, ebenfalls Frau eines Marines, eine Sex-Website betrieben. Der Webmaster der Site ist ein undurchsichtiger schmieriger Typ, der unter Verdacht gerät, als man die Leiche von Jamies Partnerin findet - Jamie bleibt jedoch verschwunden. Abbys Recherchen bringen ans Licht, dass die vermeintliche Tatwaffe ein Trickmesser aus einem Laden für Zauberei-Artikel ist. Quelle: 1, 2

Tony: Du weisst, was passiert, wenn Du Dich auf Annahmen verlässt?
McGee: Ja, dann wird Gibbs mich umbringen... mal wieder!
Ziva: Stimmt was nicht, McGee?
Tony: Ihm geht's gut. Er war nur noch nie im Schlafzimmer einer Frau.

Abby: In den letzten sechs Stunden hab' ich die Webcamdateien auf der Suche nach einer Spur durchforstet und mir dabei mehr Pornos reingezogen, als Tony in seinem ganzen Leben....Na gut, vielleicht nicht, aber ich hab' echt ne ganze Menge Schweinkram gesehen.
Gibbs: Irgendwelche Erkenntnisse?
Abby: Ich bin nicht annähernd so biegsam, wie ich sein müsste.
Gibbs: Ich meinte eigentlich den Fall.

Ziva: Also ist das dort ehrlich ein Leichenspürhund?
Tony: Na klar. Deshalb stürzt er sich ja auf McGee. Der Mann ist nämlich seit gestern tot.

McGee: Das ist ja wahnsinnig witzig, Tony.
Tony: Ich streng' mich ja auch an.

Ziva: Ich brauch' keinen Babysitter. So was hab ich schon hundert Mal durchgezogen, Tony.
Tony: Noch nie mit mir. So weit es mich angeht, sind Sie ein Frischling.
Ziva: Ich war auch noch nie mit Ihnen im Bett. Heisst das, ich bin noch Jungfrau?

Quelle: 3,4,5

Episoden Staffel 3 Navy CIS

Nr.	Titel	Originaltitel	Premiere USA	Premiere D	Regisseur	Drehbuch
3.53	Projekt „Honor"	Honor Code	1. Nov. 2005	13. Aug. 2006	C.Bucksey	C.Silber

Commander Tanner, ein wichtiger Mann bei einem geheimen Computer-Projekt, wird am helllichten Tag in einem Park entführt. Sein Sohn Zach beobachtet das Verbrechen vom Karussell aus und verständigt sofort den NCIS. Zunächst sieht es so aus, als hätte Tanner seine Entführung fingiert, doch Zach ist überzeugt, dass sein Vater ein ehrlicher Mensch ist. Bald findet Gibbs heraus, dass Tanner entführt und gefoltert wurde, damit er den Zugangscode zu einem Software-Programm preisgibt. *Quelle: 1, 2*

Jenny: Schon einmal daran gedacht, eigene Kinder zu haben?
Gibbs: War das ein Angebot, Jenny?
Gibbs: Der Mann muss Dir wichtig sein, wenn Du Dich so für ihn in Schale wirfst.
Jenny: Es wäre mir lieber, wenn Du sagen würdest, dass Dir mein Kleid gefällt.
Gibbs: Das weiss ich noch nicht so genau.

Tony: Haben Sie gesehen, wie er sich mir gegenüber verhält?
Ziva: Das liegt wohl daran, dass er Sie nicht leiden kann.
Tony: Kinder stehen auf mich.
Ziva: Nein, tun sie nicht.
Tony: Zach, Zachary, Kumpel! Komm mal hier rüber, Mann! Ich wollte ja bis morgen warten, wenn alle anderen auch hier sind, aber da Du so ein unglaublich tapferer kleiner Junge bist und uns so toll geholfen hast, mache ich Dich hiermit zum Ehrenagenten des NCIS.
Junge: Danke. Ich gehe kurz aufs Klo.
Ziva: Ja, Tony, ich habe mich wohl getäuscht. Ihre Sensibilität für Kinder wird nur noch von der für Frauen übertroffen.

Gibbs: DiNozzo, Du fährst!
Tony: Oh, ich glaube, McGee möchte fahren.
McGee: Nein, Tony, es wäre mir lieber, wenn Du fährst.
Tony: Hast wohl Angst, wieder einen Hydranten umzunieten. Ich bin mir sicher, dass es nicht Deine Schuld war. Moment, war es doch, jedenfalls laut Polizeibericht.
Ziva: Ich fahre!
Gibbs: Noch ein Wort, und Ihr lauft alle!

Quelle: 3,4,5

► NCIS FAQ

Wird es je ein Paar in der Serie geben?

Donald Bellisario hat ausdrücklich in einem Interview erwähnt, dass er keine Bindung zwischen zwei Teammitglieder vorsieht.

Quelle: 6

Episoden Staffel 3 Navy CIS

Nr.	Titel	Originaltitel	Premiere USA	Premiere D	Regisseur	Drehbuch
3.54	**Goldherz**	Under Covers	8. Nov. 2005	20. Aug. 2006	L.Lipstadt	L.D.Zlotoff

Das Team um Gibbs erfährt, dass ein Killerpärchen, die Eheleute Ranier, auf dem Jubiläumsball des Marine-Corps einen Auftragsmord begehen sollten. Da die beiden bei einem Unfall in Kuwait gestorben sind, übernehmen Tony und Ziva ihre Rollen, um so die Hintermänner für den Auftragsmord zu entlarven. Bald stellt sich heraus, dass Mrs. Ranier schwanger war und die beiden sich zur Ruhe setzen wollten - doch aus dem Geschäft mit dem Tod steigt man nicht so einfach aus. Quelle: 1, 2

Tony: Weisst Du, was ich jetzt gut gebrauchen könnte?
Ziva: Ein Deodorant? Du kannst jetzt runter von mir.
Tony: Warum, das waren nur 10 Minuten. Ich habe einen Ruf zu verlieren.

Ziva: Ich fahre Dich nach Hause.
Tony: Bambino?
McGee: Ich glaube das ist keine Gute Idee, Ziva.
Ziva: Warum?
Abby: Weil er an seinem Leben hängt.

Ducky: Es ist ja bekannt, dass ich mit den Toten rede, aber bisher hat sich noch nie einer bemüht, mir zu antworten.
Gibbs: Dann solltest Du genauer zuhören!

Quelle: 3,4,5

Nr.	Titel	Originaltitel	Premiere USA	Premiere D	Regisseur	Drehbuch
3.55	**In der Falle**	Frame Up	22. Nov. 2005	27. Aug. 2006	T.J.Wright	L.Walsh

Auf einem militärischen Übungsgelände werden die abgetrennten Beine einer Frau gefunden. Alle Indizien deuten darauf hin, dass Tony der Mörder ist. Seine Kollegen finden diese Annahme absurd, aber alles spricht gegen ihn. Fornell vom FBI bleibt nichts anderes übrig, als ihn zunächst einmal in eine Zelle zu sperren. Unterdessen arbeiten alle, und besonders Abby, mit Hochdruck an einer Möglichkeit, Tony zu entlasten. Quelle: 1, 2

Abby: Wow, Gibbs, Beweismaterial checken und ein Powerdrink! Ist heute mein Geburtstag?
Gibbs: Tu' mal so, als wäre es meiner.
Abby: Okay, hier ist mein Geschenk für Dich. Das Blut....

Tony: Das hast Du eingefädelt, hab' ich recht?
Ziva: Das würde ich nie wagen... Okay, möglicherweise doch, aber ich war's nicht.

Ziva: Was erreicht eine Frau eigentlich, wenn sie Eier auf dem Auto eines Mannes zerschlägt?
McGee: Ihr Auto liegt vielen Männern sehr am Herzen. Das ist Rache! Brichst du mir das Herz, brech' ich dir deins.
Ziva: In Israel erschiessen wir Männer einfach, die untreu sind.

Tony: Wo ist Abby?
Ziva: Sie ist vermutlich längst entschlafen.
McGee: Das richtige Wort dafür ist eingeschlafen.
Ziva: Die Frau ist müde, egal wie das heisst.

Quelle: 3,4,5

Episoden Staffel 3 Navy CIS

Nr.	Titel	Originaltitel	Premiere USA	Premiere D	Regisseur	Drehbuch
3.56	**Drei Kugeln**	Probie	29. Nov. 2005	03. Sep. 2006	T.O'Hara	G.Schenck & F.Cardea

McGee sieht in einer dunklen Gasse einen Mann vor einem Geländewagen stehen. Er hat den Eindruck, er würde bedroht, weist sich als Bundesagent aus und schießt, als er meint, dass der andere mit einer Schusswaffe auf ihn zielt - der Mann stirbt. Wie sich herausstellt, war er Polizist und im Undercover-Einsatz auf der Suche nach einem hohen Tier aus der Drogendealer-Szene. Die Polizei will McGee verhören und wegen fahrlässiger Tötung belangen. *Quelle: 1, 2*

Gibbs Regel #8: Nimm niemals etwas als gegeben hin!

Quelle: 3,4,5

Nr.	Titel	Originaltitel	Premiere USA	Premiere D	Regisseur	Drehbuch
3.57	**Boot Camp Babes**	Model Behavior	13. Dez. 2005	10. Sep. 2006	S.Cragg	D.J.Nort

Im Ausbildungslager des Marine-Stützpunktes Quantico finden Dreharbeiten für eine Reality Show statt: Drei Supermodels sind die Stars der Produktion. Eines Morgens entdeckt eine der drei, dass ihre Kollegin Taylor tot von einem Zaun herunterhängt. Gibbs und seine Leute stellen fest, dass die Frau mit Angel Dust, einer Droge, die Paranoia hervorruft, vollgepumpt war. Der Produzent erzählt, dass Taylor früher drogensüchtig gewesen sei. Hatte sie einen Rückfall?. *Quelle: 1, 2*

Eines der Models: Können wir Ihnen sonst noch helfen, z.B. mit Frisuren-Tipps für Ihre Freundin hier?
Ziva: Grrrh!
McGee: (überreicht seine Visitenkarte) Ähh Nein. Ich... Ich glaub', das wär' erst mal alles. Aber wenn Ihnen noch was einfällt, das uns helfen könnte, rufen Sie uns bitte an.
Ziva: Das ist eine Visitenkarte. Vielleicht liest Ihnen einer der Marines ja vor, was draufsteht!

Jenny: Du findest, mein Job ist Theater?
Gibbs: Nein,sicher nicht alles. Arschkriecherei im Kongress ist 'ne hohe Kunst!
Jenny: Kastration genauso!
Gibbs: Ich trage einen Tiefschutz!

Quelle: 3,4,5

Nr.	Titel	Originaltitel	Premiere USA	Premiere D	Regisseur	Drehbuch
3.58	**Die Spur des Geldes**	Boxed In	11. Jan. 2006	17. Sep. 2006	D.Smith	D.Coen

Tony und Ziva suchen im Hafen von Norfolk einen Container, in dem Waffen und Sprengstoff geschmuggelt werden. Bei einem Schusswechsel mit Gangstern werden sie in einem Container eingeschlossen. Gibbs und McGee suchen sie vom Büro des Hafenmeisters aus, der Sicherheitschef Lake unterstützt sie dabei. Mit Abbys Hilfe stellen sie fest, dass es sich bei den Gangstern um Leute handelt, die Terrorakte der Al Qaida finanziell und mit persönlichem Einsatz unterstützt haben. *Quelle: 1, 2*

Episoden Staffel 3 Navy CIS

Nr.	Titel	Originaltitel	Premiere USA	Premiere D	Regisseur	Drehbuch
3.59	**Ein langer Sonntag**	Deception	17. Jan. 2006	24. Sep. 2006	D.Smith	D.Coen

Die Navy-Soldatin Amanda Wilkerson ruft beim NCIS an und bittet dringend um Hilfe: Sie sei entführt worden, doch bevor sie Genaues erklären kann, bricht die Verbindung ab. Gibbs verständigt Wilkersons Vorgesetzten, der ihm von ihrer Beteiligung an der Planung eines Nukleartransports erzählt. Zunächst vermutet das NCIS-Team einen Zusammenhang, doch dann stellt sich heraus, dass Wilkerson ehrenamtlich in einem Verein gearbeitet hat, der Päderasten übers Internet aufspürt. *Quelle: 1, 2*

Gibbs Regel #3: Sei immer erreichbar!

Tony: Schicker Anzug, Gibbs. Du hast doch nicht wieder geheiratet?

Abby: Melde mich zum Dienst, Sir.
Gibbs: Rühren, Soldat.
Abby: Verstanden, Sir. Fange gleich an.
Gibbs: Nenn' mich nicht Sir!
Abby: Ja, zu Befehl, Madame.

Quelle: 3,4,5

Nr.	Titel	Originaltitel	Premiere USA	Premiere D	Regisseur	Drehbuch
3.60	**Schläfer**	Light Sleeper	24. Jan. 2006	01. Okt. 2006	C.Bucksey	C.Silber

Auf dem Navy-Stützpunkt in Quantico werden die Leichen von zwei koreanischen Frauen gefunden, die beide mit Marines verheiratet waren. Die Frau, die sie gefunden hat, ist ebenfalls Koreanerin und mit Sergeant Dawson verheiratet. Gibbs und sein Team vermuten Familienstreitigkeiten hinter den Morden: Sergeant Porter, der Mann eines der Opfer, wird verdächtigt, seine Frau misshandelt und sie und ihre Freundin ermordet zu haben. *Quelle: 1, 2*

Tony: Irgendwie erinnert mich das an das Haus meines Cousins, allerdings ohne das ganze Blut. Es sei denn, man rechnet Thanksgiving 98 ein.

Gibbs: Ein Zeichen für eine ziemlich miese Ehe.
Ziva: Komisch, ich dachte, es sei nur ein Loch in der Wand.

Gibbs: Hattest Du schon mal ein Baby auf dem Arm, McGee?
McGee: Nein!
Gibbs: So sieht's auch aus.

Quelle: 3,4,5

Episoden Staffel 3 Navy CIS

Nr.	Titel	Originaltitel	Premiere USA	Premiere D	Regisseur	Drehbuch
3.61	**Kopfsache**	Head Case	7. Feb. 2006	08. Okt. 2006	D.Smith	G.Schenck & F.Cardea

Gibbs und sein Team heben eine Autowerkstatt aus, in der Navy-Soldaten teure Autos zerlegt und die Einzelteile verkauft haben. Dabei finden sie eine Kühlbox mit dem Kopf eines Navy-Captains. Seine Frau hat die Urne mit seiner Asche aufbewahrt, bis sie sie, seinem Wunsch gemäß, auf See in alle Winde zerstreuen wollte. Doch der Fund legt nahe, dass die Leiche des Captains nicht verbrannt wurde. Hartnäckig forschen Gibbs und seine Leute nach den Zusammenhängen. *Quelle: 1, 2*

McGee: Glaubst Du ihm?
Gibbs: Die hatten einen Kopf in der Kühlbox ihres Kofferraums, was würdest Du sagen?

Ziva: Wer ist Naomi Kurzhammer? Eine von Deinen Freundinnen?
Tony: Ich würde gerne meine Emails lesen, was dagegen?
Ziva: Ganz und gar nicht. Ich wusste gar nicht, dass Dein Spitzname Honigmäulchen ist.

Gibbs: Nur Naomi und ich nennen ihn immer so.
Tony: Ich hatte gehofft, Du behältst es für Dich, Boss.

Quelle: 3,4,5

Nr.	Titel	Originaltitel	Premiere USA	Premiere D	Regisseur	Drehbuch
3.62	**Familiengeheimnis**	Family Secrets	28. Feb. 2006	15. Okt. 2006	J.Withmore jr.	S.D.Binder

Ein Krankenwagen, in dem die Leiche eines Marines transportiert werden soll, fliegt in die Luft. Die beiden Fahrer können sich im letzten Moment retten. Gibbs und sein Team stellen fest, dass der Tote Lance Corporal Danforth war. Sein Vater war auch bei den Marines, ebenso wie der beste Freund von Danforth Junior. Schnell vermuten die Profis, dass Danforth eventuell noch lebt und ein anderer bei dem Unfall gestorben ist. *Quelle: 1, 2*

Ducky: Eine so stark verkohlte Leiche habe ich seit dem Brand von Morton Hills nicht mehr gesehen.
Palmer: Entschuldigung, Dr.Mallard - dieser Geruch, ich kann ihn heute kaum ertragen!
Ducky: Ach wirklich. Ich finde, er riecht wie die Brathähnchen meiner Mutter.

Quelle: 3,4,5

Nr.	Titel	Originaltitel	Premiere USA	Premiere D	Regisseur	Drehbuch
3.63	**Bärenjäger**	Ravenous	7. Mär. 2006	22. Okt. 2006	T.Wright	R.C.Arthur

Im Shenandoah National Park wird die von einem Bären angefressene Leiche eines Petty Officers gefunden, der dort mit seiner Freundin gezeltet hatte - die Frau ist spurlos verschwunden. Ducky stellt bei der Obduktion fest, dass der Officer mit einem Messer erstochen und dann mit einem Duftköder für Bären eingesprüht wurde, bevor er in die Pranken des Tieres geriet. Bald haben Gibbs und seine Leute einen Verdächtigen ausgemacht: den rassistischen Hinterwäldler Jason Edom. *Quelle: 1, 2*

Abby: Oh! Hey, ich wollte gerade Tony und McGee anrufen. Sie haben miteinander geschlafen.
Ziva: Tony und McGee?
Abby: Nein, der Petty Officer und seine Freundin.

Quelle: 3,4,5

Episoden Staffel 3 Navy CIS

Nr.	Titel	Originaltitel	Premiere USA	Premiere D	Regisseur	Drehbuch
3.64	**Der letzte Sonnenuntergang**	Bait	14. Mär. 2006	12. Nov. 2006	T.O'Hara	L.Walsh

Der 15-jährige Kody Meyers erscheint eines Tages mit einem Bombengürtel um die Brust in der Schule. Er nimmt einige Mitschüler in einem Klassenzimmer als Geisel. Als ein Mädchen einen Asthmaanfall bekommt, bringt Gibbs ihm den Inhalator und bietet sich als weitere Geisel an. Kody verlangt, dass man bis Sonnenuntergang seine Mutter zu ihm bringt, sonst will er die Bombe zünden. Ein Wettlauf mit der Zeit beginnt. *Quelle: 1, 2*

Tony: WWGJT?!
Ziva: Ist das 'ne Abkürzung für 'ne Waffe?
Tony: Nein ... das heisst „Was würde Gibbs jetzt tun"

McGee: Ich spiele Counterstrike im Internet. Das ist ziemlich realistisch.
Tony: Hier hast Du aber nur ein Leben, Bambino.

Quelle: 3,4,5

Nr.	Titel	Originaltitel	Premiere USA	Premiere D	Regisseur	Drehbuch
3.65	**Tot im Eis**	Iced	4. Apr. 2006	19. Nov. 2006	D.Smith	D.Coen

Die Leichen eines Marines und dreier Gangster aus El Salvador werden unter einer dicken Eisschicht in einem Teich gefunden. Gibbs und sein Team vermuten hinter dem entsetzlichen Mehrfachmord zunächst einen Racheakt, weil ein Untergebener des First Sergeant bei einer Autoschießerei ums Leben gekommen ist. Doch die Ermittlungen ergeben nach und nach ein anderes Bild. *Quelle: 1, 2*

Ducky: Ich hab' einmal einen Mann obduziert, der in seiner Küchenspüle ertrunken war. Anscheinend war es ihm nicht gelungen den Stöpsel aus dem Ausguss zu ziehen. Da versuchte er es mit den Zähnen.

Quelle: 3,4,5

Nr.	Titel	Originaltitel	Premiere USA	Premiere D	Regisseur	Drehbuch
3.66	**Das Leck**	Untouchable	18. Apr. 2006	26. Nov. 2006	L.Libman	G.Schenck & F.Cardea

Lara Hill, Lieutenant der Navy und Kryptographin im Pentagon, wird tot in ihrem Haus aufgefunden. Alles deutet darauf hin, dass sie sich erschossen hat, doch Gibbs und sein Team sind skeptisch. Das Pentagon hatte den NCIS schon vor einiger Zeit gebeten, eine Befragung in Laras Abteilung durchzuführen, denn man war auf die Spur eines Maulwurfs gestoßen. Die Durchsuchung von Hills Haus weist darauf hin, dass sie der Maulwurf gewesen sein könnte. *Quelle: 1, 2*

Abby: Fang' schon mal mit der Autopsie an.
Palmer: Ich weiss nicht, Abby - Dr.Mallard erlaubt mir nicht mal, ohne Aufsicht auf seinem Stuhl zu sitzen!

Quelle: 3,4,5

Episoden Staffel 3 Navy CIS

Nr.	Titel	Originaltitel	Premiere USA	Premiere D	Regisseur	Drehbuch
3.67	**Typisch Montag**	Bloodbath	25. Apr. 2006	03. Dez. 2006	D.Smith	S.D.Binder

Abby ist unwohl zumute, als sie zum Gericht muss, um eine Aussage zu machen, denn seit Tagen wird sie von einem Stalker verfolgt. Sogar Morddrohungen hat sie erhalten! Gibbs und das NCIS-Team nehmen die Spur auf und stoßen bald auf ein Hotelzimmer, in dem Blut und Gewebefetzen verteilt sind. Bald können sie den Verdächtigen, einen ehemaligen Liebhaber Abbys, verhaften. Abby ist erleichtert, aber der Verdächtige beteuert hartnäckig seine Unschuld. *Quelle:* [1,2]

Frau: Und ich sag', im Hotel wäre das nicht passiert.
Mann: Tut mir leid, dass ich bei der Reservierung nicht nach Axtmördern gefragt habe.

McGee: Haben Sie ausdrücklich dieses Zimmer verlangt?
Frau: Nein, wir wollten das mit den ausgeweideten Eichhörnchen, aber das war schon belegt.

Quelle: [3,4,5]

Nr.	Titel	Originaltitel	Premiere USA	Premiere D	Regisseur	Drehbuch
3.68	**Brüder**	Jeopardy	2. Mai 2006	10. Dez. 2006	J.Whitmore jr.	D.J.North

Während Ziva ihn verhört, bricht der äußerst störrische Drogendealer Brian Dempsey tot zusammen. Zwar beteuert Ziva, ihn nicht hart angefasst zu haben, doch beweisen kann sie ihre Unschuld nicht. Bald gerät das Ermittler-Team auch noch unter Zeitdruck, denn Jenny wird von Dempseys Bruder James entführt. Der will - noch unwissend, dass sein Bruder tot ist - Brians Freilassung und die Herausgabe der bei ihm gefundenen Drogen erpressen. *Quelle:* [1,2]

Tony: Schön, wir wissen alle, dass Ziva kämpfen kann, aber sie verfügt doch auch über eine gewisse Selbstbeherrschung...oder ? Zumindest ein bisschen.
Ziva: Wollen Sie jetzt meine Version der Geschichte anhören?
Gibbs: Seine werd' ich ganz sicher nicht mehr hören.

Abby: Wow, nach all den Jahren verlier ich endlich meine Tatortjungfreulichkeit.
McGee: Wow, ich glaub', das hat bis jetzt niemand so gesagt.

Abby: Wieso hab' ich das Gefühl, das mich alle so dumm anglotzen.
McGee: Wohl, weil sie genau das tun.
Abby: Habe ich mich falsch verhalten?
Tony: Warst du schon mal in Disneyland, Abby?
Abby: Da bin ich jeden Sommer.
Tony: Gut, dann kennst Du ja auch die Kameraschwingenden Touristen mit den weissen Kniestrümpfen und den Gürteltaschen.
Abby: Na klar, wir lachen uns doch immer halb tot über diese...
Tony: ...nun weisst Du's.

Palmer: Die meisten Leute wissen es nicht, aber der zweithäufigste Grund für Scheidungen sind Streitereien ums Geld.
Ducky: Wirklich? Was ist der häufigste Grund?
Gibbs: Die Ehe.

Quelle: [3,4,5]

Episoden Staffel 3 Navy CIS

Nr.	Titel	Originaltitel	Premiere USA	Premiere D	Regisseur	Drehbuch
3.69	**Fünfzehn Jahre**	Hiatus (Part I)	9. Mai 2006	17. Dez. 2006	D.Smith	D.Bellisario

Gibbs Leben hängt am seidenen Faden, als er bei einem Bombenanschlag schwer verletzt wird und ins Koma fällt. Tony übernimmt die Leitung des Teams und findet heraus, dass die Spur des Attentäters zur Terrororganisation Abu Sayaf führt. Während Gibbs um sein Leben kämpft, kommen Ziva und Tony den Terroristen auf die Schliche. *Quelle: 1, 2*

Ärztin: Ich rede immer mit meinen Patienten.
Ducky: Das tu' ich auch.
Ärztin: Sind Sie Neurologe?
Ducky: Nein, Gerichtsmediziner.

Doktor: Wie gut kennen Sie Gibbs?
Jenny: Er war mein Mentor beim NCIS und hat mich fast alles gelehrt, was ich weiss.

Doktor: Doch Sie sind seine Vorgesetzte!?
Jenny: Jethro ist ein äusserst fähiger Agent, ein grossartiger Teamleiter und er erreicht viel mehr, wenn er es mit schwierigen Politikern zu tun hat, als ich...
Doktor: Und wieso ist er dann nicht…
Jenny: Er schiesst auf sie.

Abby: McGee sagt, Gibbs wurde durch eine Bombe verletzt. Er hat versucht, Ruhe zu bewahren, aber ich hab' die Angst in seiner Stimme gehört und er hat auch Recht damit. Wenn Gibbs nämlich in ein Krankenhaus gebracht wird, heisst das bestimmt nichts Gutes. Ich wollte es selbst sehen, doch mein Leichenwagen hatte einen Platten wie so oft, also hab' ich ein Taxi zum Flughafen genommen. Aber dann ist mir klar geworden, wenn ich erst mal zum Terminal gehe und mir ein Ticket kaufe und die Sicherheitskontrolle passiere und nach Norfolk fliege und mir ein Taxi nehme, dann wär' es besser, einfach das Taxi zu nehmen in dem ich schon sass. Das hab ich auch getan, es war reichlich teuer, aber das ist mir egal, wir reden hier schliesslich von Gibbs. Ich fass' es einfach nicht, dass er verletzt ist, er war noch nie verletzt. Jedenfalls nicht so schwer, dass er ins Krankenhaus musste. Er muss schon fast tot sein, bevor er mal zum Arzt geht.
Oh mein Gott, er ist doch nicht fast tot, oder? Ich weiss nicht, was ich tun soll. Positiv denken, positiv denken, positiv denken!
Ok, ich kenne die Vorschrift, dass man zur Familie gehören muss, um auf die Station zu dürfen, das haben sie auch gesagt, als Onkel Charlie mit dem Fuss in eine Nutriafalle geraten war. Aber Gibbs und ich stehen uns näher als Blutsverwandte. Ja, Sie wollen meinen Ausweis sehen. Ich hab ihn hier, irgendwo.
Ich arbeite beim NCIS. Kriminaltechnik und Ballistik, chemische Analyse und DNA-Bestimmung. Hier, das bin ich, ganz bestimmt. Allerdings musste ich an dem Tag zum Gericht. Aber ich schwöre, das bin ich. Sie sind wirklich, wirklich ein guter Mensch.

Quelle: 3,4,5

Episoden Staffel 3 Navy CIS

Nr.	Titel	Originaltitel	Premiere USA	Premiere D	Regisseur	Drehbuch
3.70	**Semper Fi**	Hiatus (Part II)	16. Mai 2006	07. Jan. 2007	D.Smith	D.Bellisario

Gibbs geht es besser, aber die vergangenen 15 Jahre sind aus seiner Erinnerung verschwunden. Um sein Gedächtnis aufzufrischen, bringt Jenny sogar seinen alten Vorgesetzten ans Krankenbett. Inzwischen entdeckt Tony, dass der Bombenleger einen größeren Anschlag plant, doch von höchster Stelle werden dem NCIS Steine in den Weg gelegt. *Quelle:* [1,2]

Gibbs Regel #11: Gehe nach Hause, wenn die Arbeit erledigt ist!

Anm.: Abby sitzt in einer Ecke ihres Labors und schmust mit ihrem Stofftier-Nilpferd Bert. McGee und zwei Männer kommen rein und bringen ein paar Kisten Beweismaterial. Abby steht auf und Bert furzt. Die Männer lachen los und Abby geht auf sie los:

Abby: Warum lacht Ihr? Habt Ihr noch nie gehört, wie 'ne Frau furzt?

McGee: Leute, das war das Nilpferd.

Andere: Ja, ja...

Abby: Bist du Dir sicher, McGee?

McGee: Ja, Du klingst irgendwie femininer.

Abby: Wie 'ne Nilpferdkuh?

Quelle: [3,4,5]

⚑ NCIS FAQ
Welche Musik hört Abby?

Androids Lust
-Stained
-Follow

Dominic Kelly (aus dem Album "Gothtronica")
- Courting
- Dementia

Dead Kennedys
- Dear Abby

Lacuna Coil
- Swamped

Korn
- Twister Transistor

The Fray:
- Over my head

Goapele:
- Closer
- Got it

Collide (aus den Alben "Some kind of strange" & "chasing the ghost")
- Wings of steel
- Halo
- complicated
- inside
- euphoria

Jill Tracy (aus dem Album "Diabolical Streak")
- Evil night together

Sp Just Frost
- The Viper (bei Kate's Beerdigung, ist ein Jazzstück)

Bands, bei denen keine bestimmten Songs bekannt sind:
- Nine inch nails
- Wumscut

Quelle: [6]

Staffel 4 (Episoden 4.71- 4.94) Navy CIS

Zu Beginn der Staffel verbringt Gibbs seinen Ruhestand in Mexiko, und das NCIS-Team unter der Leitung von DiNozzo muss sich daran gewöhnen, denn das FBI sieht in Ziva David die Hauptverdächtige eines Mordanschlags. David nimmt daraufhin Kontakt mit Gibbs auf. Nachdem Gibbs David geholfen hat, kehrt er wieder nach Mexiko zurück. Doch sein Ruhestand wird kurze Zeit später erneut unterbrochen, da er in einem wiederaufgenommenen Fall gebraucht wird. Danach beschließt Gibbs zum NCIS zurückzukehren.

Im Verlauf der Staffel nimmt DiNozzo unter der Leitung der Direktorin Jenny Shepard einen Undercoverauftrag an. Er soll eine Beziehung mit Jeanne Benoit, der Tochter des international gesuchten Waffenhändlers René Benoit alias „La Grenouille" (zu deutsch: „Der Frosch"), beginnen. Während dieses Undercovereinsatzes verliebt sich DiNozzo in Benoit. Die Direktorin plant in der Folge Zum Greifen nah einen Informanten, der etwas über Grenouille weiß, zu treffen. Jedoch wird dieser vor dem Treffen erschossen. Dies ist einer der Gründe, warum sich Shepard immer mehr darauf fixiert, Grenouille zu Strecke zu bringen. Außerdem scheinen Shepard und Grenouille eine gemeinsame Vergangenheit zu haben. Gibbs versucht ohne Erfolg, Shepard zu bremsen und auf den Boden der Tatsachen zurückzuholen.

Das Staffelfinale zeigt DiNozzo und Benoit im Krankenhaus, in welchem sie von einem Drogendealer in der Leichenhalle als Geiseln genommen werden. DiNozzo gelingt es, sich und Benoit zu befreien, wobei er riskiert, seine Tarnung als Undercoveragent auffliegen zu lassen.

Quelle: [1]

Erstausstrahlung USA	19. September 2006 – 22. Mai 2007 auf CBS
Erstausstrahlung Deutschland	4. März 2007 – 18. November 2007 auf Sat 1

Episoden Staffel 4 Navy CIS

Nr.	Titel	Originaltitel	Premiere USA	Premiere D	Regisseur	Drehbuch
4.71	**Schalom**	Shalom	19. Sep. 2006	04. Mär. 2007	W.Webb	J.C.Kelley

Ziva ist Zeugin eines Mordanschlags in Georgetown, den sie trotz aller Bemühungen nicht verhindern konnte. Einer der Täter scheint Namir Eschel, ein alter Kollege vom Mossad, zu sein. Als sie mit dieser Neuigkeit in der israelischen Botschaft eintrifft, glaubt man ihr nicht, denn Eschel ist seit Jahren tot. Sie muss untertauchen, weil nun FBI, Mossad und der NCIS hinter ihr her sind, denn sie wird der Mittäterschaft an diesem Anschlag verdächtigt. Ziva wendet sich an Gibbs. *Quelle: [1, 2]*

Tony: Hallo Ziva!
Ziva: Ich mache Abby kalt!
Tony: Wir haben Dich auch lieb!

Quelle: [3,4,5]

Episoden Staffel 4 Navy CIS

Nr.	Titel	Originaltitel	Premiere USA	Premiere D	Regisseur	Drehbuch
4.72	**Auf der Flucht**	Escaped	26. Sep. 2006	11. Mär. 2007	D.Smith	S.D.Binder & C.Silber

Der ehemalige Petty Officer Derrick Paulson ist aus dem Gefängnis ausgebrochen. Ihm werden ein Banküberfall und Mord zur Last gelegt, aber er behauptet hartnäckig, unschuldig zu sein. Vier Jahre zuvor hatten ihn Gibbs und Fornell gestellt. Nun kehrt Gibbs vorübergehend zum NCIS zurück, um den Fall Paulson endgültig zu klären - sein altes Team hilft ihm begeistert dabei. Die erste Spur führt zu Paulsons altem Freund Mickey Stokes. *Quelle: 1, 2*

Nr.	Titel	Originaltitel	Premiere USA	Premiere D	Regisseur	Drehbuch
4.73	**Schnelle Liebe**	Singled Out	3. Okt. 2006	18. Mär. 2007	T.O'Hara	D.J.North

Lieutenant Anne Sullivan ist in ihrem Auto entführt worden - der Autodieb wird gefasst, bestreitet aber vehement die Entführung. Gibbs versucht mit seinen Leuten herauszufinden, was wirklich dahintersteckt. Anne hat Dossiers über Männer angelegt, um auf diese Weise den perfekten Ehemann zu finden. Die Ermittler suchen den Täter auf einer Speed-Dating-Veranstaltung, auf der auch schon Anne war - erfolglos. Schließlich gehen sie einer Spur nach, die sie in ein Lagerhaus führt. *Quelle: 1, 2*

Ducky: Ich glaube nicht, dass Du dort in Gefahr sein wirst.
McGee: Die Brille zur Videoüberwachung!
Tony: Gut gemacht, McGee!
Ziva: Ich seh' aus wie eine Idiotin!
Tony: Ja! Das war unser Ziel.
Abby: Und das ist ein tragbarer Fingerabdruckscanner, der drahtlos arbeitet...
Gibbs: Noch Fragen?
Ziva: Nur Eine: Kann mir vielleicht jemand erklären, was „Speed Dating" ist?
Ziva: 90-Sekunden-Dates? Ich dachte, Du verarschst mich, Gibbs!
Gibbs: Du wirst das schon schaffen Ziva, ich hatte Ehen, die kürzer waren.
Ziva: Oh, allmählich verstehe ich auch, wieso!
Tony: Unsere Kleine scheint etwas nervös zu sein. Jetzt kennen wir ihre Achillesferse, einen Computerfreak spielt unsere Spionin gar nicht gern.

Ziva: Hat er gerade "Krieg" gesagt?
Gibbs: Wie wär's, wenn Ihr Beide jetzt ... den Mund haltet?

Quelle: 3,4,5

Nr.	Titel	Originaltitel	Premiere USA	Premiere D	Regisseur	Drehbuch
4.74	**Der größte Köder**	Faking It	10. Okt. 2006	25. Mär. 2007	T.J.Wright	S.Brennan

Als Petty Officer Vale erschossen aufgefunden wird, bringt der NCIS den Russen Puchenko mit der Tat in Verbindung, doch man kann ihm nichts nachweisen. Zudem steht Puchenko unter dem Schutz des Beamten Carver von der Heimatschutzbehörde. Puchenko betreibt mit seinem Komplizen Kobach einen illegalen Waffenhandel. Ein heikler Fall für Gibbs. *Quelle: 1, 2*

Episoden Staffel 4 Navy CIS

Nr.	Titel	Originaltitel	Premiere USA	Premiere D	Regisseur	Drehbuch
4.75	**Die Verlobten**	Dead and Unburied	17. Okt. 2006	01. Apr. 2007	C.Bucksey	N.Scovell

Während einer Hausbesichtigung entdeckt die Immobilienmaklerin Jody Carvell einen Toten. Es handelt sich um Lance Corporal Finn, der kurz vor seinem Abflug in den Irak verschwand. Gibbs und sein Team stoßen bei ihren Ermittlungen auf zwei Verlobte, die beide behaupten, er hätte nur sie geliebt. *Quelle:* [1, 2]

Abby: Irgendwie haben mir Deine Haare im Gesicht gefallen!
Gibbs: Aber ich hab' doch noch Augenbrauen!
Abby: Gutes Argument!

Quelle: [3,4,5]

Nr.	Titel	Originaltitel	Premiere USA	Premiere D	Regisseur	Drehbuch
4.76	**Halloween**	Witch Hunt	31. Okt. 2006	08. Apr. 2007	J.Whitmore jr.	S.Kriozere

Am Halloween-Abend wird ein Sergeant der Navy angeschossen und seine Tochter Sarah entführt. Seine Frau Laurie ist entsetzt, als sie mit ihrer Schwester nach Hause kommt und dort auf das NCIS-Team um Gibbs trifft. Bald ruft der Entführer an und verlangt Lösegeld für das Kind. Gibbs' Leute ermitteln fieberhaft: Sie wollen das Kind natürlich lebend aus den Händen des Entführers befreien. Schließlich gesteht Laurie, dass sie vor der Hochzeit eine Affäre hatte. *Quelle:* [1, 2]

(Tony und McGee stehen mit freiem Oberkörper)
Abby: McGee, was ist denn mit Dir los? Du wirkst, als hättest Du nicht alle Dosen im Sixpack.
Ziva: Wow, Ihr seht aus wie die Chippendales, nur ohne Fliegen und Muskeln!

Ziva: Gibbs, der Junge hat ein Auto wegfahren sehen. Es war wohl ein Curuma, aber dieses Modell kenne ich nicht.
Gibbs: Curuma ist Japanisch und bedeutet Auto, Ziva!
Tony: Deine Beschreibung des Autos ist Auto. Gut gemacht, Officer David.

McGee: Tja, Halloween ist eben sehr wichtig für Abby!
Tony: Für Abby ist doch immer Halloween!

Tony: Das Einzigste, was ich noch mehr hasse als Halloween, sind Klingonen!
Klingone: Fragen Sie sie doch einfach! Fragen Sie den Mann mit dem Käsehut.
Anderer Typ: So, ich glaube das reicht jetzt, ich bin zufällig Anwalt!
Tony: Sehr gut. Was ich noch mehr hasse als Klingonen sind Anwälte!

Quelle: [3,4,5]

Episoden Staffel 4 Navy CIS

Nr.	Titel	Originaltitel	Premiere USA	Premiere D	Regisseur	Drehbuch
4.77	**Der Hintermann**	Sandblast	7. Nov. 2006	15. Apr. 2007	D.Smith	R.Palm

Im Army-Navy Club stirbt Colonel Cooper im Sandbunker auf dem Golfplatz, nachdem eine Bombe hochgegangen ist. Sein Sohn Josh ist der einzige Zeuge dieses entsetzlichen Verbrechens. Als Gibbs und sein Team am Tatort auftauchen, werden sie von der CID-Ermittlerin Hollis Mann begrüßt, mit der sie zusammen die Untersuchungen durchführen sollen. Gemeinsam verfolgen die Spezialisten verschiedene Spuren - doch bald gibt es den nächsten Anschlag. *Quelle:* [1,2]

McGee: Boss, das ist Giftefeu, wenn ich das Zeug nur angucke, bekomme ich Ausschlag.
Gibbs: Dann guck' nicht!

Officer am Golfplatz: Wir könnten uns aufteilen.
Gibbs: Gut, wir übernehmen den Tatort und Sie die anderen 17 Löcher.
Officer: Wenn das ein Wettkampf im Weitpissen ist sollten Sie sich einen Regenschirm besorgen.
Officer: Führen alle ihre Mitarbeiter Selbstgespräche?
Gibbs: Ihre nicht?

McGee: Ich heisse Tim.
Tony: Das steht für „Der sich vor Angst in die Hosen macht"

Quelle: [3,4,5]

Nr.	Titel	Originaltitel	Premiere USA	Premiere D	Regisseur	Drehbuch
4.78	**Einmal ein Held**	Once a Hero	14. Nov. 2006	22. Apr. 2007	T.J.Wright	S.Brennan

Während eines Empfangs stürzt Brian Wright aus dem sechsten Stock eines Hotels und stirbt. Der frühere Marine hat im Krieg mehrere Tapferkeitsmedaillen erhalten, zuletzt war er jedoch obdachlos und auf die Hilfe eines Freundes aus dem Corps angewiesen, der in dem Hotel arbeitet und ihn heimlich in nicht genutzten Zimmern untergebracht hat. Kurz darauf wird eine 14-jährige Chinesin tot in einem der Hotelzimmer aufgefunden. *Quelle:* [1,2]

Nr.	Titel	Originaltitel	Premiere USA	Premiere D	Regisseur	Drehbuch
4.79	**Die kleine Schwester**	Twisted Sister	21. Nov. 2006	29. Apr. 2007	T.J.Wright	S.Brennan

McGees Schwester Sarah taucht eines Nachts bei ihm auf und sagt, dass sie eventuell einen Menschen umgebracht hat, sich aber nicht mehr erinnern kann. McGee meldet sich krank und will seiner Schwester helfen. Am nächsten Tag bekommt er zufällig mit, wie Gibbs und sein Team Jeff Petty, Sarahs Ex-Freund, tot vom Campus bergen. Die Beweislage wird so erdrückend, dass McGee Sarah schließlich zum NCIS bringt, um Licht ins Dunkel zu bringen. *Quelle:* [1,2]

Nr.	Titel	Originaltitel	Premiere USA	Premiere D	Regisseur	Drehbuch
4.80	**Die Mumie**	Smoked	28. Nov. 2006	06. Mai 2007	B.Webb	J.C.Kelley

Auf dem Stützpunkt wird im Schornstein der Schule die Leiche des Gebäudeprüfers Bright gefunden. Im Magen der Leiche findet Ducky noch einen Zeh. Handelt es sich bei dem Toten um einen Serienkiller, der vermutlich 19 Frauen bestialisch gefoltert und ermordet hat?. *Quelle:* [1,2]

Gibbs Regel #22: Stör' Gibbs niemals bei einem Verhör!

Quelle: [3,4,5]

Episoden Staffel 4 Navy CIS

Nr.	Titel	Originaltitel	Premiere USA	Premiere D	Regisseur	Drehbuch
4.81	**Sabotage**	Driven	12. Dez. 2006	13. Mai 2007	D.Smith	N.Scovell & J.C.Kelley

Roni Seabrook, eine Forscherin der Navy, wird eines Morgens tot in einem robotergesteuerten Humvee aufgefunden. Gibbs und sein Team vermuten nach ersten Ermittlungen, dass Jaime Jones, der Freund der Forscherin und Chef-Mechaniker der Firma, die Frau umgebracht hat, weil es auf einem Überwachungsvideo so wirkt, als hätte er sie tätlich angegriffen. *Quelle: 1, 2*

Ziva: Uniklinik, sind die Testergebnisse etwa schon da?
Tony: Ich bin schwanger. McGee wird unglaublich stolz sein!

Quelle: 3,4,5

Nr.	Titel	Originaltitel	Premiere USA	Premiere D	Regisseur	Drehbuch
4.82	**Verdacht**	Suspicion	16. Jan. 2007	20. Mai 2007	C.Bucksey	S.Brennan

In einer Kleinstadt wird eine Navy-Angehörige, die aus Kuwait stammt, ermordet aufgefunden. Der NCIS ermittelt unter schwierigen Bedingungen, weil die Polizei vor Ort wichtige Spuren vernichtet hat. Der Verdacht fällt auf einen in der Stadt lebenden Iraker, mit dem sich die Ermordete kurz vor ihrem Tod getroffen hat. Doch der Mann ist sauber. Aber mit ihm sind damals zwei andere Männer aus dem Irak in die USA eingereist - und die scheinen sehr fragwürdige Gestalten zu sein. *Quelle: 1, 2*

Gibbs: Ich brauch' gute Nachrichten, Abby!
Abby: Ich bin nicht schwanger!
Gibbs: Nicht so viel auf einmal, Abby.
Abby: War nur ein Scherz. Nicht, dass es falsch wäre, schwanger zu sein. Ich liebe Kinder. Ich versuch' aber nicht, es zu werden. Und selbst wenn ich vor hätte, es zu versuchen, ich kenne niemanden, mit dem ich es versuchen wollte. Bin ich sehr anstrengend, Gibbs?

Quelle: 3,4,5

Nr.	Titel	Originaltitel	Premiere USA	Premiere D	Regisseur	Drehbuch
4.83	**Giftgas**	Sharif Returns	23. Jan. 2007	27. Mai 2007	T.O'Hara	S.D.Binder

Ein Major der Marines wird tot in der Kanalisation gefunden - er starb an einem Giftgas, dessen Einsatz verboten ist und nur noch zu Forschungszwecken benutzt werden darf. Gibbs und sein Team stoßen bei den Recherchen bald auf einen alten Bekannten: Mamoun Sharif, der sich das Giftgas beschafft und damit 108.000 Ein-Dollar-Scheine kontaminiert hat. *Quelle: 1, 2*

Fremder: Ich hab den Arsch voller Schulden.
Ziva: Arsch.. voller Schulden???
Tony: Viel Spass beim Erklären!

McGee: Hey Boss, wir haben gerade nur...
Hollis: ...hinter unserem Rücken über uns gesprochen?
Abby: Ja, wir haben gerade angefangen!

Gibbs: Er ist irgendwo und tut irgendwas, findet raus wo und schnappt ihn! *Quelle: 3,4,5*

Episoden Staffel 4 Navy CIS

Nr.	Titel	Originaltitel	Premiere USA	Premiere D	Regisseur	Drehbuch
4.84	**Der Frosch**	Blowback	6. Feb. 2007	03. Juni 2007	T.Wright	C.Silber

Gibbs und sein Team machen einen Waffenhändler dingfest, der ihnen Hinweise auf einen Deal mit einem der Größten in der Branche gibt. Ein Waffensystem der Navy namens ARES soll von dem Waffenhändler La Grenouille an den Iran verkauft werden. "La Grenouille" ist auch der Name einer geheimen Operation, die Shepard leitet - und dann stellt sich noch heraus, dass Shepard eine private Rechnung mit Grenouille zu begleichen hat. *Quelle: 1, 2*

Gibbs Regel Nr.4: Der beste Weg, ein Geheimnis zu bewahren, ist, es für dich zu behalten. Der zweitbeste Weg ist, es nur einer anderen Person zu erzählen, wenn es sein muss. Es gibt keinen drittbesten Weg!

Tony: Zur kanadischen Grenze fährt man 10 Stunden, wir müssen ohne Überwachungswagen auskommen.
Jenny: Das habe ich schon geregelt.
Tony: Sie hat es geregelt? Wie denn?
Gibbs: Sagen wir, das ist die Art von Gefallen, die Du und ich nicht einfordern können.

Ziva: Sagst Du mir, wie sie heisst wenn ich die Piratenkopie von ARES finde?
Tony: Das heisst Raubkopie!
Ziva: Ist doch das Gleiche.
Tony: Nein, das ist überhaupt nicht das Gleiche. Ein Pirat ist ein Typ wie Captian Jack Sparrow. Eine Raubkopie dagegen ...
Ziva: Wer ist Jack Sparrow?
Tony: Johnny Depp!
Ziva: Er ist ein Pirat?
Tony: Neeeein, er hat einen dargestellt! Wie sind wir nur hergekommen?
Ziva: Über Hollywood.

Ziva: Das ist so, als würde man eine Nadel im Nadelhaufen suchen.
Tony: Eine Nadel im Heuhaufen.
Ziva: Mein Vergleich gefällt mir besser!

Quelle: 3,4,5

Nr.	Titel	Originaltitel	Premiere USA	Premiere D	Regisseur	Drehbuch
4.85	**Das letzte Lebewohl**	Friends & Lovers	13. Feb. 2007	16. Sep. 2007	D.Smith	J.C.Kelly

Der NCIS ermittelt im Fall des ermordeten Petty Officers Davidson, der an einem starken Gift gestorben ist. Die Spuren führen zu einem angesagten Nachtclub, den hauptsächlich die Reichen und Schönen frequentieren. Schnell gerät der Besitzer unter Verdacht. *Quelle: 1, 2*

Ziva: Jedes Messer hat seinen eigenen speziellen Schwerpunkt. Der Trick ist ihn zu finden. Wer ihn kennt, trifft ganz sicher.
McGee: Hat Gibbs den Messerkurs wirklich genehmigt?
Ziva: Wieso fragst Du immer wieder danach?
McGee: Er drückt uns doch nicht grundlos Schusswaffen in die Hand.
Ziva: Beim Mossad haben wir eine Redensart: Einem Messer geht niemals die Munition aus!
Tony: Hast Du schon mal Einen mit 'nem Löffel getötet?
Ziva: Nein, aber offen gestanden ziehe ich es in Erwägung.

Quelle: 3,4,5

Episoden Staffel 4 Navy CIS

Nr.	Titel	Originaltitel	Premiere USA	Premiere D	Regisseur	Drehbuch
4.86	**Wettlauf mit dem Tod**	Dead Man Walking	20. Feb. 2007	23. Sep. 2007	C.Bucksey	N.Scovell

Lieutenant Sanders, Inspekteur für Nuklearwaffen und -anlagen, meldet dem NCIS einen Mordanschlag, der an ihm selbst bereits verübt wurde. Doch der Tod schreitet in Sanders Fall nur langsam, jedoch qualvoll voran. Gibbs und seine Leute kommen dahinter, dass mit Giftstoffen versetzte Zigarren bei Sanders zu einer schweren Verstrahlung führten. *Quelle: [1, 2]*

Tony fragt Ziva über McGee´s neue Lederjacke:

Tony: Wieviel?
Ziva: Keine Ahnung.
Tony: Komm schon, kannst Du nicht raten?
Ziva: Ich weiss es nicht!
Tony: Dann klären wir diese Frage anhand von Fakten. Ich guck' bei Google unter Herrenjacken nach. Welcher Designer?
Ziva: Warum glaubst Du, dass ich das weiss?
Tony: Weil Du...
Ziva: Weil was? Weil ich eine Frau bin? Weil ich Jüdin bin?
Tony: Weil Du eine tolle Detektivin bist!
Ziva: Stimmt.

Quelle: [3,4,5]

Nr.	Titel	Originaltitel	Premiere USA	Premiere D	Regisseur	Drehbuch
4.87	**Skelette**	Skeletons	27. Feb. 2007	30. Sep. 2007	C.Bucksey	N.Scovell

Nach einer Explosion auf dem Militärfriedhof findet man in der zerstörten Gruft Überreste mehrerer Leichen, die dort ursprünglich nicht begraben wurden. Man vermutet, dass auch in der Gruft eines Navy-Offiziers zerstückelte Leichen versteckt sind. Bald gerät Len Grady, Freund von Natalie Dalton, die mit dem verstorbenen Offizier verwandt ist, ins Visier der Ermittler. *Quelle: [1, 2]*

Nr.	Titel	Originaltitel	Premiere USA	Premiere D	Regisseur	Drehbuch
4.88	**Der verlorene Sohn**	Iceman	30. Mär. 2007	07. Okt. 2007	T.Wright	S.Brennan

Auf Duckys Seziertisch landet eine geschundene Eisleiche, die in einer Schneewehe gefunden wurde. Während der Autopsie taut der Leichnam auf und atmet wieder! Doch trotz aller Anstrengungen erliegt der als Corporal Liam O'Neill Identifizierte den schweren Verletzungen. Gibbs' Ermittlungen führen zu einer Frachtflugfirma, wo erneut drei Männer ermordet werden. Schnell gerät der Geldgeber der Firma unter Verdacht. *Quelle: [1, 2]*

Nr.	Titel	Originaltitel	Premiere USA	Premiere D	Regisseur	Drehbuch
4.89	**Hinterhalt**	Grace Period	3. Apr. 2007	14. Okt. 2007	J.Withmore jr.	J.C.Kelly

Paula Cassidys Team ist in einen heiklen Fall involviert, der sich um eine terroristische Organisation windet. Dabei kommen zwei ihrer Agenten bei einem Selbstmordanschlag ums Leben. Cassidy gibt sich die Schuld und will nun mit der Unterstützung von Gibbs die Verantwortlichen zur Strecke bringen, die ihre Männer auf dem Gewissen haben. Während der Ermittlungen lüftet Gibbs ein Geheimnis, das einen seiner Leute betrifft. *Quelle: [1, 2]*

Episoden Staffel 4 Navy CIS

Nr.	Titel	Originaltitel	Premiere USA	Premiere D	Regisseur	Drehbuch
4.90	Das Buch zum Mord	Cover Story	10. Apr. 2007	21. Okt. 2007	D.Smith	D.North

Aufgrund einer Schreibblockade hat McGee derzeit die Arbeit an seinem neuen Buch eingestellt. Noch ist die Geschichte nicht komplett, aber die Grundhandlung findet plötzlich in der Realität statt, als zwei Leichen gefunden werden, die McGees Romanfiguren zum Verwechseln ähnlich waren. Quelle: 1, 2

Ziva: Ich hab' schon an vielen Autos diese überdimensionalen Würfel am Innenspiegel gesehen. Dienen Sie irgend einem Zweck?
Ziva: Tony?!
Tony: Was?
Ziva: Dienen diese Würfel irgend einem Zweck?
Tony: Plüschwürfel. Typisch für Landeier, aber abgesehen davon dienen Sie keinem besonderen Zweck.

Quelle: 3,4,5

Nr.	Titel	Originaltitel	Premiere USA	Premiere D	Regisseur	Drehbuch
4.91	Zum Greifen nah	Brothers in Arms	24. Apr. 2007	28. Okt. 2007	M.Mitchell	S.D.Binder

Shepards Erzfeind La Grenouille soll endlich hinter Schloss und Riegel kommen. Als die Agentin einen Informanten treffen will, wird der aus dem Hinterhalt erschossen. Quelle: 1, 2

Gibbs: Was hattest Du ganz allein hier draußen zu suchen?
Jenny: Ich kann schon ganz gut allein auf mich aufpassen.
Gibbs: Klar, und wer hat auf ihn aufgepasst?
Ducky: Tja, ab sofort bin ich das wohl, nehme ich mal an.

Quelle: 3,4,5

Nr.	Titel	Originaltitel	Premiere USA	Premiere D	Regisseur	Drehbuch
4.92	Der blinde Fotograf	In The Dark	1. Mai 2007	04. Nov. 2007	T.Wright	S.D.Binder

Der blinde Fotograf Scott findet seine Motive, indem er Geräuschen und Gerüchen folgt. Sein letztes Motiv lockte durch seinen Duft nach Obst. Scott ahnte nicht, dass er die Leiche eines Marines fotografierte. Quelle: 1, 2

Tony: Ein blinder Fotograf?
Ziva: Und er ist sehr erfolgreich!
Tony: Wieso nicht, Beethoven war taub.
McGee: Ich wüsste nicht, was ich machen sollte, wenn ich nicht mehr sehen sollte.
Ziva: Du würdest Dich daran gewöhnen.
McGee: Und was wäre, wenn nicht?
Ziva: Du würdest ne' schwere Depression kriegen und irgendwann sterben.
McGee: Erinnere mich daran, dass ich nicht zu Dir komme, wenn ich mal Trost brauche.

Quelle: 3,4,5

Episoden Staffel 4 Navy CIS

Nr.	Titel	Originaltitel	Premiere USA	Premiere D	Regisseur	Drehbuch
4.93	Das trojanische Pferd	Trojan Horse	8. Mai 2007	11. Nov. 2007	T.O'Hara	D.Bellisario & S.Brennan

Gibbs ist von seiner neuen Position als stellvertretender Direktor total genervt. Der aktuelle Fall scheint aber Ablenkung zu versprechen: Beim NCIS fährt ein Taxifahrer mit einem toten Fahrgast vor. Während sich das Team mit der Klärung des Mordfalles beschäftigt, schleicht sich ein blinder Passagier aus dem Wagen. *Quelle: 1, 2*

Gibbs: Cynthia, ich hatte mal eine Ehefrau, die genauso war wie Sie. Ich habe mich scheiden lassen.
Cynthia: Sie sind ihr wohl zuvorgekommen.

Quelle: 3,4,5

Nr.	Titel	Originaltitel	Premiere USA	Premiere D	Regisseur	Drehbuch
4.94	Der Todesengel	Angel of Death	22. Mai 2007	18. Nov. 2007	T.O'Hara	D.Bellisario

Jemand ist während Jennys Abwesenheit in ihre Wohnung eingedrungen. Einem Scotchglas entnimmt sie Fingerabdrücke, die ihrem Vater gehören, was äußerst merkwürdig ist: Colonel Jasper Shepard hat vor zwölf Jahren Selbstmord begangen. *Quelle: 1, 2*

Fornell: Besuchen Sie UNSERE Ex-Frau?
Gibbs: Hab' auf Sie gewartet.
Fornell: Sie wussten, dass ich auftauche?
Gibbs: Zweites Wochenende des Monats.
Fornell: Hat sie Sie auch so böse angesehen, als Sie geschieden waren?
Gibbs: Das tut sie jetzt auch wieder, Tobias.

Jenny: In einer zivilisierten Gesellschaft ruft man höflicherweise vor einem Besuch an.
Gibbs: Zu viele Türen eingetreten, um noch höflich zu sein.
Jenny: Schön, das Du dieses Mal so zurückhaltend warst, die Klingel zu benutzen. Ich fand die Haustür schon in meiner Kindheit sehr schön.

Quelle: 3,4,5

▶ NCIS FAQ

Wer ist Ari Haswari?

Er hatte eine der „spektakulärsten" Nebenrollen bei NCIS. Sein Charakter wird bei allen in Erinnerung bleiben, weil er Kate erschossen hat. Wer mehr zu dem Darsteller Rudolf Martin wissen möchte, möge bitte die Fanpage www.rudolfmartin.de besuchen. Es lohnt sich!

Quelle: 6

Staffel 5 (Episoden 5.95- 5.113) Navy CIS

Dem Zuschauer wird der Eindruck vermittelt, DiNozzo würde mit seinem Auto fahren. Dieses Auto explodiert auf offener Straße. Das NCIS-Team, das die Aktion beobachtet hat, geht zunächst davon aus, dass DiNozzo bei der Explosion getötet wurde. Die ersten Untersuchungen weisen darauf hin, dass tatsächlich DiNozzo in diesem Auto saß. Erst der Gerichtsmediziner Mallard findet bei der Obduktion heraus, dass es sich bei der Leiche nicht um DiNozzo handeln kann. Wenig später taucht DiNozzo im NCIS-Büro wieder auf. Die Jagd auf den Waffenhändler Grenouille beginnt. Er taucht in Shepards Haus auf und bittet um Schutz, der ihm verweigert wird. Am Ende der Folge wird die Leiche von Grenouille im Wasser gezeigt, jedoch erfährt das NCIS-Team zunächst nichts von dessen Tod. Erst in Folge Lang lebe die Königin ermittelt das FBI innerhalb des NCIS wegen des Mordes an Grenouille. Verdächtigt wird unter anderem die Direktorin, DiNozzo und auch Benoit, die aus Südafrika zurückkehrt. Durch den CIA-Agenten Trent Kort werden die Ermittlungen beendet. Gibbs verdächtigt weiterhin Shepard, da er eine Patronenhülse ihrer Waffe mit dem Ballistikbericht verglichen hat.

Im weiteren Verlauf erfahren die Zuschauer, dass Shepard unheilbar krank ist. In den letzten beiden Folgen der Staffel ermittelt Shepard mit Franks in einem weit zurückliegenden Fall, der sich um den Oshimaida-Code dreht. Nachdem Shepard in einem verlassenen Diner in der Wüste bei einem Schusswechsel getötet wird, nimmt der stellvertretende Direktor des NCIS, Leon Vance, die Ermittlungen auf. Gibbs wird in den Ermittlungen auf Abstand gehalten, nimmt allerdings Kontakt zu Franks auf, der ihn über die Ereignisse informiert. In Shepards Haus wird die Auftragsmörderin von Franks getötet. Um die Leiche verschwinden zu lassen, wird anschließend das Haus in Brand gesteckt. Dies wird später genutzt, um vorzutäuschen, dass Jenny Shepard in ihrem Haus umgekommen sei. Die wahren Ereignisse werden geheim gehalten. Zum Ende der Folge wird Leon Vance zum neuen Direktor des NCIS und versetzt DiNozzo, David und McGee auf neue Positionen. Gibbs erhält ein neues Team.

Quelle: [1]

Erstausstrahlung USA   25. September 2007 – 20. Mai 2008 auf CBS

Erstausstrahlung Deutschland   2. März 2008 – 19. Oktober 2008 auf Sat 1

Episoden Staffel 5 Navy CIS

Nr.	Titel	Originaltitel	Premiere USA	Premiere D	Regisseur	Drehbuch
5.95	**Meine Freundin, ihr Vater und ich**	Bury Your Dead	25. Sep. 2007	02. Mär. 2008	T.Wright	S.Brennan

La Grenouille hat seine Tochter Jeanne und Tony zum Frühstück eingeladen. Tony will noch sein Auto umparken, aber La Grenouille schickt seinen Handlanger Henri vor - unterwegs explodiert der Wagen. Da Jenny Shepard Tony auf Jeanne angesetzt hat, um über sie an den Waffenhändler zu kommen, verfolgt sie das Geschehen vom NCIS aus über den Bildschirm. Am Tatort finden Gibbs und sein Team das ausgebrannte Autowrack und eine Leiche. *Quelle: [1, 2]*

McGee: Au! Wofür war das denn?
Tony: Dafür, dass Du gedacht hast, ich sei tot.
McGee: Ich hab' *das überhaupt nicht gedacht. Ziva hatte Dich aber aufgegeben,*
Ziva: Denk' nicht mal dran, mir ne' Kopfnuss zu geben!!!
Abby: Tony, Tony, Tony! Ich wusste, dass Du lebst. Alle hatten Dich für tot gehalten.
Ziva: Ähm, gut, dann war ich wohl etwas vorschnell.
Tony: Ziva, das ist doch MEIN Brieföffner!
Ziva: Ausbalanciert, gutes Gewicht. Die Schneide ist ein wenig stumpf, aber ich fand ihn schon immer toll.
Tony: Wo ist mein „American Pie"-Kaffeebecher?
Abby: ... Palmer!
Tony: Und wer hat meinen Mighty Mouse-Tacker?
Abby: ... Ducky!
Ducky: Tony, mein lieber Junge! Ich hab's nicht einen Moment geglaubt, wirklich nicht!
Gibbs: Es passiert nicht jeden Tag, dass man Dich für tot hält, DiNozzo!
Quelle: [3,4,5]

Nr.	Titel	Originaltitel	Premiere USA	Premiere D	Regisseur	Drehbuch
5.96	**Familiensache**	Family	2. Okt. 2007	16. Mär. 2008	M.Mitchell	S.D.Binder

Ein Petty Officer wird tot in einem Auto an einer Brücke gefunden. Erst deutet alles auf einen Unfall hin, doch als Ducky die Schusswunde von einer Flinte im Bauch des Toten entdeckt, ist klar, dass es sich um Mord handelt. In der Nähe taucht die Leiche einer Frau auf. Ducky stellt fest, dass sie kurz vor ihrem Tod ein Kind zur Welt gebracht hat und danach erschlagen wurde. Die Spur führt zu dem Freund der Toten und seinem Vater, die zusammen eine Autowerkstatt betreiben. *Quelle: [1, 2]*

Gibbs: Der Wagen war nicht da!
McGee: Was? Aber ich hab's doch zwei Mal… ich schätze, ich weiss, was passiert ist.
Tony: Ah... 20 Mäuse drauf, dass McGee gleich wieder was sagt, was keiner versteht.
McGee: Die GPS-Koordinaten kamen gebündelt in einem geschützten Paket an, da das noch 'ne Betaversion ist...
Gibbs: … Ich krieg den Eindruck, dass Du gar nicht anders kannst, McGee!
Quelle: [3,4,5]

Episoden Staffel 5 Navy CIS

Nr.	Titel	Originaltitel	Premiere USA	Premiere D	Regisseur	Drehbuch
5.97	**Dreieck**	Ex-File	9. Okt. 2007	16. Mär. 2008	D.Smith	A.H.Moreno

Captain Trent Reynolds, ein Marine, der für den Militärgeheimdienst DIA gearbeitet hat, wird von seiner Frau Jill und ihrer Freundin Stephanie tot aufgefunden. Zur Ermittlung werden Colonel Hollis Mann und der NCIS hinzugezogen. Pikant ist, dass Gibbs unter der Leitung von Mann und Jenny Shepard arbeiten muss und dass Stephanie seine dritte Ex-Frau ist. Sie und Jill sind zunächst des Mordes an Reynolds verdächtig, doch Abby verfolgt derweil eine andere heiße Spur. *Quelle: 1, 2*

Hollis: Wir... haben ein kleines Problem!
Jenny: Wir?
Hollis: Ähm... Wollen Sie es ihr sagen, Agent Gibbs?
Gibbs: Nein, nicht unbedingt.
Jenny: Wird es nötig sein, Anwälte einzuschalten?
Hollis: Das haben wir hinter uns. Es geht um seine Ex-Frau, Sie ist Hauptzeugin
Jenny: Und welche Deiner Ex-Frauen wäre das?
Gibbs: Steffany.
Jenny: Die wievielte war das noch gleich? Die Zweite?
Gibbs: Die Dritte!
Jenny: Ach, richtig. Du hast mit ihr doch eine Zeit lang in Europa gelebt. In Frankfurt?
Gibbs: Moskau.
Jenny: 2 Jahre?
Gibbs: Eins!
Jenny: In Moskau zu leben ist wirklich nicht leicht. Egal mit wem. Meinen Sie, er sollte sich vielleicht lieber von dem Fall trennen, Colonel Mann?
Hollis: Nein, nein, Mam. Nein.
Jenny: Ich auch nicht. Ich finde es nicht problematisch, wenn Sie die Befragungen durchführen. Oder ist es für Sie ein Problem, wenn Colonel Mann Ihre Ex-Frau befragt, Agent Gibbs?
Gibbs: Hab' ich denn eine Wahl?
Jenny und Hollis gleichzeitig: Nein! Problem gelöst!

Quelle: 3,4,5

Nr.	Titel	Originaltitel	Premiere USA	Premiere D	Regisseur	Drehbuch
5.98	**Eine falsche Identität**	Identity Crisis	16. Okt. 2007	23. Mär. 2008	T.J.Wright	J.Stern

Die Leiche eines Mannes landet in der Autopsie. Als während der Obduktion Quecksilber aus dessen Gehirn tropft, hat die NCIS einen neuen Fall zu klären. Bei dem Toten handelt es sich um einen gewissen Hinton, der seine Identität ständig wechselte. *Quelle: 1, 2*

Ziva: Oh, nicht übel.
McGee: Guck Dir den mal an, der wird Dir gefallen.
Ziva: Der wär' garantiert nicht sicher bei mir, ich würd' ihn auffressen.
McGee: Aber der ist total putzig.
Tony: Bitte sagt mir, Ihr sucht einen Mann für Ziva.
Ziva: Nicht für mich!
Tony: Oh, McGay - hast Du mir was mitzuteilen?
McGee: Tony, wir sehen uns gerade die Tierheim-Seiten an.
Ziva: McGee denkt daran, sich einen jungen Hund zuzulegen...

Quelle: 3,4,5

Episoden Staffel 5 Navy CIS

Nr.	Titel	Originaltitel	Premiere USA	Premiere D	Regisseur	Drehbuch
5.99	**Der Mann auf dem Dach**	Leap of Faith	23. Okt. 2007	30. Mär. 2008	D.Smith	G.Schenck & F.Cardea

Lieutenant Arnett will sich vom Dach eines Hochhauses stürzen. Gerade als Gibbs ihn überzeugt hat, nicht zu springen, wird Arnett erschossen. Fieberhaft sucht das Team nach dem Täter, Arnett war Geheimnisträger, der Fall ist deshalb besonders heikel. Tony hat Arnetts Frau Dana in Verdacht. Quelle: 1, 2

Gibbs Regel #15: Arbeitet immer zusammen!

Tony: Jetzt, wo Du auf der Erde stehst, kriegst Du wieder Farbe ins Gesicht.
Ziva: Ich schätze, er hat noch mehr Höhenangst als Du, Tony!
Tony: Ich bin schon an der Felswand geklettert.
Ziva: Ja, 6 Meter mit Klettergurt im Klettergarten, um einer Frau zu gefallen.
Tony: Es hat funktioniert!

Quelle: 3,4,5

Nr.	Titel	Originaltitel	Premiere USA	Premiere D	Regisseur	Drehbuch
5.100	**Das Geisterschiff**	Chimera	30. Okt. 2007	06. Apr. 2008	T.O'Hara	D.E.Fesman

Auf einem geheimen Navy-Forschungsschiff wird eine Leiche gefunden. Durch ihre Ermittlungen stoßen Gibbs und seine Leute auf ein weiteres Schiff und auf einen gefährlichen Virus, der hoch ansteckend ist... Quelle: 1, 2

Tony: Abby, wo ist das Graschromator-Dingsda?
Abby: Es sieht, ähh, wie so ein Kasten aus und hat, ähm, vorne son' türartiges Teil dran!
Tony: Oh! Da ist es.
Abby: Okay, jetzt musst Du die Probe in das runde, gestellartige Dings stellen, ganz oben.
Tony: Ist drin.
Abby: Gut, und jetzt drückst Du den blauen Startknopf, er ist bläulich und quadratisch. Er ist oben auf dem Türmchen, Tony, dieses turmartige Dingsda. Jetzt nimm' die Pipette aus dem blauen Fläschchen raus. Sie ist bläulich und sieht aus wie eine Pipette.

Ziva: Jemand oder etwas ist auf dem Schiff mit uns, ich kann es fühlen.
McGee: (schaut die Ratte an) Jepp, ich kanns sehen,
Abby: (zu Tony) Egal was Du tust, inhalier es nicht!
Tony: Zu spät.
Abby: Hey, wie läuft's?
McGee: Oh gut. Ich kämpfe mit meiner Boots-Phobie, Tony mit seiner Ratten-Phobie und Ziva mit ihrer Geister-Phobie.
Abby: Und mit was kämpft Gibbs?
Gibbs: Mit denen.

Tony: Kennst du das „Schweigen der Lämmer"?
Gibbs: Nein, aber Schweigen klingt doch schon mal gut.
Gibbs: Du wirst sterben wie Charlie Chaplin in Goldrausch: Stumm wie ein Fisch.
McGee: Woher wusste die Navy, das wir nicht mehr auf dem Schiff waren?
Gibbs: Ich denke nicht, dass sie es wussten.
Gibbs: Wo ist McGee?
Tony: Der lächelt Würfel.
Gibbs: Was?
Tony: Hustet Bröckchen.
Gibbs: Was??
Tony: Lässt sich das Essen noch einmal durch den Kopf gehen.

Quelle: 3,4,5

Episoden Staffel 5 Navy CIS

Nr.	Titel	Originaltitel	Premiere USA	Premiere D	Regisseur	Drehbuch
5.101	**Alte Wunden**	Requiem	6. Nov. 2007	13. Apr. 2008	T.Wharmby	S.Brennan

Maddie Tyler, eine Freundin seiner Tochter Kelly, bittet Gibbs um Hilfe: Sie wird vom Marine-Sergeant Rudi Haas verfolgt. Haas hat Millionen-Beträge aus dem Irak geschmuggelt und braucht eine Ziviladresse, wohin das Geld geliefert werden kann. Er zwingt Maddie, ihn in ihre Wohnung aufzunehmen. Gibbs kann ihn in die Flucht schlagen, doch wenig später wird Maddie entführt. *Quelle: 1, 2*

Nr.	Titel	Originaltitel	Premiere USA	Premiere D	Regisseur	Drehbuch
5.102	**Mord im Taxi**	Designated Target	13. Nov. 2007	20. Apr. 2008	C.Bucksey	R.Steiner

Der schwarzafrikanische Taxifahrer Thomas Zuri und sein Fahrgast, ein Admiral, wurden kaltblütig ermordet. Bei den Ermittlungen fällt dem Team der NCIS auf, dass es vor Kurzem eine Serie von Morden an schwarzafrikanischen Taxifahrern gab. Als Zuris Frau die Leiche identifizieren soll, stellt sich heraus, dass der Tote nicht Thomas Zuri ist. Der wahre Thomas Zuri ist Widerstandskämpfer im Exil und aus Furcht vor Mordanschlägen untergetaucht. *Quelle: 1, 2*

Ziva: (telefoniert): Nein. Nein. Nein. Es liegt nicht an Dir. Tja weisst Du, es ist eben so wie es ist und...
Tony: Privatgespräch, David?
Ziva: Ja. Los, geh' weg!
Tony: Wird da jemand abserviert?
Ziva: Tony, wie sagt man einem Menschen, dass man ihn nie wieder sehen möchte?
Tony: Ganz einfach! (reisst Ziva das Handy aus der Hand)
Tony: Hey, Du Dreckskerl, hier ist Zivas Mann. Hör zu, ich hab' Deine Telefonnummer und ich krieg' auch Deine Adresse raus. Solltest Du sie jemals nochmals anrufen, reiss' ich Dir die Eingeweide mit blossen Händen raus und werd' sie Dir um den Hals wickeln. Wirf' die Nummer weg oder wirf' Dein Leben weg!
Tony: (legt auf) Gern geschehen!
Ziva: Das war meine Tante Netty aus Tel Aviv und sie wollte sich nicht mehr mit ihrem 86-jährigen Spiel-Partner treffen!
Tony: Wieso hast Du mich nicht aufgehalten?
Ziva: Zu entsetzt!
Tony: Wo soll ich die Blumen hin schicken?
Ziva: Wenn Du Dich je wieder bei ihr meldest, mache ich Dich kalt!

Quelle: 3,4,5

Nr.	Titel	Originaltitel	Premiere USA	Premiere D	Regisseur	Drehbuch
5.103	**Gesucht und gefunden**	Lost & Found	20. Nov. 2007	27. Apr. 2008	M.Mitchell	D.North

Abby zeigt einer Gruppe Pfadfinder ihr Labor. Von Carson Taylor gibt sie zum Spaß den Fingerabdruck in den AFIS-Computer ein, der den Jungen daraufhin als entführtes Kind identifiziert. *Quelle: 1, 2*

Kleiner Junge: (rät ein gemaltes Bild) Ah, ich weiss es! Die Playboy-Villa! Stimmt's?
Jimmy: Äh, Nein, das ist eine Schule. Bist Du sicher, das Du Anthony DiNozzo nicht kennst?

Quelle: 3,4,5

Episoden Staffel 5 Navy CIS

Nr.	Titel	Originaltitel	Premiere USA	Premiere D	Regisseur	Drehbuch
5.104	**Wie ein wilder Stier**	Corporal Punishment	27. Nov. 2007	04. Mai 2008	A.Brown	J.Stern

Der Marine Damon Werth, der im Irak gekämpft und drei seiner Männer gerettet hat, wird mit einer posttraumatischen Belastungsstörung ins Krankenhaus eingeliefert. Kurz darauf bricht er aus und entführt einen der Psychiater. Gibbs und sein Team können ihn nur mit großen Schwierigkeiten überwältigen. Bald finden sie heraus, dass Werth mit Steroiden vollgepumpt ist, was seine Aggression und auch den Gedächtnisverlust ausgelöst hat. *Quelle:* [1, 2]

Nr.	Titel	Originaltitel	Premiere USA	Premiere D	Regisseur	Drehbuch
5.105	**Beweise**	Tribes	15. Jan. 2008	11. Mai 2008	C.Bucksey	R.Steiner

In der Nähe einer Moschee wird der tote Muslim Abdul gefunden. Gibbs und sein Team stoßen bei näherer Untersuchung der Moschee auf das FBI, das dort Aktivitäten von Al-Quaida-Leuten vermutet: Ein Deutscher soll jugendliche Muslime für das Terrornetzwerk angeworben haben. *Quelle:* [1, 2]

Tony: Bin ich denn der einzigst' Normale hier?
Gibbs: Nein!
Tony: Morgen Boss.
Gibbs: Toter Marine, kommt jetzt!
Tony: Ich sitz' vorn'!

Quelle: [3,4,5]

Nr.	Titel	Originaltitel	Premiere USA	Premiere D	Regisseur	Drehbuch
5.106	**Auf der Lauer**	Stakeout	8. Apr. 2008	31. Aug. 2008	T.Wharmby	F.Cardea & G.Schenck

Als Gibbs und sein Team gerade dabei sind, ein Lagerhaus, in dem sich ein wertvolles Radarsystem befindet, zu observieren, wird ganz in ihrer Nähe plötzlich der zwielichtige Börsenmakler Scott Rowe erschlagen. McGee macht darauf eine schreckliche Entdeckung: Das Radargerät wurde gestohlen! Gibbs gelingt es, einen Junkie ausfindig zu machen, der den Mord beobachtet hat. *Quelle:* [1, 2]

Nr.	Titel	Originaltitel	Premiere USA	Premiere D	Regisseur	Drehbuch
5.107	**Hundeleben**	Dog Tags	15. Apr. 2008	07. Sep. 2008	O.Scott	D.E.Fesman, A.H.Moreno

McGee ist gerade dabei, ein Haus zu durchsuchen, als er von einem Schäferhund angegriffen wird. Der Hund gehört zu einem Mordopfer und wird deshalb zur Untersuchung in die Zentrale gebracht. Dort verliebt sich Abby sofort in den Vierbeiner, während die anderen davon ausgehen, dass der Hund selbst den Besitzer auf den Gewissen hat. Abby setzt alles daran, um die Unschuld des Tieres zu beweisen und stößt dabei auf eine Freundin des Ermordeten, die keine saubere Weste hat. *Quelle:* [1, 2]

Ducky: Ich vermute, dass unser Opfer von einem Hund ermordet wurde.
Gibbs: Da lehnst Du Dich ja sehr weit aus dem Fenster.
Ducky: Die Tatsache, dass der Hund atmet, könnte mich aus dem Konzept bringen.

Ducky: Vorsicht Mr. Palmer, wir wollen die Knochen der Leiche ausgraben, nicht meine eingraben!

Gibbs: Was haben wir?
Tony: Den dringenden Wunsch, einen Snackautomaten leer zu räumen.

Quelle: [3,4,5]

Episoden Staffel 5 Navy CIS

Nr.	Titel	Originaltitel	Premiere USA	Premiere D	Regisseur	Drehbuch
5.108	**Lang lebe die Königin**	Internal Affairs	22. Apr. 2008	14. Sep. 2008	T.Wharmby	J.Stern & R.Steiner

Die Leiche des Waffenhändlers La Grenouille wird gefunden - schnell wird Jenny Shepard zur Hauptverdächtigen und alle Mitarbeiter stehen unter Beobachtung. Jennys Motiv könnte Rache sein, weil La Grenouille ihren Vater auf dem Gewissen haben soll. Gibbs will ihre Unschuld beweisen, doch dann taucht plötzlich die Tochter des Ermordeten auf, die ganz jemand anderen verdächtigt: Tony! *Quelle: 1, 2*

Tony erschrickt

Ziva: Ich räume auf, Tony...
Tony: Dann mach nicht so viel Krach dabei, ich hab' hier ein heisses Getränk!
McGee: Komm bloss nicht damit her, bitte. Ich muss die Falldateien der letzten drei Jahre sichern. Unsere Ermittlungsarbeit hängt an diesen Kabeln und fliegt in Gestalt von Einsen und Nullen hin und her.
Tony: Eins ist wohl klar - ich bin die Einsen und Du die Nullen!

Quelle: 3,4,5

Nr.	Titel	Originaltitel	Premiere USA	Premiere D	Regisseur	Drehbuch
5.109	**Grüne Zone**	In the Zone	29. Apr. 2008	21. Sep. 2008	T.O'Hara	L.Barstyn

Der im Irak stationierte Marine, Captain Rankin, wird erschossen. Tony und Nikki Jardine machen sich sofort auf den Weg nach Bagdad, um den Fall vor Ort zu untersuchen. Doch der dortige Kommandeur, Major Varnai, will den beiden nur mit Widerwillen helfen. Mittlerweile hat das CIS-Team in Washington zwei weitere Verdächtige, die mit dem Ermordeten Grundstücksgeschäfte machen wollten. Doch der Boden war angeblich mit Schwermetall belastet und Rankin wollte aussteigen. *Quelle: 1, 2*

Ziva: Ha, das ist ja mal ein Kuss, McGee!
McGee: Super als Bildhintergrund, was?
Ziva: Oh, Du amüsierst Dich ja prächtig. Ich hab' noch nie 'ne Zunge gesehen, die so lang ist!
Tony: McGee hat 'ne lange Zunge?
Ziva: Nein, aber das süsse Ding, dass ihn küsst, schon.
Tony: McGee küsst 'n süsses Ding?
McGee: Du darfst es nicht sehen, Tony.
Tony: Wieso nicht?
Ziva: Das ist nun mal McGee's Privatfoto. Und wenn er nicht will, dass Du's hier siehst, dann musst Du seinen Wunsch respektieren oder ... (Ziva streamt das Bild von McGee mit seinem Hund auf den Plasmagrossbildschirm) es Dir woanders ansehen!
Tony: Oh, McRomeo - das solltest Du Dir fürs Schlafzimmer aufheben.
McGee: Du bist ja nur neidisch!
Tony: Neidisch? Ganz und gar nicht. Was Du da tust, könnte in manchen Bundesstaaten rechtswidrig sein... Boss, das musst Du sehen.
Gibbs: Das will ich nicht...wenigstens musst Du keine Alimente zahlen, McGee.

Quelle: 3,4,5

Episoden Staffel 5 Navy CIS

Nr.	Titel	Originaltitel	Premiere USA	Premiere D	Regisseur	Drehbuch
5.110	**Mann ohne Gesicht**	Recoil	6. Mai 2008	28. Sep. 2008	J.Whitmore Jr.	Schenck, Cardea & Fesman

Ziva ermittelt Undercover gegen Andy Hoffman. Er steht unter Verdacht, mehrere Frauen umgebracht zu haben. Um die Untersuchungen voranzutreiben, gibt sich Ziva als seine Freundin aus. Doch plötzlich spitzt sich die Situation zu: Ziva gerät selbst in Gefahr und erschießt den Mann. *Quelle: 1, 2*

Ziva: (kickt gegen den Kopierer) Stirb, du blöde Maschine!
McGee: Sie wirkt sehr gefasst.
Tony: Das ist die Mossad-Standard-Kopierer-Angriffstaktik, McGee! Es geht ihr gut!
Quelle: 3,4,5

Nr.	Titel	Originaltitel	Premiere USA	Premiere D	Regisseur	Drehbuch
5.111	**Falsche Baustelle**	About Face	13. Mai 2008	05. Okt. 2008	D.Smith	Moreno, Stern & Steiner

Auf einer Baustelle der Navy findet man eine Leiche. Die Todesursache des Mannes, der laut Führerschein Baxter heißt, ist vermutlich ein Schlag auf den Kopf. Bei der Bergung des Toten findet Jimmy einen Reisepass, doch ehe er ihn aufheben kann, wird er von einem Unbekannten mit einer Waffe bedroht, der dann plötzlich wegläuft. Leider kann sich Jimmy nicht mehr an dessen Aussehen erinnern und dann stellt sich auch noch heraus, dass es sich bei dem Toten nicht um Baxter handelt. *Quelle: 1, 2*

Abby: Ich bin mal mit der Lippe an 'nem Staubsauger hängen geblieben, der in einem Kaufhaus stand. Ich hab' etwa einen Liter Speichel verloren, bis mein Cousin den Stecker zog, ich hab' noch heute Alpträume. Ich darf nicht mit einem Staubsauger allein bleiben.
Palmer: Wie alt warst Du da?
Abby: 22.

Gibbs: Ein Treffer!
Abby: Noch nicht. Aber ich werde jede Datenbank durchsuchen, die es gibt.
Gibbs: Nein Abbs, Du hast einen Treffer!
Abby: Ohne Dingdong?? Mein Dingdong hat nicht Dingdong gesagt, mein Dingdong ist schon wieder kaputt!?
Gibbs: Abby....
Abby: Ich hab 'nen Treffer!
Quelle: 3,4,5

Nr.	Titel	Originaltitel	Premiere USA	Premiere D	Regisseur	Drehbuch
5.112	**Der Oshimaida-Code**	Judgment Day (1)	20. Mai 2008	12. Okt. 2008	T.J.Wright	Binder, North & Waild

Jenny ist in Begleitung von Tony und Ziva auf der Beerdigung eines alten Freundes, der angeblich an einem Herzinfarkt gestorben ist. Auf der Trauerfeier schnappt Jenny ein Codewort auf, das ihr noch aus alten Zeiten bekannt vorkommt - es bedeutet, dass ihre Tarnung von damals aufgeflogen ist, und ihr Freund wahrscheinlich ermordet wurde. Um Gibbs zu schützen, will sich Jenny freiwillig ihren ehemaligen Gegenspielern stellen. Doch das hat fatale Konsequenzen für die Direktorin. *Quelle: 1, 2*

Tony: Ein Buch! .. Sehr McGee'ig von Dir...
Quelle: 3,4,5

Episoden Staffel 5 Navy CIS

Nr.	Titel	Originaltitel	Premiere USA	Premiere D	Regisseur	Drehbuch
5.113	**Schlimme Tage**	Judgment Day (2)	20. Mai 2008	19. Okt. 2008	T.J.Wright	Binder, North & Waild

Alle Mitarbeiter des Teams versuchen, den Fall aus Gibbs' und Jennys Vergangenheit zu lösen. Gibbs selbst bekommt schließlich einen entscheidenden Hinweis: Anscheinend will sich die Komplizin eines Auftragskillers, den er vor neun Jahren aus dem Weg geräumt hat, an ihm rächen. Dem Team gelingt es schließlich, die Frau zu stellen, doch als sie zurück ins Büro kommen, hält Leon Vance, der neue Direktor, eine wenig erfreuliche Überraschung für die Ermittler bereit. *Quelle: 1, 2*

Staffel 6 (Episoden 6.114- 6.138) Navy CIS

Nachdem alle Mitglieder aus Gibbs Team versetzt wurden, muss Gibbs sein neues Team, bestehend aus Keating, Lee und Langer, einarbeiten. Er erfährt, dass einer dieser Mitarbeiter den NCIS ausspioniert. Dies war der Grund für die Auflösung von Gibbs' Team. Nachdem Keating verdächtigt und verhört wird, erschießt Lee Agent Langer, der ehemals beim FBI arbeitete. Direktor Leon Vance denkt, der Fall sei abgeschlossen, doch Gibbs zweifelt. Er bekommt sein altes Team zurück. Im weiteren Verlauf der Staffel stellt sich heraus, dass Lee, die erpresst wird, die eigentliche Spionin ist. Schließlich wird Lee in einem Schusswechsel zwischen dem Erpresser und Gibbs erschossen. Am Ende der Staffel verliert DiNozzo Davids Vertrauen, die sich daraufhin von Gibbs Team abwendet und wieder beim Mossad arbeitet.

Quelle: 1

Erstausstrahlung USA   23. September 2008 – 19. Mai 2009 auf CBS

Erstausstrahlung Deutschland   1. März 2009 – 15. November 2009 auf Sat1

Episoden Staffel 6 Navy CIS

Nr.	Titel	Originaltitel	Premiere USA	Premiere D	Regisseur	Drehbuch
6.114	**Aus den Augen ...**	Last Man Standing	23. Sep. 2008	01. Mär. 2009	T.Wharmby	S.Brennan

Nachdem Petty Officer Vargo ermordet worden ist, ermittelt Gibbs mit seinem neuen Team. Vargo hatte hochbrisantes Material von einem Computer runter geladen, vermutlich musste er deshalb sterben. Mit Tonys und Zivas Hilfe gelingt es Gibbs und Vance herauszufinden, was auf den brisanten Dateien ist. *Quelle: 1, 2*

Episoden Staffel 6 Navy CIS

Nr.	Titel	Originaltitel	Premiere USA	Premiere D	Regisseur	Drehbuch
6.115	**Agent zur See**	Agent Afloat	30. Sep. 2008	08. Mär. 2009	T.Wright	D.Fesman & D.J.North

Die Frau von Lt. Evans wird ermordet in ihrem Haus gefunden. Zuerst wird vermutet, dass ihr Mann sie getötet hat, aber bei Nachforschungen an Bord des Flugzeugträgers, auf dem Evans arbeitet, gibt es eine böse Überraschung: Auch der Ehemann wurde ermordet und der Täter hat sich seiner Navy-Papiere bemächtigt, um auf dem Schiff an die Sicherheitssysteme heranzukommen. *Quelle: 1, 2*

Nr.	Titel	Originaltitel	Premiere USA	Premiere D	Regisseur	Drehbuch
6.116	**Ein ehrenwerter Mann**	Capitol Offense	7. Okt. 2008	15. Mär. 2009	D.Smith	G.Schenck & F.Cardea

Lieutenant Commander Carrie McLellan wird ermordet aufgefunden. Kurz darauf erhält Gibbs einen Anruf von Senator Pat Kiley, einem alten Freund. Er gesteht ihm, dass er mit McLellan eine Affäre hatte, von der seine Frau nichts wusste, und bittet Gibbs, seinen Namen der Öffentlichkeit nicht preiszugeben. Der Verdacht konzentriert sich zunächst auf den Stabschef des Senators, doch kurz darauf ist er auch tot. Alles deutet auf einen Selbstmord hin. *Quelle: 1, 2*

Nr.	Titel	Originaltitel	Premiere USA	Premiere D	Regisseur	Drehbuch
6.117	**Vater und Sohn**	Heartland	14. Okt. 2008	22. Mär. 2009	T.Wharmby	J.Stern

Ethan Lacombe, ein Marine aus Stillwater, und sein Kamerad Taylor werden zusammengeschlagen. Taylor stirbt, während Lacombe schwerverletzt ins Krankenhaus eingeliefert wird. Gibbs' Team wird auf den Fall angesetzt. Das Pikante: Gibbs stammt auch aus Stillwater und trifft bei seinen Ermittlungen auf alte Freunde, Feinde und seinen Vater, zu dem jahrelang keinen Kontakt hatte. Schon bald ist der Minenbesitzer Winslow verdächtig... *Quelle: 1, 2*

McGee: Keiner der Angestellten in der Bar hat was gehört. Anscheinend stehen die auf laute Musik.
Tony: Das hält vom Reden ab und regt zum Trinken und anderen Aktivitäten an.

Abby: DAS war blitzsauber!
McGee: Soll ich die Kisten lieber auf den Boden stellen?
Abby: Oh Nein. Nein, dafür ist der Tisch da. Und jetzt interpretieren wir das Chaos.

Tony: So viele Fragen. Mein Kopf dreht sich von all den vielen Fragen. Habt Ihr darüber nachgedacht: ER ist tatsächlich von irgendwo gekommen. Nicht einfach erschienen, er war nicht von Anfang an Gibbs, sondern auch mal ein Kind.
McGee: Ach wirklich, ich dachte, er wäre in einer Kapsel auf die Erde gestürzt, nachdem sein Heimatplanet explodiert ist.
Ziva: Blödsinn. Er ist voll ausgewachsen dem Kopf von Zeus entstiegen.
Tony: Ich versuche eine wichtige Metaphysische Frage zu diskutieren. Ihr Beide wollt clever sein, das kann ich ebenfalls.
Gibbs: Nur eine Frage der Zeit...

Quelle: 3,4,5

Episoden Staffel 6 Navy CIS

Nr.	Titel	Originaltitel	Premiere USA	Premiere D	Regisseur	Drehbuch
6.118	**Der falsche Zeuge**	Nine Lives	21. Okt. 2008	29. Mär. 2009	D.Smith	Burstyn, Fesman & North

Der ehemalige Marine Sergeant Jack Kale wird vom FBI in Obhut genommen, da er als Hauptzeuge in einem Mordprozess gegen den Gangsterboss Rick Azari aussagen soll. Kale soll vor Ort gewesen sein, als ein Drogendealer ermordet wurde. Die Kunden waren Kameraden von Kale, und um die zu schützen schweigt er. Kurz vor dem Beginn des Prozesses treffen Kale und Azari aufeinander - mit einem blutigen Ende. *Quelle: 1, 2*

Ziva: WAS?
Tony: Ist es ein „WAS" ... oder ist es ein „WER"?
Ziva: Was stört Dich eigentlich so furchtbar, Tony?
Tony: Seh' ich denn so gestört aus?
McGee: Wenn Du mich so fragst...
Tony: Ich spreche zwar nicht Hebräisch, aber ich glaube, Du hast gerade geflucht.
Ziva: Wenn Du es unbedingt wissen willst, eine Flugreservierung ist gerade daneben gegangen.
Tony: Du fliegst nach Israel?
Ziva: Nicht, wenn ich keinen Platz für den Flug kriege, den ich will.
Ziva: WAS?
Tony: Ist es ein WAS oder ein WER?
Ziva: Jetzt sprichst Du eine andere Sprache, die ich leider nicht verstehe.
Tony: Warst Du nicht gerade in Israel?
Ziva: Na und, Was stört Dich eigentlich so furchtbar, Tony?
Tony: Sehe ich denn so gestört aus?
McGee: Wenn Du mich so fragst...
Ziva: Bist Du so ätzend und nervig, weil Du fürchtest, ich könnte mich amüsieren? Wie Du weisst, fahren die Menschen dauernd in Urlaub.
Tony: Normale Menschen.
Ziva: Ich bin ein normaler Mensch!
Gibbs: DiNozzo, dass Du nervig bist hat sie vollkommen richtig erkannt.

Gibbs: Background, DiNozzo!
Tony: Liz Adler, 28 Jahre alt, kürzlich geschieden...
Gibbs: DAS OPFER, DiNozzo!

Abby: So was hab' ich echt noch nie gesehen.
Gibbs: Ein Seil?
Abby: Nicht das Seil, Gibbs, sondern was auf dem Seil ist, der Schimmelbefall... Schimmel ist... faszinierend! Es gibt über 100.000 Schimmelpilzarten, toll was? Deshalb ist es auch kein Wunder, dass ich ihn bisher noch nicht zuordnen konnte. Siehst Du die kleinen Kondifuren? Das heisst, der Schimmel ist in der sexuellen Phase der Reproduktion. In ein paar Tagen fangen aus der Mitte heraus diese kleinen Anhängsel an zu spriessen und dann... tja, dann wissen wir alle, was als nächstes passiert.
Gibbs: Du geniesst das hier alles, stimmt's, Abbs?
Abby: Jaaahhh... Aber Du nicht... 'Tschuldige!
Gibbs: Danke, Abbs! Widme dich wieder Deinem Schimmel.
Abby: Oh Gibbs, Du sagst immer so süsse Sachen.

Quelle: 3,4,5

Episoden Staffel 6 Navy CIS

Nr.	Titel	Originaltitel	Premiere USA	Premiere D	Regisseur	Drehbuch
6.119	**Der Traum vom Ruhm**	Murder 2.0	28. Okt. 2008	05. Apr. 2009	A.Brown	S.D.Binder

Eine männliche Leiche wird gefunden und kurz darauf bekommt Gibbs' Team ein Video, das die Ermordung des Mannes zeigt. Tatverdächtig sind Tommy und Rose, zwei Bandmitglieder des Opfers. Die beiden geben Gibbs Hinweise auf Sam Loomis, den Regisseur ihres Musikvideos. Während der Befragung stirbt Loomis allerdings qualvoll. Die Hinweise, dass Gibbs das nächste Opfer sein könnte, halten ihn nicht davon ab, zu einem neuen Tatort zu fahren und eine Überraschung vorzufinden. *Quelle: 1, 2*

Tony: Lauf um Dein Leben, Bambino. Lauf!
McGee: Was soll denn das?
Tony: Ich will Dir bloss das Leben retten.
McGee: Was hast Du angestellt?
Tony: Warum denkst Du immer, ich bin Schuld?
Ziva: MCGEEEEEEE!
Tony: Zu spät.
McGee: Wieso sitzt sie an meinem Schreibtisch?
Ziva: MCGEEE! LOS! HIERHER!
Tony: Du musst auf Unzurechnungsfähigkeit plädieren.
Ziva: Was hatte ich Dir gesagt, McGee? Ich hatte Dir zwei Mal gesagt, Du sollst sie vernichten.
McGee: Das hab' ich doch ... äh, nein, hab' ich nicht ...Tony muss sie...
Ziva: Du hast diese Fotos nicht gelöscht, oder? Gib's zu, dann verschone ich eins Deiner Augen.
McGee: Ich hab' diese Fotos nicht gelöscht.
Ziva: Heute ist nicht Dein Glückstag.
McGee: Leute, in ein paar Tagen ist Halloween und heute früh' ist mir 'ne schwarze Katze begegnet...nein, sie war eher dunkelbraun.
Ziva: Gib' mir Deine Hand.
Gibbs: Besser, als ein Auge zu verlieren, McGee.

Quelle: 3,4,5

Nr.	Titel	Originaltitel	Premiere USA	Premiere D	Regisseur	Drehbuch
6.120	**Kollateralschaden**	Collateral Damage	11. Nov. 2008	12. Apr. 2009	T.O'Hara	A.H.Moreno

Bei einem Überfall auf die Bank eines Navy-Stützpunktes wird der Wachmann Ray Vittorio erschossen. Der Agent Dwayne Wilson wird dem Team um Gibbs zugeteilt. Gemeinsam mit Wilson geht Gibbs dem Fall auf den Grund. Vittorios Sohn Joey war an einem Diamantenraub beteiligt und ist seitdem mit den Steinen untergetaucht - seine Komplizen bei dem Raub wussten sich nicht anders zu helfen, als Ray zu erschießen, um Joey aus dem Versteck zu locken. *Quelle: 1, 2*

Gibbs Regel #13: Beziehe niemals einen Anwalt mit ein!

Tony: Wow, ich bin sehr beeindruckt. Kunstturnerin!
Frischling: Ja, seit Jahren.
McGee: Tony gräbt wieder 'ne neue Kollegin an, ha.
Ziva: Reibungslos, hoffnungsvoll und will nur zu gern gefallen.
McGee: Tja, welcher Neue will das nicht.
Ziva: Ich meinte nicht die neue Kollegin.
Tony: Booahh, ne' Kunstturnerin... WAS?
McGee: Du kennst doch die Vorschriften in Sachen sexueller Belästigung?
Tony: Tja, dann behalte ich vielleicht die Nummer, die sie mir gegeben hat. Nur, falls ich 'ne Klage anstrengen möchte.
Ziva: Du hast wirklich Glück, dass die Neuen noch keine Waffen tragen dürfen.
Tony: Sie oder die Anderen wollen mich ganz sicher nicht abknallen.
Ziva: Gib' Ihnen Zeit, das kommt schon.

Quelle: 3,4,5

Episoden Staffel 6 Navy CIS

Nr.	Titel	Originaltitel	Premiere USA	Premiere D	Regisseur	Drehbuch
6.121	**Verraten**	Cloak	18. Nov. 2008	19. Apr. 2009	J.Withmore Jr.	J.Stern

Seitdem klar ist, dass der erschossene Brent Langer nicht der vom NCIS gesuchte Maulwurf war, arbeiten Gibbs und sein Team sowie Direktor Vance mit Hochdruck daran, den wahren Verräter zu finden. Unter Verdacht steht jetzt Michelle Lee. Gibbs stellt ihr eine Falle und weiht nicht einmal seine Leute ein - die Aktion geht schief. *Quelle: 1, 2*

McGee: Das sieht nach 'ner Vorlesung aus. Da fällt mir sofort wieder das College ein.
Tony: Hey Boss, McGee denkt, dass wird hier 'ne Vorlesung.
Gibbs: Passt auf, sonst wird's 'ne Standpauke.

Quelle: 3,4,5

Nr.	Titel	Originaltitel	Premiere USA	Premiere D	Regisseur	Drehbuch
6.122	**Domino**	Dagger	25. Nov. 2008	26. Apr. 2009	D.Smith	R.Steiner & C.J.Waild

Lee wurde als Maulwurf des NCIS enttarnt. Nun gilt es, die Hintermänner dingfest zu machen. Lee sabotiert jedoch Gibbs' Versuche, den Mann, dem sie die Informationen übergeben soll, zu stellen, indem sie ihm rechtzeitig Zeichen gibt, aber dann wird er doch geschnappt. Bankston gibt an, seine Frau sei von einem Unbekannten entführt worden und der verlange die Übergabe der Datei Domino, sonst werde er sowohl die Frau als auch Amanda, Lees Adoptivschwester, töten. *Quelle: 1, 2*

Tony: Weisst Du, was ich hasse?
McGee: Z.B. Frauen, die Ansprüche an Dich stellen?
Tony: Coffee_Shops, in denen es keine Klos gibt.
McGee: Du trinkst den Kaffee doch nicht etwa, wir machen hier 'ne Observierung.
Tony: Ich hab' wenig geschlafen und bin müde.
McGee: Das steht doch schon im Frischlings-1x1. Man trinkt nicht richtig. Nenne es den Gibbs-Schluck. Siehst Du, sieht aus, als würde ich trinken, und doch trinke ich nicht richtig.
Tony: Wenn ich so darüber nachdenke, es sieht immer so aus, als würde Gibbs trinken, aber er geht nie aufs Klo.
Gibbs: Wechsel das Thema!
Tony: Wenn ich nicht bald 'ne Pinkelpause mache muss ich mehr wechseln als das Thema.
Gibbs: Zieh's hoch.

Quelle: 3,4,5

Nr.	Titel	Originaltitel	Premiere USA	Premiere D	Regisseur	Drehbuch
6.123	**Fight Club**	Road Kill	2. Dez. 2008	03. Mai 2009	T.J.Wright	S.Kriozere

Eine Party am Lagerfeuer findet ein jähes Ende, als der 26-jährige Petty Officer Greg Collins aus dem Gebüsch torkelt und tot zusammenbricht. Es scheint, als sei Collins Opfer eines Unfalls geworden, doch weist sein Körper erhebliche Verletzungen auf, die aus einer brutalen Schlägerei stammen. Schon bald stellt sich der mehrfach vorbestrafte Sam Bennett beim NCIS und berichtet, er und Collins hätten gelegentlich an illegalen Boxkämpfen teilgenommen. *Quelle: 1, 2*

McGee: Ich frag' lieber gar nicht erst.
Ziva: Dann frage ich. Was tust Du da, Tony?
Tony: Meine „Tief-in-Gedanken-Miene".
Ziva: Es muss für alles ein erstes Mal geben.

Quelle: 3,4,5

Episoden Staffel 6 Navy CIS

Nr.	Titel	Originaltitel	Premiere USA	Premiere D	Regisseur	Drehbuch
6.124	**Stille Nacht**	Silent Night	16. Dez. 2008	10. Mai 2009	A.Brown	S.D.Binder

Kurz vor dem Heiligabend wird ein älteres Ehepaar in seinem Haus überfallen und ermordet. Die Beschreibung eines Zeugen sowie Fingerabdrücke am Tatort führen die Polizei auf die Spur des Navy-Sanitäters Ned Quinn, ein Vietnam-Veteran, der bei einem Brand im Jahre 1991 ums Leben gekommen sein soll. Der Totenschein - so stellt sich heraus - wurde seinerzeit von Ducky ausgestellt, dem diese Fehlleistung aus den Zeiten vor der DNA-Analyse durchaus peinlich ist. *Quelle: 1, 2*

Nr.	Titel	Originaltitel	Premiere USA	Premiere D	Regisseur	Drehbuch
6.125	**Hinter Gittern**	Caged	6. Jan. 2009	17. Mai 2009	L.Libman	A.H.Moreno

Als die Leiche des Navy-Lieutenants Neil Poletto gefunden wird, erinnert sich Gibbs sofort an einen Fall, der bereits vor über zehn Jahren für Aufsehen sorgte - die Prostituierte Celia Roberts wurde damals angeklagt, Poletto umgebracht zu haben, und verbüßt jetzt eine Haftstrafe. Während sich McGee auf den Weg nach Maryland macht, um der Sache auf den Grund zu gehen, passiert ein Mord und nun liegt es am NCIS-Team, den Mörder eines Gefängniswärters ausfindig zu machen. *Quelle: 1, 2*

Ziva: Nie im Leben hat sie Dich angelächelt.
Tony: Ziva, manche Männer schlagen einen Baseball 100 Meter weit, andere bauen Raumschiffe, die zu den Sternen fliegen. Ich sehe auf 20 Meter, ob eine Frau mich anlächelt.
Ziva: Ihr Name ist Hannah und sie hat mich schon zwei Mal zum Lunch eingeladen.
Tony: DICH?
Ziva: Stürzt Dein Raumschiff eventuell gerade ab?
Tony: Nein, es hat nur gerade auf einem ganz anderen Planeten aufgesetzt.

Quelle: 3,4,5

Nr.	Titel	Originaltitel	Premiere USA	Premiere D	Regisseur	Drehbuch
6.126	**Schatten der Vergangenheit**	Broken Bird	13. Jan. 2009	24. Mai 2009	J.Withmore Jr.	J.Stern

Die Afghanin Mosuma Daoub attackiert Ducky. Gibbs und sein Team ermitteln, welche Gründe die Frau haben könnte. Und tatsächlich werden sie fündig: Ducky war vor 30 Jahren in Afghanistan als Arzt stationiert und hat damals den Bruder von Mosuma sterben lassen. Ducky erkennt erst jetzt, dass er damals die Marionette des Folterers Jerek, auch Mr. Schmerz genannt, gewesen ist. *Quelle: 1, 2*

Palmer: Du bist wirklich so gefasst, Abby.
Abby: Ja, das stimmt. Würde ich jedes Mal ausflippen, wenn einem von Euch etwas zustösst, könnte ich mir die Post in die Klapse nachschicken lassen.

Quelle: 3,4,5

Episoden Staffel 6 Navy CIS

Nr.	Titel	Originaltitel	Premiere USA	Premiere D	Regisseur	Drehbuch
6.127	Der verschwundene Ring	Love & War	27. Jan. 2009	31. Mai 2009	T.O'Hara	D.North & S.D.Binder

Rebecca Jennings und ihr Ex-Verlobter Kevin Nelson tauchen im Büro der NCIS auf, um Rebeccas Vater, einen Angestellten des Geheimdienstes, als vermisst zu melden. Und schon bald erfahren sie, wieso ihr Vater nicht aufgetaucht ist, als sie verabredet waren: Er wurde ermordet. Jetzt liegt es an Gibbs herauszufinden, wieso Jennings erschlagen, vergiftet und zu guter Letzt aufgeschlitzt und ausgeweidet wurde. Und woher kommt die Grünfärbung in Jennings' Darm? *Quelle: 1, 2*

McGee: Morgen zusammen!
Tony: Zusammen?
Ziva: Bist Du heute in besonders guter Stimmung?
McGee: Ich hatte ein tolles Wochenende. Ein wirklich tolles Wochenende.
Tony: Golden Girls - Marathon?
McGee: Ich hab' jemand kennengelernt, wenn Du es wissen willst.
Tony: Wie heisst ER denn?
McGee: IHR Name ist Claire und sie ist Computerprogrammiererin.
Ziva: Und wo seid Ihr Euch begegnet?
McGee: Wenn Du so fragst, persönlich begegnet sind wir beide uns bisher noch nicht, nur Online.
Tony: Ja. Ha,ha, was auch sonst.

Quelle: 3,4,5

Nr.	Titel	Originaltitel	Premiere USA	Premiere D	Regisseur	Drehbuch
6.128	Abschreckung	Deliverance	10. Feb. 2009	30. Aug. 2009	D.Smith	R.Steiner & D.E.Fesman

Als die Leiche des Marines Emilio Salazar gefunden wird, machen die Ermittler eine weitere Entdeckung: Neben dem Toten wurde eine Marine-Corps-Dienstnummer mit Blut geschrieben - die Dienstnummer von Gibbs. Während das Team den Mörder sucht, nimmt Gibbs Kontakt zu seinem ehemaligen Chef Franks auf, der ihm den Tipp gibt, in den Kreisen der Gang 'PCs' zu forschen. *Quelle: 1, 2*

Nr.	Titel	Originaltitel	Premiere USA	Premiere D	Regisseur	Drehbuch
6.129	Der Sündenbock	Bounce	17. Feb. 2009	06. Sep. 2009	A.Brown	S.D.Binder & D.North

Vor Jahren hatte Tony den Pentagon-Mitarbeiter Renny Grant aufgrund von Unterschlagungen hinter Gitter gebracht. Nun, drei Jahre später, taucht Renny wieder auf - und prompt wird der Hauptbelastungszeuge aus dem damaligen Fall ermordet vorgefunden. Gibbs, Tony und Abby machen sich auf die Suche nach Spuren, denn Renny behauptet eisern, dass er unschuldig sei. Und tatsächlich findet Abby DNA-Spuren, die bei der Aufklärung dieses Falls beitragen sollen. *Quelle: 1, 2*

Gibbs Regel #38: Dein Fall, Deine Führung!

McGee: Wer käme darauf, Tony nachzuahmen?
Ziva: Vielleicht Jack Nicholsen, als Rache, weil Tony ihn immer nachmacht.
McGee: Oder es will ihn jemand leimen.
Ziva: Benoit?
McGee: Ist im Ausland. Vielleicht Trent Kort?
Ziva: Entdeckst Du einen TREND darin?
McGee: Tony hat's drauf, sich Feinde zu machen.

Quelle: 3,4,5

Episoden Staffel 6 Navy CIS

Nr.	Titel	Originaltitel	Premiere USA	Premiere D	Regisseur	Drehbuch
6.130	Paket von einem Toten	South by Southwest	24. Feb. 2009	20. Sep. 2009	T.J.Wright	F.Cardea & G.Schenck

Special Agent Patterson, ein Kollege von Gibbs, wird erschossen gefunden. Zuvor hatte er ein Gemälde an Abby geschickt, die sich darauf jedoch keinen Reim machen kann. Kurze Zeit darauf taucht ein gewisser Bart Lemming, ein ehemaliger Kollege Pattersons, auf, der seine Hilfe bei der Aufklärung anbietet. Als Abby herausfindet, dass die Farben des Gemäldes radioaktiv verseucht sind, machen sich Gibbs und Tony auf die Suche nach der Malerin. *Quelle: 1, 2*

Polizist: Special Agent Gibbs, da ist 'ne Frau, die ist ganz und gar scharf darauf mit Ihnen zu reden. Sie behauptet, Sie sei vom NCIS. Ziemlich schräg, trägt 'nen Dracula-Mantel und ein Hundehalsband. Als ob die zu Euch gehörte.
Gibbs: Tut sie.
Polizist: Ist das Ihr Ernst?
Gibbs: Oh ja, lassen Sie sie durch!

Quelle: 3,4,5

Nr.	Titel	Originaltitel	Premiere USA	Premiere D	Regisseur	Drehbuch
6.131	Alleingang	Knockout	17. Mär. 2009	27. Sep. 2009	T.Wharmby	J.Stern

Direktor Vance bringt von einem Besuch in Washington eine alte Freundin mit. Taras Bruder Tyler war der beste Freund von Vance, bevor er ermordet wurde. Nun will Vance den Mord aufklären, allerdings ohne die Hilfe von Gibbs. Als Gibb erfährt, dass Tyler ein Marine war, es jedoch keine Dienstakte gibt, wird er misstrauisch. Er versucht von Vance die Wahrheit zu erfahren, doch der schweigt. *Quelle: 1, 2*

Nr.	Titel	Originaltitel	Premiere USA	Premiere D	Regisseur	Drehbuch
6.132	Der Fluch der Waffe	Hide and Seek	24. Mär. 2009	04. Okt. 2009	D.Smith	D.E.Fesman

Noah, der Sohn eines Navy-Kommandanten, findet auf dem heimischen Stützpunkt eine Waffe. Als seine Mutter sie entdeckt, meldet sie sich beim NCIS. Noah gibt zu, die Waffe nicht auf dem Spielplatz, sondern im Wald neben einer Leiche gefunden zu haben. Abby ist der festen Überzeugung, dass auf dem Revolver ein Fluch liege, denn schon bald wird Joey Ellis tot aufgefunden. Auch er hatte Kontakt mit der Waffe. *Quelle: 1, 2*

Abby: Ich finde ein H-DoppelzickzackZickZackWaffel-Muster, Doppelzickzack-H-Doppel-H-zickzack-Muster, aber kein ZickZackDoppelH-Waffel-ZickZack-Muster!
Tony: Ich sehe einen Fisch, der auf einem Einhorn reitet.

Quelle: 3,4,5

Episoden Staffel 6 Navy CIS

Nr.	Titel	Originaltitel	Premiere USA	Premiere D	Regisseur	Drehbuch
6.133	**Der Schatz des Piraten**	Dead Reckoning	31. Mär. 2009	11. Okt. 2009	T.O'Hara	D.J.North

Der CIA-Agent Kort bittet Gibbs um Hilfe bei einem Fall. Er will den Gangsterboss Siravo und dessen Imperium hochgehen lassen. Schon bald stößt das NCIS auf Perry, den Buchhalter Siravos. Dieser hatte eine Geldwäscherei betrieben und muss nun selbst um sein Leben bangen. Doch ganz so unschuldig wie er vorgibt, ist Perry nicht. Und nun liegt es an der Zusammenarbeit zwischen Kort und Gibbs, um das Geld sicherzustellen und die Gangster endlich hinter Schloss und Riegel zu bringen. *Quelle:* [1,2]

Tony: Oh schön, dass Du auch mal kommst, McTrödel.
McGee: Wo ist unser Oberboss? Das hier muss ein höher Gestellter unterschreiben.
Tony: Los, her damit. Soviel ist klar: Ich stehe in vielerlei Hinsicht über Dir
McGee: Wo ist Gibbs?
Ziva: Heute war er noch nicht hier, in seinem Papierkorb ist kein leerer Kaffeebecher.

Quelle: [3,4,5]

Nr.	Titel	Originaltitel	Premiere USA	Premiere D	Regisseur	Drehbuch
6.134	**Schach matt**	Toxic	7. Apr. 2009	18. Okt. 2009	T.O'Hara	D.J.North

Abby wird vom FBI in ein Versuchslabor versetzt, um ein Heilmittel für eine ominöse Krankheit zu entwickeln. Der leitende Mediziner is diesem Fall ist spurlos verschwunden, und so soll Abby die Forschungen zu Ende bringen. Im Krankenhaus lernt sie den Patienten Sergeant King kennen. Mit dem Ende der Forschung entdeckt sie, dass sie eine Biowaffe entwickelt hat. Als diese verschwindet, gerät ihr Freund King in Verdacht. *Quelle:* [1,2]

Ziva: Muss das ausgerechnet jetzt sein?
Tony: Es ist Frühjahr. Ich mache Frühjahrsputz, also ja.
Ziva: Frühjahrsputz???
Tony: Kennt Ihr keinen Frühjahrsputz in Israel?
Ziva: Wir kennen kein Frühjahr. Israel liegt in der Wüste.

Tony: Du läufst rum wie auf einer Beerdigung. Ist bei Dir alles ok?
Abby: Nein, Frank ist krank.
Tony: Wer ist Frank?
Abby: Mein zweiter unterer Backenzahn.
Tony: Du hast Namen für Deine Zähne?
Abby: Ja. Du nicht?

Quelle: [3,4,5]

Nr.	Titel	Originaltitel	Premiere USA	Premiere D	Regisseur	Drehbuch
6.135	**Legende – Teil 1**	Legend (Part I)	28. Apr. 2009	25. Okt. 2009	T.Wharmby	S.Brennan

Ein Marine ist in Washington grausam gefoltert und ermordet worden. Neben Gibbs und seinen Leuten versucht auch ein NCIS-Team um Special Agent Macy, den Fall aufzuklären. Es stellt sich heraus, dass dieser Fall komplexer ist, als bisher angenommen. Der ermordete Marine war als Geldbote in einem illegalen Waffengeschäft unterwegs. Wurde er von einem ominösen Waffenhändler ermordet oder hat noch ein andere seine Finger im Spiel? *Quelle:* [1,2]

Tony: Ah, ein Tatort mit Aussicht. Fotografiere das hier, McSchnappschuss.
Tony: Ah, Bordkarte von LA nach DC.
Gibbs: Heute früh angekommen.
Tony: Also, diese Nachtflüge können mörderisch sein.

Quelle: [3,4,5]

Episoden Staffel 6 Navy CIS

Nr.	Titel	Originaltitel	Premiere USA	Premiere D	Regisseur	Drehbuch
6.136	**Legende – Teil 2**	Legend (Part II)	5. Mai 2009	01. Nov. 2009	T.Wharmby	S.Brennan

Gibbs und seinen Kollegen gelingt es zusammen mit dem NCIS-Team um Special Agent Macy dem Waffenhändler auf die Schliche zu kommen: Sie spannen das Netz immer enger. G. Callen arbeitet währenddessen als Undercover Agent, um so die Ermittlungen zu beschleunigen. Als dann auch noch Zivas heimlicher Freund als Waffenhändler auftritt, erhält der Fall eine überraschende Wende, der für ein Mitglied des NCIS-Teams womöglich tödlich endet. *Quelle: 1, 2*

Nr.	Titel	Originaltitel	Premiere USA	Premiere D	Regisseur	Drehbuch
6.137	**Geheimpoker**	Semper Fidelis	12. Mai 2009	08. Nov. 2009	T.Wharmby	J.Stern

Tom Sherman, der Kollege von Agent Julia Foster-Yates, wird ermordet. Bei den Ermittlungen, die Gibbs und Fornell leiten, gerät Foster-Yates selbst unter Mordverdacht, den sie aber schnell entkräften kann. Die Spur führt die Ermittler schließlich zu Abin Tabal, dem Kopf der Terrorzelle. Doch als sie in seiner Wohnung ankommen, finden sie ihn tot auf dem Boden. Hat er sich selbst umgebracht, um etwas zu vertuschen? *Quelle: 1, 2*

Tony: Da hat wohl einer ein Cocktailwürstchen fallen lassen.
Ducky: Ich hab' ein Rätsel für Euch: Was ist nichts zum Essen, schmeckt allerdings auffällig gut? Ich gebe Euch einen Tipp, und Du solltest die Antwort vor Officer David wissen, denn sie liegt Dir direkt auf...
Tony: ...der Zunge.
Fremder: Er hat sie sich abgebissen, hatte keine Kontrolle mehr über seine Gliedmassen.

Quelle: 3,4,5

Nr.	Titel	Originaltitel	Premiere USA	Premiere D	Regisseur	Drehbuch
6.138	**Heimkehr**	Aliyah	19. Mai 2009	15. Nov. 2009	D.J.North	D.Smith

Als Ziva nach Hause kommt, sieht sie Tony und Rivkin verletzt am Boden liegen. Tony hat seinen Gegner in Notwehr angeschossen, und kurz darauf stirbt Rivkin. Nachdem Zivas Wohnung in Washington in Folge einer Explosion ausgebrannt ist, fliegt Vance mit Gibbs, Ziva und Tony nach Tel Aviv, wo man mit dem Mossad in Sachen Terrorbekämpfung zusammenarbeiten will ... Doch Ziva fühlt sich von ihrem Vater, Tony und dem Mossad verraten. Sie kann Tony nicht verzeihen? *Quelle: 1, 2*

Vance: Haben Sie noch Daten von der Festplatte bekommen?
McGee: Die ist verschmort. Vielleicht können wir noch ein paar Daten retten, aber das dauert 'ne Weile. Ein paar Tage vielleicht.
Gibbs: Du hast einen Tag.
McGee: Boss, das ist ja nicht mal ... das ist wirklich ein angemessener Zeitrahmen.

Quelle: 3,4,5

Staffel 7 (Episoden 7.139- 7.162) Navy CIS

Zu Beginn der siebten Staffel wird David in Afrika von Terroristen gefangen gehalten. Gibbs, DiNozzo und McGee sind dabei, David zu befreien und sie zurück nach Washington D.C. zu bringen. Damit dies gelingt, lassen sich DiNozzo und McGee absichtlich gefangen nehmen. Infolge der Rettung Davids steigt sie beim Mossad aus und kehrt zum NCIS zurück. Dort wird sie zunächst unter Beobachtung gestellt und darf nicht direkt mit dem Team zusammen arbeiten. Als das Vertrauen wieder hergestellt ist, wird sie Staatsbürgerin der Vereinigten Staaten und legt im Staffelfinale ihre Vereidigung ab. Des Weiteren lernt das NCIS-Team den Vater von DiNozzo kennen. Es wird das Verhältnis zwischen Vater und Sohn genauer dargestellt und verdeutlicht. Außerdem erscheint der Vater von Gibbs wieder, der ihn zu Weihnachten besucht. Zudem wird Gibbs in dieser Staffel mit einem Fall, in der seine Schwiegermutter, die Mutter seiner verstorbenen Frau Shannon, eine Rolle spielt, konfrontiert.
Außerdem bietet die Staffel einen neuen Handlungsraum rund um das Drogenkartell, wobei Gibbs mit seiner Vergangenheit konfrontiert wird. Sciuto spielt hier eine große Rolle für die Enthüllung von Gibbs Geheimnis.

Quelle: [1]

Erstausstrahlung USA	22. September 2009 – 25. Mai 2010 auf CBS
Erstausstrahlung Deutschland	28. Februar 2010 – 31. Oktober 2010 auf Sat 1

⚑ NCIS FAQ

Wo spielt NCIS, wo werden die Folgen gedreht?

Die Serie spielt in Washington D.C., wobei allerdings die wenigstens Szenen in der Hauptstadt der USA selbst gedreht wurden.

Der Drehort von NCIS ist in Kalifornien -----> Los Angeles -----> Valencia

Quelle: [6]

Episoden Staffel 7 Navy CIS

Nr.	Titel	Originaltitel	Premiere USA	Premiere D	Regisseur	Drehbuch
7.139	Der Joker	Truth or Consequences	22. Sep. 2009	28. Feb. 2010	D.Smith	J.Stern

Nachdem Ziva im Auftrag von Mossad zu einer Mission nach Nordafrika aufgebrochen ist und sie zu diesem Zweck Gibbs gebeten hat, sie aus dem NCIS-Team zu entlassen, brechen für sie und ihre Kollegen harte Zeiten an. Ziva wird von dem Terroristen Saleem Ulmann und seinen Komplizen gefangen genommen. Die eigenmächtige Suchaktion ihrer Kollegen Tony und McGee fördern Erschreckendes zu Tage. Nur durch eine gefährliche Finte gelingt es den NCIS-Leuten, das Schlimmste zu verhindern. Quelle: 1, 2

McGee: Ich bin nicht Dein privater Fernsehtechniker.
Tony: Nun mach Dich nicht lächerlich. Du bist mein persönlicher Fernsehtechniker.
McGee: Na schön, kriegst Du ein Bild rein?
Tony: Ja, aber es hat keine satten Farben, es ist nicht klar.
McGee: Und von welcher Quelle? BluRay oder Satellit?
Tony: Weder noch, es ist das Streaming-HD-Ding von meinem Netfilms-Account.
McGee: Ach, das klingt nach 'nem Problem mit dem Komponentenkabel.
Tony: Kannst Du das reparieren?
McGee: Was ist für mich drin?
Tony: Der digital remasterte Klassiker von 1955, Stadt in Angst, mit Spencer Tracy mit einem Arm.
McGee: Ist das so was wie Geld? Geld ist nämlich das übliche Zahlungsmittel für erbrachte Dienstleistungen.
Tony: Es geht um Computer, dass ist Dein Ding. Hätte ich so ein Ding, würd' ichs dauernd vorzeigen.
Gibbs: Dinger vorzeigen ist verboten, DiNozzo.

Quelle: 3,4,5

Nr.	Titel	Originaltitel	Premiere USA	Premiere D	Regisseur	Drehbuch
7.140	Wie ein Vater	Reunion	29. Sep. 2009	07. Mär. 2010	T.Wharmby	S.Binder

Ziva möchte wieder beim NCIS arbeiten und wendet sich an Gibbs. Doch dieser zögert und verweist sie an Vance ... Gibbs' Team hat einen Dreifachmord aufzuklären. Ducky geht von Ritualmord aus, da die Opfer nach ihrem Tod rasiert und in bestimmter Weise hingelegt wurden. Als Verdächtiger gilt Officer Shelley, doch wenig später wird auch er ermordet aufgefunden. Eine weitere Spur führt zu einem Auktionshaus, wo ein lukrativer aber illegaler Antiquitätendeal stattfinden soll. Quelle: 1, 2

Nr.	Titel	Originaltitel	Premiere USA	Premiere D	Regisseur	Drehbuch
7.141	Der Insider	The Inside Man	6. Okt. 2009	14. Mär. 2010	T.Wharmby	F.Cardea & G.Schenck

Zwei Morde geben dem Team des NCIS Rätsel auf. Blogger Matt Burns ist von einer Brücke gestürzt und Navy-Lieutnant Arnett ist bei einem Autounfall ums Leben gekommen. Bei ihren Ermittlungen stoßen Gibbs und seine Leute auf eine Verbindung zwischen den zwei Toten: Will Sutton, Besitzer eines Sandwichladens, der mit Arnett in einen Insiderdeal verwickelt war. Burns soll Sutton auf die Schliche gekommen sein, woraufhin Sutton den Mitwisser aus dem Weg geräumt hat. Quelle: 1, 2

Episoden Staffel 7 Navy CIS

Nr.	Titel	Originaltitel	Premiere USA	Premiere D	Regisseur	Drehbuch
7.142	**Damokles**	Good Cop, Bad Cop	13. Okt. 2009	21. Mär. 2010	L.Libman	D.North & J.Stern

Zivas Bewerbung als NCIS-Agentin werden Steine in den Weg gelegt: Als der Verdacht aufkommt, sie habe den Ex-Marine Daniel Cryer auf dem Frachter 'Damokles' erschossen, ist Gibbs der Einzige, der nicht an Zivas Schuld glaubt. Mit seinen Leuten gelingt es ihm, Malachi - Zivas Kidon-Vorgesetzten - selbst als Mörder Cryers zu entlarven. Er sollte im Auftrag ihres Vaters, des Mossad-Chefs, Ziva diese Tat anhängen. Wird Zivas Bewerbungen nach Klärung des Falls doch noch akzeptiert? Quelle: [1,2]

Gibbs: Keine Zahnstocher mehr?
Vance: Hab' vorher einen gekaut, jetzt hab' ich 'nen Splitter in der Wange.
Vance: Ich hab' mich heute früh beim Rasieren geschnitten. Aller schlechten Dinge sind 3.
Gibbs: Sind Sie abergläubisch?
Vance: Allenfalls gläubig.

Quelle: [3,4,5]

Nr.	Titel	Originaltitel	Premiere USA	Premiere D	Regisseur	Drehbuch
7.143	**Böse Streiche**	Code of Conduct	20. Okt. 2009	28. Mär. 2010	T.O'Hara	R.Steiner & C.Waild

Gibbs und sein Team haben es diesmal mit dem Mord an Marine Lance Corporal James Korby zu tun, der am Halloween-Abend tot in seinem Wagen aufgefunden wurde. Verdächtige gibt es viele: seinen ehemaligen Vorgesetzten, der ihm Gift in den Kaffee getan hatte, damit er aus gesundheitlichen Gründen aus seinem Team abgezogen wird und Korbys Frau Sara, die eine Affäre mit einem seiner Kameraden hatte. Die Ermittler tappen im Dunkeln - bis das Team auf Korbys Stieftochter Rachel stößt. Quelle: [1,2]

McGee: Wer war das?
Tony: Ein alter Kumpel. Er ist beim Baltimore Police Department, wir spielen 'ne Runde Straftaten-Toto.
Ziva: Straftaten-Toto?
Tony: Ein alter Brauch zu Halloween. Jeder schmeisst 200 Mäuse in den Topf und gibt 'nen Tipp ab, wie viel Straftaten in der Nacht der Spitzbuben gemeldet werden, also in der Nacht vor Halloween und natürlich an Halloween selbst.
McGee: Du hast doch was gegen Halloween.
Tony: Es geht aber um viel Geld und dagegen habe ich nichts.

Quelle: [3,4,5]

⚑ NCIS FAQ

Welches Musikstück spielt Abby zu Kates Beerdigung?

Das Lied, das Abby nach der Beerdigung für Kate spielt, heißt "The Viper"
und soll von Sp Just Frost sein.

Quelle: [6]

Episoden Staffel 7 Navy CIS

Nr.	Titel	Originaltitel	Premiere USA	Premiere D	Regisseur	Drehbuch
7.144	**Das Boot**	Outlaws and In-Laws	03. Nov. 2009	04. Apr. 2010	T.Wharmby	J.Stern

Als Gibbs sein Boot seinem alten Chef und Mentor Mike Franks in Mexico geschenkt hatte, dachte er nicht, dass es mit zwei Leichen an Bord im Hafen eines Navy-Stützpunktes auftaucht. Zunächst steht Franks unter dringendem Tatverdacht. Es stellt sich jedoch heraus, dass seine irakische Schwiegertochter Leyla die Söldner erschossen hat. Doch das private Militärunternehmen, das die beiden Söldner beauftragt hatte, schickt aufgrund des misslungenen Auftrags erneut eine Truppe los. *Quelle: 1, 2*

Tony: Das ist ...
Abby: Ja.
McGee: Es ist nicht mehr in ...
Abby: Nein.
Ziva: Das ist Gibbs Segelboot!
Abby: Das ist der Tatort. Es wurde mit einer C31-Frachtmaschine und zwei Leichen eingeflogen. Und jetzt gehört es mir. Gaaanz Alleeein mir. Jetzt kann ich das Geheimnis lüften.
McGee: Was für ein Geheimnis? Wer die Toten sind?
Ziva: Oder wer sie ermordet hat?
Tony: Oder wie sie aufs Boot gekommen sind?
Abby: Klar, Ihr solltet diese Fragen klären. Und ich überleg' mir, wie er es aus seinem Keller rausbekommen hat.

Quelle: 3,4,5

Nr.	Titel	Originaltitel	Premiere USA	Premiere D	Regisseur	Drehbuch
7.145	**Der letzte Schuss**	Endgame	10. Nov. 2009	11. Apr. 2010	J.Whitmore, Jr.	G.Glasberg

Als die Leiche eines Arztes auf dem Navy-Gelände gefunden wird, scheint ein Profi am Werk gewesen zu sein. Untypischerweise taucht Director Vance am Tatort auf. Er vermutet, dass die Tat Kai, eine nordkoreanische Agentin, verübt hat, die er seit 20 Jahren verfolgt. Sie soll als Kind von dem Arzt nach einer Gehirnwäsche zu einer Killer-Maschine erzogen worden sein. Nun ist sie auf ihrem ganz persönlichen Rachefeldzug gegen die Verantwortlichen, die ihr das angetan haben. *Quelle: 1, 2*

Ziva: Ich hab' genug gehört. Vielleicht brauchst eher Du ein klein wenig Selbsthilfe.
Tony: Weisst Du, da liegst Du völlig falsch, Ziva. Ich bin schon erleuchtet und ich weiss genau, wer ich bin. Es mag nicht unbedingt schön sein, aber ich bin DINOZZO - hört mein Gebrülle!
Ziva: Ja, wie am Spiess.

Quelle: 3,4,5

Nr.	Titel	Originaltitel	Premiere USA	Premiere D	Regisseur	Drehbuch
7.146	**Unplugged**	Power Down	17. Nov. 2009	18. Apr. 2010	T.J.Wright	S.Binder & D.North

Gibbs und sein NCIS-Team müssen bei ihrem nächsten Leichenfund unter erschwerten Bedingungen arbeiten: In halb Washington ist der Strom ausgefallen. Bei der Toten handelt es sich um Navy Leutnant Emma Paxton. Sie gerät postum in Verdacht, an dem Einbruch in der Server-Firma SwiftCast beteiligt gewesen zu sein. Wäre Paxton tatsächlich abtrünnig geworden, wäre das eine Katastrophe für die nationale Sicherheit. Blutproben vom Tatort können schließlich den wahren Täter überführen. *Quelle: 1, 2*

Episoden Staffel 7 Navy CIS

Nr.	Titel	Originaltitel	Premiere USA	Premiere D	Regisseur	Drehbuch
7.147	**Kinderspiel**	Child's Play	24. Nov. 2009	25. Apr. 2010	W.Webb	R.Steiner

Die Leiche eines Marine Corporals wird gefunden. Er war Aufseher im Sattler-Institut, wo hochbegabte Kinder bei der Forschung und Entwicklung in Sachen Militärstrategien helfen. In Collagen von Angela Kelp, einem der Kinder, findet Abby schließlich hoch geheime Funkstörsignale. Als herauskommt, dass diese hochbrisanten Daten heimlich nach China verkauft wurden, bekommt der Fall eine entscheidende Wendung. Doch dann wird Angela entführt.
Quelle: [1, 2]

Ziva: Du fährst nicht mit dem Fahrstuhl?
McGee: Nein, ich laufe. Kreislauftraining ist momentan sehr angesagt.
Tony: Irgendwie siehst Du immer mehr wie Kate Moss aus, McDünn. Wie viel sind runter? Zwei, drei Pfund?
McGee: Es sind 15 Pfund und Danke, dass Du so genau hin siehst.
Tony: Damit verdiene ich doch mein Geld. Der Agent mit den Adleraugen.'Ne Frau?
McGee: Keine Frau.
Tony: Na hör mal, McGee. Niemand verzichtet ohne Grund auf leckere Pizzas und Donuts.
McGee: Gut, Du willst die Wahrheit wissen. Ich leg' immer ein paar Pfund zu wenn Feiertage sind und dieses Jahr wollte ich einfach mal vorbeugen.
Ducky: Ach nein, Du solltest Deine Diät nach Thanksgiving fortführen, Timothy. Das traditionelle Männerfest ist nichts für Leute, deren Körper derartige Schlemmereien nicht vertragen.

Quelle: [3,4,5]

Nr.	Titel	Originaltitel	Premiere USA	Premiere D	Regisseur	Drehbuch
7.148	**Die Ehre der Familie**	Faith	15. Dez. 2009	02. Mai 2010	A.Brown	G.Glasberg

Die Leiche des zum Islam konvertierten Navy Leutnants Thomas Ellis wird zur Weihnachtszeit in einem Park gefunden. Er wurde ermordet. Sein Vater, ein ehemaliger Navy-Offizier und mittlerweile Reverend, gerät schnell unter Verdacht, da er keine Möglichkeit ausgelassen hat, um seinen Sohn wieder davon abzubringen. Doch ist er so weit gegangen, seinen eigenen Sohn zu ermorden? Unterdessen kommt Gibbs Vater zu Besuch. Durch einen Überfall hat er ein schwerwiegendes Trauma erlitten. Quelle: [1, 2]

McGee: Also heute ist es wirklich eiskalt.
Tony: Sei ein Pinguin-Mann und spür', wie das warme Blut durch Deine Adern fliesst und lass' den McYeti von der Kette.
McGee: Ich hab' Handwärmer dabei.
Tony: Gib' mir einen.
McGee: Nein.
Ziva: Mir ist gar nicht kalt.
Tony: Weil Du kaltblütig bist, David.
Ziva: Ich hab' heute meine Thermounterwäsche an.
Tony: Ich geb' Dir 50 Mäuse dafür, jetzt gleich.
Ziva: Die passt Dir nicht, Du bist zu gross.
McGee: Gummihandschuhe. Drei Paar halten wärmer.
Tony: Gibt es auch eine andere Möglichkeit, Frostbeulen zu vermeiden.
Gibbs: Oh doch, durch Arbeit.
Tony: Bei der Arbeit, Boss.

Quelle: [3,4,5]

Episoden Staffel 7 Navy CIS

Nr.	Titel	Originaltitel	Premiere USA	Premiere D	Regisseur	Drehbuch
7.149	**Rocket Man**	Ignition	05. Jan. 2010	09. Mai 2010	D.Smith	J.Stern

Als die verkohlte Leiche eines Navy-Leutnants in einem ausgebrannten Waldstück gefunden wird, kommt heraus, dass er neben seinem Beruf als Testpilot auch private Aufträge angenommen hat, wie den des Paares Tillmann. Gibbs und sein Team sind sicher, dass einer der beiden den Piloten umgebracht hat, da er ihnen technische Daten gestohlen hat. Doch auch die Navy soll er beklaut haben. Als Abby dann noch herausfindet, dass Tillmann vergiftet wurde, haben sie den Täter. *Quelle: 1, 2*

Ziva: Es gibt nur noch Werbung auf dieser Internetseite.
Tony: Werbung wofür?
Ziva: Haarausfallpillen. Gibt es wirklich Pillen, damit einem die Haare ausfallen?
Tony: Dadurch sollen die Haare wachsen.
Ziva: Wozu brauche ich denn mehr Haare?
Tony: Nicht Du, Männer!
Ziva: Ach, ich brauche mehr Männer?
Tony: Männer brauchen mehr Haare, Frauen weniger.
McGee: Ne' Kombination aus beidem würde 'ne Marktlücke füllen. Den Frauen die Haare abschneiden und den Männern ankleben.

Quelle: 3,4,5

Nr.	Titel	Originaltitel	Premiere USA	Premiere D	Regisseur	Drehbuch
7.150	**Der doppelte Tony**	Flesh and Blood	12. Jan. 2010	16. Mai 2010	Arvin Brown	F.Cardea & G.Schenck

Als Prinz Sayifs Assistent Walid bei der Explosion des königlichen Autos ums Leben kommt, trifft es den Falschen. Denn ursprünglich wollte der Bruder des Prinzen, Abdalla, dem der westliche Lebensstil seines Bruders ein Dorn im Auge war, Sayif den Märtyrertod sterben lassen. Gibbs sind aufgrund der diplomatischen Immunität Abdallas die Hände gebunden. Doch Prinz Omar, der Vater der beiden, verspricht, für eine gebührende Bestrafung seines ältesten Sohnes zu sorgen. *Quelle: 1, 2*

Gibbs Regel #6: Sag niemals „Es tut mir Leid"!

Quelle: 3,4,5

Nr.	Titel	Originaltitel	Premiere USA	Premiere D	Regisseur	Drehbuch
7.151	**Wie im Flug**	Jet Lag	26. Jan. 2010	23. Mai 2010	T.Wharmby	C.Waild

Nora Williams, die Hauptbelastungszeugin in einem bevorstehenden Betrugsprozess, wird von Tony und Ziva auf dem Flug von Paris nach Washington begleitet. Wie sich herausstellt, hat ein Unbekannter einen Auftragskiller auf sie angesetzt. Tony und Ziva haben auch schnell einen Verdächtigen: Air Marshal Art Neeley - der jedoch kurz darauf ermordet in der Bord-Toilette aufgefunden wird. Als Nora einen allergischen Schock erleidet, kommen Tony und Ziva dem Täter auf die Spur. *Quelle: 1, 2*

Gibbs: Pack' Dein Kram, McGee. Wir gehen jetzt auch auf Reisen.
Vance: An einen exotischen Ort?
Gibbs: Oh ja, in die Innenstadt.
McGee: Sind wir nur zu zweit, Boss?
Gibbs: Nein. Du, ich, Ducky und ein toter Marine.
Ducky: Ich finde es durchaus angebracht, dass ich in Agent DiNozzos Abwesenheit eine Anmerkung zu diesem einzigartigen Tatort mache. Eine zu Tode erschreckte Janet Leigh und die vermutlich wochenlange Furcht vor jeder Dusche. Eine Anspielung auf den Film „Psycho".
Gibbs: Und, fühlst Du Dich jetzt besser?
Ducky: Ja.

Quelle: 3,4,5

Episoden Staffel 7 Navy CIS

Nr.	Titel	Originaltitel	Premiere USA	Premiere D	Regisseur	Drehbuch
7.152	**Kobalt 60**	Masquerade	02. Feb. 2010	30. Mai 2010	J.Whitmore, Jr.	S.Binder

Roman Vega, Lance Corporal der Marines, gelingt es gerade noch rechtzeitig, seinen Bruder Alfonso kurz vor der Explosion einer Autobombe in seinem Kofferraum zu warnen. Gibbs und McGee übernehmen die Ermittlungen, bei denen sie Roman als Mitglied einer peruanischen Terrorzelle entlarven, die in D.C. Anschläge mit schmutzigen Bomben verübt. Die Gefahr dieser Zelle wird als hoch eingestuft. Als Gibbs und McGee eine weitere Bombe finden, entpuppt sich die Terrorzelle als Finte. *Quelle: 1, 2*

Ducky: Uns fehlen immer noch diverse Körperteile.
McGee: Ah, entschuldigt, das hätte ich fast vergessen.
Palmer: Das ist der Kopf.
McGee: Was davon übrig ist. Er lag zufälligerweise ausgerechnet hinter einer alten Bowlingbahn.
Ducky: Mr.Palmer, jetzt fehlen noch zwei Kniescheiben und ein Schienbein.

Quelle: 3,4,5

Nr.	Titel	Originaltitel	Premiere USA	Premiere D	Regisseur	Drehbuch
7.153	**Vollgas**	Jack-Knife	09. Feb. 2010	06. Juni 2010	D.Smith	J.Stern

Nachdem der ehemalige Marine Damon Werth mit seinem Freund und ehemaligen Kameraden Heatherton auf Sauf-Tour war, ist dieser ermordet worden. Da Werth K.o.-Tropfen ins Getränk gegeben wurden, kann er sich an nichts erinnern. Gibbs und Ziva ermitteln den zwielichtigen Fuhrunternehmer Szwed, für den Heatherton gearbeitet hat, und schleusen sich Undercover ein. Sie machen dort Bekanntschaft mit Mr. DeVoisier, der regelmäßig Rennen mit Szwed gefahren ist - bis etwas schief ging. *Quelle: 1, 2*

Gibbs Regel #27: Es gibt zwei Wege, jemandem zu folgen. Der erste: sie bemerken dich erst gar nicht. Der zweite: sie bemerken nur dich!

Abby: ... McGee, ich mein's ernst.
McGee: Er steht mit dem ersten Sonnenstrahl auf, falls er überhaupt ins Bett geht. Ich wüsste zu gern, was durch seine Adern fliesst.
Gibbs: Kaffee, McGee.
McGee: Genau, Boss.
Gibbs: Nein, hol' mir einen.
McGee: Geht klar, Boss.

Quelle: 3,4,5

Episoden Staffel 7 Navy CIS

Nr.	Titel	Originaltitel	Premiere USA	Premiere D	Regisseur	Drehbuch
7.154	**Schwiegermuttertag**	Mother's Day	02. Mär. 2010	05. Sep. 2010	T.Wharmby	G.Glasberg & R.Steiner

Als ein Navy Captain eines Nachts erschossen wird, gibt es drei Zeugen: seine Verlobte und ein junges Elternpaar, das mit seinem Baby unterwegs war. Als Gibbs die Verlobte befragen will, erlebt er eine Überraschung: Es ist seine Schwiegermutter Joann Fielding. Während der Ermittlungen wird immer deutlicher, dass Joanns Version von einem Fremden, der plötzlich aufgetaucht sei und Norton erschossen habe, nicht stimmen kann. Alle Indizien sprechen gegen sie. *Quelle: 1, 2*

Tony: Was liest Du da?
Ziva: Das ist die Unabhängigkeitserklärung der USA, mein Freund. Mein Einbürgerungstest steht an, und damit will ich die Siegespappel erringen.
McGee: Die Siegespalme.
Ziva: Ganz gleich, welcher Baum.

Tony: Ah, McGee. Du siehst ziemlich porös aus. Hast Du wieder die ganze Nacht am Computer gespielt?
McGee: Ich muss zugeben, es ist ziemlich anstrengend meinen aussergewöhnlichen High-Tec-Status aufrecht zu erhalten, aber vor Euch steht ein Mann, dessen gesamte Wohnungsausstattung einer einzigen Fernbedienung gehorcht.
Tony: Du meinst alles?
McGee: Selbst die Mikrowelle.

Quelle: 3,4,5

Nr.	Titel	Originaltitel	Premiere USA	Premiere D	Regisseur	Drehbuch
7.155	**Zwei Leben**	Double Identity	09. Mär. 2010	12. Sep. 2010	M.Horowitz	F.Cardea & G.Schenck

Lieutenant John Mayne, der nach einem streng geheimen Aufklärungsauftrag in Afghanistan seit sechs Jahren als vermisst gilt, wird im Rock Creek Park von einem Ranger angeschossen und schwer verletzt aufgefunden. Für Maynes Frau Leah ist Johns Wiederauftauchen nach sechs Jahren ein Schock - nicht minder jedoch für Rachel Wells, die seit einem Jahr mit John, den sie nur als Christian Wells kennt, verheiratet ist. Doch das bleiben nicht die einzigen Ungereimtheiten in diesem Fall. *Quelle: 1, 2*

Nr.	Titel	Originaltitel	Premiere USA	Premiere D	Regisseur	Drehbuch
7.156	**Der Schatz der Calafuego**	Jurisdiction	16. Mär. 2010	19. Sep. 2010	T.O'Hara	L.D.Zlotoff

Am Strand wird die verstümmelte Leiche des Navy-Tauchers Michael Jensen gefunden, der nach einer Stichverletzung im Meer ertrunken ist. Wegen eines anderen Mordes ermittelt neben Gibbs' Team auch die attraktive Agentin Borin in dem Fall. Die Ermittler entdecken in einem von Jensen gemieteten Lagerraum Goldmünzen und andere Schätze, die offenbar aus dem Meer geborgen worden sind. Ein Hinweis führt zu einem prominenten Arzt, der schon seit Tagen nicht gesehen worden ist. *Quelle: 1, 2*

Episoden Staffel 7 Navy CIS

Nr.	Titel	Originaltitel	Premiere USA	Premiere D	Regisseur	Drehbuch
7.157	**Holly Snow**	Guilty Pleasure	06. Apr. 2010	26. Sep. 2010	J.Whitmore, Jr.	R.Steiner & C.Waild

Navy Lieutenant Justin Moss ist ermordet worden, offenbar nachdem er sich mit einem Callgirl im Motel getroffen hat. Er hat für den 'Navy Herald' eine Reportage über Prostitution geschrieben hat und ist mit einem Kampfmesser getötet worden. Gibbs' Team findet heraus, dass Moss im Motelzimmer mit dem mehrfach vorbelasteten Callgirl Charlotte Cook zusammen war. Cook war früher für die Edelbordell-Besitzerin Holly Snow tätig, die Gibbs' Team kürzlich aus dem Verkehr gezogen hat. *Quelle: [1,2]*

Ziva: Wisst Ihr was? Von so was hab' ich schon mal gehört. Ihr Beide habt nämlich das verfickte 7.Jahr!
Tony: Verflixte! Und ja, das haben wir!
Ziva: Ihr benehmt Euch genau wie ein Ehepaar.
Gibbs: Nein, tun sie nicht, sie reden noch miteinander!

Quelle: [3,4,5]

Nr.	Titel	Originaltitel	Premiere USA	Premiere D	Regisseur	Drehbuch
7.158	**Ein rotes Haar**	Moonlighting	27. Apr. 2010	03. Okt. 2010	T.J.Wright	S.Binder & J.Stern

Petty Officer Scott Roebuck wird am Strand von Maryland erschossen aufgefunden - offenbar waren Profis am Werk. Schnell ist klar, dass er Zeuge des brutalen Mordes an Stefano Delmar, einer aufstrebenden Figur des organisierten Verbrechens, war. Delmar sollte gegen Immunität aussagen und stand im Zeugenschutzprogramm des FBI. Eine Verletzung an seiner Leiche deutet daraufhin, dass er einen Lügendetektor-Test manipulieren wollte. Im Test-Institut arbeitet keine Unbekannte. *Quelle: [1,2]*

Tony: Autopsie-Gremlin, was machst Du hier oben? Du weisst doch was passiert, wenn Sonnenlicht auf Dich trifft.
Palmer: Oh, ich zeig' Ziva nur ein paar Bilder von Breena.

Quelle: [3,4,5]

Nr.	Titel	Originaltitel	Premiere USA	Premiere D	Regisseur	Drehbuch
7.159	**Regel Nummer Zehn**	Obsession	04. Mai 2010	10. Okt. 2010	T.Wharmby	F.Cardea & G.Schenck

Navy-Lieutenant Jeffrey Hutton wird am Steuer seines Wagens tot aufgefunden. Ein rätselhafter Tod - denn er war vollkommen gesund. Obwohl es keinen Mordverdacht gibt, recherchieren Gibbs und sein Team im Umfeld des Toten. Auffällig ist, dass seine Schwester Dana Hutton, eine bekannte TV-Reporterin, offenbar spurlos verschwunden und ihre Wohnung von Unbekannten durchwühlt worden ist. Tony, der eine besondere Schwäche für die Reporterin hat, kniet sich besessen in den Fall. *Quelle: [1,2]*

Gibbs Regel #10: Lass dich niemals persönlich in einen Fall verwickeln!

Gibbs Regel #39: Es gibt keine Zufälle!

Ziva: Ich finde, Du bist zu alt für diese One-Night-Stands. Deine biologische Uhr tickt.
Tony: Männer haben keine biologische Uhr. Wenn ich meiner Traumfrau begegne werde ich schon merken, dass es Zeit ist.
Gibbs: Pass auf, dass es kein Alptraum wird.

Quelle: [3,4,5]

Episoden Staffel 7 Navy CIS

Nr.	Titel	Originaltitel	Premiere USA	Premiere D	Regisseur	Drehbuch
7.160	**Kalte Spuren**	Borderland	11. Mai 2010	17. Okt. 2010	T.O' Hara	S.Binder

Gibbs und sein Team bearbeiten den Fall eines Serienkillers, der mehrere Biker ermordet und ihnen die Füße abgetrennt hat. Der Navy Corporal war von einem Drogenkartell mit den Morden beauftragt worden, um so den Händlerring in Washington zur Aufgabe zu zwingen. Am Schluss wurde er selbst, auf dieselbe Art und Weise, getötet. Zur selben Zeit nimmt Abby mit McGee an einem Symposium in Mexiko teil, bei dem es um die kriminaltechnische Untersuchung ungelöster Fälle geht. *Quelle: [1, 2]*

Gibbs Regel #40: Wenn es scheint, als sei jemand hinter dir her, ist jemand hinter dir her!

Gibbs: Was hast Du, Duck?
Ducky: Eine Schweinerei, und zwar eine beunruhigende Schweinerei. Ja, sein gesamtes Skelett weist starke Luxationen aus, wahrscheinlich durch die Schrottpresse verursacht.

Quelle: [3,4,5]

Nr.	Titel	Originaltitel	Premiere USA	Premiere D	Regisseur	Drehbuch
7.161	**Ein guter Patriot**	Patriot Down	18. Mai 2010	24. Okt. 2010	D.Smith	G.Glasberg

Special Agent Lara Macy wird tot aufgefunden. Vor Jahren hatte sie in dem Mord von Pedro Hernandez ermittelt und festgestellt, dass Gibbs ihn umgebracht hatte, um den Mord an seiner Frau und seiner Tochter zu rächen. Damals hat Macy ihn laufenlassen. Gibbs ist zutiefst erschüttert über ihren Tod und ermittelt mit Hochdruck. Auch Abby, die den ungelösten Fall Hernandez aus Mexiko mitgebracht hat, entdeckt bei ihren Untersuchungen, dass Gibbs den Dealer erschossen hat. *Quelle: [1, 2]*

Nr.	Titel	Originaltitel	Premiere USA	Premiere D	Regisseur	Drehbuch
7.162	**Regel 51**	Rule Fifty-One	25. Mai 2010	31. Okt. 2010	D.Smith	J.Stern

Gibbs soll für das Reynosa-Kartell arbeiten, sonst wird Paloma Reynosa alle Menschen töten, die ihm etwas bedeuten. Agent Macy war die Erste, nun wird Gibbs Mike Franks' abgetrennter Zeigefinger präsentiert. Gibbs bleibt nichts anderes übrig, als mitzuspielen. Zu allem Übel ist Minister Rivera Reynosas Bruder, der, vom Hass auf den Mörder seines Vaters zerfressen, Gibbs sofort umbringen will. Reynosa hindert ihn daran und zwingt Gibbs, mit dem Mittelsmann Dean zusammenzuarbeiten. *Quelle: [1, 2]*

Gibbs Regel #13: Beziehe niemals einen Anwalt mit ein!

Gibbs Regel #44: Das Wichtigste zuerst: Versteck die Frauen und Kinder!

Gibbs Regel #45: Beseitige das Chaos, das du verursacht hast!

Gibbs Regel #51: Manchmal hast du unrecht oder du liegst falsch!

Quelle: [3,4,5]

Staffel 8 (Episoden 8.163- 8.186) Navy CIS

Nachdem Gibbs am Ende der siebten Staffel aus Mexiko zurück kommt, besucht die Chefin des Drogenkartells Gibbs' Vater. Dieser ist aber auf den Besuch vorbereitet. Nach dem Anschlag bringt Gibbs seinen Vater außer Gefahr. Franks kommt ihm später zu Hilfe. Nach der aus Rache getriebenen Jagd wird die Chefin des Kartells erschossen. Allerdings nicht durch Gibbs oder Franks, sondern durch ihren eigenen Bruder, was aber nicht geplant war. Dieser wird daraufhin von Gibbs festgenommen. Gibbs' Team bekommt im Verlauf der Staffel den Auftrag, Davids Vater, den Direktor des Mossad, zu schützen. Dabei kommt es zu einem Hinterhalt, bei dem der Direktor des NCIS, Leon Vance, verletzt wird und ins Krankenhaus kommt. In verschiedenen Rückblenden wird mehr und mehr von seiner Vergangenheit ans Licht gebracht, u. a. wie er zum NCIS kam und wie er und Gibbs sich zum ersten Mal trafen. Bei DiNozzo erfährt man in dieser Staffel zum ersten Mal etwas über seine Zeit beim Baltimore Police Department. Außerdem wird das Verhältnis zwischen Ziva und ihrem Vater mehr thematisiert. In der Staffel wird zudem auch ein neues NCIS-Team unter der Leitung von Special Agent E. J. Barrett eingeführt. Des Weiteren wird von beiden NCIS-Teams der Port-to-Port-Killer (P2P) gejagt. Dieser tötet im Staffelfinale Gibbs' besten Freund, Mike Franks.

Quelle: [1]

Erstausstrahlung USA	21. September 2010 – 17. Mai 2011 auf CBS
Erstausstrahlung Deutschland	13. Februar 2011 – 8. November 2011 auf Sat 1

Episoden Staffel 8 Navy CIS

Nr.	Titel	Originaltitel	Premiere USA	Premiere D	Regisseur	Drehbuch
8.163	Die tapferste Stunde	Spider and the Fly	21. Sep. 2010	13. Feb. 2011	G.Glasberg	D.Smith

Nachdem Jackson Gibbs Besuch von Paloma Reynosa hatte, ist er vorübergehend zu seinem Sohn gezogen. Gibbs bittet Mike Franks, seinem Vater - zusätzlich zu den Personenschützern des NCIS - Schutz und Gesellschaft zu bieten. Alles ist ruhig, doch durch einen Mord, den Gibbs und sein Team untersuchen, wird klar, dass Paloma auf dem Weg nach Washington und damit zu Gibbs ist. Sie will den Tod ihres Vaters rächen. Quelle: [1, 2]

Ziva: Da bin ich wieder.
Tony: Aber Hallo, kleine Miss Sonnenschein-Staat. Du siehst formidabel aus.
Ziva: Ich weiss nicht, was formidabel heisst, ich nehme mal an nichts Gutes.
Tony: Sind das Bikini-Streifen?
Ziva: Wo guckst Du denn hin?
Tony: Ist das wirklich wichtig?
Ziva: Natürlich ist das wichtig. Und an mir findest Du keine einzigen Bikinistreifen, das kann ich Dir versichern!
Tony: Oaaahhhh...

Quelle: [3,4,5,9]

Episoden Staffel 8 Navy CIS

Nr.	Titel	Originaltitel	Premiere USA	Premiere D	Regisseur	Drehbuch
8.164	**Der alte Fuchs**	Worst Nightmare	28. Sep. 2010	15. Feb. 2011	T.Wharmby	S.Binder

Nicholas Masons Enkelin ist entführt worden. Kurz darauf werden mehrere Männer ermordet aufgefunden. Es stellt sich heraus, dass Mason sowohl seiner Familie als auch dem NCIS gegenüber falsche Angaben bezüglich seiner Vergangenheit gemacht hat. Er hat vor langer Zeit an einer staatlich initiierten Geheimoperation teilgenommen und war mit sieben anderen Personen als Agent tätig. Nach Ende des Projekts waren noch drei Teammitglieder übrig, zwei von ihnen sind nun ermordet worden. *Quelle: 1, 2*

Tony: Was ist denn hier los, werden wir etwa durch jüngere Modelle ersetzt?
Ziva: Ich bin ein junges Modell!
Tony: Falls Du mich beleidigen wolltest, gratuliere!
Ziva: Und, wir sollen nicht ersetzt werden. Die sind von der Waverly-University
Tony: Ach ja, hatte ich vergessen: Direktor Vance' Schulungsprogramm für Praktikanten. Keine gute Idee, das fördert McGees grässliche Gier nach Groupies.

Quelle: 3,4,5,9

Nr.	Titel	Originaltitel	Premiere USA	Premiere D	Regisseur	Drehbuch
8.165	**Rache ist bitter**	Short Fuse	05. Okt. 2010	22. Feb. 2011	L.Libman	F.Cardea & G.Schenck

Im Haus von Marine Sergeant Heather Dempsey wird eingebrochen, als sie sich dort mit ihrem Geliebten Gary Tolin vergnügt. Sie erschießt den Eindringling. Heather streitet trotz aller Hinweise ab, in der fraglichen Nacht Besuch gehabt zu haben. Gibbs findet über seinen alten Mitstreiter Fornell heraus, dass Tolin ein ranghoher FBI-Beamter ist. Im Zuge der Ermittlung kommt auch heraus, dass Dempseys Bruder bei einer Schießerei zwischen zwei Drogen-Gangs schwer verletzt wurde. *Quelle: 1, 2*

McGee: Ziva, was ist hier los?
Ziva: Tony ist als Coverboy für die neue NCIS-Anwerbungsbroschüre ausgewählt.
McGee: Das ist wohl hoffentlich ein schlechter Witz.
Tony: Ja, da staunst Du, was? Wer ist das neue Gesicht des NCIS? Du siehst es vor Dir, McNeidhammel.
McGee: Jetzte werden wir es kaum noch mit ihm aushalten.
Ziva: Erst ab jetzt?

Quelle: 3,4,5,9

Nr.	Titel	Originaltitel	Premiere USA	Premiere D	Regisseur	Drehbuch
8.166	**Schmutzige Millionen**	Royals and Loyals	12. Okt. 2010	01. Mär. 2011	A.Brown	R.Steiner

Ein Officer wird ertränkt und mit aufgeschlitztem Bauch gefunden. Zwischen seinen Zähnen findet Ducky einen Fetzen von einem 100-Dollar-Schein. Abby stellt fest, dass das Geld mit einem Markierungspulver behandelt wurde wie es bei der CIA üblich ist. Der Tatort befindet sich auf einem britischen Schiff. Major Malloy, der Verbindungsoffizier, weigert sich aber, das Schiff durchsuchen zu lassen. Das markierte Geld war für eine CIA-Operation in Afghanistan bestimmt. *Quelle: 1, 2*

Ziva: Was machst Du da?
Tony: Gar nichts, hab' nur meine Kontaktlinse gesucht.
McGee: Auf Zivas Tastatur, oder was?
Ziva: Du bist doch gar nicht kurzsichtig.
Tony: Ab jetzt vielleicht schon.

Quelle: 3,4,5,9

Episoden Staffel 8 Navy CIS

Nr.	Titel	Originaltitel	Premiere USA	Premiere D	Regisseur	Drehbuch
8.167	**Feld der Alpträume**	Dead Air	19. Okt. 2010	07. Mär. 2011	T.O'Hara	C.Waild

Während eines Radiointerviews bei einem kleinen Provinzsender werden der Moderator Adam Gator, sein Gast, der Navy Commander Daniels, und ein Techniker erschossen. Der Anschlag galt eigentlich Gator, der in seiner Sendungen publik gemacht hatte, dass ihn sogenannte Fans für ihre falsch verstandenen patriotischen Ziele einspannen wollten. Weil er diese verhöhnte, musste er sterben. Gibbs und seine Leute kommen bei den Ermittlungen einer Gruppe reaktionärer Bürger auf die Spur. *Quelle:* [1, 2]

Nr.	Titel	Originaltitel	Premiere USA	Premiere D	Regisseur	Drehbuch
8.168	**Genie und Wahnsinn**	Cracked	26. Okt. 2010	15. Mär. 2011	T.Wharmby	N.Mirante-Matthews

Clea Thorson läuft vor einen fahrenden Bus und stirbt. Sie hat für die Firma Gen-One als Chemie-Ingenieurin an einem Projekt für die Navy gearbeitet und galt als Genie, aber auch als schwierig im Umgang. Ducky stellt fest, dass Clea schwer krank war. Auf ihrem Körper finden sich unendlich viele Formeln und Koordinaten, die sie selbst dorthin geschrieben hat. Abby ist fasziniert von Cleas Denkweise. Sie glaubt, wenn sie ihren Wegen folgt, kommt sie ihrem Geheimnis auf die Spur. *Quelle:* [1, 2]

Abby: McGee, da bist Du ja. Ich hab' nen Durchbruch erzielt, oder besser gesagt, ich hatte gerade ein paar Geistesblitze. Hätte ich 'nen Durchbruch erzielt wüsste ich ja die Antworten. Aber so ist es nicht. Noch nicht. Aber ich bin nah dran, Äh, ich weiss das, ich spür' nämlich dieses typische Kitzelige, den Rücken rauf unter runter.
McGee: Wie viele Caf Pows hattest Du schon?
Abby: Ähm, etwa 11 ... 10

Quelle: [3,4,5,9]

Nr.	Titel	Originaltitel	Premiere USA	Premiere D	Regisseur	Drehbuch
8.169	**Mark 15**	Broken Arrow	09. Nov. 2010	22. Mär. 2011	A.Brown	F.Cardea & G.Schenck

Tonys Vater kommt nach Washington, stilvoll im Privatjet seines alten Freundes Jonathan Royce. Ebenso an Bord: Woody Iverson. Der nimmt sich mit Tonys Vater ein Taxi. Kurz darauf wird Iverson tot in einem Müllcontainer gefunden. Er wollte seinen guten Bekannten Admiral Chase besuchen, um ihm etwas zu zeigen. Wie Gibbs und sein Team herausfinden, handelt es sich dabei um eine wertvolle Plakette von einem Nuklear-Sprengkopf aus einem vor 50 Jahren abgestürzten Kriegsflugzeug. *Quelle:* [1, 2]

McGee: Hmh, hmh, hmh !!!!!!!!! Erdnussbutterkekse!
Tony: Das ist surreal. Ich komm' mir vor wie in 'nem James Bond-Film, inszeniert von Fellini. Ich sitze hier und oberviere meinen Vater und Ziva, die Undercover sind, während Du Deine Kekse mampfst.

Quelle: [3,4,5,9]

Episoden Staffel 8 Navy CIS

Nr.	Titel	Originaltitel	Premiere USA	Premiere D	Regisseur	Drehbuch
8.170	**Fremde Feinde**	Enemies Foreign	16. Nov. 2010	29. Mär. 2011	D.Smith	J.Stern

Vance beruft eine Revisionskonferenz ein. Die Teilnehmer sind ehemalige Direktoren und hochrangige Agenten. Auch ein alter Bekannter kündigt seinen Besuch an: Eli David. Er war vor vielen Jahren bei Vance' erstem Auftrag dabei. Plötzlich tauchen drei Palästinenser auf, die Eli ans Leder wollen. Gibbs und seine Leute nehmen einen von ihnen fest, ein zweiter wird erschossen, doch der Anführer kann entkommen. Gibbs versucht, Eli und die anderen über Funk zu erreichen - ohne Erfolg. *Quelle:* [1,2]

McGee: Tony, Du solltest Dich immer noch vor solchen wie mir fürchten.
Ziva: Und offenbar auch vor 22jährigen Frauen.
Tony: Ich weigere mich vor 22jährigen Mädchen Angst zu haben, egal was für raffinierte Taschendiebstahlgeräte sie auch benutzen, Wisst Ih was das wahre Opfer ist? Die Langfingerfertigkeit.
Ziva: Wenn jemand was aus Deiner Hose haben will soll er es auch mit der Hand rausholen.
Tony: Die Crux am elektronischen Diebstahl ist, dass man ihn unmöglich elektronisch überwachen kann.Wie hält man nur diCaprio aus seinen Träumen raus?
Ziva: Hmh, ja, er ist ein Traummann.

Quelle: [3,4,5,9]

Nr.	Titel	Originaltitel	Premiere USA	Premiere D	Regisseur	Drehbuch
8.171	**Vertraute Feinde**	Enemies Domestic	23. Nov. 2010	05. Apr. 2011	M.Horowitz	J.Stern

Nach dem Anschlag auf Eli David und Director Vance bringt Hadar die beiden wieder in das NCIS-Versteck. Dort erwartet sie eine böse Überraschung. Auf einmal verschwindet Eli. Bei der Suche nach ihm flammt erneut das Misstrauen zwischen den Israelis und den NCIS-Agenten auf. Schließlich finden sie Eli in einer Synagoge und bringen ihn zum NCIS, wo Gibbs ihn verhört. Eli erzählt von Vances Auftrag in Amsterdam vor 20 Jahren, und plötzlich scheint Licht ins Dunkel zu kommen. *Quelle:* [1,2]

Abby: Und, mit ein bisschen Erfindergeist kannst auch Du so was herstellen, McGyver.
McGee: McGyver?
Abby: Den Witz hatte ich schon 'ne ganze Weile in der Hinterhand.
Tony: McGyver! Stimmt, das passt zu Dir. Wie blöd, warum ist mir das nicht eingefallen.
McGee: Hast Du auch noch witzige Namen in Petto und wartest auf die richtige Gelegenheit?
Tony: Nein, so arbeitet mein Verstand nicht. Das ist wie ein ständiger Scat.
McGee: Ah ja, Du hast 'n Brett vor'm Kopf.
Tony: Nein, nicht Brett, Du Trottel. Scat, das ist wie 'n flotter Jive, wie Bebop. Ganz unvorhersehbar. Ich spiele die Leadgitarre, Du singst die Leadvocals. McGlee, McFlee, McGesture, McJagger.

Tony: Was sagen die Späher, Hebrärer?

Quelle: [3,4,5,9]

Episoden Staffel 8 Navy CIS

Nr.	Titel	Originaltitel	Premiere USA	Premiere D	Regisseur	Drehbuch
8.172	**Der Zeuge**	False Witness	14. Dez. 2010	17. Apr. 2011	J.Whitmore, Jr.	S.Binder

Jerry Neisler ist spurlos verschwunden, nachdem er ein Drohvideo erhalten hat. Er ist Zeuge in einem Mordprozess. Offensichtlich soll er gewaltsam davon abgehalten werden, als Hauptbelastungszeuge gegen den Angeklagten Hayes auszusagen. Hayes ist eine zwar zwielichtige Figur, aber kein hohes Tier in der Unterwelt, daher ist es seltsam, dass der Hauptbelastungszeuge so unter Druck gesetzt wird. Aber wie sich herausstellt, steckt etwas ganz anderes hinter Neislers Verschwinden. *Quelle: [1,2]*

McGee: ...hatte einen Traum.
Ziva: Und?
McGee: Gibbs war da und Du warst auch da. Aber: Gibbs hatte einen ausgeprägten israelischen Akzent und Du hast geklungen wie Jimmy Palmer.
Ziva: Irgendwie ist mir nicht ganz wohl bei dem Gedanken, dass Du von mir träumst.
McGee: Aber das kann ich doch nicht steuern.
Ziva: Das finde ich auch nicht unbedingt beruhigender.

Ziva: Ein weiterer Traum über die Arbeit, McGee?
McGee: Nein, Du warst nicht dabei. Aber Deine Messer waren dabei. Was glaubst Du, was hat das zu bedeuten?
Ziva: Gut, ich will nicht spekulieren...

Quelle: [3,4,5,9]

Nr.	Titel	Originaltitel	Premiere USA	Premiere D	Regisseur	Drehbuch
8.173	**Schiffe in der Nacht**	Ships in the Night	11. Jan. 2011	26. Apr. 2011	T.Wright	R.Steiner & C.Waild

Der NCIS und die CGIS Agency arbeiten wieder zusammen, da eine Agentin des CGIS anwesend war, als ein Ltd. der Marines auf einem Ausflugsschiff getötet wurde.. *Quelle: [1,2]*

Tony: 2 Uhr Nachts und auch noch Freitag. In einer Parallelwelt geht der Tony diNozzo, der kein Bulle geworden ist, mit einer schönen Frau aus der Bar nach Hause, und er weiss nicht, wie die Dame heisst. Noch nicht.
Ziva: Wie romantisch.
Tony: So romantisch wie Dein kubanischer Casanova?
Ziva: Er ist nicht aus Cuba.
Tony: Tja, muss schwierig sein, füreinander Zeit zu finden. Du hängst hier fest und schreibst Einsatzberichte und er tobt sich unter der heissen Sonne von Miami aus.

Quelle: [3,4,5,9]

Episoden Staffel 8 Navy CIS

Nr.	Titel	Originaltitel	Premiere USA	Premiere D	Regisseur	Drehbuch
8.174	**Nichts fragen, nichts sagen**	Recruited	18. Jan. 2011	03. Mai 2011	A.Brown	G.Glasberg

Officer Simon Craig wird in einer Highschool die Treppe hinuntergestossen und durch brutale Fusstritte ermordet. Er beriet Schüler über die Möglichkeiten, bei der Navy Karriere zu machen. Mit dem NCIS-Team taucht am Tatort der alte Dr. Magnus auf, Duckys Vorgänger. Im Fall des ermordeten Officers gerät schnell ein Schüler unter Verdacht. Doch die Aufklärung des Mordes gestaltet sich schwieriger als gedacht und hält noch einige Überraschungen für Gibbs und sein Team bereit. *Quelle: 1, 2*

Gibbs: Los, nehmt Euer Zeug, wir wollen den Schulbus nicht verpassen.
Tony: 'ne Klassenfahrt, Boss?
Gibbs: Ein Petty Officer liegt tot im Treppenhaus einer High School. Der Hausmeister hatihn gefunden.
Tony: Oh, und die Räder vom Bus...
Gibbs: ... drehen sich rund herum, rund herum.

Quelle: 3,4,5,9

Nr.	Titel	Originaltitel	Premiere USA	Premiere D	Regisseur	Drehbuch
8.175	**Die Kunst des Überlebens**	Freedom	01. Feb. 2011	21. Juni 2011	C.Ross, Jr.	N.Mirante-Matthews

Die Leiche des ehemaligen Sergeants Travis Wooten wird in dessen Garten tot aufgefunden. Laut Duckys Diagnose wurde er mit einem Gegenstand zu Tode geprügelt. Wooten hatte nach seinem Ausscheiden bei der Navy in einer Fabrik gearbeitet und kürzlich seinen Job verloren, während seine Frau Georgia bei den Marines Karriere gemacht hatte. Niemand weiss aber, dass sie von ihrem Mann misshandelt wurde. Da die Schläge mittlerweile nichts mehr brachten, hatte er ihr gedroht, ihr den gemeinsamen Sohn wegzunehmen. Ein Mordmotiv? *Quelle: 1, 2*

McGee: Das ist unhöflich, Tony. Ich hab' 4x angerufen.
Tony: Tja, an dieser Aussage sind zwei Dinge falsch: 1. Du bist nicht meine Freundin und 2. weisst Du, dass ich keine Anrufe nach 19 Uhr entgegennehme, vor allem nicht von Dir. Du vergisst, ich hab' ein Privatleben, McEinsamer Wolf.
McGee: Was heisst das bitte?
Tony: Dass Du mir wegen 'ner Fallakte den AB vollgequatscht hast. Das hätte wohl auch bis heute früh Zeit gehabt.

Quelle: 3,4,5,9

Episoden Staffel 8 Navy CIS

Nr.	Titel	Originaltitel	Premiere USA	Premiere D	Regisseur	Drehbuch
8.176	**Der Schlussstrich**	A Man Walks Into a Bar ...	08. Feb. 2011	28. Juni 2011	J.Whitmore, Jr.	G.Glasberg

Beim NCIS taucht Rachel Cranston auf, eine Psychiaterin, die das Team um Gibbs begutachten soll. Davon ist niemand sehr angetan, vor allem Gibbs nicht. Um die Ausfallzeiten so gering wie möglich zu halten, begleitet Rachel das Team während einer Mordermittlung auf die USS Colonial. Dort wurde Commander Reynolds erschossen in seiner Koje aufgefunden. Wie sich herausstellt, stand der Commander kurz vor seiner Pensionierung. Und er hatte seit zwanzig Jahren ein Verhältnis mit der Frau seines Freundes und Vorgesetzten, eines Admirals. *Quelle: 1, 2*

Ziva: Wo hast Du das viele Geld her?
Tony: Weisst Du, was 'ne 3er-Wette ist?
Ziva: Deine Dreier interessieren mich nicht die Bohne.
Tony: Ich war beim Rennen. Drei Pferde. Sieg, Platz und Dreier.
Ziva: Ich will nichts von Deinen Dreiern hören.
Tony: Dreier heisst, das Pferd wurde Dritter.
Ziva: Wie hast Du denn die Pferde ausgesucht?
Tony: Mit scharfem Verstand, mit einem Auge für angeborenes Talent, ein wenig Glück und sie haben natürlich zu mir gesprochen.

Quelle: 3,4,5,9

Nr.	Titel	Originaltitel	Premiere USA	Premiere D	Regisseur	Drehbuch
8.177	**Die schöne Tochter**	Defiance	15. Feb. 2011	05. Juli 2011	D.Smith	F.Cardea & G.Schenck

Andor Gorgova, Verteidigungsminister des fiktiven Landes Belgravien, will einen Vertrag mit den USA schliessen, der es den Verbündeten gestattet, militärische Stützpunkte in Belgravien zu errichten. Bei einem Treffen mit der US-Aussenministerin in seinem Land versucht ein Selbstmordattentäter Gorgova mit in den Tod zu reissen. Der kommt unverletzt davon, aber ein Navy Sergeant stirbt. Damit landet der Fall zunächst beim NCIS, der ihn allerdings ans FBI abgeben muss. Gibbs und sein Team bekommen den Auftrag, Gorgovas Tochter Adriana zu schützen, die in den USA studiert. Als sie in Anwesenheit von Tony und McGee aus ihrer Wohnung entführt wird, bekommen die beiden natürlich Ärger. Die Ermittlungen führen das Team zu Adrianas Professor, Carl Fleming, der kurz nach der Entführung tot aufgefunden wird. *Quelle: 1, 2*

Abby: Nicht sehr witzig!
Tony: Wird das 'ne Standpauke?
Abby: Ja, Tony. Du bist wieder nicht zum Blutspenden gegangen. Du bist der Einzige aus dem Team Gibbs, der sich davor drückt.
Tony: Ich war die halbe Nacht auf und hab' das belgravische Weib beschützt und kaum Schlaf gekriegt und jetzt muss ich schon wieder los und Ziva ablösen.
Abby: Ich versteh' das nicht. Du hast doch Dein Sperma gespendet, als Du auf's College gingst.
Tony: Ja, aber da macht der Gewinnungsprozess mehr Spass.

Quelle: 3,4,5,9

Episoden Staffel 8 Navy CIS

Nr.	Titel	Originaltitel	Premiere USA	Premiere D	Regisseur	Drehbuch
8.178	**Max Destructo**	Kill Screen	22. Feb. 2011	12. Juli 2011	T.Wharmby	S.Kriozere & S.D.Binder

Das Team um Gibbs findet in einer Damenhandtasche Fingerkuppen und Zähne des Corporals Zach Armstrong. Bald darauf wird auch seine Leiche entdeckt. Der Corporal wurde zu Tode gefoltert. Die Spuren führen zu einer Laser-Tag-Arena, wo sich Computer-Freaks in futuristischen Anzügen gegenseitig mit Infrarotstrahlen attackieren. Eine der Spielerinnen, Maxine, war mit Armstrong zusammen. Nach der Trennung hatte sie mit seiner Kreditkarte ihre Teilnehmergebühr in der Laser-Tag-Arena bezahlt, weil er ihr zufolge noch Schulden bei ihr hatte. McGee fährt sie nach Hause, um dort einen Umschlag abzuholen, den Armstrong Maxine gegeben hatte. Sie sollte ihn nur öffnen, falls er sterben würde. In dem Umschlag ist ein Testament, allerdings gefälscht. Plötzlich wird von draußen in ihre Wohnung geschossen. *Quelle: 1, 2*

McGee: Wenn Du wieder kommst, hab' ich's bestimmt, Boss.
Tony: Ich hoffe, Du hast Gibbs' Computer nicht kaputt gemacht. Er kann ihn schon nicht leiden, wenn er funktioniert.

Quelle: 3,4,5,9

Nr.	Titel	Originaltitel	Premiere USA	Premiere D	Regisseur	Drehbuch
8.179	**Das Geld anderer Leute**	One Last Score	01. Mär. 2011	26. Juli 2011	M.Weatherly	J.Stern

Eine Aushilfe des NCIS wird ermordet unter einem Auto gefunden. Der Mann war zwar nur kurzzeitig angestellt, in seinem Kofferraum findet das Team dennoch wertvolle Asservaten eines Falles. Die Spur führt zu Leona Phelps, einer Anlageberaterin, die viel Geld ihrer Kunden bei riskanten Investitionen verloren oder veruntreut hat, sich selbst aber ein schönes Vermögen angehäuft hat. Auch das Geld des Toten hat sie auf dem Gewissen. Es wird klar, dass Phelps viele Feinde hat. *Quelle: 1, 2*

Abby: Das ist Leder, McGee. Leder ist Haut.
McGee: Ich versuch' gerade, es zu verdrängen.
Abby: Es ist Fleisch. Es ist gedehntes, gegerbtes, bearbeitetes, gefärbtes, totes Fleisch.
McGee: Du machst es einem schwer, nicht daran zu denken.
Abby: Es gibt unzählige Arten von Leder: Abgesehen vom Leder der Rindviecher gibt es noch Schweinsleder, Schafsleder, Ziegenleder, teure exotische Sorten wie Eidechse und Strauss. Und Nilpferd. Ohhhhhhhhh, Nilpferd.........

Quelle: 3,4,5,9

Episoden Staffel 8 Navy CIS

Nr.	Titel	Originaltitel	Premiere USA	Premiere D	Regisseur	Drehbuch
8.180	**Das Geständnis**	Out of the Frying Pan	22. Mär. 2011	02. Aug. 2011	T.O'Hara	Carroll, Steiner & Waild

Gibbs und sein Team sollen im Auftrag von Director Vance einen zwei Wochen alten Mordfall untersuchen. Der pensionierte Marine Yale Peyton wurde in seinem Wohnzimmer mit einer Axt erschlagen. Sein Sohn, der 18-jährige Nick, steht unter dringendem Tatverdacht. Obwohl der NCIS keine Fälle behandelt, die Marines im Ruhestand betreffen, drängt Vance auf Ermittlungen, um dem Staatsanwalt, mit dem er befreundet ist, einen Gefallen zu tun. Als Gibbs und Tony den Jungen das erste Mal verhören, wird klar, dass der sich nicht an den Mord erinnern kann, und auch, dass er kein gutes Verhältnis zu seinem Vater hatte. Die Mutter ist zwei Jahre zuvor verschwunden und war tablettenabhängig. Auch der Sohn nimmt verbotene Pillen. Sein Vater hat ihn dreimal in eine Entzugsklinik gesteckt, aber Nick hat nie durchgehalten. Er war mit der Tochter des Nachbarn zusammen, die ebenfalls süchtig war. Ein halbes Jahr zuvor ist sie an einer Überdosis gestorben. Vance hält den Jungen für den Mörder und setzt ihn gewaltig unter Druck. *Quelle:* [1,2]

Ducky: Hier kommt die Kerze, die führt Dich nach Haus'. Hier kommt der Henker, er köpft Dich und raus. Schnipp, Schnapp, Schnipp, Schnapp. Dein Leben ist aus. Oh, Agent David!
Ziva: Ich hab' Dich schon mit den Toten reden hören, aber ich wusste nicht, dass Du ihnen ab und zu auch Gedichte vorträgst.
Ducky: Das eben war ein Kinderreim...

Quelle: [3,4,5,9]

Nr.	Titel	Originaltitel	Premiere USA	Premiere D	Regisseur	Drehbuch
8.181	**Ein offenes Buch**	Tell-All	29. Mär. 2011	29. Aug. 2011	K.R.Sullivan	A.Bartels

Navy Lieutenant Commander Patrick Casey wird erschossen im Wald aufgefunden. Er wurde mit einem seltenen Gewehrtyp umgebracht. Gibbs und sein Team können sich keinen Reim darauf machen. Dann erfahren sie, dass Casey im Besitz eines hochgeheimen Buches mit dem Titel "Operation Birdsong" war, ein erster Hinweis auf das Mordmotiv. Kurz darauf wird Caseys ehemalige Kollegin Elise Archer ebenfalls ermordet aufgefunden. Auch sie hatte dieses Buch. Der Autor ist ein ehemaliges Mitglied ihres Teams. Keeler, Archer und Casey waren auf Zypern in einer Antiterror-TaskForce tätig. Das Gewehr, mit dem Casey erschossen wurde, gehörte zu einer geringen Auflage, die vom Verteidigungsministerium entwickelt worden und später verworfen worden war. Die drei boten diese Gewehre zum Schein illegalen Waffenhändlern auf Zypern an, um deren Ringe auszuheben. Keeler fand heraus, dass damit schmutzige Geschäfte gemacht wurden und dass dahinter sein Vorgesetzter bei der DIA, dem militärischen Geheimdienst, steckt. *Quelle:* [1,2]

Gibbs: WAS?
Fornell: Ach nichts. Ich musste nur gerade an meine Hochzeit mit Diane denken.
Gibbs: Wieso?
Fornell: Da wurden Erinnerungen wach.
Gibbs: Oh ja, klar. Ziemlich Schlimme.
Fornell: Wir schwebten auf den Wolken, waren aufgekratzt wie kleine Kinder. Wir waren verliebt.
Gibbs: Ach, 'ne fiebrige Erkältung.
Fornell: Oh, ich bitte Sie, Jethro. Für Sie muss es auch mal schön mit ihr gewesen sein.
Gibbs: Sie hat sich mal den Finger in der Autotür eingeklemmt.

Quelle: [3,4,5,9]

Episoden Staffel 8 Navy CIS

Nr.	Titel	Originaltitel	Premiere USA	Premiere D	Regisseur	Drehbuch
8.182	Der Hafenmörder	Two-Faced	05. Apr. 2011	05. Sep. 2011	T.Wright	Mirante-Matthews&Steiner

Gibbs, sein Team und EJ Barrett erhalten von Vance den Auftrag, gemeinsam den sogenannten Hafenmörder zu überführen, der schon in Spanien anfing, Navy-Angehörige umzubringen und sie dann mit Uniformen ranghoher Navy-Offiziere zu verkleiden. Zudem hinterlässt er gern kleine Botschaften in Form von Blüten in Eiswürfeln oder ähnlichem. Barrett, die in Spanien für den NCIS gearbeitet hat, ist seitdem hinter dem Täter her. Gibbs empfindet ihre Einmischung als Affront, kann sie aber nicht abschütteln, weil ja Vance eine Zusammenarbeit erwartet. Auch die Tatsache, dass Tony mit der Neuen schläft, ist ihm ein Dorn im Auge. Zeitgleich taucht endlich der rätselhafte Ray Cruz auf, Zivas Freund aus Florida. *Quelle: 1, 2*

Ducky: Auch menschliche Leichen sind hervorragend als Dünger geeignet.
Palmer: Boah, stinkt ganz schön.
Tony: Ja, ein wenig schon...
Palmer: Ah. Durchschnittene Kehle. Ich hatte mal einen Hund, als ich klein war. Als er starb hab' ich ihn begraben, im Gemüsegarten meiner Mutter. Und in dem Jahr waren die Flaschentomaten besser als je zuvor. Ich musste immer an ihn denken, wenn ich eine aß.

Quelle: 3,4,5,9

Nr.	Titel	Originaltitel	Premiere USA	Premiere D	Regisseur	Drehbuch
8.183	Spiel der Masken	Dead Reflection	12. Apr. 2011	17. Okt. 2011	W.Webb	G.Schenck & F.Cardea

Lieutenant Lauren Ross wird im Pentagon ermordet. Auf dem Überwachungsvideo sieht man, wie Petty Officer Donner ihr das Genick bricht. Doch schnell stellt sich heraus, dass Donner bereits vor dieser Tat an einem Herzinfarkt gestorben ist. Barrett lässt unterdessen das Auge, das Tony und Ziva in einem Glas in einer Bar fanden, untersuchen, um eine neue Spur zum Hafenmörder zu finden. Überrascht bemerkt sie, dass der Scanner an der Tür zum Videokonferenzraum auf das Auge reagiert. *Quelle: 1, 2*

McGee: Der schwamm echt in Deinem Gin Tonic?
Tony: Das war 'n richtiger Hingucker.
McGee: Du musst ja völlig ausgeflippt sein.
Tony: Ja. Ich dachte vorher, ich brauch' 'nen Drink. Den brauchte ich nachher wirklich.
McGee: Und wo ist der Augapfel jetzt?
Ziva: Unten bei Ducky.

Quelle: 3,4,5,9

Episoden Staffel 8 Navy CIS

Nr.	Titel	Originaltitel	Premiere USA	Premiere D	Regisseur	Drehbuch
8.184	**Besser spät als nie**	Baltimore	03. Mai 2011	24. Okt. 2011	T.O'Hara	S.Binder

Tonys ehemaliger Partner bei der Polizei in Baltimore, Danny Price, wurde offenbar vom Hafenmörder getötet. Tony und Price waren dem Killer bereits vor Jahren auf der Spur. Bei einer Überwachung lernten sie Gibbs kennen, der hinter demselben Mann her war. Doch dann fand Tony heraus, dass Price korrupt war. Tief getroffen nahm er Abschied von der Polizei und fing beim NCIS an. Heute, zehn Jahre später, beschleicht Tony plötzlich eine Ahnung und bringt ihn auf eine heiße Spur. *Quelle: 1, 2*

Gibbs: McGee, hast Du das geschrieben?
McGee: Äh, ja. Klar. Wieso? Stimmt das was nicht?
Gibbs: Der Netzhautscanner nutzt Wellenfronterfassende Reflexionspunkte...
McGee: Ja.
Gibbs: ...und verbindet die Daten durch eine Punktspreizfunktion...
McGee: Ja.
Gibbs: ...und der Scanner rastert die Pupille.
McGee: Findest Du das zu technisch?

Quelle: 3,4,5,9

Nr.	Titel	Originaltitel	Premiere USA	Premiere D	Regisseur	Drehbuch
8.185	**Schwanengesang**	Swan Song	10. Mai 2011	31. Okt. 2011	T.Wharmby	J.Stern

Die Suche nach dem Hafenmörder geht weiter: Die Ermittler finden heraus, dass das mysteriöse Auge in Tonys Glas Trent Kort, einem alten Bekannten der CIA, gehört. Kort informiert das Team darüber, dass ein ehemaliges Navy-Mitglied in einem CIA-Programm zum Killer ausgebildet wurde. Seitdem rächt er sich an all denen, die ihn seiner Meinung nach übergangen und zu wenig beachtet haben: die hohen Tiere der Navy. Gibbs bittet Mike Franks um Hilfe, um den Täter endlich zu stellen. *Quelle: 1, 2*

Nr.	Titel	Originaltitel	Premiere USA	Premiere D	Regisseur	Drehbuch
8.186	**Operation Frankenstein**	Pyramid	17. Mai 2011	08. Nov. 2011	D.Smith	G.Glasberg

Barrett und ihr Team haben bisher erfolglos versucht, den Serienmörder Cobb zu stellen. Bei den Ermittlungen wurde Cade verletzt und Barrett entführt. Der Killer will sich offenbar an denen rächen, die vermeintlich für sein Elend verantwortlich sind. Er hatte es auf Barrett abgesehen, weil sie die Nichte des SecNav ist. Plötzlich stellt sich Cobb freiwillig. Doch das ist kein Sieg für den NCIS, denn er hat nicht vor, sich kampflos zu ergeben. *Quelle: 1, 2*

Staffel 9 (Episoden 9.187- 9.210) Navy CIS

Zu Beginn der neunten Staffel wird die Zeit zwischen Ende der achten und Beginn der neunten Staffel aus Sicht von DiNozzo zusammengefasst: Er war auf einer Geheimmission, die er vom neuen SecNav erhalten hatte. Dabei wurde ein weiteres Mitglied aus E. J. Barretts Team getötet. Barrett selbst tauchte unter.

Im weiteren Verlauf der Staffel wird erneut die Vergangenheit von Gibbs durchleuchtet. Hierbei werden besonders seine erste und verstorbene Frau und Tochter thematisiert. Zudem reist Gibbs nach Afghanistan. Gibbs und sein Team jagen am Ende der Staffel über einige Episoden einen Terroristen. Dieser hat mehrere Anschläge auf Navy Schiffe verübt und später eine Bombe in das Auto des Director Vance eingebaut. Dr. Mallard erleidet daraufhin kurz vor der Hochzeit seines Assistenten einen Herzinfarkt.

Quelle: [1]

Erstausstrahlung USA	20. September 2011 – 15. Mai 2012 auf CBS
Erstausstrahlung Deutschland	29. Januar 2012 – 23. Oktober 2012 auf Sat 1

Episoden Staffel 9 Navy CIS

Nr.	Titel	Originaltitel	Premiere USA	Premiere D	Regisseur	Drehbuch
9.187	**Phantom 8**	Nature of the Beast	20. Sep. 2011	29. Jan. 2012	T.Wharmby	G.Glasberg

Tony wird ins Krankenhaus eingeliefert: Er hat eine Schusswunde und leidet an Amnesie infolge eines Traumas. Vorher hatte er einen geheimen Auftrag vom neuen SecNav Clayton Jarvis erhalten, von dem er nicht einmal seinen Kollegen erzählen durfte. Bei ihren Nachforschungen stoßen Gibbs und sein Team auf die sogenannte Wächterflotte - eine Einrichtung zur Überwachung von Spionen, die zum Nachrichtendienst der Navy gehört. Bringt sie diese Information auf die richtige Spur? *Quelle: [1, 2]*

Ziva: Das feiern wir. Ich lad' Euch heute Abend ein.
McGee: Na, Du traust Dich was.
Ziva: Trauen? Nein, Palmers Hochzeit ist doch erst im Frühjahr.
Gibbs: Du traust Dich was, David. Weil das ziemlich teuer werden könnte...

Ducky: Mr.Palmer, was glauben Sie sagt der SecNav gerade zu ihm?
Palmer: Ich an seiner Stelle würde ihn fragen, wie man Blut aus einem 200 Dollar-Hemd rauskriegt. Das Wichtigste ist Sauerstoff auf den Fleck zu tun. Meine Mutter hat Club Soda benutzt, aber mein Onkel nahm lieber Perrier, mit einem Spritzer .... aähm ... die Schnittwunde, wahrscheinlich reden sie über die Schnittwunde.

Quelle: [3,4,5,9]

Episoden Staffel 9 Navy CIS

Nr.	Titel	Originaltitel	Premiere USA	Premiere D	Regisseur	Drehbuch
9.188	**Für immer jung**	Restless	27. Sep. 2011	29. Jan. 2012	J.Whitmore, Jr.	S.D.Binder

Tommy Hill, ein junger Marine, wird kurz nach seiner Rückkehr aus Afghanistan ermordet. Er war der Pflegesohn von Amanda und Bruce McCormick, die ihn und seine Pflegeschwester Lindsey bei sich aufgenommen hatten. Gibbs und sein Team finden Hinweise, nach denen nicht Tommy, sondern Lindsey die eigentliche Zielperson war. Und noch erstaunlicher: Lindsey ist nicht 17, wie sie angegeben hat, sondern zehn Jahre älter. Wen könnte das veranlasst haben, ihr etwas anzutun? *Quelle: 1, 2*

Gibbs: Nun, Duck. Ist sie verrückt oder nicht?
Ducky: Verrückt ist keine technische Diagnose.
Gibbs: Ich bin kein Techniker, Duck.

Quelle: 3,4,5,9

Nr.	Titel	Originaltitel	Premiere USA	Premiere D	Regisseur	Drehbuch
9.189	**Das ANAX-Prinzip**	The Penelope Papers	04. Okt. 2011	05. Feb. 2012	A.Brown	N.Mirante-Matthews

Der Navy-Lieutenant Paul Booth wird in einem Park erschossen. Gibbs und sein Team kommen einem streng geheimen Projekt auf die Spur, an dem er beteiligt war: Die Telles-Forschungsgruppe hat Hybriden aus Insekten und Maschinenteilen entwickelt, um sie im Krieg einzusetzen. Als er davon erfuhr, wollte Booth die Weiterführung des Projekts verhindern. Eine weitere Person wird bedroht: Penelope Langston. Sie ist eine ehemalige Mitarbeiterin von Telles und die Großmutter von McGee! *Quelle: 1, 2*

Gibbs: McGee, erzähl mir was.
McGee: Na ja, Boss. Ich hab' versucht an die geheimen Teles-Dateien ran zu kommen, aber der Zugangscode ist echt kompliziert. Den kann man nicht knacken, glaube ich.
Gibbs: Knack ihn trotzdem.
McGee: Aber, aber - das ist es ja. Ich kanns nicht. Ich meine, ja, ich werd's versuchen. Ich schaffe es, Boss!

Quelle: 3,4,5,9

Nr.	Titel	Originaltitel	Premiere USA	Premiere D	Regisseur	Drehbuch
9.190	**Der unsichtbare Dritte**	Enemy on the Hill	11. Okt. 2011	12. Feb. 2012	D.Smith	G.Schenck & F.Cardea

Paul Arliss wird vor dem Weißen Haus angefahren und erliegt später seinen Verletzungen. Es stellt sich heraus, dass Arliss ein Berufskiller war, der es auf Navy Lieutenant Commander Brett abgesehen hatte. Brett kann sich nicht vorstellen, wer ihn aus dem Weg schaffen will. Dann wird seine Finanzberaterin Drew Turner ermordet. Schon bald kommen Gibbs und sein Team einer brisanten Angelegenheit auf die Spur. *Quelle: 1, 2*

Episoden Staffel 9 Navy CIS

Nr.	Titel	Originaltitel	Premiere USA	Premiere D	Regisseur	Drehbuch
9.191	**Im sicheren Hafen**	Safe Harbor	18. Okt. 2011	19. Feb. 2012	T.O'Hara	R.Steiner & C.J.Waild

Ein Offizier der Küstenwache wird auf einem Schiff erschossen. Die Crew ist bereits von Bord gegangen. Als Gibbs und seine Leute zusammen mit Agent Borin das Schiff untersuchen, hören sie Geräusche unter Deck. Was sie dort erwartet, schockiert alle: Eine libanesische Familie ist in einem der Räume eingeschlossen. Sie behaupten, dass sie politische Flüchtlinge seien, die um Asyl bitten wollen. Doch schnell stellt sich heraus, dass sie etwas ganz anderes im Schilde führen. *Quelle: 1, 2*

Tony: Und er arbeitet am Wochenende! Hat er Euch auch am Wochenende angerufen?
McGee: 2x!
Tony: Ging es um Dinge, die auch bis heute Zeit hätten?
Ziva: Ja!
McGee: Ja!
Tony: Moment. Ich glaub' ich hab' 'ne Lösung.
Ziva: Was? Etwa 'nen Haustier für Gibbs oder ein neues Hobby?
Tony: Eine neue Frau!!!

Quelle: 3,4,5,9

Nr.	Titel	Originaltitel	Premiere USA	Premiere D	Regisseur	Drehbuch
9.192	**Mehr über Mary**	Thirst	25. Okt. 2011	26. Feb. 2012	T.Wright	S.Williams

Die Leiche eines Mannes wird gefunden, der zuerst starkes Ecstasy konsumiert und dann so viel Wasser getrunken hat, dass er buchstäblich im eigenen Körper ertrunken ist. Die Ermittlungen ergeben, dass er das Ecstasy nicht freiwillig genommen hat. Kurz darauf findet das Team ein zweites Opfer, das auf die gleiche Weise umgebracht wurde. Beide Männer hatten Verbindungen zur Navy und haben ihre Frauen ständig betrogen. Hat sie ihre Beziehungsunfähigkeit das Leben gekostet? *Quelle: 1, 2*

Ziva: Oh Ducky, Du bist mein Held!
Ducky: So bin ich - der Sir Galahead der koffeinhaltigen Getränke.

Quelle: 3,4,5,9

Episoden Staffel 9 Navy CIS

Nr.	Titel	Originaltitel	Premiere USA	Premiere D	Regisseur	Drehbuch
9.193	**Das magische Dreieck**	Devil's Triangle	01. Nov. 2011	04. Mär 2012	L.Libman	S.D.Binder & R.Steiner

Diane Sterling, Ex-Frau von Gibbs und Fornell, bittet die beiden um Hilfe, denn ihr aktueller Ehemann ist verschwunden. Es handelt sich um Victor Sterling, einen Beamten der Homeland Security. Gibbs und Fornell sind zunächst wenig begeistert, doch dann werden in dem Drive-in, in dem Victor am Abend seines Verschwindens gesehen wurde, zwei Leichen gefunden. Die Ermittlungen stagnieren und es entsteht der Verdacht, dass Victor seine Entführung nur vorgetäuscht hat. *Quelle:* [1, 2]

Gibbs Regel #69: Traue niemals einer Frau, die ihrem Mann nicht traut!

Tony: Ich find' interessant, dass diese Frau sowohl mit Gibbs als auch mit Fornell eine Beziehung hatte.
Ziva: Wieso, sie sind sich ziemlich ähnlich.
Tony: Find' ich nicht. Gibbs ist wilde Savanne, ungezähmt. Und diese Diane muss echt was drauf haben, wenn sie sich so 'ne wilde Bestie angeln kann. Was war nur ihre Masche?

Quelle: [3,4,5,9]

Nr.	Titel	Originaltitel	Premiere USA	Premiere D	Regisseur	Drehbuch
9.194	**Der leere Sarg**	Engaged (Part I)	08. Nov. 2011	11. Mär. 2012	J.Whitmore, Jr.	G.L.Monreal

Ein Flugzeug, das gefallene Soldaten zurück in die USA bringen sollte, stürzt ab. Ducky stellt fest, dass einer der Särge leer war - nämlich der von First Lieutenant Gabriela Flores. Sie war Mitglied einer Spezialeinheit in Afghanistan, die versuchte, Mädchen eine Schulbildung zu vermitteln. Bei einem Anschlag soll sie umgekommen sein. Satellitenbilder zeigen aber, dass Gabriela mit zwei Kindern fliehen konnte. Gibbs erhält von oberster Stelle den Auftrag, sie vor Ort zu suchen. *Quelle:* [1, 2]

Ziva: Irgendwas geht Dir durch den Kopf. Ich seh' doch genau, wie Du gründelst.
Tony: Grübeln heisst das, David. Fische gründeln.
McGee: Hör auf. 'ne Liste der letzten Wünsche, Tony?
Tony: Nicht schnüffeln, McSteve Austin. Mein Leben geht Dich überhaupt nichts an und Deinen bionischen Augen auch nicht!
Ziva: Du schreibst wirklich noch Wunschzettel?
Tony: Das ist die Liste der letzten Wünsche, die Bucket List. Die Liste all dessen, was ich noch machen will, bevor der letzte Vorhang fällt. Von nun an muss ich jeden Tag nutzen.
McGee: Nackt mit dem Riesenrad fahren???
Tony: Ach, das hab' ich ja schon erledigt und sollte es streichen. Hast Du mal 'nen Stift?

Quelle: [3,4,5,9]

Episoden Staffel 9 Navy CIS

Nr.	Titel	Originaltitel	Premiere USA	Premiere D	Regisseur	Drehbuch
9.195	**Der Vorhof der Hölle**	Engaged (Part II)	15. Nov. 2011	18. Mär. 2012	T.Wharmby	G.Glasberg

Gibbs und Ziva fliegen nach Afghanistan, nachdem sie eindeutige Hinweise erhalten haben, dass Lieutenant Gabriela Flores noch am Leben ist. Sie wurde, wie sich herausstellt, von islamischen Fanatikern entführt, weil sie am Aufbau einer Mädchenschule beteiligt war. Auf die Schule wurde bereits ein Anschlag verübt, und die Ermittler können die Drahtzieherin festnehmen. Was keiner ahnt: Ihre verbrecherischen Wurzeln reichen bis in die USA, und ein weiteres Attentat steht kurz bevor! *Quelle:* [1,2]

Tony: Ah, McGee: Ich liebe den Duft von Studentinnen am Morgen.
McGee: Du brauchst Kaffee, Tony. Fangen wir in der Bibliothek an.
Tony: Ich hasse Bibliotheken.
McGee: Hast Du davor auch Angst?
Tony: Hör' auf zu spotten.
McGee: Aber warum hasst Du Bibliotheken?
Tony: Der Geruch schafft mich jedes Mal.
McGee: Ach ja, nach was riecht'sin Bibliotheken?
Tony: Nach vereinsamten Superhirnen.

Quelle: [3,4,5,9]

Nr.	Titel	Originaltitel	Premiere USA	Premiere D	Regisseur	Drehbuch
9.196	**Die Sünden meines Vaters**	Sins of the Father	22. Nov. 2011	25. Mär. 2012	A.Brown	G.Schenck & F.Cardea

Tonys Vater wird schlafend in seinem Mietwagen aufgefunden. Im Kofferraum liegt die Leiche von Lieutenant Massey. Tony senior gerät unter Mordverdacht, alle Indizien sprechen gegen ihn. Als schließlich die Mordwaffe, eine Weinflasche, gefunden wird, scheint der Fall gelöst - der alte Mann kann sich jedoch an nichts erinnern. Es stellt sich heraus, dass er gemeinsam mit Massey an einem Projekt gearbeitet hat und es zu einem heftigen Streit kam, der auf Video festgehalten wurde. *Quelle:* [1,2]

Gibbs: Das hab' ich nicht erwartet.
Ducky: Wie solltest Du auch. Ich fürchte, das wird ein delikater Fall.
Gibbs: Stumpfe Gewalteinwirkung?
Ducky: Wozu brauchst Du mich noch? Ich weiss mehr wenn er bei mir auf dem Tisch liegt.

McGee: Gib' die Hoffnung nicht auf, Tony.
Tony: Die Hoffnung habe ich aufgegeben, als er sich mit Mädchen verabredete, die jünger als ich waren. Und das war in den späten 80ern.

Tony: Wie lief's mit meinem Vater letzte Nacht? Wo ist er?
Gibbs: Autopsie.
Tony: Du hast ihn erschossen?

Quelle: [3,4,5,9]

Episoden Staffel 9 Navy CIS

Nr.	Titel	Originaltitel	Premiere USA	Premiere D	Regisseur	Drehbuch
9.197	**Schüsse im Schnee**	Newborn King	13. Dez. 2011	01. Apr. 2012	D.Smith	C.J.Waild

In einem Hotel wird ein Navy-Offizier von Unbekannten erschossen. Gibbs und sein Team finden jedoch bald heraus, dass es den Falschen getroffen hat. Die eigentliche Zielperson ist Lieutenant Emma Reynolds von den Marines. Sie ist hochschwanger von ihrem mittlerweile verstorbenen Freund aus Afghanistan. Die Ermittler vermuten, dass die Killer entweder von der afghanischen Familie oder vom Verteidigungsministerium der USA angeheuert wurden. *Quelle:* [1, 2]

Nr.	Titel	Originaltitel	Premiere USA	Premiere D	Regisseur	Drehbuch
9.198	**Geisterjagd**	Housekeeping	03. Jan. 2012	15. Apr. 2012	T.O'Hara	S.Williams

Ein Navy-Offizier wird erschossen in einer Wohnsiedlung gefunden. Offenbar war eine blonde Frau bei ihm, die allerdings mittlerweile verschwunden ist. Gibbs und seine Leute finden heraus, dass E.J. Barrett wieder aufgetaucht ist: Sie war die Frau, die bei dem Offizier im Auto saß. E.J. schwört, dass jemand sie umbringen will. Der Ermordete war ein Freund, der ihr helfen wollte. Bei den Ermittlungen wird klar, dass der rätselhafte Täter tatsächlich noch immer hinter ihr her ist. *Quelle:* [1, 2]

Nr.	Titel	Originaltitel	Premiere USA	Premiere D	Regisseur	Drehbuch
9.199	**Ein verzweifelter Mann**	A Desperate Man	10. Jan. 2012	22. Apr. 2012	L.Libman	N.Mirante-Matthews

Lieutenant Commander Maya Burris wird erschossen in einem Loft aufgefunden. Bei den Ermittlungen wird dem Team schnell klar, dass es sich bei dem Mörder um einen Profi handeln muss. Gibt es dabei eine Verbindung zu Mayas Einsatz in Islamabad? Hat sich die junge Frau dort Feinde gemacht, als sie versuchte, eine Terrorgruppe auszuschalten? Auch privat plagen die Ermittler Probleme. Ziva zweifelt an der Liebe Rays und fragt sich, ob sie seinen Heiratsantrag annehmen soll. *Quelle:* [1, 2]

Ziva: Du wusstest, dass mir Ray einen Antrag machen wollte?
Tony: Ein Heiratsantrag ist was Heiliges. Wo ist der Klunker?
Ziva: Ich hab' gesagt ich muss es mir noch überlegen.
Tony: Das ist der Todeskuss, Ziva.
Ziva: Ich hab' doch nicht Nein gesagt. Ich will mir nur sicher sein, dass ich bereit bin, dass wir beide bereits sind.
Tony: Niemand ist bereit für die Ehe, glaub' mir. Wäre es so läge die Scheidungsrate nicht bei 50 Prozent, ganz zu schweigen von der Mordrate.

Quelle: 3,4,5,9

Episoden Staffel 9 Navy CIS

Nr.	Titel	Originaltitel	Premiere USA	Premiere D	Regisseur	Drehbuch
9.200	Was wäre wenn ...	Life Before His Eyes	07. Feb. 2012	29. Apr. 2012	T.Wharmby	G.Glasberg

Gibbs wird angeschossen. Der Täter ist der Sohn von Michael Rose. Rose senior hatte Gibbs kurz zuvor des Mordes überführt. Rose war in einer verzweifelten finanziellen Lage und hat sich deshalb auf krumme Geschäfte eingelassen. Sein Sohn ist völlig außer sich, weil Gibbs seinem Vater nicht helfen wollte. Während Gibbs bewusstlos wird, läuft sein Leben noch mal vor seinem geistigen Auge ab, und er fragt sich, wie sein Leben verlaufen wäre, wenn er einiges anders gemacht hätte. *Quelle: 1, 2*

Tony: Ich erinnere mich an Sie. Riva. Viza. Tiva.
Ziva: Mein Name ist Ziva David.
Tony: Oh ja. Ziva, die eiskalte Israelin. Ich bin Ihnen mal zu Pool gefolgt.
Ziva: Ich hab' 'nen Eindruck bei Ihnen hinterlassen. Das kann ich von mir leider nicht sagen.

Quelle: 3,4,5,9

Nr.	Titel	Originaltitel	Premiere USA	Premiere D	Regisseur	Drehbuch
9.201	Superhelden	Secrets	14. Feb. 2012	26. Aug. 2012	L.Libman	S.D.Binder

Ein Navy-Offizier und ein Blumenhändler werden in dessen Laden erschossen. Beide gehörten der "Real Life Superhero"-Bewegung an, einer Art Bürgerwehr, die in Vierteln mit hoher Kriminalität für Ordnung sorgt. Das NCIS-Team ermittelt unter den Möchtegern-Superhelden und wird dabei unterstützt von der Journalistin Wendy Miller, mit der Tony früher verlobt war. Die Spuren führen zu einem Immobilienhai, dem die Superhelden ein Dorn im Auge sind. *Quelle: 1, 2*

Nr.	Titel	Originaltitel	Premiere USA	Premiere D	Regisseur	Drehbuch
9.202	Gemeimniskrämer	Psych Out	21. Feb. 2012	02. Sep. 2012	D.Smith	G.Glasberg & R.Steiner

Dr. Robert Banks, ein bekannter Psychologe der Marine, wird tot aufgefunden und alles deutet auf Selbstmord hin. Er ist aber auch einer von Dr.Cranstons Patienten. Dieser glaubt, dass Banks ermordet wurde. Das Team findet Beweise, die diese Theorie bestätigen und ermittelt in seinem Arbeitsumfeld der psychologischen Kriegsführung. Banks Vorgesetzte, Dr.Samantha Ryan, gibt nur zögerlich nützliche Informationen an Gibbs weiter. Da Gibbs glaubt, dass sie etwas verheimlicht, eröffnet er ihr, dass er streng geheime Informationen hat: den Namen der Schule ihres Sohnes. Daraufhin bietet Dr.Ryan Gibbs die nötigen Informationen an, wenn dieser im Gegenzug die Aufenthaltsorte ihres Sohnes geheim hält. So findet das Team heraus, dass Banks wegen seiner Lebensversicherung umgebracht wurde. Nach der Aufklärung des Falls ruft Dr.Ryan Gibbs mitten in der Nacht an, um ihm mitzuteilen, dass er die besondere Gabe habe, dass man sich in seiner Nähe sicher fühle und um ihn zum Frühstück einzuladen. Gibbs meint, dass er ein Restaurant kenne, das 24 Stunden geöffnet sei... *Quelle: 1, 8*

Gibbs Regel #42: Akzeptiere nie eine Entschuldigung von jemandem, der dir gerade einen unerwarteten Schlag versetzt hat!

Quelle: 3,4,5

Episoden Staffel 9 Navy CIS

Nr.	Titel	Originaltitel	Premiere USA	Premiere D	Regisseur	Drehbuch
9.203	**Der schmale Grat**	Need To Know	28. Feb. 2012	09. Sep. 2012	M.MacLaren	G.Schenck & F.Cardea

Als Chief Petty Officer Wiley ermordet wird, bevor er geheime Informationen über den berüchtigten Waffenhändler Agha Bayar weitergeben kann, ist Gibbs zur Stelle. Bei den Untersuchungen finden er und sein Team heraus, dass Wiley höchst geheime Informationen über das verdeckte Kommunikationssystem der USA an Bayar verkaufte. Trotzdem fordert die DIA von Gibbs, die Nachforschungen einzustellen. So entschließt sich Gibbs, die Geliebte Bayars zu beschatten. In der Zwischenzeit versucht der linkische Agent auf Probe, Ned Dorneget, sich bei Gibbs einzuschmeicheln, da er hofft, so ins Team aufgenommen zu werden. Er bekommt von Gibbs die Aufgabe, die Geliebte gemeinsam mit McGee abzuholen. Dabei stellt sich heraus, dass sie eine Agentin des russischen Geheimdienstes ist... *Quelle: 1, 8*

Tony: McGee, was macht Ziva da?
McGee: Sie muss ihren Vortrag auswendig lernen.
Tony: Ihr Vortrag?
McGee: Direktor Vance schickt sie zum Karrieretag einer High School, wo sie den Vortrag halten soll.
Tony: In welcher Sprache denn, Vulkanisch?
Ziva: Das hab´ ich gehört. Ich kann drauf verzichten, wenn Du alles noch schlimmer machst. Schieb weg!
McGee: Ich fürchte, Du meinst eher Schieb ab, Ziva.
Tony: Ah, warum so verspannt, Ziva?
Ziva: Vorträge vor Leuten sind nicht so mein Ding. Das macht mich nervös.
Tony: Nervös? Erzähl´ doch keinen Blödsinn. Du kannst ohne ins Schwitzen zu kommen bewaffnete Terroristen überwältigen.
Ziva: Das hab´ ich ja auch gelernt.

Quelle: 3,4,5,9

Nr.	Titel	Originaltitel	Premiere USA	Premiere D	Regisseur	Drehbuch
9.204	**Verräterische Zeichen**	The Tell	20. Mär. 2012	16. Sep. 2012	T.Wright	G.L.Monreal

Gibbs muss mit dem SecNav und Dr.Samantha Ryan herausfinden, wer Informationen der höchsten Geheimstufe verriet. Sie glauben, dass Wickes, ein enger Freund des SecNav, involviert sein könnte und täuschen die Ermordung des SecNav vor. Während Dr.Ryan von Wickes Schuld überzeugt ist, glaubt Gibbs nicht daran. Bei den weiteren Ermittlungen findet das Team den Hacker, der für den Diebstahl der höchst brisanten Informationen verantwortlich ist. Es stellt sich heraus, dass die gesamte Aktion nur ein Ablenkungsmanöver war. In der Zwischenzeit kommen sich Gibbs und Dr.Ryan näher. *Quelle: 1, 8*

MacGee: Ach ja, Tony hat gesagt, dass er heute als Personenschützer für den SecNav eingeteilt ist.
Ziva: Sicher ´ne Ausrede. Ich schätze die haben heute so etwas ähnliches wie Männertag. Na ja, ein Tag, wo Männer sich treffen, um Männersachen zu tun.
McGee: Ach, echt?
Ziva: Ja, und weil ich ´ne Frau bin, lassen sie sich nicht herab zu sagen, wo sie hin gehen und wann sie wieder da sind.
McGee: Ich bin auch ein Mann.
Ziva: Ganz recht!!! Ich ruf´ Tony noch mal an.

Quelle: 3,4,5,9

Episoden Staffel 9 Navy CIS

Nr.	Titel	Originaltitel	Premiere USA	Premiere D	Regisseur	Drehbuch
9.205	**Der gute Sohn**	The Good Son	27. Mär. 2012	23. Sep. 2012	T.O'Hara	N.Mirante-Matthews & S.Williams

NCIS-Direktor Leon Vance ist an den Ermittlungen persönlich beteiligt, da Gibbs dessen Schwager Michael Thomas für den Mörder eines Petty Officer hält. Auf der Suche nach der Freundin des Opfers finden sie heraus, dass diese mit einem anderen Matrosen desselben Schiffes geschlafen hatte und nehmen diesen fest. Die beiden Männer waren Freunde und hatten wegen des Mädchens einen Streit. Aber Gibbs verdächtigt immer noch Michael wegen dessen Vorstrafenregister, während Vance daran festhält, dass Michael trotz seiner schweren und kriminellen Jugend unschuldig ist. *Quelle: 1, 8*

Tony: Vielleicht halt´ ich mich jetzt etwas zurück und leg´ mehr Ruhe an den Tag.
McGee: Du nimmst das ein bisschen zu ernst.
Tony: Ich werd´ ihn bei der nächsten Beurteilung beeindrucken und nächstes Mal schreibt er in diese kleine Spalte hier: diNozzo ist professionell, diNozzo ist voll konzentriert, diNozzo ist ...
Gibbs: ... eine alte Quasselstrippe!

Quelle: 3,4,5,9

Nr.	Titel	Originaltitel	Premiere USA	Premiere D	Regisseur	Drehbuch
9.206	**Missionare**	The Missionary Position	10. Apr. 2012	30. Sep. 2012	A.Brown	A.Abner

Nachdem die Leiche eines Leutnants der Marine vom Himmel gefallen ist, hilft Tony Ziva und ihrer Mentorin Monique bei der Suche nach dem in Kolumbien verschwundenen Marinepfarrer Wade. Pfarrerin Castro, eine von Wades Kollegen, entschließt sich, mit ihnen zu reisen. Sie haben die Theorie, dass Wade vom einheimischen Drogenkartell entführt wurde, als er die Bevölkerung impfte. In der Zwischenzeit versuchen Gibbs und McGee das Flugzeug zu finden, welches den Toten von Himmel fallen ließ. Von Dr. Ryan bekommen sie die Information, dass das Impfprogramm eine geheime Aktion des CIA war, um so Genmaterial des Anführers des Kartells zu bekommen. *Quelle: 1, 8*

Tony: Glaub´ mir, ich verstehe es, aber Jimmy sieht in mir so ´nen älteren Bruder, weisst Du. Das die Wahl auf mich fällt, ist nur logisch.
Ziva: Tja, wenn es eine Frage der Logik ist, dann ist McGee der beste Trauzauge. Er und Jimmy sind nämlich beide äusserst intelligent, sehr gewissenhaft...
Tony: Soll das ein Witz sein? McGee´s Vorstellung von ´ner abgefahrenen Party ist ein Haufen Erdnüsse gratis und ´nen X-Box-Marathon.
McGee: Klingt ziemlich gut für mich.
Gibbs: Ziemlich gut ist nicht genug.

Quelle: 3,4,5,9

Episoden Staffel 9 Navy CIS

Nr.	Titel	Originaltitel	Premiere USA	Premiere D	Regisseur	Drehbuch
9.207	**Aquamarin**	Rekindled	17. Apr. 2012	07. Okt. 2012	M.Horowitz	C.J.Waild & R.Steiner

Das NCIS Team hat es mit einem Brandstifter zu tun, der Verbindungen zur mysteriösen Wächterflotte hat. Im Laufe der Ermittlungen arbeiten sie mit dem Brandermittler Jason King zusammen, in dessen Nähe sich Tony unwohl fühlt. Sie finden heraus, dass die Brandstiftung den Diebstahl einer Geheimakte der Marine verschleiern sollte. Diese Akte, mit dem Codenamen „Aquamarine" hatte die höchste Sicherheitsstufe. Gibbs gibt über den NCIS eine Warnung vor terroristischen Attacken an die Navy heraus. In der Zwischenzeit wird die U.S.S. Brewer das Opfer eines Brandanschlags. *Quelle: 1, 8*

Feuerwehrmann: Schicke Stiefel
Tony: Danke. Ich erfinde gerade 'nen neuen Look - den Tatort-Schick. Dazu brauche ich noch ein paar Styling-Tipps.
Gibbs: Noch ein Wort über Deine Stiefel und ich trete Dir mit meinen in den Hintern, diNozzo!

Quelle: 3,4,5,9

Nr.	Titel	Originaltitel	Premiere USA	Premiere D	Regisseur	Drehbuch
9.208	**Auftrag in Neapel**	Playing With Fire	01. Mai 2012	14. Okt. 2012	D.Smith	G.Schenck & F.Cardea

In Folge des Brandanschlages auf die U.S.S. Brewer entdeckt das NCIS-Team Hinweise, dass dieselben Sprengstoffe zum Auslösen des Brandes benutzt wurden wie in früheren Fällen. Sie finden ebenfalls heraus, dass ein ähnlicher Sprengstoff an Bord der U.S.S Benjamin Franklin, die zurzeit in Italien vor Neapel liegt, gefunden wurde. In der Zwischenzeit gesteht Ducky Gibbs, dass er in einem moralischen Dilemma steckt. Er hat von seiner verstorbenen Mutter eine große Summe Geld geerbt, für die er keine Verwendung hat. Am Ende entscheidet er sich dafür, Gibbs zum Vollstrecker seines Testaments zu machen... *Quelle: 1, 8*

Ziva: (telefoniert): Ich bin deprimiert. Ich habe mich so darauf gefreut, aber wahrscheinlich haben wir das ganze Wochenende Bereitschaftsdienst...
Tony: Du kannst die Wochenendpläne knicken, häh?
Ziva: Ja.
Tony: Ja. Wen hast Du angerufen?
Ziva: Das geht Dich wirklich nichts an.
Tony: Wo wolltest Du hin?
Ziva: Das musst Du auch nicht wissen, Agent diNeugier.

Quelle: 3,4,5,9

Episoden Staffel 9 Navy CIS

Nr.	Titel	Originaltitel	Premiere USA	Premiere D	Regisseur	Drehbuch
9.209	**Menschenopfer**	Up in Smoke	08. Mai 2012	21. Okt. 2012	J.Whitmore, Jr.	S.D.Binder

Als eine Wanze in Ned Dornegets Zahn gefunden wird, der noch immer Agent auf Probe ist, bündelt das Team alle Kräfte, um Harper Dearing zu verhaften. Das Team ermittelt viele Verdächtige, darunter auch Dornegets Zahnarzt, was dazu führt, dass Dearing sich über das MTAC bei ihnen meldet und Gibbs die Schuld für sein Handeln gibt. Da Gibbs für diesen Fall verantwortlich war, geht Dr. Ryan davon aus, dass Dearing Gibbs für seinen Gegenspieler hält. Das Team geht einem Hinweis von Dr. Ryan nach, dass Dearing vielleicht schadhafte Munition herstellt. Aber dieser Hinweis stellt sich als Hirngespinst heraus, welches von Dearing selbst verbreitet wurde. Dies führt dazu, das Gibbs sich fragt, ob Dr. Ryan wirklich auf ihrer Seite ist. Nachdem Gibbs eine SMS von Dearing bekommen hat, ruft er bei Tony an und findet heraus, dass Direktor Vance verschwunden ist... *Quelle: [1, 8]*

Tony: Dass Du so pedantisch bist wusste ich nicht. Musst Du selbst das Innenleben säubern?
McGee: Nein, hier in meiner Leitung knistert´s. Ich schätze, da ist Staub auf der Platine. Diese Woche darf nichts schief gehen.
Tony: Na dann pass´ gut auf, dass Du keinen Stromschlag kriegst.
McGee: Das ist unmöglich. Das System arbeitet mit niedriger Gleichspannung, Tony.
Tony: Hochinteressant. Du bist wohl stolz darauf, so was zu wissen.

Quelle: [3,4,5,9]

Nr.	Titel	Originaltitel	Premiere USA	Premiere D	Regisseur	Drehbuch
9.210	**Für Evan**	Till Death Do Us Part	15. Mai 2012	23. Okt. 2012	T.Wharmby	G.Glasberg

Nach Untersuchungen an Vances' Auto findet man diesen in einem Familiengrab neben der Leiche eines Matrosen, der mit Dearings Sohn verstarb. Nachdem sie Vance vom Boden aufheben findet das Team einen weiteren Hinweis, der auf einen pensionierten Agenten hinweist. Dearing lässt das Haus dieses Agenten hochgehen und hinterlässt eine Nachricht. Er bedroht Dr. Ryans Sohn und zwingt sie zur Flucht, indem er ihren inhaftierten Ex-Ehemann auf Kaution aus dem Gefängnis holt. In der Zwischenzeit fragt sich Jimmy, ob er in dieser Situation wirklich heiraten soll. Ducky rät ihm dazu, es durchzuziehen und verspricht, an seiner Seite zu sein. Deshalb bittet Jimmy Breena, die Hochzeit vorzuziehen, damit er bald zum Team zurückkehren kann. Ducky bekommt einen Telefonanruf, indem er von einem Anschlag auf das NCIS-Gebäude erfährt und wird gleichzeitig gebeten, die Autopsien an den Leichen seiner Freunde vorzunehmen. Dieser Anruf versetzt ihm so einen gewaltigen Schock, dass er einen Herzinfarkt erleidet. Er bricht einsam am Strand zusammen... *Quelle: [1, 8]*

Tony: Also, ich mach´s nicht gern´, aber ich muss sein Gepäck durchsehen.
Ziva: Sonst macht´s Dir doch auch nichts aus, fremde Sachen zu durchwühlen, Tony.
Tony: Nein, aber das hier ist das Gepäck von Direktor Vance. Will ich wirklich wissen, ob er Boxer oder Slips trägt?
McGee: Soll ich das übernehmen?
Tony: Nein, Danke. Das schaff´ ich schon, McNeugierig.

Quelle: [3,4,5,9]

Staffel 10 (Episoden 10.211- 10.234) Navy CIS

Staffel zehn setzt dort an, wo die vorherige Staffel aufgehört hat. Dr. Mallard überlebt seinen Herzinfarkt und liegt nun im Krankenhaus. Durch die Explosion vor dem NCIS-Hauptquartier wurden viele Agenten verletzt oder getötet. Es kommen jedoch keine für die Handlung bedeutenden Personen ums Leben. Ziva und Tony überleben, da sie im Fahrstuhl stecken geblieben sind als die Bombe hochging. Sie hatten eine lange Zeit zu überbrücken von der man jedoch nicht alles erfährt. Die Jagd nach dem Terroristen Harper Dearing geht weiter. Nachdem schließlich eine FBI-Aktion, Dearing zu töten, scheitert, begibt sich Gibbs allein auf die Suche nach Dearing und findet ihn in dem Haus, in dem Evan geboren wurde. Nachdem Dearing nun fertig ist, versucht er, Gibbs zu töten. Während er zur Waffe greift, ersticht Gibbs ihn.

In der Doppelfolge Shabbat Shalom und Shiva kommt Eli David unter dem Vorwand seine Tochter Ziva besuchen zu wollen nach Washington D.C. In Wahrheit hat er jedoch ein geheimes Treffen mit dem Chef des iranischen Geheimdienstes Arash Kazmi, einem Freund seiner Jugend, arrangiert, um Frieden zwischen Palästina/Iran und Irak zu wahren. Eli David stirbt zusammen mit Director Vances Frau Jackie bei einem Anschlag auf Vances Haus. Verantwortlich dafür ist Ilan Bodner, Davids Stellvertreter und potentieller Nachfolger beim Mossad, der versucht den Frieden zu verhindern. Bodner, der ebenfalls in Washington ist, gelingt die Flucht. In der letzten Szene der zweiten Folge wird Kazmi mit einer Autobombe getötet. Später tötet Ziva David Bodner, was zu Ermittlungen durch das DoD führt. Dadurch wird Gibbs' Vergangenheit erneut angesprochen, was zur Folge hat, dass Ermittlungen gegen ihn eingeleitet werden. Der frühere Judge Advocate General A. J. Chegwidden übernimmt seine Verteidigung. Letztlich kommt es dazu, dass Tony, Tim und Ziva ihre Dienstmarken abgeben und den Dienst beim NCIS quittieren. Gibbs befindet sich vier Monate später an einem Gewehr und zielt damit auf T. C. Fornell, seinen besten Freund vom FBI.

Quelle: [1]

Erstausstrahlung USA   25. September 2012 – 14. Mai 2013 auf CBS

Erstausstrahlung Deutschland   06. Januar 2013 – 20. Oktober 2013 auf Sat 1

Episoden Staffel 10 Navy CIS

Nr.	Titel	Originaltitel	Premiere USA	Premiere D	Regisseur	Drehbuch
10.211	**Mit äußerster Härte**	Extreme Prejudice	25. Sep. 2012	06. Jan. 2013	T.Wharmby	G.Glasberg

Ducky liegt nach seinem Herzinfarkt in Florida im Krankenhaus. Er will unbedingt nach D.C. und seinen Kollegen helfen. Da er aber noch zu schwach ist, fliegt Jimmy allein. Vor Ort sind Abby, Gibbs und Vance nach dem Bombenanschlag mit dem Schrecken davongekommen. Mit Hochdruck fahndet der NCIS nach dem Terroristen Harper Dearing. Als aber alle Kooperationen mit anderen Behörden scheitern, beschließt Gibbs Dearing auf eigene Faust zur Strecke zu bringen. *Quelle: 1, 2*

Ziva: Gute Neuigkeiten, McGee ist aus dem Krankenhaus raus.
Abby: Schön, ich nehm´ an, er hat ne tolle Narbe, die er allen zeigen kann.
Ziva: Also der Arzt sagt, da bleibt nicht all zu viel.

Quelle: 3,4,5,9

Nr.	Titel	Originaltitel	Premiere USA	Premiere D	Regisseur	Drehbuch
10.212	**Duftmarken**	Recovery	02. Okt. 2012	13. Jan. 2013	D.Smith	S.Williams

Nach dem Bombenanschlag wird beim NCIS immer noch renoviert. Judy, die Leiterin der Arbeiten, will Tony und den Kollegen den Wunsch nach etwas Veränderung in den Räumen erfüllen. Vance jedoch lässt das nicht zu. Während Abby mit Gibbs Hilfe versucht, ihre zurückgekehrten Alpträume abzuschütteln, stellt sich heraus, dass Midge Watkins aus der Waffenkammer ermordet wurde. Das Team sucht mit Hochdruck nach dem Täter – doch alle Spuren scheinen ins Nichts zu führen. *Quelle: 1, 2*

McGee: Was ist mit ihm?
Ziva: Als wir weg waren hat seine Freundin Judy Farbmuster vorbei gebracht. Wir sollen uns was aussuchen.
Tony: Korrigiere: Meine Freundin Judy hat Muster auf MEINEN Tisch gelegt mit einer reizvoll duftenden, provokativen Nachricht!
McGee: *(liest die Nachricht an Tony)* „Wie hätten Sie´s denn gern?"
Ziva: Sie meint eindeutig uns alle.
McGee: Sie fragt eindeutig nach Farbmuster.
Tony: Sie fragt eindeutig, wie ich´s gern hätte.
Gibbs: Wisst Ihr, was ich gern hätte?
Tony: Ein Update!

Quelle: 3,4,5,9

Episoden Staffel 10 Navy CIS

Nr.	Titel	Originaltitel	Premiere USA	Premiere D	Regisseur	Drehbuch
10.213	**Falscher Mond**	Phoenix	09. Okt. 2012	20. Jan. 2013	T.O'Hara	S.D.Binder

Nach seinem Herzinfarkt hat der Arzt Ducky nach wie vor Ruhe verordnet. Unbeeindruckt von dem Arbeitsverbot lässt er auf eigene Faust einen Toten exhumieren, den er selbst vor zwölf Jahren obduziert hat. Duckys Verdacht: Die damals festgestellte Todesursache war ein Irrtum. Jetzt muss er nur noch Gibbs davon überzeugen, wie heiß seine Spur wirklich ist. Zeitgleich wird Gibbs' Team zu einem neuen Mordfall gerufen, bei dem es um den Handel mit gefälschtem Mondgestein geht. *Quelle:* [1, 2]

Ziva: McGee, warum in aller Welt sollte jemand das wollen?
Tony: Was wollen? Gibt´s was zum kaufen? Ich mach mit, worum geht´s?
McGee: Das Ding nennt sich Lebensrecorder. Man trägt es um den Hals und alle paar Sekunden macht es Fotos von allem, was man vor sich hat und lädt es in ´ne Cloud hoch.
Tony: Von allem? Kapier´ ich hier irgend was nicht?
McGee: Tony, Dein ganzes Leben wird aufgezeichnet, sogar mit Suchfunktion.
Tony: Das ist grauenvoll, aber ich müsste nie mehr Schlüssel suchen.
McGee: Ja, und Du könntest Dir jeden Augenblick Deines Lebens immer wieder ansehen.
Ziva: Aber an manches will man sich gar nicht erinnern, z.B. an das vergangene 1/4 Jahr
Tony: Ehrlich gesagt gebe ich Ziva recht in der Beziehung, so manche Dinge würde ich gern vergessen.
Ziva: Ehrlich? Und was?
Tony: Den Gesichtsausdruck meiner ersten Freundin, als wir uns getrennt haben. Das ging mir jahrelang nach.
Ziva: Eine sehr erwachsene Sichtweise, Tony.
Tony: Und was kostet das Ding?
McGee: Es gibt ´ne unverkäufliche Beta-Testversion und ich wurde als einer der ersten Tester ausgewählt. Ich krieg´ mein Gerät in den nächsten Wochen.
Tony: WAAASSSSS? Denkst Du, Gibbs gestattet es, dass Du das Teil bei der Arbeit trägst? Gibbs? Der Mann hat doch einfach keinen Sinn für ...
Gibbs: Hast Du was auf dem Herzen, diNozzo? *(Kopfnuss für Tony)*

Quelle: [3,4,5,9]

Episoden Staffel 10 Navy CIS

Nr.	Titel	Originaltitel	Premiere USA	Premiere D	Regisseur	Drehbuch
10.214	**Ghostrunners**	Lost at Sea	23. Okt. 2012	27. Jan. 2013	T.Wharmby	C.J.Waild

Lieutenant Commander Happ und seine Crew sind angeblich mit ihrem Hubschrauber über dem Meer abgestürzt. Drei Mitglieder der Crew haben überlebt, Pilot Happ ist tot. Er wird Tage später mit einem Loch im Kopf angeschwemmt. Die Aussagen seiner Leute weisen in die Richtung, dass Happ Selbstmord begehen wollte, nachdem er von der unheilbaren Krankheit seines Sohnes erfahren hatte. Das weist seine Witwe aber weit von sich ... Eine harte Nuss für Agent Borin, Gibbs und sein Team. *Quelle:* [1, 2]

McGee: Das gestern war super, lasst es uns wieder machen. Die wollen sich echt wieder mit uns treffen.
Tony: Das war aber nur ´ne einmalige Sache für mich, McGee.
McGee: Komm, gib´s zu, Tony: Du hast Dich amüsiert.
Tony: Na ja, der Abend war interessanter, als ich zu hoffen gewagt hätte.
Ziva: Dann habt Ihr gestern noch wirklich einen drauf gemacht?
Tony: Und woher weißt Du das?
Ziva: Ich hab´ Ohren wie ein Pferd.
McGee: Luchs!
Ziva: Das Gehör eines Pferdes gehört zu einem seiner schärfsten Sinne, McGee. Deshalb spricht man auch vom Pferdeflüstern.
McGee: Ich glaub´ das stimmt so nicht.
Ziva: Wo seid Ihr gestern Abend noch hingegangen?
Tony: Na ja, also - in eine Bar.
Ziva: Schön, ich steh´ auf Bars.
McGee: Die Mädchen fragen, ob wir Freitag Zeit haben?
Ziva? Wir? Einen Augenblick mal, seit wann zieht Ihr denn gemeinsam los, um Frauen aufzureissen?
Tony: Du weißt nicht, was die Qualitäten von ´nem guten Flügelmann sind, Ziva. Na gut, McGoose, schreib den Ladies: Maverick sagt, wir treffen uns.
Ziva: ???
Tony: Maverick. Top Gun. McGoose.
Gibbs: Die Wahrheit ist ein selten Kraut. Nehmt Euer Zeug. *Quelle:* [3,4,5,9]

Nr.	Titel	Originaltitel	Premiere USA	Premiere D	Regisseur	Drehbuch
10.215	**Leroy Jethro**	The Namesake	30. Okt. 2012	03. Feb. 2013	Arvin Brown	G.Schenck& F.Cardea

In einem Ferrari wird die Leiche von Petty Officer Boxer gefunden. Bei ihren Ermittlungen stellen Gibbs und seine Leute fest, dass der Petty Officer aus Versehen erschossen wurde. Denn der Wagen gehört einem Dot-Com-Milliardär, der im Hotel Adams House wohnt, wo Boxer nachts als Parkhilfe gearbeitet hat. Die Spur führt zu einem Studenten, der in der Firma des Milliardärs ein Praktikum gemacht hat und sich um eine Idee, die offiziell verworfen wurde, betrogen fühlt ... *Quelle:* [1, 2]

Tony: Das Hotel weckt schlechte Erinnerungen, McGee.
McGee: Habe weder Interesse an Deinen wilden Weibergeschichten noch an Deinen Potenzproblemen.
Tony: Haha, zum Glück war das nie ein Thema. Ich hab´ von meinem Vater gesprochen. Das Adams-Haus ist das Hotel, in dem er wohnt, wenn er hier ist.
McGee: Hast Du wieder mal von ihm gehört?
Tony: Keine Nachrichten sind gute Nachrichten. *Quelle:* [3,4,5,9]

Episoden Staffel 10 Navy CIS

Nr.	Titel	Originaltitel	Premiere USA	Premiere D	Regisseur	Drehbuch
10.216	**Trauma (1)**	Shell Shock (1)	13. Nov. 2012	10. Feb. 2013	Leslie Libman	N.Mirante-Matthews

Der Marine Captain Joe Westcott leidet seit seiner Rückkehr aus Afghanistan unter dem posttraumatischen Belastungssyndrom. Eines Abends trifft er sich mit seinem Freund Lieutenant Torres. Die beiden geraten in eine Prügelei, bei der Torres totgeschlagen wird. Westcott erzählt Gibbs, er hätte sechs Männer gesehen, doch Abby beweist, dass es nur zwei waren: Westcott und ein gewisser Randall Kersey – bei dessen Anblick Westcott rot gesehen haben muss. Aber warum? *Quelle: 1, 2*

Tony: Ich weiß nicht, wie das gekommen ist, aber ich muss gestern Abend Deinen Rucksack mitgenommen haben.
McGee: Ja.
Tony: Du, Du hast doch nicht rumgeschnüffelt, oder?
McGee: Nein, das habe ich nicht gemacht, das ist Dein Fachgebiet.
Tony: Gut. Meine 1974er Instamatic!
McGee: Gehst Du unter die Fotografen?
Tony: Nein. Ich hab´ sie geliebt, als ich ein Kind war. Ich hatte sie überall dabei. Dann hab´ ich sie in einer Schachtel gefunden, die mir mein Vater gegeben hat. Ich hoffe, Abby kann den Film entwickeln, egal was drauf ist.
Ziva: Das weißt Du nicht?
McGee: Wenn es so was ist wie ein Foto aus dem Internet ...
Tony: Du hast rumgeschnüffelt!!! Mieser Lügner, gib´s wieder her!
McGee: Ich weiß nicht, ehrlich gesagt finde ich, Ziva sollte es vorher sehen.
Ziva: Ohhh. Ahhhh. Hahaha!
Tony: Schon gut, ok. Ihr dürft kichern, aber ehrlich, der Look war scharf für die damalige Zeit.
McGee: Für Bibelverkäufer vielleicht.
Ziva: Tony, an Deiner Stelle würde ich den Film verbrennen oder willst Du, dass noch mehr davon in Umlauf kommt?
Tony: Das hätte auch keiner sehen sollen, aber jetzt ist es zu spät dank McSnoopDog. Und jetzt gebt mir das Foto, Gibbs darf es nicht in die Finger kriegen.
Gibbs: Toller Look, Pilzkopf.
Tony: Hey Boss. Das war nur ´ne Übergangsphase aus den 80igern. Da stand ich auf diesen John Denver - Look.
Gibbs: Schluss jetzt. Toter Marine, Downtown.

Quelle: 3,4,5,9

Episoden Staffel 10 Navy CIS

Nr.	Titel	Originaltitel	Premiere USA	Premiere D	Regisseur	Drehbuch
10.217	**Trauma (2)**	Shell Shock (2)	20. Nov. 2012	17. Feb. 2013	T.Wright	G.Monreal

Captain Westcott, vom posttraumatischen Belastungssyndrom gebeutelt, öffnet sich Gibbs und einem Psychotherapeuten. Er kann sich nicht verzeihen, dass er in Afghanistan angeblich seine Männer im Stich gelassen hat. Westcotts Erinnerung an den Abend, an dem Torres totgeschlagen wurde, kehrt langsam zurück. Er erinnert sich, in der Kneipe einen Bekannten gesehen zu haben – Randall Kersey, den Gibbs und seine Leute schon befragt, aber als nicht verdächtig eingestuft hatten ... *Quelle:* [1,2]

Ziva: *(telefoniert)* Was meinen Sie mit ausverkauft? Nein, Nein, Nein - es muss Samstag Abend sein. Nein, es muss diese Oper sein. Nein. Schon gut, erzählen Sie mir nicht, ich hätte kein Glück. Ich glaub´ nämlich ..., verstehe, grrrhhhhhhhh.
Tony: Die Top 3 der romantischen Dates: Picnic am Strand, ein fröhliches Tänzchen im Regen, die Oper. Also, wer ist es?
Ziva: Er ist NIEMAND!
Tony: Ist es Dir ernst mit dem Kerl?
Gibbs: Mir ist es ernst mit meinem Kerl. Wo ist Kersey?
Tony: Äh, derzeitiger Aufenthaltsort: unbekannt.

Quelle: [3,4,5,9]

Nr.	Titel	Originaltitel	Premiere USA	Premiere D	Regisseur	Drehbuch
10.218	**Käufer und Verkäufer**	Gone	27. Nov. 2012	24. Feb. 2013	James Whitmore, Jr.	R.Steiner & S.

Zwei Mädchen, Lydia und Rosie, werden nachts auf der Straße überfallen und sollen entführt werden. Lydias Vater, der die beiden von der Arbeit abholen wollte, greift ein und wird beim Kampf erschossen. Die Kidnapper fahren mit Rosie davon. Das andere Mädchen, Lydia, bleibt bei Ziva und Abby, da ihre ebenfalls als Navy-Captain tätige Mutter beruflich unterwegs ist. Weil der Tote bei der Navy war, ermitteln Gibbs und sein Team – was sich äußerst schwierig gestaltet. *Quelle:* [1,13]

Tony: Was es auch ist, ich hoffe, es ist wichtig! Ich hab´ so schön geträumt von Brigitte Bardot und Raquel Welch. Wieso stehen die bösen Jungs nur so früh auf?
Ziva: Anrufe vor Sonnenaufgang haben oft mit bösen Jungs zu tun, fürchte ich.
Tony: Fürchtest Du? Und doch schon so munter?
Ziva: Ich war ohnehin schon wach, Tony. Ein sehr guter Freund aus Israel hat angerufen, er hat nicht an den Zeitunterschied gedacht.
Tony: ER?
Ziva: Ja, ER ist ein Mann. Ich habe auch männliche Freunde, weißt Du, Tony.
Tony: Hast Du nicht. Auch Männer, die sagen, sie wären Dein Freund, wollen nur mit Dir schlafen.
Ziva: Geht das Gespräch jetzt also wieder in diese Richtung.

Quelle: [3,4,5,9]

Episoden Staffel 10 Navy CIS

Nr.	Titel	Originaltitel	Premiere USA	Premiere D	Regisseur	Drehbuch
10.219	**Die Wildkatze**	Devil's Trifecta	11. Dez. 2012	03. Mär. 2013	A.Brown	S.D.Binder

Der FBI-Agent Fornell hält auf dem Heimweg bei einem Fastfood-Restaurant und wird in seinem Auto beschossen. Dank einer kugelsicheren Weste bleibt er unverletzt und erschießt seinerseits den Angreifer, einen Navy-Soldaten. So treffen Fornell und Gibbs aufeinander, die beide mit derselben Frau verheiratet waren. Während Fornell noch versucht, sich als Zufallsopfer darzustellen, finden die Ermittler im Auto des Angreifers eine Streichholzschachtel mit Fornells Kfz-Kennzeichen ... *Quelle: 1, 2*

Fornell: Ganz ruhig. Ich sag´ doch, alles ok. Hatte ´nen harten Tag. Sie auszuziehen *(Schutzweste)* war ich zu müde.
Gibbs: Zurück schießen konnten Sie aber noch?
Fornell: Das war mein Lieblingsjacket, da hätte ich auch meine Mutter erschossen.
McGee: Haben Sie kürzlich Morddrohungen erhalten?
Fornell: Nur von meiner Ex-Frau, die macht sich gern bei mir unbeliebt.
Ducky: Sechs Treffer, genau in die Brust. Ich hoffe, ich mache mich nie unbeliebt bei Ihnen.

Fornell: Oh, da kommt einem ja der Kaffee wieder hoch. Was bitte soll das?
McGee: Boss, es ist nicht so, wie es aussieht.
Gibbs: Wie sieht es denn aus?
Diane: Wir haben geredet und sind dann auf dem Sofa eingeschlafen.
Fornell: Ja, wie zwei geile Karnickel verknotet.
Diane: Was schert Dich das? Sogar wenn was passiert wäre...
Fornell: Nein, Nein, Nein.
Diane: Wir sind nicht mehr verheiratet. Nicht mehr.
Fornell: Du schon!
Gibbs: Hört auf, darüber können wir auch später debattieren.

Tony: Na schön, wenn Du mir nicht sagst, was zwischen Dir und Diane war, werde ich den Gerüchten glauben müssen.
McGee: Wie oft muss ich Dir noch sagen, dass nichts passiert ist. Moment, was denn für Gerüchte?
Palmer: Die, bei denen sogar Erwachsene rot werden.
Ducky: Selbst unser Opfer ist hellrosa angelaufen, als es davon gehört hat. Und dieser Mann ist tot!
McGee: Bitte sagt mir, dass sich nicht schon alle das Maul zerreissen.
Tony: Sie arbeiten an einem Fall von Steuerhinterziehung. Ob Du allein schläfst ist viel interessanter.
Palmer: Erst recht, mit wem Du schläfst.
McGee: Ich, Wir haben es nicht getan. Diane und ich sind beim Reden auf der Couch eingeschlafen.
Ducky: Angesichts von Gibbs´ und Fornell´s Schwäche für Gewalttätigkeit würde ich auch an dieser Version festhalten.

Quelle: 3,4,5,9

Episoden Staffel 10 Navy CIS

Nr.	Titel	Originaltitel	Premiere USA	Premiere D	Regisseur	Drehbuch
10.220	**Neues Geld**	You Better Watch Out	18. Dez. 2012	10. Mär. 2013	G.Schenck & F.Cardera	T.Wharmby

Navy Lieutenant Commander Megan Huffner kehrt von einem Einsatz zurück und findet ihren ermordeten Ehemann mit gebrochenem Genick zu Hause vor. Bei der Durchsuchung seiner Geldbörse findet sich ein Hundert-Dollar-Schein, der noch gar nicht in Umlauf sein dürfte. Die Notenbank arbeitet an neuen Sicherheitsmerkmalen, Huffners Schein sollte längst geschreddert sein. Zunächst tappt das Team im Dunkeln, doch dann findet sich ein weiterer Fingerabdruck auf Huffners Schein … *Quelle: 1, 2*

Abby: Hey Leute, seht mal, wen ich unten getroffen habe.
Tony: Was machst Du hier?
diNozzo,sen: Ziva, kommen Sie in meine Arme.
Tony: Dad, ich dachte Du nimmst ein Taxi vom Flughafen zum Hotel.
diNozzo,sen: Nicht ins Hotel. Ich möchte doch Weihnachten mit Dir feiern.
Tony: Ich, äh, also, ich versteh´ das nicht. Wo wohnst Du hier?
diNozzo,sen: Natürlich bei Dir.
Tony: Nein. Nein. Nein. Nein. Weißt Du, ich hab´ zu wenig Platz.
diNozzo,sen: Oh, ich bitte Dich, Du hast doch genug Platz, Junior. Oder nicht, Ziva?
Ziva: Ähm, ich weiß es nicht, ich war noch nie bei ihm zu Hause.
diNozzo,sen: Ist das wahr? Was ist denn mit Dir los, Tony?

Quelle: 3,4,5,9

Nr.	Titel	Originaltitel	Premiere USA	Premiere D	Regisseur	Drehbuch
10.221	**Die Wahrheit hat viele Gesichter**	Shabbat Shalom (1)	08. Jan. 2013	17. Mär. 2013	D.Smith	C.J.Waild

Ein Journalist, der sich zu Recherchezwecken als Navy-Soldat ausgegeben hatte, wird tot aus dem Potomac River gefischt. Zeitgleich taucht Eli David, Leiter des Mossad und Zivas Vater, in Washington auf. Vordergründig dient sein Besuch der Versöhnung mit seiner Tochter. Doch Eli will sich auch mit Arash Kazmi treffen, einem alten Bekannten aus Kindertagen, der heute Leiter des iranischen Geheimdienstes ist. Hatte der Journalist von dem geplanten Treffen Wind bekommen? *Quelle: 1, 2*

McGee: Wann haben wir schon Zeit zum trainieren?
Tony: Weißt Du, was sie in unserer Sporthalle eingerichtet haben? ´Ne Saftbar. Klasse.
Ziva: So was heb´ ich mir lieber für nach der Arbeit auf. Hab´ ich beim Mossad gelernt: Schwitz´ nie da, wo Du isst.
McGee: Hmh, falsche Körperfunktion.
Gibbs: Ja, aber eine gute Idee. Nehmt Euer Zeug, toter Mann im Potomac.

Quelle: 3,4,5,9

Episoden Staffel 10 Navy CIS

Nr.	Titel	Originaltitel	Premiere USA	Premiere D	Regisseur	Drehbuch
10.222	**Tage der Trauer**	Shiva (2)	15. Jan. 2013	24. Mär. 2013	A.Brown	C.J.Waild, G. Glasberg & S.Williams

Vordergründig will Mossad-Direktor Eli David seine Tochter, NCIS Special Agentin Ziva, in Washington besuchen. Doch sein Aufenthalt in den USA hat einen gewichtigen weiteren Grund: Sein Jugendfreund Arash Kazmi, mittlerweile Chef des iranischen Geheimdienstes, und Eli haben Geheimverhandlungen auf amerikanischem Boden verabredet. Doch das Wissen um dieses Treffen ist in Kreise geraten, die kein Interesse an Friedenssicherung haben und vor brutalen Attacken nicht zurückschrecken. *Quelle: [1, 13]*

Gibbs: Was ist seine Geschichte?
Ducky: Suizid per Zyanid. Ein Kinderreim aus drei Wörtern und schon immer eine beliebte Fluchtmöglichkeit für Feiglinge aller Art. Er ist noch nicht identifiziert.

Quelle: [3,4,5,9]

Nr.	Titel	Originaltitel	Premiere USA	Premiere D	Regisseur	Drehbuch
10.223	**Neben der Spur**	Hit and Run	29. Jan. 2013	07. Apr. 2013	D.Smith	G.Glasberg & G.L.Monreal

Der junge Marinesoldat Chad Dunn und seine Freundin Lyla Cutwright werden tot in ihrem Wagen aufgefunden. Was zunächst nach einem Unfall aussieht, entpuppt sich als Mord. Gibbs und sein Team verhören Chads Eltern und Lylas Vater. Zwischen den Familien herrscht eine alte Fehde. Cutwright und Chads Mutter Meredith waren ineinander verliebt. Doch Meredith hatte Angst vor einer Trennung wegen ihres aufbrausenden Mannes Walter. *Quelle: [1, 2]*

Gibbs: diNozzo, McGee! Kommt schon runter.
Tony: Defekter Airbag, nicht angeschnallt. Der Corporal hatte ´ne tödliche Begegnung mit der Windschutzscheibe.
McGee: Der Tag fing schon mal mies an.

Ziva: Hat sie gesagt, wieso sie nicht darüber reden möchte?
McGee: Nein, aber sie war ziemlich fertig.
Tony: Was für Sachen untersucht man schon, wenn man ein Kind ist?
McGee: Ich sorge mich um sie.
Ziva: Das musst Du nicht, McGee. Abby hat ´ne Begabung zum Glücklichsein.
Tony: Ja, sie führt bestimmt gerade ´nen Freudentanz auf und unterrichtet ´nen Labrador im Bauchreden.
Gibbs: Hast Du was gegen Hunde, diNozzo?
Tony: Nein, Boss. Ich liebe alle Hunderassen der Welt. Vor allem natürlich die, die Du liebst.
Gibbs: Gut.

Quelle: [3,4,5,9]

Episoden Staffel 10 Navy CIS

Nr.	Titel	Originaltitel	Premiere USA	Premiere D	Regisseur	Drehbuch
10.224	**Schnee in Kuba**	Canary	05. Feb. 2013	14. Apr. 2013	T.O'Hara	C. J.Waild

Nach einem Hackerangriff auf das NCIS wird ein Undercoveragent enttarnt und getötet. Wenig später kann Gibbs' Team den Computerfreak schnappen, der für den Angriff verantwortlich ist. Ajay Khan gibt jedoch seinen Auftraggeber nicht preis und lässt sich auch mit den üblichen Mitteln nicht knacken. Schließlich greift das Team zu einer unorthodoxen Methode: Es steckt Khan in eine orangefarbene Gefängniskluft und macht ihm vor, dass er nach Guantanamo Bay geflogen werden soll. *Quelle: 1, 2*

Tony: Tolle Show, Du scharfe Braut.
Ziva: Nächstes Mal kriegst Du die High Heels.
Tony: OK.
McGee: Ist der Rechner in Ordnung?
Tony: Nur keine Angst, McGee. Der Rechner ist unverletzt.
McGee: In Wirklichkeit ist er viel kleiner.
Tony: Wir haben ihn endlich. Und nie wieder ein Loch in der Fahndungsliste.

McGee: Abby!
Abby: Ich liebe Deinen Duft, McGee. Da ist diese Basisnote von Brillianz, unterlegt mit jahrelanger Erfahrung, versetzt mit einer lieblichen Note von Unsicherheit. Macht´s Dich nervös, wenn wir uns so nah sind?

Quelle: 3,4,5,9

Nr.	Titel	Originaltitel	Premiere USA	Premiere D	Regisseur	Drehbuch
10.225	**Zurück zu den Wurzeln**	Hereafter	19. Feb. 2013	18. Aug. 2013	T.Wharmby	N.Mirante-Matthews

Was kostete Lance Corporal Crowe das Leben? Die Leiche des jungen Mannes, der bei einer Übung tot zusammenbrach, weist seltsame Wunden auf: Neben Plastikteilen in den Verletzungen fällt Ducky die schlampige Versorgung der Male auf. Eines ist klar: Von den illegalen Faustkämpfen, die der Lance Corporal absolvierte, stammen sie nicht. Vance ringt unterdessen mit der Vergangenheit: Einige Dinge, die seiner verstorbenen Frau gehörten, werfen schmerzhafte Fragen auf. *Quelle: 1,2*

Ducky: Ich hab´ die Fäden gezogen, die Wunde geöffnet und das hier gefunden: kleine Fragmente aus Plastik oder Fiberglas. Mag Abby ihre Wunder vollbringen.
Gibbs: Er ist ganz allein, Duck.
Ducky: Ja, nun, der Tod bringt das so mit sich.
Gibbs: Ich hab´ nicht ihn gemeint. Ich spreche von Direktor Vance.

Quelle: 3,4,5,9

Episoden Staffel 10 Navy CIS

Nr.	Titel	Originaltitel	Premiere USA	Premiere D	Regisseur	Drehbuch
10.226	Allein im Wald	Detour	26. Feb. 2013	25. Aug. 2013	M. Van Peebles	S.D.Binder

Für Ducky und Jimmy wird ein Routine-Einsatz zur Nervenprobe: Als sie mit einer Leiche auf dem Weg zum NCIS sind, werden sie mitsamt dem Toten gekidnappt. Die Entführer zwingen das Duo zu einer Autopsie. Der Hintergrund: Die Leiche birgt brisante Informationen, die die Kidnapper unbedingt benötigen. *Quelle:* [1,2]

Palmer: 200 Dollar glatt. Du hast mir das Leben gerettet.
McGee: Psshh, er ist da.
Tony: Was?
McGee: Es gibt kein WAS.
Ziva: Jimmy hat McGee 200 Dollar in einem Umschlag gegeben, der jetzt in seinem Jacket steckt.
Palmer: Aber wie konntest Du das sehen?
McGee: Jimmy, geh´ sofort wieder in die Autopsie.
Tony: James Palmer, wenn Du noch einen Schritt machst, leite ich die Email, die Du mir ausversehen hast zukommen lassen, an alle Kollegen weiter. Schön brav, Gremlin. Jetzt rede.
Palmer: Er hat mir Konzertkarten besorgt, für Breena und mich. Wir sind neun Monate verheiratet.
Tony: Tickets? Moment, Du hast ´ne Ticket-Connection?
McGee: Nein.
Tony: Bist Du ein mieser Lügner.
McGee: Warum hast Du nur was gesagt, Ziva.
Ziva: Weil ich nicht wusste, dass Du Karten für Jimmy hattest - meine waren im blauen Umschlag.
Tony: WAS? Besorgst Du Ziva etwa auch Tickets?
Ziva: Ganz ruhig, Tony. Ist ewig her, sechs Jahre oder so.
Tony: Vor sechs Jahren? Du verheimlichst mir Deine Ticket-Connection seit sechs Jahren? Ich fürchte, wir müssen uns unterhalten.
Gibbs: Das könnt ihr im Auto. Nehmt Euch was zum Essen mit. *Quelle:* [3,4,5,9]

Nr.	Titel	Originaltitel	Premiere USA	Premiere D	Regisseur	Drehbuch
10.227	Tote Rosen	Prime Suspect	05. Mär. 2013	01. Sep. 2013	J.Whitmore, Jr.	G.Schenck & F.Cardea

Mehrere Frauen fallen in D.C. einem Killer zum Opfer, der sich an einer drei Jahre alten Mordserie orientiert. Gibbs' Freund Frankie Dean befürchtet, dass sein Sohn Cameron der Täter ist – Phantombilder deuten darauf hin. Mit dem TV-Reporter Bart Crowley macht sich allerdings eine weitere Person verdächtig. Tony macht unterdessen dem Frischling Dorneget das Leben schwer: Er behauptet, der NCIS-Neuling müsse eine schwere Prüfung bestehen. *Quelle:* [1,2]

Vance: Wo ist Gibbs?
Tony: Haarschneidedienst, Direktor Vance. Der Topf wird ihm wahrscheinlich gerade vom Kopf genommen.

Tony: Es lohnt sich bestimmt, dort hin zu fliegen.
Gibbs: Du meldest Dich freiwillig, nicht wahr, diNozzo?
Tony: ´Ne Stripperin und ein karibischer Strand - ist das ´ne Fangfrage?
Gibbs: Benimm Dich gefälligst, Loverboy. *Quelle:* [3,4,5,9]

Episoden Staffel 10 Navy CIS

Nr.	Titel	Originaltitel	Premiere USA	Premiere D	Regisseur	Drehbuch
10.228	**Marine Dex**	Seek	19. Mär. 2013	08. Sep. 2013	M.Weatherly	S.D.Binder & C.J.Waild

Warum musste der Hundeführer Ted Lemere sterben? Wurde er in Afghanistan aus dem Hinterhalt erschossen, weil er über brisante Informationen verfügte? Das zumindest glaubt seine Frau Ruby. Kurz vor seinem Tod schenkte ihr Mann ihr eine sehr kostbare Kette, deren Herkunft sie sich nicht erklären konnte. Das NCIS-Team macht sich auf den Weg nach Afghanistan und findet Ungeheuerliches heraus. *Quelle: 1, 2*

Ziva: Schon Neuigkeiten von der Nanny-Front?
McGee: Nicht dass ich wüsste. Vance´s Suche geht jetzt in die zweite Woche.
Tony: Weshalb sich seine Agenten fühlen wie ein paar Nonnen, die auf den weißen Rauch aus dem Schornstein des Vatikans warten.

Quelle: 3,4,5,9

Nr.	Titel	Originaltitel	Premiere USA	Premiere D	Regisseur	Drehbuch
10.229	**Die weiße Bö**	Squall	26. Mär. 2013	15. Sep. 2013	T.Wright	B.Nuss

Auf einem Schiff der Navy wird der zuständige Mannschaftsarzt tot aufgefunden. Während des Verhörs der Crew macht McGee eine unliebsame Entdeckung: Sein Vater, Admiral McGee, ist ebenfalls Mitglied der Besatzung und strebt eine politische Karriere in Washington an. Da das gemeinsame Verhör nicht gut läuft, nimmt Gibbs McGee Senior zur Seite und erfährt, dass er Krebs im Endstadium hat, wovon der tote Arzt wusste. Wurde ihm das zum Verhängnis? *Quelle: 1, 13*

Ziva: Ist das Dein Ernst?
Tony: Tut mir leid, aber ich bevorzuge nun mal den Wetterbericht von ZNN.
Ziva: Das glaub´ ich gern, sie ist ausgesprochen ...
Tony: ... wortgewandt, intelligent. Chelsea. Sie ist ´ne klasse Meteorologin.
Ziva: Hah, die Frau heißt Chelsea?
Tony: Aber ja. Sie hat ´nen Master in Geowissenschaften, ihre Lieblingswolken sind Strato Cummuli.
Ziva: Woher weißt Du das?
Tony: Steht alles fein säuberlich auf ihrer Webseite. Und da gibt´s auch Fotos, richtig gute Fotos.
Ziva: Wo ist McGee?
Tony: Vielleicht hat ihn der Sturm auf dem Weg hierhin weggeblasen.
Ziva: Vielleicht hat er ja ´ne Frau kennen gelernt.
Tony: Das bezweifle ich, so was wäre eher der Grund, wenn ich mich verspäte.

Quelle: 3,4,5,9

Episoden Staffel 10 Navy CIS

Nr.	Titel	Originaltitel	Premiere USA	Premiere D	Regisseur	Drehbuch
10.230	**Auf der Jagd**	Chasing Ghosts	09. Apr. 2013	22. Sep. 2013	A.Brown	N.Mirante-Matthews

Lieutenant Daniels vermisst ihren Ehemann und wendet sich hilfesuchend an den NCIS. Anfangs finden Gibbs und sein Team keine Spur des Vermissten, erhalten dann aber einen entscheidenden Hinweis: Er hat einen großen Geldbetrag geerbt, der auch seiner Frau zusteht ... Siva setzt unterdessen alles daran Ilan Bodnar, den Mörder von Vances Frau und ihrem Vater, dingfest zu machen. Dafür geht sie einige Risiken ein Quelle: 1, 2

Tony: Es ist 5 nach 8.
McGee: Ja, ich kann die Uhr auch schon lesen. Danke.
Tony: Ziva ist spät dran.
McGee: Es sind 5 Minuten.
Tony: Da stimmt irgend was nicht. Hast Du gemerkt, dass sie neuerdings ziemlich durch den Wind ist?
McGee: Ach, sie ist durch den Wind?
Tony: Guter Witz. Überleg´ doch mal: Private Gespräche mit Shmiel zu jeder Tageszeit. Und gestern roch sie nach der Mittagspause nach Thai-Essen und Bier. Ziva hasst die Thai-Küche und sie trinkt im Dienst so oft Bier wie sie meine Filmanspielungen versteht. Mach´ die Augen auf, McBlindesHuhn. Hier geht was vor sich.
McGee: Schon klar, verstehe: Du kannst nichts gegen Deine Neugier machen.
Tony: Nein, ich bin ein wachsamer Bürger.
McGee: So was kann man schon Stalking nennen. Was kommt als nächstes? ´Ne Ziva-Cam?
Tony: Vielleicht. Brauchbare Idee.

Quelle: 3,4,5,9

Nr.	Titel	Originaltitel	Premiere USA	Premiere D	Regisseur	Drehbuch
10.231	**Berlin**	Berlin	23. Apr. 2013	29. Sep. 2013	T.O'Hara	S.Williams & G.L.Monreal

Auf der Jagd nach Ilan Bodnar verschlägt es Ziva und Tony nach Berlin. Dort greifen sie allerdings nur seinen Bruder Yaniv auf. Im NCIS sorgt unterdessen die neue Mossad-Chefin Orli Elbaz für Aufsehen: Sie lockt Gibbs und sein Team auf eine falsche Fährte, um ihre eigenen Ziele zu verfolgen. Elbaz, die eine Affäre mit Zivas Vater hatte, ist offenbar der festen Überzeugung, dass sich Bodnar in den USA aufhält Quelle: 1, 2

Tony: *(probiert eine Sonnenbrille aus)* Ah, McMoneyPenny
McGee: Denk´ dran, Tony: Du wirst in Rom nicht gerade Urlaub machen.
Tony: Hah, Du kannst mir glauben, McGee: Ich kenne jedes Aquädukt und jede Fluchtroute in Rom auswendig. Ich hab´ den „Italian Job" 2x gesehen, beide Fassungen. Ich seh´ das professionell.
McGee: Dann gib´ nicht so an.
Tony: Internationale Spionage ist mein zweiter Vorname, ´ne Observierung am Pantheon, ´ne wilde Verfolgungsjagd am Colosseum, ein romantisches Rendezvous am Trevi-Brunnen!
Gibbs: Vergiss´ Italien, diNozzo - Ihr müsst nach Berlin fliegen.
Tony: Berlin??????

Quelle: 3,4,5,9

Episoden Staffel 10 Navy CIS

Nr.	Titel	Originaltitel	Premiere USA	Premiere D	Regisseur	Drehbuch
10.232	**Rache**	Revenge	30. Apr. 2013	06. Okt. 2013	J.Whitmore, Jr.	G.Schenk & F.Cardea

Bevor Ilan Bodnar nicht unschädlich gemacht ist, findet Ziva keine Ruhe: Sie trainiert hart, um ihm im Zweikampf gewachsen zu sein. Vance unterstützt sie und ihre Kollegen, wo er nur kann, da er Rache für den Mord an seiner Frau will. Gegenwind gibt es von Ex-NCIS-Mann Tom Morrow, der inzwischen sehr viel Einfluss bei der Homeland Security genießt: Er will das NCIS-Team aus der Verfolgung Bodnars heraushalten. Doch Gibbs' Leute lassen sich davon nicht abschrecken. *Quelle:* [1, 2]

Gibbs: Ist was, Palmer?
Palmer: Nein, Nein. Ich, äh, ich hab´ einfach nur noch nie gesehen, dass Sie an einem Tatort was tun. Äh, ich hab´ noch nie gesehen, dass Sie selbst richtig arbeiten.
Ducky: Ich schlage vor, Sie arbeiten jetzt mal richtig, Mr.Palmer, sonst muss ich noch zwei Leichen obduzieren.

Tony: Moment, ist das ´ne Zierleiste von meinem Wagen? Oh nein, ich konnte gestern in der Dunkelheit nicht richtig sehen. Wie schlimm ist es?
Abby: Sehr schlimm. Es war - tödlich für ihn. *Quelle:* [3,4,5,9]

Nr.	Titel	Originaltitel	Premiere USA	Premiere D	Regisseur	Drehbuch
10.233	**Helfende Augen**	Double Blind	07. Mai 2013	13. Okt. 2013	D.Smith	C.J.Waild & S.D.Binder

Was stimmt nicht mit Petty Officer Lowry? Weil er sich verfolgt fühlte, griff er einen Zivilisten an. Außerdem leidet er unter partiellem Gedächtnisverlust. Bei seinen Ermittlungen stößt Gibbs auf ein Labor, in dem Lowry kein Unbekannter ist: Er nahm dort an einer Studie zu den Auswirkungen dauerhafter Überwachung teil. Kurz nach Gibbs' Nachforschungen brennt es in dem Labor … Außerdem macht ein Ermittler des Verteidigungsministeriums dem NCIS das Leben schwer. *Quelle:* [1, 2]

Tony: WOW! Na Hallo, Speedy Gonzales. Du hättest fast Marlon aus der Buchhaltung platt gemacht.
Ziva: Tut mir leid, Tony. Ich muss mich erst noch dran gewöhnen, wie er sich fährt.
Tony: Die Welt muss sich erst noch dran gewöhnen, wie Du fährst. Was machst Du jetzt mit dem Mini?
Ziva: Der ist verkauft.
Tony: WAS? Aber ich hab´ doch gesagt, wenn Du ihn mal loswerden willst, dann nehm´ ich ihn gern.
Ziva: Ich dachte, das meinst Du nicht ernst.
Tony: Was an dem Satz „es ist mein Ernst" ist denn so missverständlich?
Ziva: Ich weiß, Du wolltest den Wagen, aber ich hab´s für ´ne schlechte Idee gehalten, ihn Dir zu verkaufen.
Tony: Wieso denn?
Ziva: Weil ich den Mini wirklich mochte.
Tony: Ich auch.
Ziva: Und ich wollte nicht, dass ihm was zustößt.
Tony: Was soll das heißen?
McGee: Das heißt, Du bist ein Autokiller.
Tony: WAS???
Gibbs: Jeder Mensch braucht ein Hobby. Dein neuer Wagen, Ziva? Chic. *Quelle:* [3,4,5,9]

Episoden Staffel 10 Navy CIS

Nr.	Titel	Originaltitel	Premiere USA	Premiere D	Regisseur	Drehbuch
10.234	**Egal was man tut**	Damned If You Do	14. Mai 2013	20. Okt. 2013	T.Wharmby	G.Glasberg

Schlechte Zeiten für Gibbs: Der Gutachter Richard Parsons hat sich auf ihn eingeschossen und will ihn mit lange verjährten Fällen und Beschuldigungen in die Ecke drängen. Natürlich stehen Ziva, Abby und Co. hinter ihrem Boss und versuchen zusammen mit dessen Anwalt A. J., Parsons zu stoppen. Eine Recherche zu seinem Hintergrund offenbart schließlich Überraschendes. Gibbs taucht derweil in seiner Waldhütte unter und macht dort seinerseits eine brisante Entdeckung in einer Akte. *Quelle:* [1,2]

Tony: Kuschelig.
Vance: Wir sind hier im Aufzug, weil Dr.Mallard vorher eine Wanze gefunden hat.
Palmer: Hey Leute. Das hier habe ich vorher im Handtuchspender der Damentoilette entdeckt. Ich, äh, in der Herrentoilette wurde nämlich sauber gemacht. Auf die Damentoilette gehe ich eigentlich nicht, obwohl es da besser riecht.
McGee: Woher wissen wir, dass keine Wanze hier im Aufzug ist?
Tony: Nur keine Panik, Tim. Ich war oben drauf im Hannibal Lecter-Stil, alles ok.

Tony: Hey Tim. Wo ist das Opfer?
McGee: Hier drin. Der Expresspaketdienst hat ihn auf der Veranda abgestellt.
Tony: Ist er ein Zwerg?
McGee: Das weniger. Seine Frau hat das Paket gefunden, laut Aufkleber kommt das Paket aus Riyadh, Saudi Arabien.
Tony: Kevin Spacey.
Ziva: Du kennst den Mann?
Tony: Nein. Kevin Spacey hat mit Gwyneth Paltrow beim Ende von „Sieben" das Selbe gemacht.

Quelle: [3,4,5,9]

Staffel 11 (Episoden 11.235- 11.258) Navy CIS

Die Figur Special Agent Ziva David, dargestellt von Cote de Pablo, verließ die Serie zu Anfang dieser Staffel. Sie wird in einigen Folgen erscheinen, um die Geschichte der Figur zu Ende zu erzählen.

Wegen Cote de Pablos Ausstieg musste Showrunner Gary Glasberg die geplante Storyline für die 11. Staffel ändern. Glasberg äußerte: „Jemand fragte mich, ob ich das geplant hätte, aber das hatte ich nicht, und daher musste ich zu dem Zeitpunkt, an dem dies eintrat, sehr viel von meinen Entwürfen wegwerfen und von vorne beginnen" („Someone asked me if I was planning for this, but I really wasn't, so basically the minute that this became real, I had to throw out a lot of what I was planning to do and start from scratch").

Das Thema für diese Staffel ist laut Glasberg „das Freisetzen von Dämonen" („unlocking demons"), sowohl im übertragenen als auch im wörtlichen Sinne. Ein sehr interessanter Widersacher („pretty interesting adversary") zum Thema wird eingeführt werden und das wird sich durch die Staffel ziehen („that will carry through the season").

Als Ersatz stieß Emily Wickersham in der Rolle der Special Eleanor „Ellie" Bishop als Nachfolgerin für Ziva zur Besetzung hinzu, die bisher noch keine bekannten Rollen in Filmen und Fernsehserien gespielt hatte.

Die 18. und 19. Folge der Staffel, New Orleans Teil 1 und Teil 2 (Crescent City Part I und Part II), dienten als Backdoor-Pilot für den zweiten Spin-Off der Fernsehserie Navy CIS, NCIS: New Orleans.

Quelle: [1]

Erstausstrahlung USA   24. September 2013 – 13. Mai 2014 auf CBS

Erstausstrahlung Deutschland 05. Januar 2014 – 19. Oktober 2014 auf Sat 1

Episoden Staffel 11 Navy CIS

Nr.	Titel	Originaltitel	Premiere USA	Premiere D	Regisseur	Drehbuch
11.235	**Freund und Feind**	Whiskey Tango Foxtrot	24. Sep. 2013	05. Jan. 2014	T.Wharmby	G.Glasberg

Irgendjemand hat es auf Angehörige des NCIS abgesehen: Bei einem Bombenanschlag wird SecNav Jarvis getötet, Gibbs entkommt im Iran mit Parsons Hilfe nur knapp einem Attentat, Tonys Leben war ebenfalls gefährdet und Ziva ist vorsorglich in Israel untergetaucht. Mit Parsons Unterstützung macht sich Gibbs daran, die Verantwortlichen für die Anschläge ausfindig zu machen, während Tony versucht, Ziva aufzuspüren. *Quelle:* [1,2]

Nr.	Titel	Originaltitel	Premiere USA	Premiere D	Regisseur	Drehbuch
11.236	**Zivas Liste**	Past, Present and Future	01. Okt. 2013	12. Jan. 2014	J.Whitmore,Jr.	G.Glasberg,S.Williams & G.L.Monreal

Die Terror-Organisation „Bruderschaft des Zweifels" arbeitet weiterhin ihre Liste mit Opfern ab, auf der auch Angehörige des NCIS stehen. Da Ziva ebenfalls im Visier der Gruppe ist, ist sie in Israel untergetaucht. Als Tony sie findet, verrät er Gibbs nichts, sondern versucht, sie zu einer Rückkehr zum NCIS zu überreden – Ziva plant, einen Schlussstrich unter ihr bisheriges Leben zu ziehen. Wird Tony sie noch einmal umstimmen können? *Quelle:* [1,2]

McGee: „Ich werde Ballerina": Ich schnall´ das nicht, das ist von Ziva? Sollte da nicht Ninja oder so was stehen?
Tony: Es gab anscheinend auch ´ne präkämpferische Phase.

Gibbs: Beamst Du das zu McGee rauf?
Abby: Ich kann´s nicht raufbeamen, Captain Kirk. Aber ich schicke ihm gerne ´ne Mail.
Gibbs: Captain WER?

Quelle: [3,4,5,9]

Nr.	Titel	Originaltitel	Premiere USA	Premiere D	Regisseur	Drehbuch
11.237	**Unter dem Radar**	Under the Radar	08. Okt. 2013	19. Jan. 2014	D.Smith	G.Schenk & F.Cardea

Gekränkte Eitelkeit verleitet Lieutenant Keith dazu, ein Himmelfahrtskommando zu starten: Weil er im Gegensatz zu seiner Kameradin Dana Robbins die Fliegerausbildung der Navy nicht erfolgreich absolviert hat, funktioniert er ein Kleinflugzeug zu einer fliegenden Bombe um. Mit dieser steuert er auf den Flugzeugträger zu, auf dem Robbins stationiert ist. McGee und Gibbs müssen tief in die Trickkiste greifen, um die Katastrophe abzuwenden. *Quelle:* [1,2]

Abby: Na, wie war´s bei dem Adoptionsanwalt?
Palmer: Ganz gut, nur Bedenken bei einem Punkt unseres Lebenslaufs.
Abby: Was?
Palmer: Breena ist Leichenbestatterin und ich bin Gerichtsmediziner. Die Arbeit mit den Toten ist unser Beruf...

Quelle: [3,4,5,9]

Episoden Staffel 11 Navy CIS

Nr.	Titel	Originaltitel	Premiere USA	Premiere D	Regisseur	Drehbuch
11.238	**Ehrenmorde**	Anonymous Was a Woman	15. Okt. 2013	26. Jan. 2014	T.O'Hara	S.D.Binder

Gekränkte Eitelkeit verleitet Lieutenant Keith dazu, ein Himmelfahrtskommando zu starten: Weil er im Gegensatz zu seiner Kameradin Dana Robbins die Fliegerausbildung der Navy nicht erfolgreich absolviert hat, funktioniert er ein Kleinflugzeug zu einer fliegenden Bombe um. Mit dieser steuert er auf den Flugzeugträger zu, auf dem Robbins stationiert ist. McGee und Gibbs müssen tief in die Trickkiste greifen, um die Katastrophe abzuwenden. *Quelle: 1, 2*

McGee: Ducky sagt Du hast Fingerabdrücke von der Unbekannten gesichert. Schon Glück gehabt?
Abby: Glück??? Denkst Du vielleicht, so läuft das hier unten?

Ducky: Säureanschläge waren um die Jahrhundertwende in Europa in Mode. Erst als während des 2.Weltkriegs die Säuren knapp wurden, gingen Attentate dieser Art zurück.
Palmer: Sehen Sie, alles hat sein Gutes, sogar ein Weltkrieg. *Quelle: 3,4,5,9*

Nr.	Titel	Originaltitel	Premiere USA	Premiere D	Regisseur	Drehbuch
11.239	**15 Jahre Rache**	Once a Crook	22. Okt. 2013	02. Feb. 2014	A.Brown	C.Silber

Der Unteroffizier Wells wird ermordet aufgefunden. Das Team findet Hinweise, dass der Mord mit Spionage in Zusammenhang stehen könnte. Als Tony erkennt, dass es sich bei der DNA, die am Tatort gefunden wurde, um die von Anton, einem ehemaligen Strassen-Informanten aus Tonys Vergangenheit als Streifenpolizist in Baltimore handelt, versucht er, auf eigene Faust zu ermitteln. *Quelle: 1, 13*

Tony: Hast Du ein heißes Date mit Delilah?
McGee: Wir gehen nur Essen. Komm doch mit, wenn Du Lust hast.
Tony: Vielen Dank, Tim. Nicht meine Vorstellung von ´nem Dreier. *Quelle: 3,4,5,9*

Nr.	Titel	Originaltitel	Premiere USA	Premiere D	Regisseur	Drehbuch
11.240	**Öl und Wasser**	Oil & Water	29. Okt. 2013	09. Feb. 2014	T.Wright	J.Corbett

Der Ex-Marine Marv Hebner wird bei einer Explosion auf einer Bohrinsel der Firma CityLine getötet. Zusammen mit Agent Borin von der Küstenwache ermitteln Gibbs und sein Team in dem Mordfall. Zunächst lässt sich kein Tatmotiv finden. Doch dank Abby haben die Ermittler bald eine Spur: Offensichtlich hat Creevy, der Justitiar des Unternehmens, etwas mit der Sache zu tun. *Quelle: 1, 2*

Tony: Oho, was haben wir denn da. Freut mich, dass Du unser Gespräch über Sicherheit am Arbeitsplatz ernst genommen hast, aber das ist doch etwas übertrieben, McLümmeltüte
McGee: Du hattest Deinen Spaß, Tony. Pack´ ihn wieder aus.
Tony: Oh Gott, ich bin geschmeichelt. Aber leider ist diese Verhütungsmaßnahme nicht das Werk meiner Wenigkeit.
Abby: Und wer war´s dann?
Tony: Der große Kürbis, der kopflose Reiter, vielleicht auch der Geist des vergangenen Halloweens, Mike Franks - die Möglichkeiten sind endlos.
Gibbs: Nicht für unseren toten Marine. Nehmt Euer Zeug, wir fahren nach Virginia. Beach. Hast Du einen neuen Schreibtisch, McGee?
McGee: Eigentlich nicht, Boss.
Gibbs: Für mich sieht der aber neu aus. *Quelle: 3,4,5,9*

Episoden Staffel 11 Navy CIS

Nr.	Titel	Originaltitel	Premiere USA	Premiere D	Regisseur	Drehbuch
11.241	**Alte Flieger**	Better Angels	05. Nov. 2013	16. Feb. 2014	T.Wharmby	G.Monreal

In einer Herrenboutique wird ein Marine Sergeant erschossen. Der Ladeninhaber behauptet, dass er bei einem Überfall in die Schusslinie geriet. Allerdings entspricht das nicht der Wahrheit, wie Gibbs und sein Team herausfinden. Abseits der Ermittlungen nötigt ihn sein Vater Jackson, einen alten Kameraden aus Kriegszeiten kennenzulernen: Walter Beck rettete Jackson einst das Leben. Doch so leicht ist der betagte Herr nicht aufzuspüren. *Quelle: 1, 2*

McGee: Das ist Marine Sergeant Michael Dawson, 28 Jahre alt. Der arme Kerl hatte Urlaub und wollte nur ein bisschen shoppen.
Gibbs: Ein missglückter Überfall, Duck.
Ducky: Und das in einer Kollektion feinster Kammgarn-Anzüge, 300 Dollar das Stück.

McGee: Was machst Du an meinem Telefon?
Tony: Es hat geklingelt, da bin ich rangegangen. Delilah sagt, Sie sagt sie bringt heute Abend was zum Essen mit, d.h. Ihr seid wieder verabredet?
McGee: Ach ja. Hat sie auch erwähnt, dass Dein Kopf viel zu groß für Deinen Körper ist? Das haben ihre Freundinnen gesagt, als sie Dein Foto gesehen haben.
Tony: Welches Foto?
McGee: Beschränken wir uns auf den Fall, OK?
Tony: Beschränken wir uns auf den Fall!

Quelle: 3,4,5,9

Nr.	Titel	Originaltitel	Premiere USA	Premiere D	Regisseur	Drehbuch
11.242	**Wasserdicht**	Alibi	12. Nov. 2013	23. Feb. 2014	H.Dale	G.Schenck & F.Cardea

Tödlicher Unfall mit Fahrerflucht: Mit Justin Dunnes Pick-up wird eine Soldatin auf dem Stützpunkt Quantico überfahren. Dunne selbst sass nicht am Steuer, sondern einer seiner Kameraden. Wie Dunne seiner Anwältin Carrie Clark erzählt, hat er selbst zur Tatzeit einen Tabakwarenhändler getötet. Clark umgeht ihre Schweigepflicht und gibt dem NCIS einen verdeckten Hinweis. Gibbs und sein Team decken daraufhin ein ungeheuerliches Mordkomplott auf. *Quelle: 1, 13*

McGee: Kaufst Du Dir wieder ein neues Auto?
Tony: Na ja, zum einen kauf´ ich mir nie neue Autos, zum anderen brauche ich was, das meine Leidenschaft weckt. Es ist wie mit ´ner Frau: Ich muss verliebt sein, um mich zu binden.
McGee: Als würdest Du Dich je an ´ne Frau binden.

Tony: Ist Dir an Kerry nichts aufgefallen, Boss?
Gibbs: ?
Tony: Der Ehering ist weg. Ich hab´ ja gesagt, ihr Mann ist ein Fußkettchen.
Ducky: Das verstehe ich jetzt nicht.
Gibbs: Was Nutzloses, das sie sich ans Bein gehängt hat.

Quelle: 3,4,5,9

Episoden Staffel 11 Navy CIS

Nr.	Titel	Originaltitel	Premiere USA	Premiere D	Regisseur	Drehbuch
11.243	**Teamplayer**	Gut Check	19. Nov. 2013	02. Mär. 2014	DSmith	C.J.Waild

Irgend jemand versucht, Navy-Angehörige und Wirtschaftsbosse mittels verwanzter Kugelschreiber abzuhören, die als Werbegeschenk getarnt sind. Einer davon ging an SecNav Sarah Porter. Gibbs und sein Team finden einen NSA-Bericht, der dieses Szenario beschreibt. Ellie Porter, die Verfasserin des Berichts, unterstützt den NCIS bei den Ermittlungen. Ihre mangelnde Teamfähigkeit verursacht jedoch gelegentlich Schwierigkeiten. Dennoch führt sie Gibbs auf die richtige Fährte. *Quelle:* [1,2]

McGee: Haben Sie ein Buch über die Entwaffnung von Verbrechern gelesen?
Bishop: Drei ältere Brüder!

Quelle: [3,4,5,9]

Nr.	Titel	Originaltitel	Premiere USA	Premiere D	Regisseur	Drehbuch
11.244	**Die teuflischen Drei**	Devil's Triad	10. Dez. 2013	09. Mär. 2014	A.Brown	S.D.Binder

Ein Marine wird von einem Clown ermordet. Der letzte Anruf auf dem Handy des Opfers lässt sich in ein Hotelzimmer zurückverfolgen. Als Gibbs und sein Team den Raum stürmen, erwischen sie Diane und Fornell in flagranti. Wie sich herausstellt, gehörte das Handy, das der Tote bei sich trug, Dianes Freund Eddie – sie wollte vom Hoteltelefon aus mit ihm Schluss machen. Gibbs findet Eddie, der definitiv etwas zu verbergen hat. Doch ist er auch der Mörder? *Quelle:* [1,2]

Gibbs: Nehmt Euer Zeug, toter Marine in Potomac Heights.
Bishop: Äh, ich hab´ gar kein Zeug.
Gibbs: Gut, dann fahren Sie.

Abby: Gibbs. Gibbs. Gibbs. Gibbs: Ich hab´ das Handy des Verdächtigen geknackt und da sind haufenweise heiße Sexnachrichten drauf von ihm an Fornell´s Exfrau. Die Texte sind abartiger als in Fifty Shades of Grey, Du musst sie Dir echt durchlesen.
Abby: Oh - Fornell. Exfrau. Tochter!
Tony: Abbs, hoffentlich hast Du Gibbs gesagt, er soll allein kommen. Fornell würde explodieren, wenn er diese Nachrichten sieht.
Fornell: Besorgen Sie sich ´nen Wischmop.
Diane: Schalten Sie das Ding sofort aus.
Fornell: Tun Sie es nicht, sonst bringe ich Sie eigenhändig um.
Tony: Ich höre nix, hab´ ne Nebenhöhlenentzündung, muß ´ne Nasenspülung machen.

Quelle: [3,4,5,9]

Episoden Staffel 11 Navy CIS

Nr.	Titel	Originaltitel	Premiere USA	Premiere D	Regisseur	Drehbuch
11.245	**Patient Null**	Homesick	17. Dez. 2013	16. Mär. 2014	T.O'Hara	S.Williams

Gibbs und sein Team haben es mit einem unsichtbaren Feind zu tun: Mehr als 30 Kinder, die auf Militärstützpunkten leben, infizieren sich beinahe gleichzeitig mit einer rätselhaften Krankheit. Abby und Jimmy arbeiten fieberhaft daran, den Erreger zu identifizieren. Dabei kommen in Jimmy angesichts der bevorstehenden Adoption eines Babys Zweifel an seinen Vaterqualitäten auf. Kann Abby seine Sorgen vertreiben und den Fall lösen? *Quelle: 1, 2*

Tony: Na, was haben wir denn hier - ne gravierte Rolex?
Abby: Nein, das sind meine Super-Laborgebackenen Weihnachtskekse: Ingwer-Gewürzplätzchen.
Bishop: Sagten Sie Laborgebacken?
Abby: Ja, ich bin extrem geschickt mit dem Bunsenbrenner.

Bishop: Halt, Augenblick. Sie hatten mal die Pest, also die richtige Pest, meine ich?
Tony: Es war die Lungenpest. Wir waren ein ganz tolles Gespann.
Bishop: Und ich dachte, Sie wären nur paranoid.

Quelle: 3,4,5,9

Nr.	Titel	Originaltitel	Premiere USA	Premiere D	Regisseur	Drehbuch
11.246	**Tod aus der Luft**	Kill Chain (1)	07. Jan. 2014	23. Mär. 2014	J.Whitmore, Jr.	C.Silber

Per Drohne tötet der Top-Terrorist Benham Parsa einen Petty Officer. Unterstützt wurde er von der Navy-Angehörigen Erin Pace. Gibbs und sein Team heften sich an die Fersen des Attentäters, der schon bald wieder zuschlagen soll: Er hat sich die Conrad-Gala als Ziel für einen Bombenanschlag ausgesucht. Dort soll McGees Freundin Delilah mit einem Forschungsstipendium geehrt werden. Kann das Team die Katastrophe rechtzeitig verhindern? *Quelle: 1, 13*

Tony: Hey, was geht hinter diesen gefühlvollen grünen Augen vor?
McGee: Tony, alles bestens.
Tony: Du denkst, ich weiß nicht, was da läuft, aber das tue ich. Du bist unsicher.
McGee: Das ist nicht ...
Tony: Vielleicht hast Du Angst, Delilah ist zu gut für Dich. Du fühlst Dich unterlegen, wer weiß. Aber es ist doch so, Tim: Des Menschen Wünsche sollen größer sein als sein Arm lang ist - wozu sonst ist der Himmel da, hmh? Denk´ mal drüber nach.

Tony: Hollis Mann, was soll das bedeuten?
Bishop: Wir haben ´nen toten Petty Officer und ´ne verschwundene Drohne. Müssten wir da nicht ermitteln?
Tony: So arbeiten wir eben, Bishop. Sie haben Ihre Ohrstöpsel und Schachmetaphern, wir haben das. Nörgeln Sie nicht.
McGee: Und wahrscheinlich streiten Hollis und Gibbs sich gerade, wer zuständig ist.
Tony: Ihre Arte des Vorspiels.
Bishop: Und wer ist Hollis Mann?
McGee: Sie sollte mal Gibbs´ 4.Exfrau werden.
Bishop: Die 4.? Hoho, wieviel hatte er denn?
McGee: Er hatte nur die eine wahre Ehefrau, die anderen 3 sind die Ex.
Bishop: Immer schön einfach, McGee. Nur die Exen.

Quelle: 3,4,5,9

Episoden Staffel 11 Navy CIS

Nr.	Titel	Originaltitel	Premiere USA	Premiere D	Regisseur	Drehbuch
11.247	**Güterzug nach Miami**	Double Back (2)	14. Jan. 2014	30. Mär. 2014	T.Wharmby	G.L.Monreal

McGee ist am Boden zerstört: Er gibt sich die Schuld daran, dass Delilah bei dem Anschlag schwer verletzt wurde und nun im Krankenhaus liegt. Sie wird den Rest ihres Lebens im Rollstuhl verbringen. Das Team tut alles, um McGee in dieser schweren Krise zu unterstützen. Die Jagd nach Parsa, dem wahren Schuldigen, erweist sich allerdings als schwierig: Der Terrorist scheint keine Spuren zu hinterlassen. Kann der Fahrer seines Fluchtwagens einen entscheidenden Hinweis liefern? *Quelle:* [1,2]

Tony: Nachricht von McGee. Delilah wird zum 2.Mal operiert. Ich fühl mich so hilflos, irgend was will ich für den armen Kerl tun, aber ich weiß nicht, was.
Bishop: Haben Sie gerade was gesagt?
Tony: Nein.
Bishop: Erzählen Sie mir was, wenn Sie wissen, dass ich nichts höre und benutzen mich als Kummerkasten?
Tony: Ist das schon die 3.Tüte mit diesen Käsedingern?
Bishop: Diese Käsedinger unterstützen super die Verlinkung neuer Infos mit denen, die schon im Hirn gespeichert sind. Genau so übertragen die Krümel, die an den Fingern hängen, die Käsenote.
Tony: Irgendwie logisch. Was verlinken Sie?
Bishop: Gar nichts bisher.

Gibbs: diNozzo, zeig´ mir mal noch schnell, wie man die Videos abspielt.
Tony: He? Äh, willst Du nicht warten, bis wir sie vorführen, ich meine, willst Du die Fernbedienung wirklich selbst bedienen?
Gibbs: Start - Vorwärts - Zurückspulen. Das krieg´ ich hin.

Tony: In der Beziehung ist er ein Neandertaler. Aber dieses Mal war er sehr sachkundig. Zwar mit einem Finger, aber trotzdem. Ich bin stolz auf ihn.
Bishop: Hmh. Sie meinen, das Klapphandy wollte er mit Absicht?
Tony: Ja, er liebt sein Klapphandy.

Quelle: [3,4,5,9]

Episoden Staffel 11 Navy CIS

Nr.	Titel	Originaltitel	Premiere USA	Premiere D	Regisseur	Drehbuch
11.248	**Parsas Spiel**	Monsters and Men (3)	04. Feb. 2014	17. Aug. 2014	D.Smith	J.Corbett

Bishop ist inzwischen ein wichtiges Mitglied in Gibbs' Team. Allerdings scheint sie etwas zu verschweigen, das mit Parsa zu tun hat. Zum einen wird sie von ihrem ehemaligen Boss wegen ihrer Arbeit an dem Fall aufgesucht, zum anderen findet Gibbs heraus, dass ihm Bishop etwas verschweigt. Was verbindet sie mit Parsa? Und warum spricht sie nicht darüber? *Quelle: 1,2*

McGee: Was ist mit Dir? Hast Du ´n heißes Date, oder was?
Tony: Richtig heiß. Ungefähr 40 Grad heiß. Du mußt Dir vorstellen: ´ne Flasche Pinot, ´n prasselndes Feuer und ich, wie ich in ein dampfend heißes Bad steige.
McGee: Nein, das will ich mir lieber nicht vorstellen.
Tony: Man muß auch mal die Batterien wieder aufladen, seine Säfte zum Kochen bringen.
McGee: Ich bin nicht gerade scharf aufs Baden.
Tony: Natürlich nicht, Baden ist was für Kinder. Wir sind Männer. Männer pflegen sich.
McGee: Worin besteht der Unterschied?
Tony: In dieser Flasche!
McGee: „Micro Aphrodytes feuchtigkeitsspendende Badeperlen - entdecken Sie die Göttin in sich"?
Tony: ´Ne Wahnsinnsfrau hatte mich drauf gebracht. Ich sag´ Dir, ich hatte ja keine Ahnung: Die Haut wird gepeelt und genau an den richtigen Stellen kribbelts.
McGee: Ich bereue die Frage zutiefst.
Gibbs: Da sind wir schon zu zweit. Nehmt Euer Zeug, die Hafenbehörde hat ´ne Leiche im Wasser gefunden.

Quelle: 3,4,5,9

Nr.	Titel	Originaltitel	Premiere USA	Premiere D	Regisseur	Drehbuch
11.249	**Kugelsicher**	Bulletproof	25. Feb. 2014	24. Aug. 2014	L.Libman	C.J.Waild

In einem Unfallwagen finden Gibbs und sein Team kugelsichere Westen, die sich als tödlich erweisen: Sobald ein Geschoss in das Material einschlägt, bohren sich die in der Schutzkleidung verarbeiteten Keramikplatten in den Träger. Da diese Westen bereits an Soldaten in Kriegsgebieten geschickt wurden, muss der NCIS schnell handeln und die Hintermänner dieses finsteren Handels finden. McGee schafft es unterdessen, der gelähmten Delilah wieder mehr Lebensfreude zu bescheren. *Quelle: 1,2*

Bishop: Was macht Ihr Zwei hier? Ihr wollt Euch wohl zwei verschwitzte Frauen beim Nahkampf ansehen, häh?
Tony: Nein. Allerdings senkt es McGees Kosten fürs Pay TV.
McGee: Wir müssen zu ´nem Tatort.
Bishop: Oh. Ich muß nur schnell duschen, bin gleich wieder da.
McGee: Nein, keine Zeit. Gibbs wartet im Auto.
Tony: Aber das Fenster ist ein Spalt offen.
Bishop: Gibbs will, dass ich mit meinen stinkigen Sportklamotten ...
Tony: ... Du sollst DIE aufsetzen *(gibt Bishop eine NCIS-Kappe)*. Abflug, Bambina.

Quelle: 3,4,5,9

Episoden Staffel 11 Navy CIS

Nr.	Titel	Originaltitel	Premiere USA	Premiere D	Regisseur	Drehbuch
11.250	**Schüsse am Sonntag**	Dressed to Kill	04. Mär. 2014	31. Aug. 2014	T.J.Wright	G.Schenck & F.Cardea

Vor dem Hotel, in dem sein Vater untergekommen ist, wird Tony fast von einem Navy-Commander über den Haufen gerannt. Als er den Mann in einer Gasse stellt, kommt es zum Schusswechsel und der Flüchtige stirbt. Wie sich herausstellt, handelte es sich um den Privatdetektiv Nick Bodeen, der in zwielichtige Machenschaften verwickelt war: Ein Ausschuss soll entscheiden, welche internationalen Häfen die Navy künftig anlaufen darf. Quelle: 1, 2

McGee: Gut, das war´s.
Ducky: Danke, Tim. Wenn seine andere Hand eingepackt ist bereiten wir ihn zum Abtransport vor, sofern Mr.Palmer jemals hier eintrifft.
Palmer: Entschuldigen Sie die Verspätung, Dr.Mallard. Ich mußte das Mittagessen mit Breena und ihren Eltern absagen.
Ducky: Wir alle quälen uns mit dem Sonntag Interruptus, Mr.Palmer!

Gibbs: Abbs, gibt´s Neuigkeiten?
Abby: Ja. Wo ist Tony? Ich muß ihm sofort sagen, was ich weiß.
Gibbs: Was?
Abby: Ich hab´ die Fingerabdrücke des Toten in der Datenbank gefunden und da rastet Tony bestimmt aus.
McGee: Wieso?
Abby: Weil der Typ Privatdetektiv war.
McGee: Oh, Tony wird uns bestimmt mit miesen Bogart-Imitationen quälen.
Gibbs: Sagt es Tony nicht!

Quelle: 3,4,5,9

Nr.	Titel	Originaltitel	Premiere USA	Premiere D	Regisseur	Drehbuch
11.251	**Lampenfieber**	Rock and a Hard Place	18. Mär. 2014	07. Sep. 2014	A.Brown	S.D.Binder

In der Garderobe eines Konzertsaals der Navy sterben bei einer Explosion ein Angestellter und ein Navy-Soldat. Dort soll ein Wohltätigkeitskonzert der Navy-Hilfsorganisation HCF stattfinden. Star des Abends ist der abgehalfterte Country-Sänger Manheim Gold, auf den auch ein Anschlag verübt wurde. Gibbs und seine Leute wittern einen Zusammenhang. Wie sich später aber herausstellt, gibt es keinen. Tony muss Manheim bei sich aufnehmen. Der stellt seine Wohnung auf den Kopf, weil er für seinen verlorenen Sohn, den er erst jetzt kennengelernt hat, eine Party schmeissen will. Tony ist nicht erfreut, freundet sich aber mit Manheim an und versucht, ihn am Abend des Konzerts von seinem Lampenfieber zu befreien Quelle: 1, 13

Bishop: Wow, dieser Manham war wirklich im Vorprogram der großen Bands. Warum kenn´ ich ihn nicht?
McGee: Lies´ weiter.
Bishop: Autsch, Nein.
McGee: Ja, er hat einen Fernseher zu viel aus seinem Hotelfenster geworfen.
Bishop: Und seinen ersten Agenten. Nett.
McGee: Ja, und zum Glück für Beide war unten ein Pool. Also hiermit verdient Manham sein Geld.
Bishop: Wäre es peinlich, wenn ich ihn um ein Autogramm bitte?
McGee: Nicht peinlicher, als wenn Tony ´ne Verdächtige nach ihrer Telefonnummer fragt.

Quelle: 3,4,5,9

Episoden Staffel 11 Navy CIS

Nr.	Titel	Originaltitel	Premiere USA	Premiere D	Regisseur	Drehbuch
11.252	**New Orleans (1)**	Crescent City (Part I)	25. Mär. 2014	14. Sep. 2014	J.Whitmore, Jr.	G.Glasberg

Der Fall des ermordeten Kongressabgeordneten Dan McLane in New Orleans führt zu der Zusammenarbeit von Gibbs NCIS-Team mit dem seines ehemaligen Kollegen Dwayne Cassius Pride und dem FBI. Denn McLane war vor seiner politischen Karriere Agent beim NCIS und bekannt dafür, dass er den sogenannten „Priviliged Killer", einen berüchtigten Serienmörder, der ranghohe Soldaten und Politiker ermordete, fassen konnte. Gibt es eine Verbindung zwischen diesem Fall und dem Tod des Kongressabgeordneten? *Quelle: 1, 13*

Gibbs: Was macht Dein Liebesleben, diNozzo?
Tony: Häh?
Gibbs: Triffst Du Dich noch mit den Sekretärinnen?
McGee: Er meint Andrea.
Bishop: Andrea? Wer ist Andrea?
Tony: ANDREA, oh ja. Sie, ja, ähm, ich meine, wir treffen uns nur, wenn wir Bedarf haben.
Pride: Eine Freundin mit gewissen Vorzügen.
Gibbs: Das läuft für ihn gewiß vorzüglich. Wer im Kongress wollte die Wiederwahl von McLane verhindern? Ich brauch´ die Antwort bald.
Tony: Geht klar!

Quelle: 3,4,5,9

Nr.	Titel	Originaltitel	Premiere USA	Premiere D	Regisseur	Drehbuch
11.253	**New Orleans (2)**	Crescent City (Part II)	01. Apr. 2014	14. Sep. 2014	T.Wharmby	G.Glasberg

In den Sümpfen wird ein weiteres Mordopfer gefunden. Man nimmt an, dass der Mann den Mord an McLane beobachtet hat und deshalb sterben musste. Alles deutet darauf hin, dass hier der Serienmörder am Werk ist, den McLane angeblich vor Jahren festgenommen hat. Nun regt sich der Verdacht, dass McLane damals Beweise gefälscht hat und der echte Mörder sich noch auf freiem Fuß befindet. Ein Junge hat gesehen, dass der Täter eine weiße Uniform trug und bringt damit Gibbs und Pride auf die richtige Spur. *Quelle: 1, 13*

Tony: Ah, Päckchen in braunem Papckpapier mag´ ich besonders. Es ist von unserer blonden Bambina unten im Big Easy.
McGee: Es ist vermutlich nur ein Souvenir. Ein Serienkiller läuft frei rum und ich krieg´ nur dieses lausige T-Shirt.
Tony: Nein, es fühlt sich irgendwie anders an. Vielleicht was Leckeres aus dem Süden: Kaffeebohnen oder Perlenschnüre, die ich Frauen umwerfe, wenn ich ...
McGee: Ist das denn gestattet?
Tony: Keine Ahnung. Manchmal muß man Regeln einfach brechen, Tim.
McGee: Los, mach das Päckchen auf. ´Ne Voodoopuppe, die aussieht wie Du, bis hin zu diesem scheinheiligen Grinsen! Was steht auf dem Zettel?
Tony: „Der kleine Tony wird Dir Glück und Freude bringen". Das ist nicht komisch. Ich finde Voodoo nicht mehr lustig, seit ich als Kind „Leben und Sterben" gesehen habe.
McGee: Das ist ein Spielzeug, Tony. Eine Stoffpuppe!

Quelle: 3,4,5,9

Episoden Staffel 11 Navy CIS

Nr.	Titel	Originaltitel	Premiere USA	Premiere D	Regisseur	Drehbuch
11.254	**Trauzugen gesucht**	Page Not Found	08. Apr. 2014	21. Sep. 2014	T.O'Hara	C.J.Waild

Nachdem Delilah wieder in ihren alten Job im Verteidigungsministerium zurückgekehrt ist, weckt sie schlafende Hunde, als sie eine Spur in einem mysteriösen Fall aufnimmt. Sie sucht Unterstützung beim NCIS, der ihren Hinweisen nachgeht und auf das Verschwinden des IT-Spezialisten Lieutenant Jones stößt. Offenbar hat hier die CIA ihre Finger im Spiel, denn deren Agent Jim Brisco versucht mit allen Mitteln, die Arbeit von Gibbs und seinem Team zu torpedieren. *Quelle: 1, 2*

McGee: Das war ´ne blöde Idee!

Tony: Du und Dein kleiner Nerd-Informant - seid Euch wohl nicht ganz grün. Beschneiden wir seine Videospielzeit?

McGee: Samson ist doch nicht klein. Und er ist nicht mein Informant. Ich kenn´ ihn einfach nur durch Delilah.

Tony: Samson und Delilah???

McGee: Ja. Als sie zusammen waren hat sie ihn immer so genannt.

Tony: Ah, deshalb wolltest Du ihn nicht einsetzen.

McGee: Es ist nicht nur das. Er ist ´n Drogendealer, man kann ihm nicht trauen.

Tony: Delilah und Drogen?

McGee: Keine illegalen Drogen, nur was schwer zu kriegen ist.

Tony: Ich glaub´ Du hast Delilah sehr viel mehr zu bieten als Samson. Und Du willst ihr den Schlüssel zu Deiner Wohnung geben, McGee!

McGee: Da ist er.

Tony: Oh nein, meinst Du etwa den Muskelprotz da drüben?

McGee: Er nutzt die PX-Website zum Kauf und Verkauf von Stereoiden.

Tony: Und den sollen wir uns jetzt schnappen? Hätte ich doch bloß ein Betäubungsgewehr mitgenommen.

Quelle: 3,4,5,9

Episoden Staffel 11 Navy CIS

Nr.	Titel	Originaltitel	Premiere USA	Premiere D	Regisseur	Drehbuch
11.255	**Aussage gegen Aussage**	Alleged	15. Apr. 2014	28. Sep. 2014	A.Brown	S.Williams

Der Navy-Offizier Lester Tate wird nach einer Kneipenschlägerei tot in einer Gasse gefunden. Schnell ist rekonstruiert, was mit dem jungen Mann passierte. Allerdings stoßen Gibbs und sein Team bei den Ermittlungen auf mehrere Vergewaltigungsfälle. Das letzte Opfer ist Tates Freundin Holly Farrell, die auf demselben Schiff wie er stationiert war. Sie weigert sich zunächst, zu kooperieren, denn der Täter ist einflussreich. *Quelle: 1, 2*

McGee: Guten Morgen, Bishop.
Bishop: Guten Morgen, McGee, Tony.
Tony: Was läuft, Bish? Was hast Du da?
Bishop: Oh, nur ´n Sandwich mit Schinken und Ei. Willst Du was?
McGee: Tony und ich entschlacken, schon vergessen?
Bishop: Oh, richtig. Und was für ´ne Kur ist das?
Tony: Eine ganze Woche nichts als Wasser, ´ne Zitrone, Cayennepfeffer und ´n Spritzer Ahornsirup.
McGee: Und dazu gibt´s jeden Tag einen leckeren Salat.
Bishop: Ach, und ist das so ´ne Art Wettstreit?
Tony: Nein, ganz im Gegenteil. Denn nach seiner kürzlichen Emanzipation von der Zweisamkeit will McGee einen neuen, sauberen Schnitt. Er will sich von innen reinigen und da dachte ich, ich biete ihm einfach mal meine Hilfe an.
McGee: Stop. Zum einen hat sich hier niemand emanzipiert, Delilah hat nur zufällig ´n Traumjob am anderen Ende der Welt. Und zum anderen meine ich mich zu erinnern, daß Tony den Vorsatz hatte, im neuen Jahr gesünder zu leben.
Bishop: Aber Neujahr ist schon Monate her.
Tony: Heute ist der erste Tag vom Rest unseres Lebens.
McGee: Es ist schon der zweite Tag und ich fühl´ mich fantastisch. Es ist viel leichter mit ´nem Kumpel.
Tony: Ja, stimmt, Kumpel!
Bishop: Ist das dann ok, wenn ich Euch was voresse?
McGee: Sicher doch.
Tony: Bon apetit.
Bishop: Ehrlich? Ich geh´ auch gern woanders hin.
Gibbs: Nein. Wir gehen alle woanders hin. Toter Navy Offizier in Chessapeak.
Bishop: Dann darf ich das doch bestimmt im Auto essen, oder?
Tony: Ja, das wird ´ne lange Fahrt...

Quelle: 3,4,5,9

Episoden Staffel 11 Navy CIS

Nr.	Titel	Originaltitel	Premiere USA	Premiere D	Regisseur	Drehbuch
11.256	**Blue**	Shooter	29. Apr. 2014	05. Okt. 2014	D.Smith	G.Schenck & F.Cardea

Der Marine-Korps-Fotograf Staff Sergeant Roe verschwindet spurlos. Zum einen war er Kronzeuge in einem heiklen Prozess gegen einen Army Lieutenant, zum anderen fotografierte er obdachlose Veteranen in Washington D.C.. Auch Petty Officer Turpin alias Blue lichtete er ab. Blue ist ebenfalls verschwunden – und landet als Leiche ohne Nieren auf Duckys OP-Tisch. *Quelle: 1, 13*

Gibbs: Er muß den Mann gut gekannt haben, stell fest, wer das ist.
Abby: Ich weiß es. Das sind Dave und Blue.
Gibbs: Dave wer?
Abby: Nur Dave. Er hat keinen Nachnamen.
Tony: Er muß doch einen haben.
Abby: Er ist 'n Hund. Hunde haben keinen Nachnamen.
Gibbs: Dann heißt dieser Mann Blue?
Abby: Ja. So wird er genannt.

Quelle: 3,4,5,9

Nr.	Titel	Originaltitel	Premiere USA	Premiere D	Regisseur	Drehbuch
11.257	**Flucht aus Marseille**	The Admiral's Daughter	06. Mai 2014	12. Okt. 2014	J.Whitmore, Jr.	S.D.Binder & C.Silber

Amanda, Tochter von Admiral Kendall, vergnügt sich in Marseille mit den Sprösslingen von russischen Waffenhändlern und iranischen Politikern. Tony soll die exzentrische junge Frau undercover zurück nach Washington D.C. schaffen. Doch als er in Marseille ankommt, muss er feststellen, dass die Kollegen des dortigen NCIS erschossen wurden. Amanda war Zeugin der Tat. Eine gefährliche Flucht beginnt, und Amanda gesteht Tony ein brisantes Geheimnis. *Quelle: 1, 2*

Tony: Was machst Du denn?
McGee: Wir sind am Tatort. Ein Klempner hat in 'nem Klärbehälter in einer Navysiedlung 'ne Leiche entdeckt.
Tony: Wer ist das Opfer?
McGee: Wissen wir noch nicht. Der Tote wurde in den Tank gequetscht, den können wir nicht aufbrechen. Da haben wir per Münzwurf ausgelost wer reinsteigt und ihn von Hand rauszieht.
Tony: Du hast meine Trickmünze benutzt, oder?
McGee: Da Du weg bist standen die Chancen 50:50. Ich durfte nicht verlieren, der Gestank da unten ist einfach zu furchtbar.
Tony: Ja, klar. Ich versteh' schon. Das ist so wie auf meinem Hinflug. Der war überbucht, da durfte ich in der 1.Klasse sitzen. Nein, der Vergleich hinkt.
McGee: Prahl so viel Du willst. Ich bin nur froh, dass ich da nicht runter gehe.
Gibbs: Zieh' das an, Du gehst da runter.
McGee: Boss, Nein, wir hatten eine Abmachung!

Quelle: 3,4,5,9

Episoden Staffel 11 Navy CIS

Nr.	Titel	Originaltitel	Premiere USA	Premiere D	Regisseur	Drehbuch
11.258	**Jackson**	Honor Thy Father	13. Mai 2014	19. Okt. 2014	T.Wharmby	G.Glasberg & G.L.Monreal

Das NCIS-Team untersucht ein Feuer auf einem Schiff, das als Gefangenenlager für angeklagte Terroristen dient. Unklar ist, ob es sich bei dem Brand um einen Unfall oder doch um Brandstiftung handelt. Nachdem Gibbs (Mark Harmon) eine tragische Nachricht erhält, kehrt er in seine Heimatstadt zurück. *Quelle:* [1, 13]

Tony: Oh, McGee - ich hör´ Dich.
McGee: Na, das hoff´ ich doch.
Tony: Klar und deutlich. Ja, jetzt hör´ ich ihn. Ich meine, hier gibt´s nur ein paar kleine Problemchen, aber das haben wir gleich, Boss. Ich glaube, ich hätte lieber rein gehen sollen.
Bishop: Hmh, das wäre keine sehr gute Idee gewesen.
McGee: Bishop hat recht. Hier sind so viele süße Hasen daß Du ´nen Zuckerschock davon kriegen würdest.
Tony: Ja, mag sein. Aber ich werde es wohl auch schaffen, Deinen Obertrotteljob zu erledigen.
Gibbs: Da!
Tony: Hah, da haben wir es ja - das Bild ist da.
Gibbs: Wir haben nicht ewig Zeit!

Quelle: [3,4,5,9]

Staffel 12 (Episoden 12.259- 12.282) Navy CIS

Der Hauptgegner in der Staffel 12 ist der Terrorist Sergei Mishnev, der erstmals in der 1.Folge der 12.Staffel in Erscheinung tritt. In Folge 4 wird einer seiner Mitarbeiter wird in die Vereinigten Staaten geschickt, um einen russischen Wissenschaftler zu töten, der die Zusammenarbeit mit Sergei verweigerte. In der Episode 11 tritt Sergei erneut auf den Plan und tötet Gibbs´ Exfrau Diane auf die gleiche Weise wie Agentin Catlin Todd. Er stalkt eine weitere Ex-Frau von Gibbs, Rebecca, und die Inszenierung von weiteren Morde imitieren den Tod von Mike Franks und Jenny Shepard. In der 15. Folge wird Sergei, Halbbruder von Ari Haswari, von FBI Agent Tobia Fornell, der auch ein mal mit Diane verheiratet war, getötet.

Quelle: 48

Erstausstrahlung USA   23. September 2014 – 12. Mai 2015 auf CBS

Erstausstrahlung Deutschland   04. Januar 2015 – 08. November 2015 auf Sat 1

Episoden Staffel 12 Navy CIS

Nr.	Titel	Originaltitel	Premiere USA	Premiere D	Regisseur	Drehbuch
12.259	**Die Nadel im Heuhaufen**	Twenty Klicks	23. Sep. 2014	4. Jan. 2015	T.Wharmby	G.Glasberg & S.Williams

Der IT-Fachmann der Navy CIS Kevin Hussein ist nach Moskau gereist, um seinen kranken Onkel zu besuchen. Nach dessen Tod besteht Kevin darauf, dass Gibbs und McGee ihn in Moskau abholen. Er fühlt sich ständig verfolgt. Als die drei im Helikopter Richtung Finnland fliegen, werden sie vom Boden aus angeschossen. Die drei schleppen sich bis zur finnischen Grenze, wo eine weitere Gefahr auf sie wartet. *Quelle: 1, 2*

Tony: Und was treibt er da in Moskau, Boss?
McGee: Er hat ´nen Onkel, der an einer der Universitäten in Moskau lehrt.
Tony: Danke, „Boss"!
Tony: Boss?
Gibbs: Lange Geschichte. Aber einer von Euch kommt mit.
Tony: Ich weiß nicht, ob ich kann. Der Jetlag von meinem Spanien-Trip steckt mir immer noch in den Knochen.
McGee: Und ich war vor kurzem in Dubai.
Tony: Ich glaub´ ich hab´ mir beim Skilauf ´ne Rippe gebrochen.
McGee: Boss, ich bin immer noch außer Form. Delilah und ich haben gegessen, geschlafen, gegessen, und ... dies und das getan.
Bishop: Keine Sorgen, ihr müden Reisenden. Nachdem ich den ganzen Sommer über mit Jake vergeblich auf Haussuche war würde ich Dich sofort überall hin begleiten, Gibbs.
Gibbs: Nein, der Militärattaché besteht auf Senior Agents.
Tony: *(flüsternd zu Bishop)* Reiß Dich niemals um ´nen Job!
Bishop: Klar.
Tony: Aber Du kennst Kevin ziemlich gut.
McGee: Er hat Dir geholfen Khan zu kriegen.
Tony: Ach ja, ähm. Schere, Stein, Papier?
McGee: Ja.
Tony: Verdammt! Super, McPapier. Doswidanja.

Quelle: 3,4,5,9

Episoden Staffel 12 Navy CIS

Nr.	Titel	Originaltitel	Premiere USA	Premiere D	Regisseur	Drehbuch
12.260	**Anruf aus dem weißen Haus**	Kill the Messenger	30. Sep. 2014	11. Jan. 2015	D.Smith	G.Schenck & F.Cardea

Lieutenant Commander Ned Wallace, Vertrauter des Präsidenten, wird nahe dem Weißen Haus ermordet aufgefunden. Es gibt einige Verdächtige, darunter seine Ehefrau Trish: Stirbt Wallace, erbt sie ein Vermögen. Pikant daran ist, dass das Paar schon länger getrennt lebt. Als jedoch Wallaces Geliebte Courtney Reed nur knapp einem Mordanschlag entgeht, ermitteln Gibbs und sein Team in eine andere Richtung. Offenbar steckt Courtneys Arbeitgeber hinter den Angriffen. *Quelle: 1, 2*

Bishop: Alles ok, Tim?
McGee: Ja, ich bin nur müde. Hab´ die ganze Nacht kaum Schlaf gekriegt.
Tony: Ach soooo!
McGee: Ich sag´ Euch: Eine Fernbeziehung am Laufen zu halten ist echt schwierig. Seit Delilah in Dubai ist fängt ihr Tag an wenn meiner aufhört und umgekehrt. Wir haben heute Nacht eine Stunde geskypt, 3 Uhr Nachts meiner Zeit. Ich bin total fertig.
Tony: Tatsächlich, ja? Und wie intim sind Eure Anrufe?
Bishop: Oh Mann, wer denkt denn gleich an so was.
Tony: Kann ich Dir sagen: Ein Mann, der alleine ist und dem jede weibliche Zuwendung recht wär´.
Gibbs: Los gehts, einsamer Wolf. President Park, toter Navy Offizier.

Quelle: 3,4,5,9

Nr.	Titel	Originaltitel	Premiere USA	Premiere D	Regisseur	Drehbuch
12.261	**Die falsche Wahl**	So It Goes	7. Okt. 2014	18. Jan. 2015	L.Libman	S.D.Binder

Bei der Explosion einer Autobombe stirbt Samuel Colpepper. Er hatte brisante Dossiers über Navy-Offiziere bei sich. Wie sich herausstellt, war Colpepper der Angestellte von Duckys Jugendfreund Angus Clarke. Daher reisen Bishop und Ducky nach London, um ihn zu befragen. Doch Clarke ist verschwunden – und taucht als Wasserleiche wieder auf. Gibbs und sein Team kommen in den USA unterdessen hinter das Geheimnis der Dossiers. Das bedeutet Lebensgefahr für Ducky und Bishop! *Quelle: 1, 2*

Bishop: Und wir kennen sein Jahresgehalt, seine Lieblingsband und seine politische Meinung zu allem, vom Mittleren Osten bis hin zur Mittelerde.
Tony: Worauf er übrigens abfährt.
Abby: Ich steh´ auch auf Mittelerde.

Palmer: Was braucht ein Frosch dessen Wagen von der Polizei einkassiert wird?
Ducky: Wie bitte???
Palmer: Ach, lassen wir das. Als Sie noch nicht da waren hab´ ich mir ein paar Witze angesehen. Ich hab´ gedacht das heitert sie vielleicht auf. Diese Idee bereue ich jetzt allerdings.
Ducky: Was braucht denn ein Frosch dessen Wagen die Polizei kassiert hat?
Palmer: Er braucht --- Kröten.
Ducky: Nun, dann fangen wir mit der Autopsie an.

Quelle: 3,4,5,9

Episoden Staffel 12 Navy CIS

Nr.	Titel	Originaltitel	Premiere USA	Premiere D	Regisseur	Drehbuch
12.262	**Die Schlinge um den Hals**	Choke Hold	14. Okt. 2014	25. Jan. 2015	T.O'Hara	C.J.Waild

Die russische Navy-Forscherin Sofia Glazman wurde auf grausamste Weise getötet: Der Täter trennte ihr mit einer motorisierten Garotte langsam den Kopf ab. Um den Mord aufzuklären, reist der Counselor Pavlenko aus Russland an und bittet Gibbs und sein Team um Hilfe. Bald trifft mit Nelly Benin weiterer Besuch aus der Ferne ein. Die Forscherin war eine Freundin und Kollegin des Opfers und ist auf der Flucht vor einem gewissen Mishnev. Für Gibbs wird der Fall immer dubioser. *Quelle: 1, 2*

McGee: *(liest ein Männermagazin)* Nein. Nein. Vielleicht. Nein. Das hab´ ich mal auf HBO gesehen, auf keinen Fall. Also Tony, ich schätze diese Liste der Sexiest Moves im Schlafzimmer ist erfunden, wie Du sagst.

Tony: Ich sagte nicht erfunden sondern ausgefallen.

McGee: Dann hast Du davon gehört?

Tony: Nicht nur davon gehört, McGee. Ich ...

McGee: Hör´ auf, ich bereue diese Frage.

McGee: Die Nummer 6? Echt? Ist das wahr? Du?

Tony: Willst Du was hören über die Nummer6?

McGee: Nein.

McGee: Moment, doch.

Tony: Ist schon ziemlich lange her. In Frankreich. Ich war jung, unschuldig, beweglich. Vor der Nummer 6 wußte ich nicht, dass ´ne Frau auch ... *(Bishop betritt den Raum)* ... locker ´nen Jump Shot hinkriegt. Sie hat ihn versenkt. Ich steh´ auf die Frauen-Basketballliga.

Bishop: Das ist überflüssig, Tony.

Tony: Frauen sind auf den Sieg genau so scharf wie Männer.

Bishop: Ihr müsst nicht das Thema wechseln. Ich bin nicht die Sexpolizei.

Tony: Irgendwie schon.

Bishop: Ähm, Hallo! Ich bin verheiratet, ich hab´ mehr Sex als Ihr Beide zusammen.

Tony: Soweit ich weiß läuft das ganz anders. Aber wenn Du willst ...

Bishop: Ok. Her mit der Zeitschrift. Wichtigtuer.

Bishop: Mal sehen. Ja. Ja. Ja. Ja. Ja. Auf jeden Fall. Nein. Auf keinen Fall. Und Ja.

McGee: Die Nummer 6?

Tony: Hast Du Gummiknochen?

Bishop: Das war eher ein Versehen. Jake und ich waren auf ´nem Campingausflug und, ähm...

Gibbs: Nehmt Euer Zeug *(und wirft das Männermagazin genervt in den Papierkorb).*

Quelle: 3,4,5,9

Episoden Staffel 12 Navy CIS

Nr.	Titel	Originaltitel	Premiere USA	Premiere D	Regisseur	Drehbuch
12.263	**San Dominick**	The San Dominick	21. Okt. 2014	01. Feb. 2015	A.Brown	C.Silber

Während einer Navy-Übung auf hoher See fischt Gibbs eine Leiche aus dem Meer. Zusammen mit Tony, Bishop und Borin begibt er sich auf das Schiff, dem der Tote laut Ausweis angehörte: der Frachter San Dominick mit Kurs auf Bilbao in Spanien. Doch irgendetwas ist faul an Bord, denn der Ozeanriese weicht von seiner Route ab – und der Kapitän wurde angeblich von Piraten verletzt. Doch irgendetwas hat er zu verheimlichen. *Quelle:* [1,2]

McGee: Ah, da ist ja unser Frischling. Wie ist es gelaufen?
Bishop: Ich will nicht darüber reden.
McGee: So gut, ja?
Bishop: Also, die letzte Stunde im Helikopter war die Schlimmste meines Lebens. Ich hab´ ne Leiche am wegrutschen hindern müssen, denn die Verzurrhaken waren locker. Und das war das Highlight des Vormittags.

McGee: Was hast Du, Abbs?
Abby: Tja, ich hab´ mich erst mal durch alle Beweismittel aus Willys Wohnung gewühlt.
McGee: Und was war so alles in dem Müll?
Abby: Es wirkt vielleicht durchaus wie Müll für das ungeschulte Auge, aber für mich sind jede Essensverpackung und jede ausgelutschte Zigarettenkippe wertvolle Teile eines Mosaiks.
McGee: Details, Abbs!

Agentin Borin: Die Stunde ist um. Zeit für ein Gespräch mit Aranda.
Tony: Und, was werden Sie ihm sagen wenn er nach seinem Geld fragt?
Borin: Tja, Tony. Dann frag´ ich ihn was für ein Schnellboot er am liebsten hätte. Wussten Sie schon dass es 17 verschiedene Kategorien davon gibt?
Tony: Wusste ich nicht.
Borin: Das lernen Sie im Grundkurs „Verhandlungen mit Geiselnehmern", diNozzo. Sie müssen sie hinhalten, beruhigen und mit ihnen reden.
Tony: Wie bei ´nem Date.

Quelle: [3,4,5,9]

Episoden Staffel 12 Navy CIS

Nr.	Titel	Originaltitel	Premiere USA	Premiere D	Regisseur	Drehbuch
12.264	**Meister der Irreführung**	Parental Guidance Suggested	28. Okt. 2014	8. Feb. 2015	T.J.Wright	J.Corbett

Die Psychiaterin Dr. Valerie Barnes wird in ihrem Haus erschossen. Ihre zehnjährige Tochter Rachel, die Misshandlungsspuren aufweist, findet die Tote. Gibbs und sein Team verdächtigen zunächst Valeries Nachbarn Nathan Curtis, da die Mordwaffe ihm gehörte. Doch als Ryan auftaucht, der Vater von Rachel, wendet sich das Blatt: Er gesteht die Tat – was seltsam ist, da nichts auf ihn als Täter hinweist. Dann enthüllen Gibbs und seine Kollegen eine schreckliche Wahrheit. *Quelle:* [1, 2]

Bishop: Jetzt mal im Ernst.

McGee: Mir war noch nie etwas so ernst. Irrtum ausgeschlossen, also hör´ auf mich.

Tony: Hey, hey, hey: Holywood, Tyson: hört auf, sonst verliert noch jemand ein Ohr.

Bishop: Ich hab´ doch nur von Abbys Halloween-Party gesprochen und plötzlich ist McGee zum bösen Hulk mutiert.

McGee: Ja, aus gutem Grund. Weil sie sich nicht verkleiden will.

Tony: WAS? Bist Du irre? Gott, bei allem, was Dir heilig ist rate ich Dir, Bambina: Halte Dich an die Vorgaben von Abby. Sie nimmt diesen Feiertag wahnsinnig ernst. Und wenn Du vom Plan abweichst wirst Du das büßen. Sag´s ihr, McGee.

McGee: Halloween vor 7 Jahren. Da hab´ ich gesagt dass ich keine Kürbisfratze schnitzen will.

Tony: Am nächsten Tag sang er immer noch Sopran.

Bishop: Es ist ja nicht so dass ich mich nicht verkleiden will, nur Jake und ich haben verschiedene Vorstellungen von ´nem Kostüm.

Tony: Mann, die Ehe. Schon wieder. Halloween war für Singlemänner mal ein Paradies. Jetzt ist es aber leider zweckentfremdet für so ein Pärchen-Ding. Du rufst Delilah von der Fete aus an und Du hast Deine bessere Hälfte. Selbst Ducky hat noch was laufen.

Bishop: Dann frag doch Allison.

Tony: ???

Bishop: Allison. Aus der IT-Abteilung. Letzt Woche warst Du mit ihr aus.

Tony: Oh, tja. Ein Mal, würd´ ich sagen.

Bishop: Das ist schon die 6. in diesem Monat, mit der Du aus warst.

McGee: Das ist ´n Rekord für Dich.

Tony: Danke. Ich bin wieder da, Baby.

Bishop: Und die aus der Personalabteilung?

Tony: Ach, zu verklemmt. Sie hat nie über meine Emails gelacht.

McGee: Ja, weil sie anzüglich waren.

Bishop: Und Erica aus der Buchhaltung? Was gefiel Dir an der nicht?

Tony: Katzen. Zu viele Katzen.

Bishop: Ich finde, Du bist ganz schön wählerisch.

Tony: Tja, im Meer gibt´s viele Fische.

McGee: Du hast schon fast alle rausgeholt.

Tony: Was soll ich sagen, McGee: Frauen finden mich elektrisierend.

Quelle: [3,4,5,9]

Episoden Staffel 12 Navy CIS

Nr.	Titel	Originaltitel	Premiere USA	Premiere D	Regisseur	Drehbuch
12.265	**Hundemarken**	The Searchers	11. Nov. 2014	15. Feb. 2015	T.Wharmby	G.L.Monreal

Der Ex-Marine George Hawkins wird ermordet. Bis zu seinem Tod hatte er versucht, die sterblichen Überreste seines Kameraden Sergeant Kent aus Vietnam zurückzuholen, wo die beiden während des Kriegs stationiert waren. Gibbs' Team findet heraus, dass die Hundemarke Kents, die das Opfer in der Hand hielt, eine Fälschung war. Wurde es Hawkins zum Verhängnis, dass er die Leute, die ihm bei der Suche nach Kents Leiche helfen sollten, als Betrüger entlarvte? *Quelle: 1, 2*

Tony: Er ist mir über 2 Straßen gefolgt. Ich konnte ihn doch nicht draußen lassen.
McGee: Ich dachte Du kannst Katzen nicht leiden.
Tony: Kann ich auch nicht. Der Vermieter hat genau 2 Tage Zeit was anderes für ihn zu finden sonst schmeiß ich das Tier eiskalt raus.
McGee: Cool, sehr gut ...
Tony: Allerdings muss ich dem Kater eines lassen, er hat so was. Er ist fürsorglich, gestern hat er mir eine Stunde lang den Arm abgeschleckt.
McGee: Was ist mit Deinen Fischen?
Tony: Oh, das war heikel. Kate und Ziva stehen jetzt im Bad auf dem Waschtisch. Tür zu. Problem gelöst.
McGee: Schön.

Tony: Bishop, was haben wir da?
Bishop: Meine abschließende Einsatz- und Schulungsbewertung von Gibbs.
Tony: Ahhh. Frischlingsbewertung. 9 Monate Ausbildung gipfelt in einem nervenzerfetzenden Dokument.
McGee: Was hast Du gekriegt?
Bishop: Keine Ahnung. Ich hab´ Angst, sie aufzumachen.
McGee: Ach, es kommt bloß drauf an die Erwartungen runter zu fahren. Vielleicht hilft´s wenn Du weißt, dass ich 63 hatte.
Bishop: Was, von 100?
Tony: Damit hat er sich wacker geschlagen. Kate, sie war vor Deiner Vorgängerin da, was hatte sie? 60? Und Ziva hatte dann...
McGee: Das wollte sie uns nicht sagen.
Bishop: Und was ist mit Dir, Tony?
Tony: Ach, dicke fette 58. Die Punktzahl war für mich wie ne Ehrenmedaille.
Bishop: Oh, Erwartungen runter gefahren.
Bishop: Ach du lieber Himmel!!!
Tony: Einstellig?
Bishop: Nein, Nein - ich hab´ 82!
Tony: WAAAAAS?
McGee: WOW!
Bishop: Ich glaub´s einfach nicht, ich mein, 82, das ist der Hammer!

Quelle: 3,4,5,9

Episoden Staffel 12 Navy CIS

Nr.	Titel	Originaltitel	Premiere USA	Premiere D	Regisseur	Drehbuch
12.266	**Die Heldin**	Semper Fortis	18. Nov. 2014	22. Feb. 2015	D.Smith	M.R.Jarrett & S.J.Jarrett

Ein Auto verunglückt nachts auf der Strasse. Die Insassen, Petty Officer JB Hicks und seine Freunde Ben und Mary, werden schwer verletzt. JB stirbt noch am Unfallort. Die beiden anderen überleben dank der Hilfe von Anna Dillon, die Corpsman bei der Navy war. Sie hat auch gesehen, wie ein anderer Wagen das Auto von der Strasse gedrängt hat. Weil Anna keine Zulassung für ärztliche Behandlungen hat, droht ihr nun eine Haftstrafe. Gibbs bittet die Anwältin Carrie Clark um Hilfe. Unterdessen suchen Tony und die anderen aus dem Team nach dem Fahrer des anderen Wagens. *Quelle:* [1, 13]

Burt: Hi, Tony.

Tony: Hi, Sergeant Burt. Na, was machen Sie denn so früh hier? Abholen oder Herbringen?

Burt: Abby und ich waren frühstücken - nachdem ich sie von zu Hause abgeholt habe!

Bishop: Huh - Frühstück. Was gab´s denn? Entschuldigt, ich hab´ Hunger. Deshalb würd´ ich mir´s gern vorstellen.

Burt: Sie haben Hunger, Bishop?

Tony: Sie hat immer Hunger. Sie dürfen sich von ihrem überschlanken, kleinen Körperbau nicht täuschen lassen. Nein, die verschlingt Sie in einem Stück.

Burt: Ich hab´ keine Angst.

Bishop: Ich bin keine Kannibalin, Tony.

Tony: Deshalb sehen wir Jake also nie. Sie hat ihn verspeist.

Bishop: Vielleicht hat er auch nur viel zu tun.

Tony: Oder Du hast ihn mit ein paar Bohnen und einem ausgezeichneten Chianti genossen.

McGee: Abby, Du musst uns helfen. Bitte sag dass Du was gefunden hast.

Abby: Ich hab was gefunden.

McGee: Moment, sagst Du das nur weil ich es hören will?

Abby: Ja.

Abby: Aber ich habe auch wirklich was gefunden.

Bishop: Das reicht uns!

Tony: Hey, Du bist ja echt früh dran.

McGee: Na ja, ich wollte den Wurm fangen. Wo wart Ihr denn heute Morgen?

Tony: Ach, Du kennst mich doch, McFrüherVogel. Ich arbeite gern lange bis spät in die Nacht.

Bishop: Wir haben das Alibi von Lanzelotti überprüft.

McGee: Bitte sagt mir dass es falsch ist.

Tony: Woody der Barkeeper hat es bestätigt nachdem er Bishop angegraben hat.

Quelle: [3,4,5,9]

Episoden Staffel 12 Navy CIS

Nr.	Titel	Originaltitel	Premiere USA	Premiere D	Regisseur	Drehbuch
12.267	**Eingeschneit**	Grounded	25. Nov. 2014	01. März 2015	B.Rooney	S.Williams

Es ist Thanksgiving, und Tony ist auf dem Weg zum Flughafen, um seinen Vater abzuholen, der aus London anreist. Als er in starkem Schneetreiben auf die Maschine wartet, beobachtet er einen verdächtigen Mann, der kurz darauf ermordet wird. Wie sich herausstellt, sollte er eine Waffe übergeben, mit der der Drogenboss Victor Gomez getötet werden soll, der in derselben Maschine wie Tonys Vater sitzt. Können Tony, Gibbs und die anderen rechtzeitig eingreifen? *Quelle: 1, 2*

Bishop: *(mit Jake am Flughafen)* Wir haben uns das ja schon lange verdient: Sonne, Sand, Wärme, blaues Wasser.
Tony: So warm ist es dort um diese Jahreszeit nicht.
Bishop: Oh, Tony!
Tony: Als es hieß dass Dad´s Maschine später gestartet ist dachte ich schon ich muß hier ganz allein warten, aber was taucht da vor mir auf: ein Thanks-Giving-Wunder!
Jake: Agent diNozzo nehm´ ich mal an.
Tony: Der geheimnisvolle Jake. Schön zu wissen dass Bishops Ehemann nicht nur erfunden ist. Ich hab´ mich schon gewundert.
Bishop: Jetzt kannst Du aufhören Dich zu wundern, Tony. Denn Du siehst ja, Jake gibt es wirklich.
Tony: Oder er ist ein Hologramm dass Hände schüttelt.
Jake: Die NSA arbeitet tatsächlich an so was. Es gibt schon einen Prototypen.
Tony: Ha ha, das wär´ bestimmt lustig. Wirklich?
Jake: Nein.
Tony: He he, fast wär´ ich drauf reingefallen. Das ist Pech. Ich hätte so was gern.
Quelle: 3,4,5,9

Nr.	Titel	Originaltitel	Premiere USA	Premiere D	Regisseur	Drehbuch
12.268	**Krampus**	House Rules	16. Dez. 2014	8. Mär. 2015	T.O'Hara	C.J.Waild

Als ein Hacker in Washington D.C. das komplette Internet außer Gefecht setzt, holt der NCIS zur Unterstützung der Ermittlungen drei verurteilte Computer-Cracks aus dem Gefängnis. Während Kevin, ein Ex-Kollege von Gibbs und Co., alles daran setzt, zu helfen, sabotieren Heidi Partridge und Ajay Khan das Unternehmen, wo es nur geht. Mc Gee, der die Operation leitet, findet schnell heraus, dass Heidi mehr über den Hackerangriff auf die Hauptstadt weiß, als sie zugibt. *Quelle: 1, 2*

Tony: Wir waren so nah dran.
Bishop: Keine 3 Stunden mehr und wir hätten unseren Weihnachtsurlaub angetreten.
Tony: Ein Wunder, das an zweiter Stelle nach der Geburt des Jesuskindes stünde.
Bishop: Aber dann kam Samstag Abend um halb Zehn der Anruf.
Tony: Wie ich sehe hattest Du viel vor. Ist das etwa Dein Pyjama?
Bishop: Im Winter stecke ich meine Schlafsachen in den Trockner bevor ich ins Bett gehe. Dann sind sie schön warm, wenn ich unter die Decke schlüpfe. Als Gibbs anrief dachte ich es wäre Energieverschwendung, sie nicht anzuziehen. Wo warst Du denn? Auf dem Schießstand?
Tony: Ja, ich hatte ein Date.
Bishop: Keine stille Nacht für Dich.
Gibbs: Für keinen von uns!
Quelle: 3,4,5,9

Episoden Staffel 12 Navy CIS

Nr.	Titel	Originaltitel	Premiere USA	Premiere D	Regisseur	Drehbuch
12.269	**Schach**	Check	6. Jan. 2015	15. Mär. 2015	Al.Riley	S.D.Binder

Ein Mordfall mit fünf Opfern beschäftigt das Team um Gibbs. Erschreckenderweise gleicht die Tatortskizze exakt derjenigen, die seinerzeit von dem Schauplatz des Todes von Jenny Shepard angefertigt wurde. Plötzlich taucht auch noch Diane mit Gibbs Ex Rebecca auf, die unter Mordverdacht gerät, aber entlastet wird. *Quelle: 1, 2*

McGee: Morgen.

Tony, Bishop: Morgen.

Tony: Mal wieder ein gutes Katzenvideo gesehen?

McGee: Hab´ ich was verpasst?

Bishop: Nein, wir machen nur Small Talk. Hey, ist das ein neues Hemd? Es ist Blütenweiß.

McGee: Nein. Ich hab´ aber einen Vorsatz für´s Neue Jahr: ich wasche jetzt immer Bunt- und Weißwäsche getrennt.

Tony: Ha Ha Ha - suchst Du das vielleicht? Neujahrsvorsätze von Tim McGee!

McGee: Du warst an meinem Schreibtisch?

Tony: Hört Euch das an. Nummer 4: Schreibtisch abschließen. Und schon hast Du versagt.

McGee: Los, gib das her.

Bishop: Wer nimmt sich schon für das Neue Jahr vor auf Videos mit Katzen zu verzichten?

Tony: Ein einsamer Bundesagent, der vielleicht gern ein Kätzchen hätte.

McGee: Was sind Deine Vorsätze für das Neue Jahr? Du kennst meine, zeig mir Deine!

Palmer: Er hat mit dem Kaffeetrinken aufgehört.

Tony: Nein, hab´ ich nicht. Das wäre aber mal ein guter Vorsatz.

Palmer: Nein, Nein. Nicht Du, Agent Gibbs!

McGee: WAS? Gibbs fasst keine Vorsätze für´s Neue Jahr.

Palmer: Das ist kein Vorsatz. Ich hab gehört wie er mit Dr.Mallard gesprochen hat. Gibbs will ein Check Up machen lassen und sein Arzt hat gesagt dass er 3 Tage vorher keinen Kaffee trinken soll.

Bishop: Das halte ich für gefährlich.

Tony: Das ist sein Tod.

Palmer: Oder schlimmer. Es ist schon gruselig genug wenn er einen hohen Koffeinspiegel hat. Ich will nicht wissen wie er wird wenn er auf Entzug ist. Vielleicht so wie King Kong, wenn ihm jemand die Bananen klaut.

Tony: He He.

Palmer: Ich dreh´ mich jetzt nicht um.

Gibbs: Gute Idee.

Tony: Welch treffender Vergleich, Jim.

Tony: Ähm, vielleicht doch nicht so toll, Boss.

Gibbs: Es gibt 5 Tote. Los jetzt.

Quelle: 3,4,5,9

Episoden Staffel 12 Navy CIS

Nr.	Titel	Originaltitel	Premiere USA	Premiere D	Regisseur	Drehbuch
12.270	**Die Heimkehrer**	The Enemy Within	13. Jan. 2015	20. Mär. 2015	J.Whitmore, Jr.	G.Schenck & F.Cardea

In Syrien wird die US-Bürgerin Sarah Goode von Dschihadisten entführt. Nach einem Jahr Gefangenschaft konnte sie befreit werden und in die USA zurückkehren, wo sie in Washington von Gibbs und seinem Team vernommen wird. Offenbar hat die Frau, die angeblich in einem syrischen Waisenhaus arbeitete, etwas zu verbergen ... Tony bemüht sich unterdessen nach Kräften, die Beziehung zu Zoe Keats geheimzuhalten – mit mäßigem Erfolg. Quelle: 1, 2

Bishop: Was ist das?
Tony: Eine Autozeitschrift. Da stehen die Testergebnisse der neuen Corvette drin. Und vielleicht kaufe ich mir ja wieder eine. Ich hatte mal ´ne Corvette. Das ist mein Lieblingsauto.
Bishop: Wieso hast Du es verkauft?
McGee: Hat er nicht. Sie wurde geklaut und bei der Verfolgungsjagd geschrottet. Das kam im Fernsehen.
Bishop: OH!

Quelle: 3,4,5,9

Nr.	Titel	Originaltitel	Premiere USA	Premiere D	Regisseur	Drehbuch
12.271	**Die Ehre eines Helden**	We Build, We Fight	3. Feb. 2015	29. Mär. 2015	R.Carroll	J.Corbett

Ein junger Navy-Lieutenant soll für einen besonders mutigen Einsatz in Afghanistan die Medal of Honor überreicht bekommen. Doch noch vor der Ehrung wird er ermordet. Gibbs und sein Team finden heraus, dass der Soldat bekennend schwul war. Bei ihren Ermittlungen innerhalb des Militärs stoßen sie auf sehr viel Ablehnung gegenüber Homosexuellen. Doch reicht diese Ablehnung aus, um einen Kameraden zu töten? Gibbs ist fest entschlossen, Licht ins Dunkel zu bringen. Quelle: 1, 2

Abby: Und jetzt mach meins auf. Los.
Breena: Oh Oh, Babys erster Laborkittel.
Palmer: Äh, ist der wirklich aus ...
Abby: 100% Baumwolle, ja.
Palmer: Und hast Du ...
Abby: Ich hab´ alle Knöpfe entfernt, logisch. Keine Erstickungsgefahr.
Palmer: 1+, Abby!
Tony: Oh Nein, Ihr habt ohne mich angefangen. Entschuldigt die Verspätung.
McGee: Tony, wir dachten Du hast es vergessen.
Tony: Das lass´ ich mir nicht entgehen. Ich freue mich schon seit Wochen darauf. Mama Gremlin, Papa Gremlin: Dieser Korb ist für Euch!
Palmer: Danke, Tony. Was ist drin? Ähm, extra stark dämmende Ohrstöpsel...
Tony: Ja, die werdet Ihr noch brauchen. Babies sind LAUT!
Palmer: Eine Flasche Bordeaux und 100 Dollar in bar...
McGee: Tony, die Geschenke sind komplett daneben.
Tony: Sage nichts gegen die diNozzo-Erziehungsmethoden. Seht mal was aus mir geworden ist!

Quelle: 3,4,5,9

Episoden Staffel 12 Navy CIS

Nr.	Titel	Originaltitel	Premiere USA	Premiere D	Regisseur	Drehbuch
12.272	**Der Mentor**	Cadence	10. Feb. 2015	30. Aug. 2015	T.Wharmby	C.Silber

Der neue Fall des NCIS führt Tony in seine Vergangenheit: John Wallis, ein junger Marine und wie Tony Absolvent der Remington Military Academy, wird ermordet. In seiner Hand hält der Tote ein Foto von Christine Sanders, die ebenfalls eine ehemalige Schülerin der Academy ist. Tony und Bishop ermitteln in dem Internat, das nun von Tonys ehemaligem Mentor Tanner geleitet wird. Im Laufe der Ermittlungen gerät der Mann ins Visier der Agents. *Quelle: [1, 2]*

Nr.	Titel	Originaltitel	Premiere USA	Premiere D	Regisseur	Drehbuch
12.273	**Der russische Freund**	Cabin Fever	17. Feb. 2015	06. Sep. 2015	B.Rooney	S.Williams

Fornell hat in seiner Trauer um seine Ex-Frau Diane, die er noch mal heiraten wollte, angefangen zu trinken. Er wird betrunken von zwei State Troopern aufgegriffen, und Gibbs muss ihn aus der Klemme befreien. Auf einem Navy-Schiff, auf dem eine Konferenz über internationalen Terrorismus stattfinden soll, explodiert eine Granate. Der Anschlag kostet eine Frau das Leben. Der russische Attaché Pavlenko sollte an dieser Konferenz teilnehmen. Gibbs und sein Team stellen fest, dass die Granate aus Russland stammte. Die Spur führt mal wieder zu Sergei Mishnev. Gibbs lässt seine Leute allein weitermachen und bringt Fornell zum Ausnüchtern in seine Waldhütte. Dort redet der sich seinen Kummer von der Seele. Pavlenko ist noch in D.C. Er wird von Vance in die Mangel genommen, weil Sergei den Anschlag auf das Schiff verübt hat. Pavlenko stilisiert sich aber selbst zum Opfer. Das Team findet heraus, dass sich Mishnev und der Attaché von der Uni her kannten. Das macht Pavlenko noch undurchsichtiger und verdächtiger. Er trifft sich mit Sergei und sagt ihm, dass er ihn zu Gibbs bringen könne und Sergei ihn dort töten solle. Fornell will unbedingt zurück nach D.C. und Jagd auf Mishnev machen, nachdem Tony die beiden auf den neusten Stand der Ermittlungen gebracht hat. Doch das ist nicht nötig, denn Mishnev kommt zur Jagdhütte. Dort erschiesst ihn Fornell. Pavlenko hat offenbar von dieser Falle für Sergei gewusst und das seine getan, damit ihm das Handwerk endgültig gelegt wird. *Quelle: [1, 13]*

Bishop: Hey, der Plan von Gibbs. Wie könnte der aussehen?
McGee: Keine Ahnung. Doch ich weiß, er würde nur gehen, wenn er was vorhat.
Tony: Sehe ich auch so, McIntuitiv. Gibbs hat sicher irgend was geplant.

Quelle: [3,4,5,9]

Episoden Staffel 12 Navy CIS

Nr.	Titel	Originaltitel	Premiere USA	Premiere D	Regisseur	Drehbuch
12.274	**Leland Robert Spears**	Blast from the Past	24. Feb. 2015	13. Sep. 2015	D.Smith	D.J.North

Das NCIS-Team ermittelt in einem Mordfall, in dem das Opfer den Namen einer ehemaligen Undercover-Identität aus Gibbs' Vergangenheit trägt. Bishop ist beim Gedanken an seine zukünftige Undercover-Arbeit besorgt, während das Team erfährt, dass Gibbs sich während seiner Zeit als Undercover-Agent als Computernerd ausgegeben hat *Quelle: 1, 13*

Tony: Nein? Du hast nicht geweint?
Bishop: Nein.
Tony: Keine einzige Trän?
Bishop: Nada.
McGee: Was ist los?
Bishop: Wir reden von Top Gun. Hab's gerade gesehen.
Tony: Es war ihr erstes Mal!
Bishop: Tony ist fassungslos weil ich nicht geheult habe.
Tony: Ungeachtet der Tatsache dass Du noch bis gestern das Action-Meisterwerk des Jahres 1986 nicht kanntest habe ich jetzt mal ne Frage an Dich: Wieso hat es so lange gedauert?
Bishop: Weil ich nie Zeit hatte.
Tony: Weil sie nie Zeit hatte? Was? Ich finde für Disneys Eiskönigin hattest Du sehr wohl Zeit.
McGee: Gute Neuigkeiten, Gibbs: Dein neues Smartphone ist gleich startklar.
Tony: Smartphone?
Bishop: Gibbs???
McGee: Ja, ich hab' ihn überredet, das Teil mal ein paar Tage auszuprobieren. Es ist auf dem neuesten Stand der Technik. Er wird es lieben.
Tony: Cool. Aber Du kennst Gibbs?
Gibbs: Los. Abmarsch. Ein toter Zivilist im Lagerhausbezirk.
Tony: Zivilist? Warum wir?
Gibbs: Die Polizei hat darum gebeten.
McGee: Boss, wenn wir zusammen fahren kann ich Dir kurz Dein Smartphone erklären.
Gibbs: Aber nicht auf Spanisch.
Tony: Ich will nicht darauf herumreiten, aber was hast Du empfunden als die Maschine mit Goose abstürzte und Maverick den toten Goose dann in den Armen hielt?
Bishop: Goose ist tot?
Tony: Ganz recht, was glaubst Du, worum es da geht? Hast Du den Film etwa doch nicht gesehen?
Bishop: Doch, klar. Das Meiste jedenfalls. Ich fand's langweilig.

Quelle: 3,4,5,9

Episoden Staffel 12 Navy CIS

Nr.	Titel	Originaltitel	Premiere USA	Premiere D	Regisseur	Drehbuch
12.275	**Falscher Ort, falsche Zeit**	The Artful Dodger	10. März 2015	20. Sep. 2015	T.O´Hara	G.L.Monreal

Ein junger Lieutenant wird im Büro seiner Vorgesetzten erschlagen aufgefunden. Gibbs und sein Team, die den Fall untersuchen, stellen bald fest, dass der Mord mit einem Kunstraub zusammenhängt. Ein wertvolles Gemälde, das in dem Büro hängt, entpuppt sich als Fälschung. Tony Senior wurde von seiner zukünftigen zweiten Frau Linda wegen eines anderen verlassen. Am Boden zerstört sitzt er in Tonys Wohnung und leckt sich die Wunden. Tony versucht ihn abzulenken. Sein Vater erfährt von dem Diebstahl des Gemäldes und ist nur zu gern bereit, dem Team zu helfen, denn er hat gute Kontakte zur Kunstwelt und auch zur Fälscher Szene. Die vermeintliche Freundin des Mordopfers entpuppt sich als Bildfälscherin und Mörderin des Lieutenants, der für sie nur Mittel zum Zweck war, indem er ihr unwissentlich Zugang zu dem Bild verschafft hat. Die Geschichte hat aber auch noch eine andere Ebene. Unter einer Farbschicht in dem Bild war ein Aufnahmegerät versteckt, das alle Gespräche in dem Navy-Büro aufgezeichnet hat. Dahinter wiederum steckt ein einflussreiches Mitglied einer pakistanischen Terrorgruppe. Mit Tony Seniors Hilfe werden schliesslich die Mörderin und der Terrorist dingfest gemacht. Vater und Sohn, die wie üblich ihre Differenzen hatten, kommen sich wieder ein Stück näher. *Quelle:* [1, 13]

Tony: Achtung! Aus dem Weg! Meine lieben Arbeitsgefährten, nicht unterbrechen. Weg mit den Akten, dann bin ich hier raus.

McGee: Wow, Du machst den Aktenschrank ja ziemlich voll.

Tony: Das ist das erste Mal seit zwei Wochen dass ich hier vor Mitternacht weg komme.

Bishop: Aber wenn Du den Papierkram nicht machst wird es immer mehr. Und dann darfst Du Überstunden schieben

Tony: Danke für den Rat, Oberglucke. Aber nicht mal Du mit Deinem ständigen neunmalklugen Gegacker kannst mich heute Abend runterziehen.

McGee: Hast Du was vor?

Tony: Heute wir mir Zoe zeigen wie man Brot backt. Sie besorgt die Zutaten und dann fangen wir an zu kneten. Hier, seht mal, Leute: Ich mach´ meinen Papierkram und dann back´ ich auch noch Brot mit ´ner Frau, die mich zum Lachen bringt.Ich entwickel´ mich

Gibbs: Damit musst Du warten, diNozzo.

Tony: Aber ich wollte doch gleich kneten.

Gibbs: Ein toter Navy Lieutenant.

Tony: *(telefoniert mit Zoe)* Hey, hör mal, die Operation Sauerteig fällt aus.

Quelle: [3,4,5,9]

Episoden Staffel 12 Navy CIS

Nr.	Titel	Originaltitel	Premiere USA	Premiere D	Regisseur	Drehbuch
12.276	**Die Spinne im Netz**	Status Update	24. März 2015	27. Sep. 2015	H.Dale	C.J.Waild

Eine Frau wird im Haus eines Marines und seiner Ehefrau ermordet. Gibbs und sein Team stellen fest, dass die Tote eine Einbrecherin und Diebin war. Sie wusste durch die sozialen Medien, dass das Haus leer stand. Ihr Mörder hat ebenfalls in leer stehende Häuser eingebrochen und dort seinen Aufenthalt gefilmt. Er wollte diese Videos ins Netz stellen. Das Team findet heraus, dass es sich dabei um einen Terroristen handelt, der Angst und Schrecken im Land verbreiten will. Diese Videos sind der Auftakt. Gibbs und seine Leute stossen bei ihren Ermittlungen regelrecht mit Delilah und ihrem Team zusammen, die ebenfalls hinter dem Terroristen Malik her sind. Weil das eine Undercover-Operation ist, hat Delilah McGee auch verschwiegen, dass sie schon seit einigen Tagen aus Dubai zurück ist und unter einer geheimen Adresse in D.C. wohnt. Bei ihr ist ihr Vorgesetzter Agent Ali. McGee ist sauer und eifersüchtig und fährt schliesslich zu Delilahs Safe House, wo sie über sich reden und auch den Fall voranbringen wollen. Dann steht plötzlich Malik vor der Tür. Er bringt die beiden in seine Gewalt und treibt grausame Spielchen mit ihnen. Im letzten Moment tauchen Tony, Gibbs und Bishop auf und retten die beiden. Delilah wird befördert und soll fortan wieder in D.C. arbeiten. McGee ist überglücklich. *Quelle:* [1, 13]

McGee: Was?

Tony: Gar nichts. Büro ...

Bishop: Flirt...

Tony+Bishop: Büroflirt

McGee: Ihr habt ´ne blühende Fantasie, wisst Ihr das? Ich wollte einfach nur freundlich sein. Agent Larson ist nett.

Tony: Du hast diese Woche viel Nettes gesehen.

Bishop: Und sie kommt immer öfter. Das tut sie deinetwegen, Tim.

McGee: Tina wurde vor 9 Jahren nach Carolina versetzt. Ich bin eben ein bekanntes Gesicht, falls Ihr das meint.

Tony: Tun wir nicht. Und nicht nur Dein Gesicht ist ihr bekannt.

McGee: Hey, es war nur ein Date. Es ist 108 Monate her.

Tony: 108?

Bishop: Muss toll gelaufen sein.

McGee: Ja, ich meine Nein. Das ist nicht wichtig, denn meine Freundin ist Delilah. Ende und Aus.

Bishop: Aber sie arbeitet in Dubai und ihr habt euch schon 6 Monate nicht gesehen.

Tony: Puh.

McGee: Vielen Dank dass Ihr mir noch Salz in die Wunden streut, Leute.

Tony: Für Bishop ist das ein Problem.

Bishop: Das hab´ ich nie gesagt. Streck´ die Fühler aus, Tim. Ja, halt die Monotonie raus aus der Monogamie.

Tony: Mit ´nem Seitensprung?

Bishop: Nein, mit Worten. Eine harmlose Übung für den späteren Einsatz bei der jetzigen Freundin. Übung macht den Meister. Also damit will ich nur sagen ...

Gibbs: Bleibt immer in der Spur.

Bishop: Siehst Du, Gibbs weiß wovon ich spreche.

Gibbs: Nein, ich hab´ keine Ahnung. Leichnam in einer Navysiedlung. Los jetzt, ich will, dass Ihr spurt.

Quelle: [3,4,5,9]

Episoden Staffel 12 Navy CIS

Nr.	Titel	Originaltitel	Premiere USA	Premiere D	Regisseur	Drehbuch
12.277	**Lex Talionis**	Patience	31. März 2015	4. Okt. 2015	T.J.Wright	S.D.Binder

Die Ermordung einer kolumbianischen Prostituierten und eines Petty Officers der Navy führt zu DNA-Spuren, die im Zusammenhang mit einem Bombenanschlag auf den Metropolitan Airport von 1979 stehen. Der Täter konnte damals nicht gefasst werden. Es gab eine Geheimoperation zu dem Fall, in die Tony eingeweiht war, aber nicht McGee. Der ist sauer, als er davon erfährt. Mittlerweile wird das ganze Team informiert, um den Täter zu fassen. Der Mörder der Prostituierten und des Petty Officers ist der Zuhälter der Frau. Er wird bald gefasst. Doch der eigentliche Fall ist viel komplizierter. Hauptverdächtiger für das Attentat von damals ist der Drogenbaron Orlando. DNA-Spuren weisen darauf hin. Dann stellt er sich und bittet in den USA um Asyl, weil er sich in Kolumbien verfolgt fühlt. Er behauptet, die Tat sei ihm angehängt worden. Genau das können die NCIS Leute dann auch bestätigen. Dann stellt sich heraus, dass die US-Botschafterin in Kolumbien geholfen hat, den Verdacht auf Orlando zu lenken. Der Täter, ein anderer Drogenbaron, hat sie dazu gezwungen, weil sie ihre Regierung betrogen hatte. Als sie gesteht, dauert es nicht mehr lange, bis der wahre Täter gefasst ist. *Quelle: 1, 13*

McGee: Wolltest Du nicht mit Freunden nach Atlantic City?
Tony: Tja, mein Flug geht erst um 2 und Gibbs hat mich gebeten solange auszuhelfen. Er denkt wohl Du schaffst das alles nicht alleine. Ich hol´ meine Jacke.
McGee: Oh, bitte. Das hat er sicher nicht gesagt.
McGee: Was, hat er es etwa doch gesagt?

Ducky: Die Prostitution ist das älteste Gewerbe der Menschheit. Es gibt aber Hinweise darauf dass Tiere ihr ebenfalls nachgehen, zum Beispiel die Antarktischen Pinguine.
Palmer: Stilettos müssen auf dem Eis tödlich sein. Ähm, das war ein Witz.
Ducky: Nein, das war ein misslungener Versuch.

Quelle: 3,4,5,9

Nr.	Titel	Originaltitel	Premiere USA	Premiere D	Regisseur	Drehbuch
12.278	**Der tote Samariter**	No Good Deed	07. Apr. 2015	11. Okt. 2015	A.Brown	G.Schenck & F.Cardea

Lance Corporal David Austin wird am Strassenrand tot neben seinem Motorrad gefunden. Wie sich herausstellt, wollte er einer jungen Frau helfen, die in einem Auto sass und um Hilfe bat. Die drogensüchtige Emma Vickers wird kurz darauf ebenfalls tot aufgefunden. Dieser Fall führt das NCIS-Team zu dem Verdächtigen Jamie Rivers, den das ATF seinerzeit für eine furchtbar fehlgeschlagene Operation als Strohmann eingesetzt hatte. Dabei ging es um illegalen Waffenhandel in grossem Stil. Zoe wird von ihrem Chef für die NCIS-Ermittlung abgestellt. Gemeinsam kommen sie Rivers bald auf die Spur. Als der bei einem Fluchtversuch um sich ballert, erschiesst ihn Gibbs. Der Fall ist gelöst, aber leider nicht Tonys Probleme. Sein Vater ist wieder da und möchte zuerst bei ihm wohnen und sich später eine Wohnung im selben Haus wie Tony nehmen, um in der Nähe seines Sohnes zu sein. Tony passt das natürlich gar nicht. Auch Zoe ist leicht irritiert über das Verhältnis der beiden. Zwischen ihr und Tony gibt es Diskussionen. Allerdings schaffen sie es, ihre Probleme, unter anderem Schwierigkeiten mit der Kommunikation, anzusprechen und in den Griff zu kriegen. Nachdem Tony Streit mit seinem Vater hatte, geht der zu Gibbs. Dieser bringt die beiden Di Nozzos dazu, sich auszusprechen und zu versöhnen. *Quelle: 1, 13*

Bishop: Kann man beim Motorradfahren einschlafen?
Palmer: Im Grunde kann man immer einschlafen, egal was man tut.
Bishop: Hm. Tatsächlich, Jimmy?

Quelle: 3,4,5,9

Episoden Staffel 12 Navy CIS

Nr.	Titel	Originaltitel	Premiere USA	Premiere D	Regisseur	Drehbuch
12.279	**Ungleiche Brüder**	Lost in Translation	14. Apr. 2015	18. Okt. 2015	T.Wharmby	J.Corbett

Allem Anschein nach wurde Marine Corps Captain Landis von dem Afghanen Quasim Naasir bestialisch gefoltert und ermordet. Ein Zeuge will den Mann bei der Flucht aus Landis'Haus gesehen haben. Naasir arbeitete in Afghanistan mit den US-Truppen zusammen und wurde von Landis und dessen Freund Corporal Wilks in die USA geschmuggelt, da man ihn in seiner Heimat verfolgte. Zu seinen Feinden zählt auch sein fanatischer Bruder Rasheed. *Quelle: 1, 13*

Tony: Du bist das neue Gesicht vom NCIS? Das bin doch ich!
McGee: Das ist ein paar Jahre her, Tony.
Tony: Schon klar, ich hab´ nicht so eingeschlagen wie Leroy Jethro Gibbs mit den Kobaltblauen Augen, Aber zum zweiten Mal ausgestochen zu werden... von Dir?
Bishop: Streng genommen kann Dich gar niemand ausgestochen haben weil Du nicht in der engeren Wahl warst.
McGee: Hör mal, Tony. Der NCIS will jüngere Bewerber damit ansprechen. Leute, die mehr Erfahrung in technischen Belangen haben. Verstehst Du?
Tony: Ich bin so erfahren wie Jack Sparrow.
Bishop: Tony, Du immer noch ein AOL-Account und Du tippst mit den Zeigefingern.
Tony: Cary Grant hat auch immer mit den Zeigefingern getippt.
Gibbs: Lass den Blödsinn, diNozzo. Ein toter Marine. Los, kommt.

Quelle: 3,4,5,9

Nr.	Titel	Originaltitel	Premiere USA	Premiere D	Regisseur	Drehbuch
12.280	**Die Rattenfänger**	Troll	28. Apr. 2015	25. Okt. 2015	D.Smith	S.Williams

Die Navy-Computerspezialistin Janine Wilt musste ihre Hilfsbereitschaft offenbar mit dem Leben bezahlen: Bevor sie ermordet wurdet, half sie Layna Korkmaz, die von einer Gruppe im Internet angeworben wurde, aber nicht bei deren Kampagnen mitmachen wollte. In dem Chatroom wird zu Gewalttaten und Hass gegen alles und jeden aufgerufen. Die Ermittlungen führen Gibbs und sein Team zu Bradley Simek, der augenscheinlich in den Mord verwickelt ist – und eine schwere Straftat plant. *Quelle: 1, 13*

Nr.	Titel	Originaltitel	Premiere USA	Premiere D	Regisseur	Drehbuch
12.281	**Verlorene Jungs**	The Lost Boys	05. Mai 2015	01. Nov. 2015	J.Whitmore, jr.	G.L.Monreal

Bradley Simeks Schicksal bringt Gibbs und sein Team auf die Spur einer Terrororganisation. Die Vereinigung nennt sich „Der Ruf" und rekrutiert hauptsächlich Teenager. Die jungen Leute werden einer Gehirnwäsche unterzogen und zu Selbstmordattentätern gedrillt. Als nächstes soll Luke Harris seine Mission erfüllen. Gibbs hat ihn bereits am Schauplatz von Bradley Simeks Attentat gesehen und konnte ihn ausfindig machen. Wird Luke dem NCIS helfen, die Drahtzieher zu schnappen? *Quelle: 1, 13*

Episoden Staffel 12 Navy CIS

Nr.	Titel	Originaltitel	Premiere USA	Premiere D	Regisseur	Drehbuch
12.282	**Kinder des Krieges**	Neverland	12. Mai 2015	08. Nov. 2015	T.Wharmby	G.Glasberg

Zusammen mit der CIA-Agentin Joanna Teague – der Mutter des ermordeten Ned Dorneget – heftet sich der NCIS an die Fersen der Terrorzelle „Der Ruf". Die Ermittler verfolgen die Kriminellen bis in den Irak. Gibbs setzt immer noch auf Luke Harris als Schlüssel zu den Hintermännern, doch Teague, von Rachedurst getrieben, handelt oft skrupellos und überstürzt. Schliesslich kommt es zu einem dramatischen Showdown, der das Team für immer verändern wird. *Quelle:* [1, 13]

McGee: Funktioniert Dein Röntgenblick inzwischen, Tony?
Tony: Nein. Würde Steve Jobs noch leben hätten wir ihn bestimmt schon, stimmt´s? Steve Jobs fehlt mir.

Quelle: [3,4,5,9]

Staffel 13 (Episoden 13.283 - 13.306) Navy CIS

Erstausstrahlung USA   22. September 2015 – 17. Mai 2016 auf CBS

Erstausstrahlung Deutschland   10. Januar 2016 – 28. November 2016 auf Sat 1

Episoden Staffel 13 Navy CIS

Nr.	Titel	Originaltitel	Premiere USA	Premiere D	Regisseur	Drehbuch
13.283	**Mein Spiel, meine Regeln**	Stop the Bleeding	22. Sep. 2015	10. Jan. 2016	T.Wharmby	G.Glasberg & S.Williams

Gibbs' Leben hängt nach dem Attentat durch Luke am seidenen Faden. Während er auf dem OP-Tisch liegt, heften sich Tony und Joanna Teague an die Fersen von Daniel Budd. Er steuert die Kinder-Terrorgruppe „Der Ruf" und will durch einen perfiden Schachzug einen Krieg mit Nordkorea anzetteln. Das dortige Regime bringt bereits nukleare Sprengköpfe in Stellung, um die USA zu attackieren. Ab jetzt zählt jede Minute! *Quelle:* [1, 2]

Vance: Das war der Direktor der Lee Vollzugsanstalt. Offenbar hat Ihr Spaziergang Sie auch zu Matthieu Rousseau geführt. Warum?
Gibbs: Ich wollte nur was klären.
Vance: Mit Ihrem Stift, der in seiner Hand steckte?
Gibbs: Ach, da hab´ ich ihn vergessen?

Quelle: [3,4,5,9]

Episoden Staffel 13 Navy CIS

Nr.	Titel	Originaltitel	Premiere USA	Premiere D	Regisseur	Drehbuch
13.284	**Ein freier Tag**	Personal Day	29. Sep. 2015	17. Jan. 2016	T.O'Hara	G.L.Monreal

Gibbs wird von seiner Vergangenheit eingeholt: Bei den Ermittlungen in einem Mordfall trifft er auf Luis Mitchell, den Sohn des NCIS-Agenten Kurt Mitchell. Er starb, als er Gibbs' Frau und Tochter schützen wollte, die gegen einen Drogendealer des Reynosa-Kartells aussagen sollten. Nun gibt es neue Erkenntnisse in dem Fall, und Mitchell und Gibbs heften sich an die Fersen eines richtig dicken Fischs im Drogengeschäft. *Quelle:* [1, 2]

Bishop: Das ist wirklich verblüffend.
McGee: Ich kann nicht mehr wegsehen. 25 Jahre lang hat er daran festgehalten. Jetzt gibt er schlagartig das Polohemd auf.
Bishop: Ähm, zusammen mit dieser Frisur ist das das Umstyling des Jahrhunderts.
McGee: Aber eins muss man ihm lassen: der Mann sieht einfach klasse aus.
Bishop: Und können wir vielleicht auch noch über seine neue Attitüde reden?
McGee: Genau. Irgendwie weiß man nicht, wie man die bezeichnen soll.
Bishop: Ich finde sein Verstand ist schärfer geworden.
McGee: Ja. Sein Verstand funktionierte früher präzise wie ein Laser. Und jetzt hat er den genialen Atomlaser am Start. Aber ich weiß nicht worauf er ihn richtet.
Quelle: [3,4,5,9]

Nr.	Titel	Originaltitel	Premiere USA	Premiere D	Regisseur	Drehbuch
13.285	**Inkognito**	Incognito	6. Okt. 2015	24. Jan. 2016	J.Whitmore, Jr.	G.Schenck & F.Cardea

Eigentlich wollte sich Navy-Major Newton mit Gibbs und Tony treffen, um mit ihnen über brisante Informationen zu sprechen. Doch dann wird er ermordet. Eine Spur führt zu Captain Dean Hudson und seiner Frau Lauren. Die beiden scheinen irgendetwas zu verbergen. Um herauszufinden, was es mit den Heimlichkeiten der Hudsons auf sich hat, ziehen Bishop und McGee in ihre Nachbarschaft und ermitteln undercover. Für Bishop wird der Einsatz schließlich lebensgefährlich. *Quelle:* [1, 2]

Tony: Erinnerst Du Dich an meinen britischen Onkel Clive, mütterlicherseits?
McGee: Ja, der Alte hat doch sein Vermögen nicht Dir, sondern seinem Cousin hinterlassen.
Tony: Ja, aber das ist kalter Tee. Schnee von gestern. Jedenfalls hat er immer behauptet dass wir irgendwie mit dem britischen Adel verwandt sind. Sollte dem so sein dürft Ihr mich in Zukunft nur noch ansprechen mit „Lord Anthony"!
McGee: Na dann viel Glück.
Gibbs: Du fährst mit mir, Lord.
Tony: Wohin des Weges, Sir?
Gibbs: Nach Quantico. Und wenn Du weiter so geschwollen redest bringe ich Dich um.
Quelle: [3,4,5,9]

Episoden Staffel 13 Navy CIS

Nr.	Titel	Originaltitel	Premiere USA	Premiere D	Regisseur	Drehbuch
13.286	Gezinkte Karten	Double Trouble	13. Okt. 2015	31. Jan. 2016	D.Smith	C.J.Waild

Ein junger Navy-Angehöriger kommt bei einem Autounfall ums Leben. Zuvor hatte er ein illegales Wettbüro überfallen. Außerdem wurden ihm Drogen verabreicht. Bei seinen Ermittlungen bekommt der NCIS unerwartete Unterstützung: Der ehemalige Agent Klugman, der dank Vance im Gefängnis landete, bietet seine Hilfe an. Doch Klugmans Motive beruhen nicht auf Großzügigkeit. *Quelle:* [1, 2]

Nr.	Titel	Originaltitel	Premiere USA	Premiere D	Regisseur	Drehbuch
13.287	Kein Tag für einen Ausflug	Lockdown	20. Okt. 2015	7. Feb. 2016	B.Rooney	S.D.Binder

Navy Captain Doblin wird ermordet aufgefunden. Ducky stellt fest, dass er organisch gesund war, aber gegen psychische Probleme offenbar Medikamente genommen hat. Die Spur führt zu Celodyne Pharmaceuticals. Abby fährt dorthin, um zu recherchieren. Sie trifft sich mit Dr. Janice Brown, die in der Firma forscht. Kurz nachdem sie in ihrem Labor angekommen sind, wird ein Alarm ausgelöst, durch den der gesamte Laborbereich abgesperrt wird. Abby und Janice sitzen in der Falle. Sie setzt einen Notruf an Gibbs ab und hört ein Gespräch zwischen zwei Männern mit. Es stellt sich heraus, dass der Alarm nur eine Ablenkung war, denn die Männer wollen in aller Ruhe hochgeheime Daten der Firma im Serverraum herunterladen. Abby versucht, bis zum Eintreffen von Gibbs und dem Team Zeit zu schinden, was ihr mit verschiedenen raffinierten Tricks auch gelingt. Abby erkennt, dass Janice mit den Datendieben unter einer Decke steckt. Janice hat herausgefunden, dass die Firma wirkungslose Medikamente verkauft. Eins davon hat wohl auch Doblin genommen. Dann hat sie Kontakt zu Doblin aufgenommen, doch die beiden konnten nichts beweisen, deshalb hat Janice die Männer mit dem Datenklau beauftragt. Dass Doblin von einem von ihnen ermordet wurde, war nicht beabsichtigt. Abby kommt Janice und ihren Komplizen auf die Schliche und trägt so zusätzlich zur Auflösung des Falls bei. *Quelle:* [1,13]

Abby: Die Buchhaltung hat ´nen Aufstand gemacht, da hat die Personalabteilung abgelehnt.
McGee: Und Du denkst Gibbs kann da helfen?
Bishop: Er liebt nichts so sehr wie Ärger mit der Personalabteilung.
Abby: Ja, ich weiß. Deshalb will ich ihn auch unbedingt motivieren.
Tony: Also da fallen mir ein paar Adjektive ein die unseren Boss viel besser beschreiben.
McGee: Der Grummeligste
Bishop: Zornigste.
Tony: Einsamste.
McGee: Grantigste.
Gibbs: Schweigsamste.
Tony: äh, aber auch der Fairste.
McGee: Stärkste.
Bishop: Coolste.

Quelle: [3,4,5,9]

Episoden Staffel 13 Navy CIS

Nr.	Titel	Originaltitel	Premiere USA	Premiere D	Regisseur	Drehbuch
13.288	**Schuld**	Viral	27. Okt. 2015	14. Feb. 2016	R.Carroll	J.Corbett

Petty Officer Meyers scheint ein Opfer des Tri-State-Snipers geworden zu sein – darauf lässt zumindest das präzise Einschussloch in seiner Brust schließen. Dank Abby wird diese Vermutung allerdings schnell entkräftet. Dann stoßen Gibbs und sein Team auf ein schlüpfriges Detail aus Meyers Vergangenheit, das ihm zum Verhängnis geworden sein könnte. Doch auch hier scheint nichts so zu sein, wie es aussieht. *Quelle:* [1, 2]

Tony: Seit Jahren will ich Kritof dazu überreden einen Burrito nach mir zu benennen. Du gehst nur ein Mal hin und für Dich macht er es.
Bishop: Ich kann eben gut mit Menschen.
Tony: Ist mir nicht entgangen. Und aus was besteht der Bishop?
Bishop: Tortillas, Eier, Steak, Bratkartoffeln, Süßkartoffeln, Bacon. Und noch vier Sorten Käse.
Tony: Das ist ja Frustessen der ganz neuen Art. Dich sollte man untersuchen.
Bishop: Warum sollte ich gefrustet sein?
Tony: Ach komm schon, Du kannst mir nichts vormachen. Jake ist mal wieder unterwegs wegen eines Top Secret NSA Auftrags und Du bist ein extremer Kontrollfreak. Dass Du nicht weißt wo er ist macht Dich krank. Aber nicht so krank wie der Burrito.

Quelle: [3,4,5,9]

Nr.	Titel	Originaltitel	Premiere USA	Premiere D	Regisseur	Drehbuch
13.289	**Das Sherlock-Konsortium**	16 Years	3. Nov. 2015	21. Feb. 2016	M.Horowitz	B.Fehily

Der pensionierte Navy-Commander Runyan Hayes wird erschossen im Wald aufgefunden. Sein Sohn Michael sitzt seit 16 Jahren wegen Mordes hinter Gittern. Er soll einen Kameraden an Bord seines Schiffes ermordet haben. Michael beteuert aber seine Unschuld. Seine Tochter wird von seinem besten Freund Jason und dessen Frau aufgezogen. Ducky erklärt sich in diesem Fall für befangen, denn in seiner Freizeit spielt er mit Gleichgesinnten Hobbydetektiv. Sein Verein „ermittelt" auch in dem Mordfall Hayes. Gibbs ist sichtlich genervt, weil die Sherlocks, wie sie sich nennen, seine Arbeit nur behindern. Doch letztendlich verhilft ihm ein Mitglied des Vereins zum Durchbruch bei den Ermittlungen. Wie sich herausstellt, war Michaels Freund Jason der Täter. Er hat auch den Vater von Hayes umgebracht. Nachdem der Fall gelöst ist, wird Michael aus dem Gefängnis entlassen. Ducky kündigt seine Mitgliedschaft bei den Sherlocks wegen zu grosser Interessenkonflikte auf und schlägt Jimmy Palmer als Ersatzmann vor. *Quelle:* [1, 13]

McGee: Delilah hat neulich gesagt Maniküre fängt mit Man an.
Tony: Natürlich, Tim. Leugnen ist der Schlüssel zum Erfolg.
McGee: Hör auf. Als wärest Du nie bei der Maniküre. Ich seh doch Deine gepflegten Hände.
Tony: Oh, Nein! Die diNozzos haben eine genetische Disposition für perfekte Hygiene. Allerdings geht Dad zur Pediküre, aber er hat auch alte Zehen.
Tony: Hey Bishop: Wir brauchen mal die Meinung einer Frau, obwohl Tim ja genug Feminines einbringt.
Bishop: Heute nicht, Tony. Klärt Ihr Zwei das alleine.

Quelle: [3,4,5,9]

Episoden Staffel 13 Navy CIS

Nr.	Titel	Originaltitel	Premiere USA	Premiere D	Regisseur	Drehbuch
13.290	**Verbrannte Erde**	Saviors	10. Nov. 2015	28. Feb. 2016	T.Wharmby	S.Williams

Im Südsudan wird eine Krankenstation, in der Ärzte und Navy-Angehörige den Einwohnern des Dorfes Togu ehrenamtlich helfen, von Rebellen überfallen. Von fünf ehrenamtlichen Helfern werden drei ermordet und zwei entführt. Der NCIS ermittelt. Tony und Bishop fahren zur Zentrale der Hilfsorganisation, deren Gründer und Chef Dr. David Woods und die Krankenschwester Joni Ryan, Navy-Angehörige und Kollegin von Dr. Taft, verschwunden sind. Dort treffen sie auf eine alte Bekannte, Jeanne Benoit, die Tochter des Waffenhändlers „La Grenouille". Sie ist die Frau von Woods. Sie war mit Tony zusammen, der sich im Auftrag von Jenny Shepard an sie herangemacht hatte, um Informationen zu bekommen. Beide haben sich geliebt, doch Tony musste sie brutal wegstossen, was Jeanne zutiefst verletzt hat. Sie fliegt mit Tony und McGee in den Südsudan, wo sie zusammen mit Agent Burley nach den verschwundenen Ärzten suchen. Sie stellen fest, dass Woods und Joni Ryan noch leben und von den Rebellen gezwungen werden, deren schwerverletzten General zu behandeln. In einer waghalsigen Aktion retten sie Jeannes Mann und Joni. Gibbs konnte nicht mitfliegen, denn er ist zusammengebrochen. Laut Taft leidet er an den Folgen seiner lebensgefährlichen Schussverletzung nicht nur körperlich, sondern auch seelisch. Er empfiehlt eine Psychotherapie. Gibbs lässt sich aber nur auf Gespräche mit Taft selbst ein. *Quelle:* [1,13]

Bishop: Jake lässt grüßen.
Tony: Wie geht´s dem Tropensturm Jake denn heute morgen?
Bishop: Tropensturm?
Tony: Dem Sinne von Unvorhersehbar laut Deiner täglichen Prognosen seit seiner Rettung vor dem Tod in Dubai.
Bishop: Na ja, heute ist es teils sonnig mit geringfügiger Regenwahrscheinlichkeit, würde ich sagen.
Tony: Und Du bist ohne Schirm unterwegs?

Quelle: [3,4,5,9]

Nr.	Titel	Originaltitel	Premiere USA	Premiere D	Regisseur	Drehbuch
13.291	**Unschuldig**	Day In Court	17. Nov. 2015	6. Mär. 2016	D.Smith	G.Schenck & F.Cardea

Gibbs und sein Team müssen einen Kriminalfall neu aufrollen: Petty Officer Kyle Friedgen wurde wegen eines Formfehlers nicht für den Mord an seiner Ex-Freundin, der drogenabhängigen Prostituierten Joy Vanatter, zur Rechenschaft gezogen. Seine Frau traut ihm die Tat jedoch zu, weswegen seine Anwältin ihn an den NCIS verweist. Die Ermittler finden tatsächlich Beweise, die Kyles Unschuld untermauern – und auf einen neuen Tatverdächtigen weisen. *Quelle:* [1,2]

Tony: Ach, ich bin total fertig. Habe kaum Schlaf gekriegt.
McGee: Wie kommt´s?
Tony: Zo schaltet nachts nie das Licht aus.
McGee: Hat sie einen Grund dafür?
Tony: Sie hat eine Phobie: Furcht vor der Dunkelheit. Dabei ist sie doch ein so irrsinnig harter ATF-Agent. Und kann nicht im Dunkeln schlafen!
McGee: Tja, Tony: sehr viele Menschen haben ne Phobie. Selbst Du.
Tony: Schwing Dich nicht aufs hohe Ross, Mr. McHöhenangst.
McGee: Na und. Viele Menschen leben damit.
Tony: Bish, hast Du ne Phobie?
Bishop: Phobo-Phobie. Ich fürchte mich vor Menschen mit Phobien.

Quelle: [3,4,5,9]

Episoden Staffel 13 Navy CIS

Nr.	Titel	Originaltitel	Premiere USA	Premiere D	Regisseur	Drehbuch
13.292	**Blutsbrüder**	Blood Brothers	24. Nov. 2015	13. Mär. 2016	A.Brown	J.Corbett

Lieutenant Alex Quinn liegt im Sterben. Er hat Leukämie. Eine Knochenmarkspende könnte ihn retten. Sein Bruder Sean käme vielleicht als Spender in Frage, doch er ist spurlos verschwunden. Gibbs und sein Team sollen ihn aufspüren, denn die Zeit drängt. Bei den Ermittlungen stellen sie fest, dass Sean, der zunächst als Laufbursche in einem Geldfälscherring gearbeitet hat, Informant für das FBI und den Secret Service wurde. Er wollte helfen, den Geldfälscherring zu enttarnen. Einer seiner Komplizen hat ihn angeschossen und seinen Führungsagenten vom FBI erschossen. Tony und McGee finden ihn und bringen ihn ins Krankenhaus. Dort stellt man fest, dass Sean kein geeigneter Spender ist. Bishop arbeitet an dem Fall von Oklahoma aus mit. Sie ist zu ihrer Familie gefahren, nachdem Jake ihr seine Affäre gestanden hat. Sie fährt zur Strafanstalt Leavenworth, wo ein Navy-Officer wegen Doppelmordes einsitzt. Nur er kommt als Spender für Alex in Frage, doch er verlangt als Gegenleistung für seine Spende die Entlassung aus dem Gefängnis. *Quelle: 1, 13*

Palmer: Und hier brause ich sie im Waschbecken ab. Ist sie nicht wunderschön?

McGee: Stimmt, so kann man es auch formulieren. Sie ist klein, was bringt sie denn auf die Waage?

Palmer: 9 Kilo.

Tony: Ah, unser stolzer Papa. Zeig mal her, Jimbo. Was tust Du da mit der armen, kleinen Victoria?

Palmer: Nein, das ist eine Trutente.

Tony: Eine WAS?

McGee: Eine Trutente. Ne Ente die in nem Huhn steckt und das steckt in nem Truthahn.

Tony: Das ist ein Wesen aus dem Horrorfilm.

Palmer: Na ja, das war erst Mal nur ein Versuch. Das richtige Festessen findet zu Thanksgiving bei Dr.Mallard statt.

Quelle: 3,4,5,9

Episoden Staffel 13 Navy CIS

Nr.	Titel	Originaltitel	Premiere USA	Premiere D	Regisseur	Drehbuch
13.293	**Donnie und Nicholas**	Spinning Wheel	15. Dez. 2015	20. Mär. 2016	T.O'Hara	S.D.Binder

Weihnachten steht vor der Tür und Jake und Bishop kommen nicht umhin, die Zukunft ihrer Beziehung zu besprechen. Währenddessen wird Ducky von einem Mann angegriffen, der angeblich über Informationen bezüglich seines Halbbruders verfügt, der vor einigen Jahrzehnten verstorben ist. Das Navy CIS Team beginnt sofort mit der Suche nach dem Täter, während Ducky in Erinnerungen an vergangene Zeiten und vor allem die letzten Tage mit seinem Halbbruder schwelgt. *Quelle: 1,13*

McGee: Du liegst auf der Lauer?
Tony: Ich sammle nur Daten.
McGee: Über Bishop?
Tony: Ja. Sie war in Oklahoma zu Besuch bei ihrer Familie und jetzt will ich wissen, ob sie Jake abserviert hat oder nicht.
McGee: Klar.
Tony: Sie trägt noch den Ehering.
McGee: Ihre Stimmung ist offenbar gut. Jake hat sie wirklich verschmäht.
Tony: Er ist ein toter Mann. Bishop ist die Letzte von der man erwartet dass sie jemanden im Schlaf umbringt.
McGee: Womit sie dann die Erste wäre.
Tony: Jetzt hast Du es kapiert.
Bishop: Ich höre jedes Wort dass Ihr sagt.
Tony: Das ist unmöglich, ich flüstere.
Bishop: Das liegt an der Decke. Dort entstehen akustische Reflexionen von der Treppe bis hierher zu meinem Tisch.
Tony: Wow, ich bin seit 15 Jahren hier und ... SO MACHT ER DAS ALSO!
McGee: So macht wer was?
Tony: Gibbs! Daher weiß er immer alles, was wir sagen. Irgendwo muss es hier ne Stelle geben. So ein kleines, akustisches *PLOP*, wo er jedes einzelne Wort von uns hören kann. Ich wette, er kommt immer ganz früh hierher, bringt sich in Stellung und wartet in Ruhe auf den richtigen Zeitpunkt, um wie ein brünstiger Brüllaffe hier ...
Gibbs: aufzutauchen?
Tony: Du sagst es, Boss. Danke.
Gibbs: Brüllaffe also?
Tony: Uh, ich finde Primaten faszinierend. Zur Zeit sehe ich mir oft Tierdokus an. Hast Du gewusst das ...
Gibbs: ... man einen toten Marine gefunden hat? Ja, wusste ich. Und jetzt wisst Ihr es auch. Wenn Ihr nicht mehr auf der Lauer liegt: dann kommt. Na los!

Quelle: 3,4,5,9

Episoden Staffel 13 Navy CIS

Nr.	Titel	Originaltitel	Premiere USA	Premiere D	Regisseur	Drehbuch
13.294	**Zwei Städte**	Sister City (Part 1)	5. Jan. 2016	4. Sep. 2016	L.Libman	C.J.Waild

Abbys Adoptivbruder Luca, der Koch ist, sollte auf dem Flug des Industriellen Jenner in dessen Privatjet für die Verpflegung sorgen. Der Flug sollte von New Orleans nach D.C. gehen, doch der Jet wird vom Himmel geholt, weil man keinen Funkkontakt aufnehmen kann. Am Boden findet das NCIS-Team fünf Leichen im Flugzeug. Die sind aber nicht durch den Absturz umgekommen, sondern wurden ermordet. Abby stellt fest, dass der Koch nicht ihr Bruder ist. Luca nimmt dann auch Kontakt zu ihr auf. Abby und Tony holen ihn nach D.C. Luca wird des Mordes an den fünf Insassen des Jets verdächtigt. Natürlich ist er nicht schuldig, aber offenbar steckt seine Freundin Eva mit in der Sache. Er will sie schützen. Eva ist eine russische Schläferin und im Auftrag des Attachés Pavlenko undercover unterwegs. Der teilt Gibbs mit, dass seine Regierung Militärtechnologie aus dem Hause Jenner stehlen wollte. Kurz darauf stirbt er vor Gibbs' Augen an einem Nervengift, mit dem der Verschluss einer Wodkaflasche verseucht war. Anscheinend wollte jemand verhindern, dass Pavlenko sein Wissen weitergibt. Als Ducky und Jimmy die Leiche zur weiteren Untersuchung nach New Orleans transportieren, werden sie auf der Strasse von Bewaffneten angehalten *Quelle: 1, 13*

Nr.	Titel	Originaltitel	Premiere USA	Premiere D	Regisseur	Drehbuch
13.295	**Mädchenhandel**	Déjà Vu	19. Jan. 2016	11. Sep. 2016	R.Carroll	M.R.Jarrett & S.J.Jarrett

Die Leiche von Navy Seaman Alessandra Ramos wird auf einer Müllkippe gefunden. Bei der Autopsie stellt sich heraus, dass unter ihrer Achsel ein Mikrochip implantiert war. Bishop kommt das bekannt vor, denn sie hat zu NSA-Zeiten zusammen mit dem FBI einen Mädchenhändler-Ring gesprengt, der seine Opfer auf diese Weise markiert hat. Offenbar existiert die Bande immer noch. Daher bittet Bishop ihre damaligen Mitstreiter Daisy Milner und Adam Connors um Unterstützung. *Quelle: 1, 2*

Nr.	Titel	Originaltitel	Premiere USA	Premiere D	Regisseur	Drehbuch
13.296	**Unter Druck**	Decompressed	9. Feb. 2016	18. Sep. 2016	T.J.Wright	B.Fehily

Auf einem von der Firma Olympus gecharterten Taucherbasisschiff kommt der Ex-Navy-Soldat Diego de la Rosa in der Dekompressionskammer zu Tode. Zusammen mit drei Kollegen sollte er Unterwassercontainer erforschen, die die Lagerung von Gütern auf dem Meeresboden ermöglichen. Die Ermittlungen werden erschwert, da die Taucher die Dekompressionskammer bis auf weiteres nicht verlassen dürfen. Als sich mit Jerry Grossman der Anwalt von Olympus einschaltet, nimmt der Fall Fahrt auf. *Quelle: 1, 2*

McGee: Bishop, was könnte ich Delilah zum Valentinstag schenken?
Bishop: Du bist doch Schriftsteller. Schreib Delilah ein romantisches Gedicht.
McGee: Das ist wirklich ne gute Idee. Ganz toll. So mach ichs.
Tony: Und ich würde die Idee gern lesen, die Du schreibst.
Gibbs: Koch ihr was, so habs ich immer gemacht. Aber vielleicht war das nicht so toll. Los McGee, ein toter Navy-Taucher auf nem Schiff im Atlantik.

Tony: Gibbs, ich fürchte Abbys Herzkekse sind nicht essbar.
Gibbs: Das ist Tofu. Kau einfach weiter.
Tony: Nein, ich will nicht.

Quelle: 3,4,5,9

Episoden Staffel 13 Navy CIS

Nr.	Titel	Originaltitel	Premiere USA	Premiere D	Regisseur	Drehbuch
13.297	Aktion und Reaktion	React	16. Feb. 2016	25. Sep. 2016	B.Rooney	J.Corbett

SecNav Sarah Porter ist außer sich: Ihre Tochter Megan wurde entführt! Gibbs und seine Leute beginnen mit Unterstützung von FBI-Mann Fornell zu ermitteln und finden bald heraus, dass der Ex-Söldner Dixon noch eine Rechnung mit Porter offen hat. Außerdem wird klar, dass Justine Wolfe, die Lebensgefährtin von Porters Ex-Mann Richard, in die Entführung verwickelt ist. Dann eskaliert die Situation. *Quelle: 1, 2*

Fornell: Meine Kopfschmerzen werden gleich schlimmer.
Tony: Ah, der immer gut gelaunte Special Agent Fornell!
Fornell: Es war kein schöner Morgen, hab nicht mal meinen Kaffee gekriegt. Geben Sie her! WAS ZUM TEUFEL IST DAS?
McGee: Kräutertee.
Fornell: Desmond, entsorgen Sie das.

Valerie: Und wir sind viel durch die Welt gereist. Weißt Du noch, unsere Zufahrt nach Österreich?
McGee: Die vergesse ich nicht und die Lederhose von damals habe ich immer noch.
Tony: Timothy McJodl: ich sehe Dich in den Bergen herumtollen. Bestimmt waren die Fräuleins verrückt nach Dir.
Valerie: Oh, die Mädchen auf dem Stützpunkt hatten einen Spitznamen für ihn: der Herzbrecher-Torpedo!
Tony: Was, wirklich?
McGee: Wirklich.
Tony: Ich fühl mich wie in der Twilight Zone. *Quelle: 3,4,5,9*

Nr.	Titel	Originaltitel	Premiere USA	Premiere D	Regisseur	Drehbuch
13.298	Ein letzter Besuch	Loose Cannons	23. Feb. 2016	2. Okt. 2016	A.Riley	S.Williams

Die Petty Officers Finn und Shor ertappen auf ihrer Patrouille Diebe, die gerade Waffen auf einem Navy-Stützpunkt gestohlen haben. Sie erschiessen Finn, verletzen Shor und entkommen. Bei seinen Ermittlungen stösst das NCIS-Team auf den ATF-Agenten Kitt. Er erzählt Gibbs, dass er und seine Leute schon länger hinter den Dieben her sind, die im grossen Stil Waffen stehlen und dann verkaufen. Eine Spur führt nach Afrika, und Tony fährt mit Dr. Taft, der sich als Hobby-Detektiv versucht, zu der Organisation von Dr. David Woods und seiner Frau Jeanne, um sie um Hilfe zu bitten und ihnen Kontakte nach Afrika zu verschaffen. *Quelle: 1, 13*

Episoden Staffel 13 Navy CIS

Nr.	Titel	Originaltitel	Premiere USA	Premiere D	Regisseur	Drehbuch
13.299	**Nacht ohne Schlaf**	After Hours	1. Mär. 2016	9. Okt. 2016	T.O'Hara	C.Hemingway

Petty Officer Muldoon bittet in der Notrufzentrale um Hilfe. Er und eine Bekannte, Amy Harrison, melden einen Todesfall auf der Strasse. Angeblich hat der Verstorbene Grafton die Frau angegriffen, woraufhin Muldoon ihn erschossen hat. Gibbs und sein Team sind zunächst überzeugt, es mit einem einfachen, klaren Fall zu tun zu haben. Doch als sie ihren Feierabend geniessen wollen, fallen ihnen unabhängig voneinander Ungereimtheiten auf. Sie treffen sich alle mitten in der Nacht am Tatort und fangen an zu ermitteln. Quelle: 1, 13

McGee: Uh, sieht sehr gut aus. Wer ist das?
Tony: Ihr Name ist Lea. Wir kennen uns seit einer Woche. Seit drei Jahren ist mir keine 3G mehr über den Weg gelaufen.
Bishop: Und was heißt 3G? Will ich das wissen?
Tony: Groß. Granate. Geld wie Heu! Die Frau steckt uns alle 10x in die Tasche.
McGee: Zauberhaft.
Tony: Dich vielleicht sogar 20x. Vorsicht!

Palmer: Victoria war heute einfach zu niedlich, Grand Ducky. Sie macht schon Schweine- und Entenlaute.
Ducky: Ja, sehr niedlich. Sie können sich vielleicht vorstellen, dass Quak-Quak-Laute sehr beliebt in meiner Familie waren, als ich noch ein Kind war.
Bishop: Ich bin auf ner Farm aufgewachsen. Bei uns haben die Tiere ihre Laute noch selbst gemacht.

Quelle: 3,4,5,9

Nr.	Titel	Originaltitel	Premiere USA	Premiere D	Regisseur	Drehbuch
13.300	**Geduld und Beharrlichkeit**	Scope	15. Mär. 2016	16. Okt. 2016	T.Wharmby	G.Glasberg & G.L.Monreal

Gibbs und sein Team müssen in einem Mordfall ermitteln, der sich im Irak ereignet hat. Dort wurde unter anderem ein Navy Petty Officer erschossen – von einem Scharfschützen. Wie sich herausstellt, verfügt dieser über ein nagelneues Gewehr, das nach einem Feuergefecht im Irak abhandenkam. Gibbs ist auf die Hilfe des Navy-Scharfschützen Aaron Davis angewiesen, der das Attentat als einziger überlebte. Doch Davis zeigt sich wenig kooperativ. Das bringt Grace auf eine Idee. Quelle: 1, 2

Gibbs: Pass auf, diNozzo! Lass mich durch.
Bishop: Gibbs, Du bringst uns Kaffee mit?
Gibbs: Nein, der ist für mich.
McGee: Alle vier Becher?
Gibbs: Ja, ich hab kaum geschlafen.
McGee: Das ist ungesund. Wieso nicht?
Gibbs: Wenn ich es Dir sagen wollte, würde ich es tun. Los, kommt jetzt. Videokonferenz.
Abby: Gibbs, Gibbs! Wie fühlst Du Dich? McGee hat mir erzählt, Du hättest nicht geschlafen.
Gibbs: Richtig.
Abby: Mit dem Helm kannst Du CafPow freihändig trinken, weißt Du? Ich dachte, als ich hörte wieviel Kaffee Du heute früh gekauft hast, dies wär ein viel einfacherer Weg in Notsituationen Koffein zu tanken. Es ist, es ist eine ..., Dein Kopf wird explodieren. Und das echt gnadenlos. Ich hab Dir einen bestellt.

Quelle: 3,4,5,9

Episoden Staffel 13 Navy CIS

Nr.	Titel	Originaltitel	Premiere USA	Premiere D	Regisseur	Drehbuch
13.301	**Begründete Zweifel**	Reasonable Doubts	22. Mär. 2016	24. Okt. 2016	T.J.Wright	G.Schenck & F.Cardea

Der Journalist Laurence Jennings wurde in seinem Haus ermordet. Da er für die Navy arbeitete, beginnen Gibbs und seine Kollegen mit den Ermittlungen. Sie bekommen es gleich mit zwei Verdächtigen zu tun, denn Jennings' Geliebte und seine Ehefrau bezichtigen sich gegenseitig der Tat. Tatsächlich sind beide Frauen schuld an seinem Tod – doch auf ganz andere Weise, als es den Anschein hat. Tony sen. entdeckt unterdessen sein gutes Herz und opfert sich für eine junge Obdachlose auf. *Quelle:* [1,2]

McGee: WAS?
Tony: Was ist denn los?
McGee: Ich bekomm einen Anruf von mir selbst!
Bishop: Frag was Du willst.
McGee: Hallo?
Delilah: Tim, Du hast mein Handy.
McGee: Oh, entschuldige. Ich habs wohl beim rausgehen vertauscht. Ich brings Dir gleich ins Büro.
McGee: Na toll, hab vermutlich Delilahs Handy mitgenommen. Das gibt ein Desaster.
Tony: McGee, denk positiv. So kannst Du sehen, wer sie anruft.
McGee: Aber sie kann auch sehen wer mich anruft.
Bishop: Hast Du vor ihr Geheimnisse, Tim?
McGee: Fahre schnell zum Pentagon, bin bald wieder da.

Ducky: Hat Dein berühmter Instinkt schon eine Meinung dazu? Die verschmähte Ehefrau oder die verlassene Geliebte?
Gibbs: Hmh, es ist wohl zu früh, Duck. Und mein Instinkt wird überschätzt.

Quelle: [3,4,5,9]

Episoden Staffel 13 Navy CIS

Nr.	Titel	Originaltitel	Premiere USA	Premiere D	Regisseur	Drehbuch
13.302	**Tony und die Doppelgänger**	Charade	5. Apr. 2016	31. Okt. 2016	E.Ornelas	B.Fehily

Identitätsdiebstahl beim NCIS! Jemand erpresst in Tonys Namen drei Senatoren. Außerdem bedienen sich die Kriminellen seines Dienstausweises und seiner Kreditkarte. Wie sich herausstellt, agieren gleich drei Erpresser mit Tonys Identität – einer von ihnen wurde allerdings bereits ermordet. Offenbar steckt Tonys flüchtige Affäre Leah hinter der ganzen Angelegenheit. Doch welche Gründe hat sie, hochrangige Politiker in die Enge zu treiben? *Quelle: 1, 2*

Tony: Möchten Sie ein Glas Blubberwasser, Direktor?
Vance: Kein Alkohol im Dienst, Agent diNozzo.
Tony: Natürlich nicht, Sir. Nehmen wir den Politikern nur nichts weg, die meisten hatten sicherlich seit heute morgen früh keinen Drink mehr.

Gibbs: Und in welche Richtung gehen die Ermittlungen jetzt?
Deputy: Ich schätze, es war Fahrerflucht. Das müssen wir uns noch mal näher ansehen.
Ducky: Nein, Ermittler schätzen nicht, Deputy. Sie studieren und analysieren. Sie schlussfolgern aufgrund von Fakten und Beweisen.

Ducky: Ein sich bewegendes Objekt neigt dazu, sich weiter zu bewegen. Mit derselben Geschwindigkeit und Richtung, es sei denn, äußere Kräfte wirken auf das Objekt ein. So lautet jedenfalls Newtons Trägheitsgesetz, Mr.Buyers. Dieses Gesetz haben sie missachtet. Den Rest kennen Sie ja. Timothy, wir haben noch das Handy gefunden.
McGee: Das ist gu. Wir müssen jedenfalls wissen, zu wem er alles Kontakt hatte.
McGee: Ähm, das in der Schale ist das Handy?
Ducky: Das Meiste davon. Der Rest steckt in seinem Oberschenkel.
McGee: Jetzt erfahren wir nicht, zu wem er Kontakt hatte.
Ducky: Nun, ich kann mit Sicherheit sagen, sein letzter Kontakt war der mit dem Pfahl.

Abby: Gibbs, ich hab was Schlimmes gemacht.
Gibbs: Wie schlimm?
Abby: Schlimm schlimm.

Gibbs: Wer zum Henker ist sie?
Tony: Keine Ahnung.
Gibbs: Wirklich nicht? Sie war doch in Deiner Wohnung.
Tony: Schon viele Frauen waren in meiner Wohnung.
Gibbs: Die hat Deine Identität kopiert! Hat sie Dir zufällig ihren Namen genannt? Oder läuft das heutzutage bei einem Date nicht mehr so? Wie hast Du sie kennen gelernt?
Tony: Ich hab sie in einer Bar getroffen.
Gibbs: Ha, lass mich raten: Sie ist auf Dich zugekommen?
Tony: Na ja, für gewöhnlich tun sie das.

Abby: 50 Euro für eine Flasche Wein?
Tony: Na ja, sie soll eine reiche Erbin sein. Da dachte ich, besser ein guter Chardonnay als ein billiger Fusel mit Schraubverschluss.

Quelle: 3,4,5,9

Episoden Staffel 13 Navy CIS

Nr.	Titel	Originaltitel	Premiere USA	Premiere D	Regisseur	Drehbuch
13.303	**Der Spion, der mich liebte**	Return to Sender	19. Apr. 2016	7. Nov. 2016	L.Libman	C.J.Waild

In einem Frachtcontainer mit Särgen aus Europa wird die Leiche der britischen Gefängnisaufseherin Sandra Billingsley gefunden. Sie ist, wie Ducky feststellt, qualvoll an einem Asthmaanfall gestorben. Mit ihr in dem Container waren zwei Häftlinge, der Drogensüchtige Cassio Chavez, der sie geliebt hat, und der ehemalige MI6-Spion Jacob Scott. Beide sind jedoch spurlos verschwunden. Gibbs und sein Team finden heraus, dass Chavez und Scott in einer Lasertag-Arena waren und dort Geld und Waffen aus einem gut gesicherten Versteck gestohlen haben. Die Betreiberin der Lasertag-Arena war ebenfalls früher beim MI6 und hat sie zunächst mit Geld versorgt … .Fortsetzung folgt. *Quelle:* 1, 13

Gibbs: Leiche im Bestattungsinstitut.
Tony: Nicht gerade ungewöhnlich, Boss.

McGee: Er hatte keine Angehörigen, keine Bekannten, keine Helfer.
Bishop: Hör auf, selbst Caligula hatte ein Pferd. Nach dem Mord an den meisten seiner Freunde machte der Kaiser sein Pferd zum römischen Senator.
Gibbs: Einem Pferd kann man auch trauen.

Gibbs: Also, wer ist sie? Das Handy, Ihre Pläne. Sind Sie wieder auf der Jagd, Tobias?
Fornell: Na schön, ich kontaktiere Frauen über mein Smartphone. Da gibt es Apps, die Frauen klicken, ich klicke. Und vielleicht macht es mal klick. Online-Dating, vermutlich Ihr schlimmster Albtraum.
Gibbs: Nein. Aber dafür dieses Gespräch.

Gibbs: Er hat zwei Morde begangen um es zu stehlen.
Vance: Warum? Er hätte genauso gut untertauchen und Katzen in Connecticut züchten können.
Bishop: Ist das angesagt?

Tony: Wir wären dann soweit. Abbs? Abbs?
Abby: Ich bin hier, Jungs. Dachtet Ihr ich wär in dem Sarg?
Tony: Wenn er passt.
Abby: Tut er nicht, habs probiert. Zusätzlich ist auch die Auskleidung nicht biologisch abbaubar und die Samtqualität ist unterste Schublade. Ich würde mich nicht mal tot da rein legen.

Quelle: 3,4,5,9

Episoden Staffel 13 Navy CIS

Nr.	Titel	Originaltitel	Premiere USA	Premiere D	Regisseur	Drehbuch
13.304	**Henry**	Homefront	3. Mai 2016	14. Nov. 2016	D.Smith	G.L.Monreal & J.Corbett

McGee nimmt sich des 14-jährigen Henry Marshall an, nachdem der Junge den Einbrecher Mickey Doyle bei sich zu Hause ertappt und auf ihn geschossen hat. Doyle konnte allerdings fliehen. Der Mann hatte einen guten Grund, bei Henry einzubrechen: Er wollte den Jungen ausschalten, da dieser ihn bei einem Mord beobachtet hat. Als Doyle schließlich selbst zum Mordopfer wird, stoßen Gibbs und sein Team auf eine heiße Spur ins Drogengeschäft.
Quelle: 1, 2

Abby: Wer wollte was?
Bishop: Ich hab kein Hunger?
Abby: Du bist Bishop. Du hast immer Hunger.
Bishop: Nicht nach einer Beerdigung.
Ducky: Hey, da bist Du ja.
Gibbs: Hey. Ich kann nicht bleiben. Nehmt Eure Sachen, Einbruch in Jefferson County.
Abby: Gibbs, das Frühstück ist die wichtigste Mahlzeit des Tages. Nimm was zu Dir, darauf bestehe ich.
Gibbs: Hmh, guter Kaffee.

Vance: Agent diNozzo hilft zur Zeit unseren Freunden vom MI6 bei der Suche nach Jacob Scott.
Fornell: diNozzo beim Britischen Geheimdienst? Ich höre förmlich seine reizenden Bond-Imitationen. Und wo genau ist unser Spion, der mich liebte?
Vance: Nun, er hat London heute morgen verlassen und folgt jetzt einer Spur in Russland.

Vance: Was ist mit Ihnen?
Fornell: Habe seit DC nichts gegessen. Und die Bordmahlzeit war ungeniessbar.
Vance: Haben Sie nicht Tee und Biskuits gekriegt?
Fornell: Nein. Ich bin nicht 1.Klasse geflogen.
Vance: Ich hatte ein Vielflieger-Upgrade.

Quelle: 3,4,5,9

Episoden Staffel 13 Navy CIS

Nr.	Titel	Originaltitel	Premiere USA	Premiere D	Regisseur	Drehbuch
13.305	**Tödlicher Wettlauf**	Dead Letter	10. Mai 2016	21. Nov. 2016	J.Whitmore, jr.	S.D.Binder

Nachdem Fornell und Jessica Terdei in Gibbs' Haus von einem Unbekannten unter Beschuss genommen wurden, kommt Fornell schwerverletzt ins Krankenhaus. Terdei ist an ihren Verletzungen noch in Gibbs' Haus gestorben. Emily, Fornells Tochter, harrt bei ihrem Vater aus, der noch im Koma liegt, und hofft auf ein Wunder. Währenddessen fahnden Gibbs und sein Team mit Hochdruck weiterhin nach Jacob Scott. Die Spur führt zum Haus des Ex-NCIS-Agenten Dresser. Dort treffen sie auf den MI6-Mann Clayton Reeves, den Tony von seinen Ermittlungen in Russland her kennt, und Trent Kort, der sich mit Reeves geprügelt hat.Kort behauptet, dem Team helfen zu wollen. Auch Tess Monroe vom FBI hilft bei den Ermittlungen. Dann stellt sich Scott dem NCIS. Er behauptet, unschuldig zu sein, sowohl an dem Mord an seiner Frau und dem Hochverrat vierzehn Jahre zuvor, als auch an den jüngsten Morden. Er wollte nach Israel zu Ziva, die Akten ihres Vaters haben soll, mit deren Hilfe Jacobs Unschuld bewiesen werden kann. Gibbs glaubt ihm. Ein Komplize von Kort gibt schliesslich zu, dass der Ex-CIA-Mann hinter all den Verbrechen steckt. Doch Kort ist verschwunden. Das NCIS-Team findet heraus, dass er auf dem Weg nach Israel ist. Da kommt in den TV-Nachrichten ein Bericht über einen Sprengstoffanschlag auf das Farmhaus, in dem Ziva wohnen soll. *Quelle: 1, 13*

Nr.	Titel	Originaltitel	Premiere USA	Premiere D	Regisseur	Drehbuch
13.306	**Die Familie geht vor**	Family First	17. Mai 2016	28. Nov. 2016	T.Wharmby	G.Glasberg & S.Williams

Nachdem klar ist, dass Jacob Scott schon vor 14 Jahren Opfer einer üblen Verleumdung wurde und auch an den aktuellen Fällen unschuldig ist, sucht das NCIS-Team fieberhaft nach Trent Kort, der hinter der ganzen Sache steckt. Der ist aber untergetaucht. Tony will nach Israel, nachdem er in den Nachrichten von dem Anschlag auf das Farmhaus gehört hat, in dem Ziva wohnen soll. Es war die Rede von einer Überlebenden, doch es stellt sich heraus, dass es sich dabei nicht um Ziva handelt. Offenbar ist sie tot. Kurz darauf kommt die Mossad-Chefin Orli Elbaz nach D.C. Sie hat Neuigkeiten für Tony: Er ist der Vater von Zivas kleiner Tochter Tali. Da sie keine Mutter mehr hat, nimmt Tony sie auf. Er ist erschüttert, während sich Senior über den Familienzuwachs freut. Nach anfänglichen Zweifeln nimmt Tony seine neue Aufgabe als Vater an und scheidet aus dem Dienst aus, aber nicht, bevor er mit den Kollegen Trent Kort zur Strecke gebracht hat. Fornell hat mittlerweile das Bewusstsein wiedererlangt. Es geht ihm aber noch sehr schlecht, und er hat noch einen langen Weg vor sich, bevor er genesen ist. Aber er lebt. Und das ist die Hauptsache. *Quelle: 1, 13*

Staffel 14 (Episoden 14.307 - 14.330) Navy CIS

Erstausstrahlung USA   20. September 2016 – 16. Mai 2017 auf CBS

Erstausstrahlung Deutschland   5. Dezember 2016 – 4. Dezember 2017 auf Sat 1

Episoden Staffel 14 Navy CIS

Nr.	Titel	Originaltitel	Premiere USA	Premiere D	Regisseur	Drehbuch
14.307	**Neu im Team**	Rogue	20. Sep. 2016	5. Dez. 2016	T.Wharmby	G.Glasberg & J.Corbett

Auf eine Navy-Anwältin wird ein Attentat verübt. Gibbs und seine Leute finden heraus, dass die Attacke in Zusammenhang mit dem NCIS-Agenten Nick Torres steht, der seit einigen Monaten als verschollen gilt. Um die Ermittlungen schneller vorantreiben zu können, bittet Gibbs die NCIS-Ausbilderin Alex Quinn in sein Team. Schon bald deutet sich an, welche Rolle Nick Torres bei dem Sprengstoffanschlag spielte. *Quelle: 1, 2*

Fornell: Guten Morgen.
Gibbs: Das ist mein Morgenmantel.
Fornell: Du hast recht, meiner ist in der Wäsche. Entweder so, oder ich laufe nackt rum. Ehrlich, ich liebe dieses neue Sofa. Es ist wie die Umarmung einer Mikrofaser-Wolke.
Gibbs: Das weiß ich nicht, ich bin bis jetzt noch nicht drauf gesessen.

Bishop: Rate, wer wieder da ist.
McGee: Bishop! Willkommen zu Hause.
Bishop: Danke, Tim.
McGee: Wie war es in Schottland?
Bishop: Unglaublich. Die ganzen Lochs, die Glens, die Isle of Sky. Ich war auch ein paar Tage mit Clayton Reeves unterwegs.
McGee: Und wie wars?
Bishop: Aufschlußreich. Er hat ein Wahnsinns-Stehvermögen, ich mußte aufgeben.
Bishop: Nein, Nein, es geht ums Wandern!

Quelle: 3,4,5,9

Episoden Staffel 14 Navy CIS

Nr.	Titel	Originaltitel	Premiere USA	Premiere D	Regisseur	Drehbuch
14.308	**Bad Boy**	Being Bad	27. Sep. 2016	12. Dez. 2016	J.Whitmore, Jr.	S.D.Binder

Auf dem Stützpunkt Quantico findet ein Klassentreffen statt – doch einer der Teilnehmer überlebt es nicht: James Bruno wurde mit einem vergifteten Nikotinpflaster getötet. Gibbs und sein Team finden heraus, dass er einer Diebesbande aus ehemaligen Schülern angehörte, die gemeinsam Raubzüge begingen und die Beute teilten. Einer der letzten Coups war ein sehr wertvolles Bild, das inzwischen verschwunden ist. Quelle: 1, 2

McGee: Sein Vater arbeitete bei der Fahrbereitschaft des Stützpunktes.
Torres: Und, was meinen Sie? War es vielleicht Totschlag?
Gibbs: Ja, wäre möglich.
Quinn: Jethro Gibbs legt sich nicht fest. Deshalb ist das der perfekte Job für ihn. Danke für den Anruf, ich kann sofort loslegen. Was fehlt mir noch?
Torres: Die Jacke.
Palmer: Oh, die Jacke steht Ihnen wirklich gut. Wer ist das?
Quinn: Das ist Agent Torres.
Palmer: Äh, und Sie?
Quinn: Agent Quinn.

Quelle: 3,4,5,9

Nr.	Titel	Originaltitel	Premiere USA	Premiere D	Regisseur	Drehbuch
14.309	**Sturz vom Dach**	Privileged Information	4. Okt. 2016	19. Dez. 2016	E.Ornelas	G.Schenck & F.Cardea

Alles sieht danach aus, als hätte sich Navy Sergeant Erin Hill das Leben genommen: Sie sprang vom Dach ihres Wohnhauses, was auf einem Überwachungsvideo dokumentiert ist. Doch irgendetwas scheint in dem Haus nicht zu stimmen, denn erst vor kurzem starb ein älterer Mann. Dann entdeckt Abby, dass das Überwachungsvideo gefälscht war. Offensichtlich hat jemand etwas zu verbergen. Quelle: 1, 2

Torres: Das ist doch nicht Ihr Ernst?
McGee: Alles in Ordnung?
Torres: 1800 Dollar pro Monat für eine 30m²-Einzimmer-Wohnung in einer nicht so tollen Gegend?
Bishop: Ja, das kenne ich. Ich hab auch einen Preisschock gekriegt, als ich auf Wohnungssuche war, Nick.
McGee: Ich dachte, Ihnen gefällt das Oakhurst?
Torres: Ja, aber mein Übergangs-Mietzuschuss läuft diesen Monat aus. Ich muß was finden, dass ich auch bezahlen kann.
Bishop: Für alles, was schön ist, zahlen Sie hier Wuchermieten, glauben Sie mir.
Torres: Als ich noch in Buenos Aires war, hatte ich ein 185m²-Loft mit Blick auf die Stadt, Pool, Fitnessraum. Ratet mal, was die gekostet hat.
McGee: Was hat sie gekostet?
Torres: 6000 Pesos, das sind 400 Dollar!
Gibbs: Willkommen in der Wirklichkeit. Ein Marine ist vom Dach gestürzt.

Quelle: 3,4,5,9

Episoden Staffel 14 Navy CIS

Nr.	Titel	Originaltitel	Premiere USA	Premiere D	Regisseur	Drehbuch
14.310	**Love Boat**	Love Boat	11. Okt. 2016	2. Jan. 2017	T.O'Hara	C.J.Waild

Auf der USS Hoover wird Lieutenant Vivian Mills umgebracht. Aktuell sind viele Zivilisten auf dem Schiff, da die Navy eine Fahrt mit den Angehörigen der Besatzung organisiert hat. Zunächst fällt Gibbs, Quinn und Jimmy ein Paparazzo auf, der sich verdächtig macht. Doch die Sängerin Kasey Powers liefert einige hilfreiche Hinweise auf Mills' Mörder. McGee beschließt unterdessen, sich mit Delilah zu verloben, will aber den richtigen Zeitpunkt für den Antrag abwarten. *Quelle:* 1, 2

Torres: Das größte Problem wird sein, es geheim zu halten. Du schwitzt ja!
McGee: Es ist heiß.
Bishop: Im Gegenteil, es ist ziemlich kühl.
McGee: …sagt der 45-Kilo-Thermostat.
Torres: Uh, er hat schlechte Laune.
Bishop: Ja.
Torres: Ich kenne deine Freundin nicht, aber sie wird es mitkriegen.
McGee: Was soll ich tun?
Gibbs: Frag sie. Und hör auf, darüber zu sprechen.
Quinn: Der ewige Romantiker.
Gibbs: Ein Leichnam auf einem Zerstörer. Quinn und ich fliegen von Andrews da hin.
Quinn: Am Anfang meiner Karriere war ich ein Jahr als Agent zur See unterwegs. Es war echt super, aber vielleicht will ja einer von euch mitfliegen?
McGee: 24 Stunden Seekrank? Nein Danke.
Bishop: Ich verzichte.
Torres: Gegen so was gibts Medikamente.
Palmer: Ganz genau. Ich habe neun Mittel gegen Reisekrankheit dabei, nur für den Fall.
Bishop: Wo ist Ducky?
Palmer: Der ist quasi schon Seekrank. Er hat eine Lebensmittelvergiftung von verdorbenen Shrimps gekriegt.

Quelle: 3,4,5,9

Nr.	Titel	Originaltitel	Premiere USA	Premiere D	Regisseur	Drehbuch
14.311	**Philly**	Philly	18. Okt. 2016	9. Jan. 2017	A.Arkush	S.A.Williams

MI6-Inspektor Clayton Reeves ist gerade in Philadelphia, als dort ein Navy-Angehöriger erschossen wird. Reeves, der in Philly eigentlich seinen verschwundenen Partner Finley sucht, alarmiert Gibbs und sein Team. Quinn und Bishop sollen den Mord aufklären und Reeves bei der Suche nach seinem Partner unterstützen. Was sie dabei über Finley herausfinden, gefällt ihnen ganz und gar nicht. *Quelle:* 1, 2

Bishop: Hey, McGee. Sieh mal, wer mit mir im Fahrstuhl war.
Francis: Da war ich schon den ganzen Morgen drin. Schön, dass mich jemand erkannt hat.
McGee: Francis! Wie geht es, schön Sie zu sehen.
Francis: Freut mich auch. Ich gratuliere, Sie haben ihr einen Antrag gemacht. Wann ist der große Tag?
McGee: Wir haben noch kein Datum festgelegt. Weil wir uns das Geld für die Einladungen sparen wollen, sagen wir es einfach Bishop, dann kommen schon alle.
Bishop: Ehrlich, tut mir leid, aber ich freu mich so für euch.

Quelle: 3,4,5,9

Episoden Staffel 14 Navy CIS

Nr.	Titel	Originaltitel	Premiere USA	Premiere D	Regisseur	Drehbuch
14.312	**Der Whistleblower**	Shell Game	25. Okt. 2016	16. Jan. 2017	T. J.Wright	B.Fehily

Jemand hat Petty Officer Kelly Ristow entführt und in einen Keller gesperrt. Allerdings gelingt ihr die Flucht und sie fährt zum Flughafen, wo sie ihren Mann Chris treffen soll. Der Plan ist, das Land zu verlassen. Doch Chris taucht nicht auf. Wie sich herausstellt, wurde der Geschäftsführer einer Briefkastenfirma ermordet. Er soll das Firmenvermögen veruntreut haben. Gibbs und sein Team ermitteln und finden heraus, dass der erste Eindruck in diesem Fall gehörig täuscht. *Quelle:* [1,2]

McGee: Echt jetzt? Willst du wirklich Streit mit mir? Ich werde aber gewinnen!

Bishop: Er hat einen Technik-Koller.

Torres: Willst du in meinen Klub eintreten?

McGee: Ich hab keinen Koller. So reagiere ich, wenn sich ein rationaler Rechner auf ein Mal irrational verhält. Seht her:

Bishop: OK, du hast eine neue Email. Und?

McGee: Passt auf, ich versuche, sie mal zu öffnen.

Bishop: Ah, wo ist sie?

McGee: Genau das ist das Problem. Seit der Erfindung der Email ist das nämlich eine ihrer grundlegenden Funktionen. Die hier lässt sich aber nicht öffnen.

Quinn: Morgen!

Bishop: Wow, das nenn ich Teamgeist.

Quinn: Ja, Abby hat das Teil gestrickt. Es ist eigentlich nicht mein Stil, aber ich trage diesen Pulli mit Stolz.

McGee: Ja, Abby hat mir ein paar Socken gestrickt, als ich hier anfing. Sehr kuschelig.

Bishop: Ich habe von ihr dieses Freundschaftsarmband.

Quinn: Und was ist mit die, Nick? Was hast du von ihr? Uhhh, sie hat Nick vergessen.

Bishop: Nein, sie hat noch nie jemand vergessen.

Torres: Ich kann Pullunder nicht ausstehen, klar? Und in so affigen Farben schon gar nicht.

Quinn: Affig?

Torres: Ja, so ein spezielles Blau, sie nennt es Kobalt.

Abby: Alex! Du siehst fantastisch aus, freut mich, dass er passt. Sieht sie nicht toll aus, Nick?

Torres: Oh ja, niemand stehen Pullis so gut wie Alex.

Abby: Heute ist der erste kalte Tag des Jahres. Na, frierst du nicht?

Torres: Na, weißt du, ich habe ja ne Jacke an, und die ist einigermaßen warm.

Quelle: [3,4,5,9]

Episoden Staffel 14 Navy CIS

Nr.	Titel	Originaltitel	Premiere USA	Premiere D	Regisseur	Drehbuch
14.313	**Made in Italy**	Home of the Brave	15. Nov. 2016	23. Jan. 2017	A.Riley	G.L.Monreal

Der Ex-Marine Victor Medina beobachtet den Mord an einem Navy-Angehörigen – und verschwindet erst einmal von der Bildfläche. Der NCIS sucht ihn fieberhaft, denn er gilt als dringend tatverdächtig. Bald wird allerdings klar, dass er nicht der Täter ist. Die Ermittlungen führen schließlich zu einem Mann, der den Behörden nicht unbekannt ist, der aber auf Grund gewisser Privilegien nie für seine Taten geradestehen musste. Ist er der gesuchte Mörder?

Quelle: [1,2]

Quinn: Ducky!
Ducky: Ah, Alex. Ich habe mich gerade mit Seemann Willis unterhalten. Dabei ging es um die Bedeutung von Träumen.
Quinn: Du weißt es?
Palmer: Und was?
Quinn: Nein, sag es nicht.
Ducky: Äh, Alex hatte einen sehr lebhaften Traum von unserem Jethro.
Palmer: Ja, ich verstehe schon. Hat er gefragt, aus was für einem Holz dein Schreibtisch ist?
Quinn: Und woher weißt du das?
Palmer: Ach, ich bitte dich. Sieh dir den Mann an. Wer niemals den Holztraum von Gibbs hatte, der hat nicht richtig gelebt.

Quelle: [3,4,5,9]

Nr.	Titel	Originaltitel	Premiere USA	Premiere D	Regisseur	Drehbuch
14.314	**Verlorene Jahre**	Enemy Combatant	22. Nov. 2016	—	T.Wharmby	J.Corbett

Der Militär-Imam Commander Derrick Reza wird ermordet in seinem Wagen aufgefunden. Er war früher als Seelsorger in Camp Delta in Guantanamo und wollte dem dort seit elf Jahren unschuldig einsitzenden Amir Hassan zur Freiheit verhelfen. Er hatte Beweise dafür gefunden, dass seine Verhörprotokolle gefälscht worden waren. Das NCIS-Team ist nicht nur auf der Suche nach Rezas Mörder, es will auch dessen Werk vollenden und Amir aus dem Gefängnis holen, was letztlich auch gelingt. Zunächst besteht der Verdacht, Reza sei ermordet worden, weil jemand diesen Skandal in Guantanamo vertuschen wollte, doch der Grund ist ein ganz banaler. Der Büroleiter der Armed Forces Interfaith Association, bei der Reza zuletzt tätig war, hat 250.000 Dollar unterschlagen. Das hatte Reza herausgefunden. Und als er den Betrüger mit seinen Erkenntnissen konfrontieren wollte, musste er sterben.

Quelle: [1,13]

Episoden Staffel 14 Navy CIS

Nr.	Titel	Originaltitel	Premiere USA	Premiere D	Regisseur	Drehbuch
14.315	**Ratten**	Pay to Play	6. Dez. 2016	30. Jan. 2017	A.Brown	C.Hemingway

Weil sie einen Navy-Stützpunkt nahe des Städtchens Brighton schließen will, hat die Abgeordnete Jenna Flemming einige Feinde. Als in ihrem Auto eine tote Ratte deponiert wird und ihr Assistent Max Sanders unter ungeklärten Umständen in einem Swimmingpool ertrinkt, ordnet Vance Personenschutz für Flemming an. Gibbs und sein Team haben es nicht leicht, einen Schuldigen auszumachen – viele Bewohner von Brighton haben ein Motiv. Quelle: 1, 2

Bishop: Der Käse, der Bacon, die Milch, der Grünkohl. Ach, von dem anderen Gemüse will ich gar nicht erst anfangen, alles musste ich wegwerfen. Kaputte Kühlschränke sind echt der reinste Horror.
Quinn: Ja, fast ebenso ein Horror wie Gespräche über kaputte Kühlschränke.
Bishop: Ich habe so einen Hunger.
Torres: Und ich finde es so fade.
Quinn: Bishop, was ist mit deinem Junk Food, das hält doch ewig, 10 oder 30 Jahre?
Bishop: Das esse ich nur bei der Arbeit.
McGee: Bishop, erzähl mal. Wie siehts mit deinem Kühlschrank aus? Hast du viel weggeworfen?
Quinn: Psssst.
McGee: Alles ok, Bishop?
Bishop: Es duftet nacht Ketchup und Shrimps.
Torres: Ja, gestörte Wahrnehmung.
Bishop: Nein, das ist eine bestimmte Geschmacksrichtung bei Kartoffelchips.
Clayton: Chips sind für uns das, was für euch Pommes Frites sind, die im Übrigen in Belgien erfunden wurden.

Quelle: 3,4,5,9

Nr.	Titel	Originaltitel	Premiere USA	Premiere D	Regisseur	Drehbuch
14.316	**Spätes Glück**	The Tie That Binds	13. Dez. 2016	28. Aug. 2017	A.Brown	S.D.Binder

Der Navy Captain Green wird ermordet. Er wurde verdächtigt, brisante Geheimdaten verkauft zu haben. Seine Tochter Haley und ihr Mann Logan sind erschüttert. Gibbs und sein Team stellen fest, dass der Verdacht gegen Green unbegründet war. Doch bei den Ermittlungen stossen sie auf eine Verbindung zu Ducky, beziehungsweise zu seiner Mutter Victoria. Sie war in einen Hochstapler namens Balthazar Kilmeany verliebt, doch Ducky hat damals gegen die Beziehung interveniert. Quelle: 1, 13

Episoden Staffel 14 Navy CIS

Nr.	Titel	Originaltitel	Premiere USA	Premiere D	Regisseur	Drehbuch
14.317	Operation Willoughby	Willoughby	3. Jan. 2017	4. Sep. 2017	T.Wharmby	G.L.Monreal

Die Operation Willoughby ist eine Gemeinschaftsaktion mehrerer Geheimdienste aus verschiedenen Ländern, um den reichen Geschäftsmann Chen zu schnappen, der Terrorakte begeht, um sich weiter zu bereichern. Reeves hat sich Undercover als Pilot in Chens engsten Kreis einschleusen lassen. Doch die Operation läuft schief, Reeves' Tarnung fliegt auf. Gibbs und sein Team stellen fest, dass es bei der Task Force einen Maulwurf gibt. Quelle: 1, 13

Nr.	Titel	Originaltitel	Premiere USA	Premiere D	Regisseur	Drehbuch
14.318	Spears ist wieder da	Off the Grid	17. Jan. 2017	11. Sep. 2017	R.Carroll	G.Schenck & F.Cardea

Bei einem Undercover-Einsatz als Leland Spears hat Gibbs vor Jahren versucht, die Staatsfeinde Ramsay und Bodie Whitman und ihre Terrorgruppe unschädlich zu machen. Bis auf Bodie entkamen damals alle. Auch die nuklearen Brennstäbe, die sie gestohlen hatten, blieben verschwunden. Jetzt trifft Gibbs auf Bodie, der aus dem Gefängnis entlassen wurde. Er schlüpft wieder in seine Rolle als Spears, um den Fall abzuschliessen. Quelle: 1, 13

Nr.	Titel	Originaltitel	Premiere USA	Premiere D	Regisseur	Drehbuch
14.319	Durch die Hölle	Keep Going	24. Jan. 2017	18. Sep. 2017	T.O'Hara	S.Williams

Captain Smith wird, als er mit seinem Sohn Ryan im Auto unterwegs ist, von einem schwarzen SUV überfahren. Das NCIS-Team ermittelt. Jimmy, der sich mit Ducky um die Leiche kümmert, entdeckt Ryan draussen auf dem Sims eines Hauses im siebten Stockwerk. Ohne nachzudenken sprintet er los und klettert raus zu Ryan. Er will ihn überreden, nicht zu springen. Ryan erzählt, sein Vater und er hätten ständig Streit gehabt, er fühlt sich minderwertig und glaubt, sein Vater habe ihn nicht wertgeschätzt, was sich später als Irrtum erweist. Jimmy erzählt ihm von seinen Ängsten und Fehlern. Gibbs sorgt dafür, dass alle, auch im Büro, das Gespräch verfolgen können. Das Team arbeitet mit Hochdruck an der Klärung des Falles. Quelle: 1, 13

Nr.	Titel	Originaltitel	Premiere USA	Premiere D	Regisseur	Drehbuch
14.320	Der perfekte Plan	Nonstop	7. Feb. 2017	25. Sep. 2017	M.Horowitz	B.Fehily

Petty Officer Maya Kettering wird tot in ihrem Haus aufgefunden. Ihr Mann Mike ist am Boden zerstört, als er von ihrem Tod erfährt. Vor kurzem ist er aus San Francisco von einer Geschäftsreise zurückgekommen. Gibbs und seine Leute entdecken bald Ungereimtheiten und stellen fest, dass Kettering eine heimliche Geliebte hat. Bei ihrer Untersuchung helfen ihnen die alten Freunde vom Sherlock-Konsortium für Ermittlungen, dem Tony Sr. auf Anraten seines Sohnes beigetreten ist. Ziemlich schnell verfällt er Judith, was Gibbs freut, denn sie hat ihn in der Vergangenheit regelrecht belagert. Quelle: 1, 13

Episoden Staffel 14 Navy CIS

Nr.	Titel	Originaltitel	Premiere USA	Premiere D	Regisseur	Drehbuch
14.321	**Die Spur führt nach New Orleans**	Pandora's Box	14. Feb. 2017	6. Nov. 2017	A.Brown	C.Hemingway

Earl Goddard von der Homeland Security überzeugt Abby endlich, für ihn mit einem Expertenteam an einem Szenario für einen Terroranschlag zu arbeiten, um im Ernstfall die Gefahr schnell eindämmen zu können. Zu diesen und ähnlichen Einsätzen gibt es Strategiepapiere, die strengster Geheimhaltung unterliegen. Abby wird bei ihrem Einsatz festgenommen. Sie wollte vermeintlich harmlose Bomben deponieren, doch bei deren Untersuchung stellt sich heraus, dass eine der Bomben scharf war. Bei einer Explosion wäre das tödliche Saringas freigesetzt worden. Alle Spuren führen zu Earl, der kurz darauf tot aufgefunden wird. *Quelle: 1, 13*

Nr.	Titel	Originaltitel	Premiere USA	Premiere D	Regisseur	Drehbuch
14.322	**Unmögliche Entscheidung**	A Many Splendored Thing	21. Feb. 2017	9. Okt. 2017	M.Zinberg	S.D.Binder & D.J North

Die Untersuchung des Mordes an Commander Renee Turner bringt Gibbs und sein Team wieder auf die Spur von Chen, den reichen Geschäftsmann, der unter Terrorverdacht steht. Ihm ist aber nichts nachzuweisen. Bishop sieht ihre Chance, den Mord an Qasim zu rächen. Doch die Abgeordnete Jenna Flemming untersagt es dem Team, Chen festzunehmen. Er arbeitet neuerdings nämlich für die CIA und soll helfen, einen syrischen Warlord dingfest zu machen. Bishop schäumt, als sie davon erfährt. Auf eigene Faust stellt sie Chen eine Falle, in die er auch tappt, was tödlich für ihn endet. Bishop trägt immer eine Karte bei sich, die sie Qasim nicht mehr geben konnte. Darin stimmt sie seinem Heiratsantrag zu. *Quelle: 1, 13*

Nr.	Titel	Originaltitel	Premiere USA	Premiere D	Regisseur	Drehbuch
14.323	**Tanz mit dem Teufel**	What Lies Above	7. Mär. 2017	16. Okt. 2017	L.Libman	S.Williams

In McGees Wohnung, die früher Tony gehörte, wird eingebrochen. McGee erschiesst einen der beiden Täter und verletzt den anderen. Louis Cole, der erschossen wurde, hat von einem Häftling im Gefängnis den Tipp bekommen, dass in der Wohnung der Schlüssel zum Reichtum läge. Der Tippgeber ist niemand anderes als Paul Triff, dem die Wohnung vor Tony gehört hat und der dort drei Männer ermordet und zerstückelt hatte. Bei der Durchsuchung der Wohnung stossen die Ermittler auf eine vierte Leiche, die unter dem Holzboden im Schlafzimmer versteckt ist. McGee ist geschockt. Bei der Leiche handelt es sich um den Lobbyisten Logan Pruitt. *Quelle: 1, 13*

Episoden Staffel 14 Navy CIS

Nr.	Titel	Originaltitel	Premiere USA	Premiere D	Regisseur	Drehbuch
14.324	**Tag für Tag**	M.I.A	14. Mär. 2017	23. Okt. 2017	T.J.Wright	J.Corbett

Lieutenant Laura Ellison liegt mit Krebs im Endstadium im Krankenhaus. Ihr Vater, ein alter Bekannter von Gibbs, bittet diesen um Hilfe. Ein Protégé von Laura, David Collins, ist während des Dienstes auf der USS Gray verschwunden und wurde getötet. Laura glaubt, dass ein Verbrechen dahintersteckt, hat aber keine Beweise. Gibbs und sein Team kommen einem Drogenskandal auf die Spur. *Quelle:* [1, 13]

Nr.	Titel	Originaltitel	Premiere USA	Premiere D	Regisseur	Drehbuch
14.325	**Der Querkopf**	The Wall	28. Mär. 2017	30. Okt. 2017	B.Rooney	G.L.Monreal

Henry Rogers, ein alter, knurriger Vietnamveteran, ist mit alten Kameraden auf einer Besichtigungstour in D.C., wo sie die Denkmäler für die in verschiedenen Kriegen gefallenen Soldaten besuchen wollen. Henry weigert sich aber, mit der Gruppe dorthin zu gehen. Sein Begleiter, Corporal Beck, kippt vor seinen Augen tot um. Beck war ein Vorzeige-Soldat und in verschiedenen wohltätigen Organisationen aktiv, unter anderem in einem Krisenberatungszentrum. Henry ist der wichtigste Zeuge für den NCIS, da er zum Todeszeitpunkt bei Beck war. Doch ist er dem Team keine grosse Hilfe. Reeves wird ihm als Aufpasser zugeteilt, weil Henry ständig verschwinden will. Der Streit zwischen beiden ist programmiert. Das Team stösst bei den Ermittlungen schliesslich auf Bridget O'Lear. *Quelle:* [1, 13]

Episoden Staffel 14 Navy CIS

Nr.	Titel	Originaltitel	Premiere USA	Premiere D	Regisseur	Drehbuch
14.326	**Eine Schüssel voller Kirschen**	A Bowl of Cherries	4. Apr. 2017	2. Okt. 2017	E.Ornelas	B.Fehily

Durch den Rechner von Vice Admiral Chase werden die Smartphones des NCIS-Teams mit dem Elliott-Virus verseucht. Diese Ransomeware blockiert die Rechner, bis ein Lösegeld gezahlt wird, sonst gehen alle Daten verloren. Bei ihren Ermittlungen stossen Gibbs und seine Leute auf einen völlig fehlgeleiteten Biologen, der besessen davon ist, Menschen mit Flüssigstickstoff tiefzukühlen, bis die Medizin irgendwann soweit ist, Krankheiten zu heilen, an denen man heutzutage sterben würde. Er hat zwei Obdachlose lebendig eingefroren, und auch seinen ehemaligen Kommilitonen, Clint Asher, als der den Virus deaktivieren wollte. Gibbs und seine Leute legen ihm das Handwerk. *Quelle:* [1, 13]

Episoden Staffel 14 Navy CIS

Nr.	Titel	Originaltitel	Premiere USA	Premiere D	Regisseur	Drehbuch
14.327	**Kein übler Deal**	One Book, Two Covers	18. Apr. 2017	13. Nov. 2017	T.O'Hara	D.J.North

Ein Corporal der Navy wird erschossen. Er war an einem Banküberfall beteiligt, den Mitglieder der Motorradgang Rosewood Boyz verübt haben. Torres war fünf Jahre zuvor als Undercover-Agent Mitglied der Gang. Damals hat er Royce, einen Freund in der Gang, überredet, den Anführer zu verraten und ins Gefängnis zu bringen. Was er nicht weiss, ist, dass Royce, der seitdem im Zeugenschutzprogramm ist, im Verborgenen die Führung übernommen hat. Royce erpresst ihn mit einem Audiotape, auf dem Torres ihm erzählt, dass er Beweise manipuliert hat, um den Chef der Gang zu überführen. Das gesteht Torres auch Gibbs, der zunächst nichts dazu sagt. Torres geht zum Schein auf Royces Forderung ein und fährt mit dem Lösegeld zu dessen Haus. Draussen warten Gibbs und Quinn als Verstärkung. Als Torres ihn festnehmen will, flieht Royce auf dem Motorrad. Quinn und Gibbs können nichts machen. Torres holt Royce schliesslich mit einem zweiten Motorrad ein und stellt ihn. Das Audiotape ist für ihn ungefährlich, weil man darauf nichts versteht. Gibbs ermahnt ihn, so etwas nie wieder zu tun. *Quelle: 1, 13*

Nr.	Titel	Originaltitel	Premiere USA	Premiere D	Regisseur	Drehbuch
14.328	**Der Pferdeflüsterer**	Beastmaster	2. Mai 2017	20. Nov. 2017	B.Rooney	C.J.Waild

Im Rock Creek Park findet die berittene Polizistin Dawson die Leiche des Marine Tanner. Der NCIS ermittelt. Kurz darauf wird Dawsons Kollege Cole erschossen und sein Pferd Jody leicht verletzt. Wie sich herausstellt, waren dieselben Täter am Werk wie schon bei dem Mord an Tanner. Gibbs ermittelt nun zusammen mit Dawson. Es stellt sich heraus, dass liberianische Einwanderer mit Hilfe eines US-Staatsbürgers das auch dort verbotene Bushmeat ins Land schmuggeln und verkaufen … Jody, das Pferd des erschossenen Cole, trauert um seinen Reiter und will nicht mehr fressen. Dawson macht sich grosse Sorgen. Da nimmt sich Gibbs seiner an, und bald fängt Jody wieder an zu fressen. Dawson ist erleichtert.. *Quelle: 1, 13*

Nr.	Titel	Originaltitel	Premiere USA	Premiere D	Regisseur	Drehbuch
14.329	**Woche Zehn**	Something Blue	9. Mai 2017	27. Nov. 2017	J.Whitmore, Jr.	J.Corbett & S.Williams

Petty Officer Third Class Gregory Jones wird auf seinem Schiff, der USS McGuire, tot in seiner Koje aufgefunden. Wie Gibbs und sein Team feststellen, starb er an einer Überdosis Ecstasy in seinem Essen. Sein CO Commander Bitterman sagt aus, er habe ihm seine Mahlzeit aus Süsskartoffeln angeboten, weil er selbst keinen Hunger mehr hatte. Die Droge befand sich in diesen Süsskartoffeln. Damit ist klar, dass Commander Bitterman das eigentliche Opfer war. Schliesslich gibt Jones' direkter Vorgesetzter Ensign Stoddard zu, dass er Bitterman die Droge ins Essen gemischt hat, weil der ungerecht gewesen sein sollte. *Quelle: 1, 13*

Episoden Staffel 14 Navy CIS

Nr.	Titel	Originaltitel	Premiere USA	Premiere D	Regisseur	Drehbuch
14.330	**Paraguay**	Rendezvous	16. Mai 2017	4. Dez. 2017	T.Wharmby	G.Schenck, F.Cardea & S.D.Binder

In Paraguay wird eine Hand gefunden. Wie sich herausstellt, stammt sie von Petty Officer Matthew Dean, den die Ermittler vom NCIS daraufhin für tot halten, zumal weitere Körperteile bis auf den Kopf gefunden werden. Ducky stellt aber fest, dass die Hand nicht zu den anderen Leichenteilen passt. Dean ist demnach also noch am Leben, aber verschwunden. *Quelle:* [1, 53]

Schauspieler der Serie Navy CIS

Thomas Mark Harmon *(Navy CIS-Figur: Leroy Jethro Gibbs)*
(* 2. September 1951 in Burbank bei Los Angeles) ist ein US-amerikanischer Schauspieler, Regisseur und Fernsehproduzent.

Harmons Vater ist der in den USA berühmte American-Football-Spieler Tom Harmon, seine Mutter die Schauspielerin Elyse Knox. Harmon studierte an der University of California, wo er in den Jahren 1972 bis 1973 zum Football-Team der Universität gehörte und in der Mannschaft als Quarterback spielte. Im Jahr 1973 wurde er mit dem Preis National Football Foundation Award ausgezeichnet. In mehreren Interviews (unter anderem in einem TV Interview des Pay-TV-Sender Sky) erzählte Mark Harmon dass seine Großeltern aus der österreichischen Bundeshauptstadt Wien stammen.

1986 wurde ihm von der Zeitschrift People die Auszeichnung des Sexiest Man Alive verliehen. Im gleichen Jahr spielte er für das Fernsehen den Serienmörder Ted Bundy in Marvin J. Chomskys Film Alptraum des Grauens und erntete dafür eine Golden-Globe-Nominierung.

Harmon spielte im Film Presidio (The Presidio) aus dem Jahr 1988 neben Sean Connery und Meg Ryan, im Film Katies Sehnsucht (Stealing Home) aus dem Jahr 1988 neben Jodie Foster. Er ist ebenfalls aus den Fernsehserien Flamingo Road und Chicago Hope bekannt. Für die Rolle des Polizisten Dicky Cobb in der Fernsehserie Die Staatsanwältin und der Cop (Reasonable Doubts), wurde Harmon in den Jahren 1992 und 1993 erneut für den Golden Globe Award nominiert.

Neben seinen Auftritten in diversen Filmen und TV-Serien hat sich Mark Harmon auch am Theater einen Namen machen können. Neben der Rolle als Bobby in Wrestlers wirkte er in The Wager und der kanadischen Uraufführung von Key Exchange mit. In verschiedenen Aufführungen von Love Letters spielte er an der Seite seiner Ehefrau Pam Dawber.

Als Regisseur inszenierte er bisher jeweils zwei Episoden der Serien Chicago Hope – Endstation Hoffnung sowie Boston Public.

Seit dem Jahr 2003 spielt Harmon in der Fernsehserie Navy CIS die Rolle des Special Agent Leroy Jethro Gibbs, in der er auch seit der 6. Staffel als Produzent mitwirkt.

Harmon ist seit 1987 mit der Schauspielerin Pam Dawber verheiratet und hat zwei Söhne, Sean Thomas Harmon (* 1988) und Ty Christian Harmon (* 1992). Sean spielt in mehreren Folgen von Navy CIS den jungen Gibbs.

In der Serie Flamingo Road und im Spielfilm Presidio wurde er von Mathias Einert synchronisiert, in Die Traumfabrik von Norbert Langer. Seine Figur in der Serie Chicago Hope wurde von Andreas Thieck gesprochen. Die deutsche Stimme von Leroy Jethro Gibbs in der Serie Navy CIS wird ihm von Wolfgang Condrus gegeben.

Quelle: [14]

Filmografie (Auswahl) Thomas Mark Harmon

1975: Notruf California (Emergency!, Fernsehserie, eine Folge)
1978: Eine Farm in Montana (Comes a Horseman)
1978: Colorado Saga (Centennial)
1979–1981: 240-Robert (Fernsehserie)
1979: Jagd auf die Poseidon (Beyond the Poseidon Adventure)
1980: Die Traumfabrik (The Dream Merchants)
1981: Flamingo Road
1981: Goliath – Sensation nach 40 Jahren
1983–1986: Chefarzt Dr. Westphall (St. Elsewhere, Fernsehserie)
1984: Tuareg – Die tödliche Spur (Tuareg – Il Guerriero del Deserto)
1986: Hotel California (Prince of Bel Air)
1986: Alptraum des Grauens (The Deliberate Stranger)
1986: Holt Harry raus (Let's Get Harry)
1987: Summer School
1987: Das Versprechen des Elmer Jackson (After The Promise)
1987: Das Model und der Schnüffler (Moonlighting, Fernsehserie)
1988: Presidio (The Presidio)
1988: Katies Sehnsucht (Stealing Home)
1989: Drei Betten für einen Junggesellen (Worth Winning)
1991: Doch dann kam sie (Till There Was You)
1991: Dillinger – Staatsfeind Nr. 1 (Dillinger)
1991: Twilight Mystery (Fourth Story)
1991: Sehnsucht ohne Grenzen (Long Road Home, Fernsehfilm)
1991: Im Schatten des Zweifels (Shadow of a Doubt)
1991: Kalter Himmel (Cold Heaven) – Regie: Nicolas Roeg
1994: Natural Born Killers and Wyatt Earp (Das Leben einer Legende)
1995: Last Supper – Die Henkersmahlzeit (The Last Supper)
1995: Charlie Grace – Der Schnüffler (Charlie Grace)
1995: Geliebtes Monster (Magic in the Water)
1996–2000: Chicago Hope – Endstation Hoffnung (Chicago Hope, Fernsehserie)
1997: Vom Retter missbraucht (Casualties)
1998: Angst und Schrecken in Las Vegas (Fear and Loathing in Las Vegas)
2001: Der Ritt nach Hause (Crossfire Trail)
2002: The West Wing – Im Zentrum der Macht (The West Wing, Fernsehserie)
2003: Freaky Friday – Ein voll verrückter Freitag (Freaky Friday)
seit 2003: Navy CIS (NCIS, Fernsehserie)
2004: American Princess (Chasing Liberty)
2009: Weather Girl
2010: Justice League: Crisis On Two Earths (Sprecher von Superman)
2011: John Sandford's Certain Prey
2012: Family Guy

Quelle: [14]

Awards und Nominierungen Thomas Mark Harmon

People Magazine
1986: Sexiest Man Alive

Primetime Emmy Award
1977: nominiert, Outstanding Supporting Actor in a Miniseries or Movie – Eleanor and Franklin: The White House Years
2002: nominiert, Outstanding Guest Actor in a Drama Series – The West Wing

Golden Globe Awards
1986: nominiert, Best Actor in a Miniseries or Television Film – The Deliberate Stranger
1987: nominiert, Best Actor in a Miniseries or Television Film – After The Promise
1991: nominiert, Best Actor in a Television Series Drama – Reasonable Doubts
1992: nominiert, Best Actor in a Television Series Drama – Reasonable Doubts

Screen Actors Guild Awards
1996: nominiert, Outstanding Performance by an Ensemble in a Drama Series – Chicago Hope
1997: nominiert, Outstanding Performance by an Ensemble in a Drama Series – Chicago Hope

People's Choice Awards
2010: nominiert, Favorite TV Drama Actor – NCIS
2011: nominiert, Favorite TV Crime Fighter – NCIS
2014: nominiert, Favorite TV Drama Actor – NCIS

Hollywood Walk of Fame
2012: Stern auf dem Hollywood Walk of Fame

Prism Awards
2014: gewonnen, Male Performance in a Drama Series

Quelle: [14]

Michael Manning Weatherly Jr. *(Navy CIS-Figur: Anthony „Tony" DiNozzo)*
(* 8. Juli 1968 in New York City, New York) ist ein US-amerikanischer Schauspieler

Michael Weatherly wurde am 8. Juli 1968 in New York City geboren. Mit seinen Eltern, Patricia und Michael Manning Weatherly Sen., seinen fünf Schwestern und einem Bruder wuchs er in Fairfield (Connecticut) auf. In seiner Jugend begeisterte er sich für Musik, spielte Klavier und Gitarre und sang in einer Band. Weatherly begann ein Studium der Kommunikationswissenschaft. Auf dem College entschied er sich dann für eine Schauspielkarriere, weshalb er sein Studium abbrach.

Wegen besserer beruflicher Aussichten als Schauspieler zog Weatherly 1991 nach New York. Zunächst verdiente er sein Geld als Pizzabote, Schuhverkäufer und Songschreiber. Seine erste Rolle hatte er 1992 als Theo Huxtables Mitbewohner in der Bill Cosby Show. Danach spielte er drei Jahre in der Seifenoper Loving mit. Mitte der 1990er Jahre zog Weatherly nach Los Angeles und bekam in der Fernsehserie Significant Others neben der damals noch relativ unbekannten Jennifer Garner eine Rolle, die 1998 zu seinem ersten größeren Erfolg wurde.

Eine wiederkehrende Gastrolle hatte er als Christina Applegates Ex-Mann Roy in der Fernsehserie Jesse. Im Jahr 2000 erhielt er seine erste Hauptrolle in der Fernsehserie Dark Angel an der Seite von Jessica Alba. 2001 verlobte sich Weatherly mit ihr. Diese Verbindung wurde 2003 gelöst. Die Rolle in Dark Angel verhalf ihm in Deutschland zu einem höheren Bekanntheitsgrad. Nachdem die Serie 2002 abgesetzt wurde, übernahm er 2003 seine bisher längste Hauptrolle, als Anthony „Tony" DiNozzo, in der erfolgreichen Serie Navy CIS. Als Filmschauspieler war er in verschiedenen kleineren Rollen zu sehen, beispielsweise in den Filmen The Last Days of Disco, Ein Herz und eine Kanone, Cabin by the Lake, Venus and Mars oder Her Minor Thing. Außerdem hatte er seit dem Beginn seiner Schauspielkarriere zahlreiche Gastauftritte in Fernsehserien wie The Crow: Stairway to Heaven, Charmed – Zauberhafte Hexen und Ally McBeal.

Bei den Dreharbeiten der Seifenoper Loving lernte Weatherly die Schauspielerin Amelia Heinle kennen. Sie heirateten 1996, ein Jahr später erfolgte die Scheidung. Aus der Ehe hat Weatherly einen Sohn (* 1996).

Seit 2006 ist Michael Weatherly mit der serbisch-kanadischen Assistenzärztin Bojana Jankovic verheiratet und hat mit ihr eine Tochter (* 2012) und einen Sohn (* 2013).

Quelle: [15]

Filmografie (Auswahl) Michael Manning Weatherly Jr.

1991: Die Bill Cosby Show (The Cosby Show, Fernsehserie, Folge 7x14)
1992–1995: Loving (Fernsehserie)
1995–1996: The City (Fernsehserie)
1996: Pier 66 (Fernsehfilm)
1997: Wally Sparks – König des schlechten Geschmacks (Meet Wally Sparks)
1997: Asteroid – Tod aus dem All (Asteroid, Fernsehfilm)
1997: Spy Game (Fernsehserie, Folge 1x07)
1998: Das Komitee (The Advanced Guard, Fernsehfilm)
1998: The Last Days of Disco
1998: Significant Others (Fernsehserie, 6 Folgen)
1998: Jesse (Fernsehserie, 6 Folgen)
1998: Grown-Ups (Fernsehfilm)
1999: Winding Roads (Fernsehfilm)
1999: Charmed (Fernsehserie, Folge 1x18)
1999: The Crow: Stairway to Heaven (Fernsehserie, Folge 1x22)
2000: Stumme Schreie im See (Cabin by the Lake, Fernsehfilm)
2000: Ein Herz und eine Kanone (Gun Shy)
2000: Ally McBeal (Fernsehserie, Folge 4x01)
2000: Grapevine (Fernsehserie, Folge 1x05)
2000: The Specials
2000–2002: Dark Angel (Fernsehserie, 42 Folgen)
2001: Venus und Mars (Venus and Mars)
2001: Trigger Happy
2003: JAG – Im Auftrag der Ehre (JAG, Fernsehserie, Folgen 8x20–8x21)
2003-2016: Navy CIS (NCIS, Fernsehserie)
2004: The Mystery of Natalie Wood (Fernsehfilm)
2005: Her Minor Thing
2009: Charlie Valentine – Gangster, Gunfighter, Gentleman (Charlie Valentine)
2012: Major Crimes (Fernsehserie, Folge 1x04)
2014: Whose Line is Anyway?
2014: NCIS: New Orleans (Fernsehserie, Folge 1x02)
2015: Navy CIS: L.A. (NCIS: Los Angeles, Fernsehserie, Folge 7x05)

Quelle: [15]

Pauley Perrette *(Navy CIS-Figur: Abigail „Abby" Sciuto)*
27. März 1969 in New Orleans) ist eine US-amerikanische Schauspielerin und Sängerin

Nach ihrem Highschool-Abschluss studierte Perrette in Atlanta Soziologie und Psychologie und begann ihren Master in Kriminologie. Noch während des Studiums zog sie nach New York, wo sie sich mit Kellnern über Wasser halten konnte. Durch einen Zufall fing sie an, mit kleinen Auftritten in Werbespots und Musikvideos Geld zu verdienen. Infolgedessen erhielt Pauley Perrette Rollen in verschiedenen Serien und Filmen. Die bekannteste ist seit 2003 die der Abigail „Abby" Sciuto, eine der Hauptrollen in der Serie Navy CIS.

Am 20. Oktober 2000 heiratete sie Coyote Shivers, die Ehe wurde am 1. Februar 2006 geschieden. Perrette war eine gute Freundin der Rocksängerin und Bassistin der Band Betty Blowtorch Bianca Halstead, die 2001 bei einem Autounfall starb. Ein Jahr später starb Pauley Perrettes Mutter an Brustkrebs und kurz darauf ihr Freund Glenn Quinn an einer Überdosis Heroin.

Pauley Perrette ist nicht nur Schauspielerin, sondern auch als Produzentin tätig. Sie drehte den Film „The American Shame". Sie ist eine Poetin, ein Spoken Word Artist und hat einige Werke veröffentlicht. Pauley Perrette sang in der Independent-Rock-Girlband „Lo-Ball", die Band löste sich jedoch 2003 auf. Momentan singt sie in der Band „Stop Making Friends", von der auch Musik auf dem offiziellen Soundtrack zu NCIS zu hören ist.

Am 14. Februar 2009 heiratete Pauley Perrette den Kameramann Michael Bosman, die Eheschließung war aber nicht rechtsgültig.

Seit 2011 ist sie mit Thomas Arklie, einem ehemaligen Angehörigen der britischen Royal Marines und aufstrebenden Schauspieler, verlobt.

Perrette engagiert sich für die Rechte von Homosexuellen. Sie beabsichtigte u.a. erst dann zu heiraten, wenn dies auch für gleichgeschlechtliche Paare möglich ist.

Quelle: [16]

Filmografie (Auswahl) Pauley Perrette

1994: Magical Make Over
1994: Party of five
1996: Frasier (Fernsehserie)
1996–1997: Murder One
1997: Allein gegen die Zukunft (Early Edition, Fernsehserie)
1997: The Magic Of Love (The Price Of Kissing)
1998: That's Life
1998: Drew Carey Show (The Drew Carey Show, Fernsehserie)
1999–2000: Time of your Life
2000: Almost Famous – Fast berühmt (Almost Famous)
2000: Smash
2001: Special Unit 2 – Die Monsterjäger (Special Unit 2, Fernsehserie)
2002: Ring (The Ring)
2002: Dawson's Creek (Fernsehserie)
2002: Haunted (Fernsehserie)
2003: CSI: Den Tätern auf der Spur (CSI: Crime Scene Investigation, Fernsehserie)
2003: 24 (Fernsehserie)
2003: Ash tuesday
seit 2003: Navy CIS (NCIS, Fernsehserie)
2004: A Moment of Grace
2005: Potheads: The Movie
2008: The Singularity is near
2009: Satan hates you
2009: Navy CIS: L.A. (NCIS: Los Angeles, Fernsehserie)
2012: Superman vs. The Elite
2013: Citizen Lane
2014: NCIS: New Orleans (eine Episode)

Musikvideos

1993: George Michael – „Killer"
1993: Right said Fred – „Bumped"
1994: Madonna – „Secret"
2003/2004: Metallica – „The Unnamed Feeling"
2011: B. Taylor - „Fire In Your Eyes"
2012: DMC - ,,Attention pleace"

Quelle: [16]

Coté de Pablo *(Navy CIS-Figur: Ziva David)*

(* 12. November 1979 in Santiago de Chile als María José de Pablo Fernández) ist eine chilenisch-US-amerikanische Schauspielerin.

De Pablo zog im Alter von zehn Jahren mit ihren Eltern nach Miami, weil ihre Mutter María Olga Fernández dort eine Stelle bei einem spanischsprachigen Fernsehsender erhielt, und besuchte dort die Arvida Middle School. Danach studierte De Pablo Musiktheater an der Carnegie Mellon University in Pittsburgh und schloss das Studium im Jahre 2000 ab. Sie spielte in Theaterstücken wie Measure for Measure (2001) im New York Public Theatre.

Ihre erste Fernsehrolle hatte sie ab 1994 als Co-Gastgeberin von Control, einer spanischsprachigen Jugendsendung. Es folgten einige Gastauftritte in den Fernsehserien The Education of Max Bickford und The $treet – Wer bietet mehr?. In der Fox-Serie The Jury spielte De Pablo 2004 als Marguerite Cisneros in der Hauptbesetzung, die Anwaltsserie kam auf zehn Folgen. Ihre bisher bekannteste Rolle ist die der Ziva David in der US-Krimiserie Navy CIS, die sie seit der dritten Staffel spielt.

De Pablo wurde am 19. August 2006 bei den 21st Annual Imagen Awards für ihre Arbeit in der Serie Navy CIS als beste Nebendarstellerin in einer Fernsehsendung ausgezeichnet.
De Pablo war 2012 für den NCRL Award nominiert, weiterhin war sie Co-Moderatorin bei den Tony Awards.

Coté de Pablo beendete ihre langjährige Beziehung mit dem Schauspieler Diego Serrano im Juni 2015.

Quelle: [17]

Filmografie (Auswahl) Coté de Pablo

1994–1995: Control
2001: The Education of Max Bickford (Folge 1x06)
2004: The $treet – Wer bietet mehr? (The $treet, Folge 1x05)
2004: The Jury
2005-2013: Navy CIS (NCIS, 189 Folgen)
2010: The Last Rites of Ransom Pride (Film)
2015: The 33
2015: The Dovekeepers und 69 Tage Hoffnung

Auszeichnungen Coté de Pablo

2006: Imagen Award als Best Supporting Actress – Television für Navy CIS
2011: ALMA Award als Favorite TV Actress - NCIS-
2012: Nominierung für NCRL Award and ALMA Award

Quelle: [17]

Sean Murray *(Navy CIS-Figur: Timothy McGee)*

(* 15. November 1977 in Bethesda, Maryland) ist ein US-amerikanisch-australischer Schauspieler.

Murrays leiblicher Vater, Craig Murray, war der Executive Officer der USS Enterprise, eines Flugzeugträgers der United States Navy. Sein Stiefvater ist der Regisseur und Filmproduzent Donald P. Bellisario. Sein Bruder, Chad W. Murray arbeitet in der Fernsehserie Navy CIS als Post-Produktion-Koordinator. Seine Halbschwester ist die Schauspielerin Troian Bellisario. Murray ist seit 2005 verheiratet. Das Ehepaar hat zwei Kinder, eine Tochter (* 2007) und einen Sohn (* 2010).

Sean Murray besuchte die Bonita Vista Junior High (jetzt Bonita Vista Middle) in Chula Vista, Kalifornien. Seine ersten schauspielerischen Erfahrungen machte Sean Murray im Alter von 14 Jahren in einer TV-Produktion. Es folgten Auftritte im Filmdrama This Boy's Life neben Leonardo DiCaprio und in dem Jugendfilm Hocus Pocus. Von 1993 bis 1994 spielte er eine Hauptrolle in der Serie Go West.

Seit 2003 gehört er als Special Agent Timothy McGee zur Stammbesetzung der erfolgreichen Krimiserie Navy CIS, wo seine Stiefschwester Troian Bellisario in einigen Folgen seine Schwester spielt.

Quelle: [18]

Filmografie (Auswahl) Sean Murray

1991: Civil Wars (Fernsehserie, eine Folge)
1991: Die Mütter-Mannschaft (Backfield in Motion, Fernsehfilm)
1992: Too Romantic (Kurzfilm)
1993–1994: Go West (Harts of the West, Fernsehserie, 15 Folgen)
1993: Atemlose Flucht (River of Rage: The Taking of Maggie Keene, Fernsehfilm)
1993: Hocus Pocus – Drei zauberhafte Hexen (Hocus Pocus)
1993: This Boy's Life
1995: Emergency Room – Die Notaufnahme (Emergency Room, Fernsehserie, eine Folge)
1995: Palm Beach-Duo (Silk Stalkings, Fernsehserie, eine Folge)
1995: Tod nach Schulschluß – Eine Lehrerin unter Anklage (Trial by Fire, Fernsehfilm)
1996: Lotterie des Schreckens (The Lottery, Fernsehfilm)
1996: Verführung einer Minderjährigen] (For My Daughter's Honor, Fernsehfilm)
1996: Von Rache besessen (Fall Into Darkness, Fernsehfilm)
1997: Mord ohne Erinnerung (The Sleepwalker Killing, Fernsehfilm)
1998–2001: JAG – Im Auftrag der Ehre (JAG, Fernsehserie, sechs Folgen)
1999: Ein Hauch von Himmel (Touched by an Angel, Fernsehserie, eine Folge)
2000: Boston Public (Fernsehserie, eine Folge)
2001: Spring Break Lawyer (Fernsehfilm)
2002: The Random Years (Fernsehserie, eine Folge)
seit 2003: Navy CIS (NCIS, Fernsehserie)

Quelle: [18]

David Keith McCallum, Jr. *(Navy CIS-Figur: Dr. Donald „Ducky" Mallard)*
(* 19. September 1933 in Glasgow) ist ein schottischer Schauspieler, Musiker und Komponist

McCallum, dessen Vater David McCallum Sr. erster Geiger beim London Philharmonic Orchestra war, studierte zunächst Musik an der Royal Academy of Music in London, bevor er später noch ein Schauspielstudium am Oxford Playhouse anschloss.

Ab Ende der 1950er Jahre spielte er kleinere Rollen in verschiedenen britischen Filmen der Rank Organisation wie in „Duell am Steuer" mit Stanley Baker und Patrick McGoohan, „Die Farm der Verfluchten" und 1958 in Roy Ward Bakers Drama „Die letzte Nacht der Titanic".

Zu Beginn der 1960er Jahre wirkte er auch in amerikanischen Spielfilmen mit, unter anderem in John Hustons Drama über den Psychoanalytiker Freud, des Weiteren in der Herman-Melville-Literaturverfilmung Die Verdammten der Meere von und mit Peter Ustinov. 1963 war er für John Sturges Hollywood-Produktion Gesprengte Ketten neben einem internationalen Staraufgebot verpflichtet.

Zwischen 1964 und 1968 verkörperte er den russischen Geheimagenten Illya Kuryakin in 105 Episoden der Fernsehserie Solo für O.N.C.E.L.. Der Erfolg der Serie führte dazu, dass einige Folgen zusammengeschnitten und auch als Kinofilme veröffentlicht wurden. 1972 bis 1974 hatte McCallum eine der Hauptrollen in der britischen Serie Colditz. Ins Blickfeld des deutschsprachigen Publikums rückte er 1979 wieder durch den Mehrteiler Die Abenteuer des David Balfour. Zwischen 1979 und 1982 hatte er eine der Titelrollen der britischen Fernsehserie Sapphire & Steele. In den 1980er und 1990er Jahren war McCallum viel beschäftigt in britischen und US-amerikanischen Serien. Seit 2003 ist er einer der Hauptdarsteller der Serie Navy CIS, in der er den Gerichtsmediziner Dr. Donald „Ducky" Mallard darstellt.

In den 1960er Jahren spielte David McCallum, der verschiedene Instrumente beherrscht, unter der Leitung von David Axelrod eine Reihe von erfolgreichen Jazz- und Funk-Alben für Capitol Records ein, so etwa 1966 Music: A Part of Me, 1967 Music: It's Happening Now! und 1968 Music: A Bit More of Me und das Album McCallum.

Als renommierter und erfolgreicher Theaterschauspieler trat McCallum über die Jahrzehnte immer wieder an New Yorker und Londoner Bühnen auf.

McCallum war von 1957 bis 1967 mit der Schauspielerin Jill Ireland verheiratet. Ireland heiratete noch im Jahr der Scheidung Charles Bronson, auch McCallum heiratete im selben Jahr erneut.

Quelle: [19]

Filmografie (Auswahl) David Keith McCallum, Jr.

1957: Duell am Steuer (Hell Drivers)
1957: Die Farm der Verfluchten (Robbery Under Arms)
1958: Die letzte Nacht der Titanic
1960: Verrufene Straße (Jungle Street)
1962: Freud
1962: Die Verdammten der Meere
1963: Outer Limits
1963: Gesprengte Ketten
1964: Solo für O.N.C.E.L.
1965: Die größte Geschichte aller Zeiten
1966: Unter Wasser rund um die Welt
1975: Der Unsichtbare
1977: König Salomons Schatz (King Solomon's Treasure)
1978: Die Abenteuer des David Balfour
1980: Schrei der Verlorenen (The Watcher in the Woods)
1983: Hart aber herzlich
1986: Das A-Team
1989: Mord ist ihr Hobby
1993: Seaquest
1994: Babylon 5
1997: Team Knight Rider
1999: Einsam in Manhattan
seit 2003: Navy CIS
2009: Wonder Woman (Sprechrolle)
2009: Batman: The Brave and the Bold
2010-2014: Ben
2014: NCIS: New Orleans (eine Episode)

Quelle: [19]

Brian Dietzen *(Navy CIS-Figur: Jimmy Palmer)*

(* 14. November 1977 in Colorado, USA) ist ein US-amerikanischer Schauspieler, Sänger und Tänzer

Brian Dietzen besuchte die Niwot High School in Niwot (Colorado), wo er in verschiedenen Produktionen auftrat. Danach studierte er mit dem Hauptfach Schauspiel an der University of Colorado at Boulder. Zwei Jahre lang war er Mitglied des „Colorado Shakespeare Festivals". Nach dem Studium zog er nach Los Angeles um, wo er eine Hauptrolle in der WB-Serie My Guide to Becoming a Rockstar bekam.

Sein Kinodebüt feierte Dietzen in dem Film From Justin to Kelly an der Seite von Kelly Clarkson. Außerdem war er neben Kevin Rankin und Jill Farley ein Mitglied der Sketch Comedy Gruppe „The Norm".

Seit 2004 hat er eine Rolle als „Assistant Medical Examiner Jimmy Palmer" in der erfolgreichen CBS-Serie Navy CIS. Seit der 10. Staffel gehört diese Rolle zur Hauptbesetzung.

Er lebt mit seiner Frau, seiner Tochter und seinem Sohn in Los Angeles.

Quelle: [20]

Filmografie (Auswahl) Brian Dietzen

2002: Boston Public
2002: My Guide to Becoming a Rock Star
2003: From Justin to Kelly
2003: One on One
2004: Purgatory House
seit 2004: Navy CIS
2005: Self-Inflicted
2008: Hit Factor
2009: Nowhere to Hide
2009: Destined to Fail (Fernsehserie)
2010: Past Life (Fernsehserie, Folge 1x03)
2013: Perception (Fernsehserie, Folge 2x08)
2013: Mark Leighton

Quelle: [20]

Rocky Carroll *(Navy CIS-Figur: Leon Vance)*
(* 8. Juli 1963 in Cincinnati, Ohio) ist ein US-amerikanischer Schauspieler

1981 schloss er die „School for the Creative and Performing Arts" ab und er entschloss sich seine Schauspielererfahrung zu vertiefen. Nachdem er die Webster University, Conservatory of Theatre Arts in St. Louis mit dem BFA-Grad abgeschlossen hat, zog er nach New York. Dort wirkte er in Joseph Papps „Shakespeare on Broadway" mit. Als Mitglied von Joe Papps Shakespeare-Serie half er mit die Tore für Farbige zu öffnen indem er Rollen verkörperte die selten von schwarzen Schauspielern gespielt wurden.

Aufgrund seiner Wurzeln im Theater spielt er weiterhin aktiv in Theaterstücken mit. Später entschließt er sich zum Fernsehen und Kino zu gehen. So hat er eine Hauptrolle als Dr. Keith Wilkes in der Fernsehserie Chicago Hope. Dort spielte er bereits mit Lauren Holly und Mark Harmon zusammen, welche beide nachher bei Navy CIS zu sehen waren. Er selber kommt erst im Laufe der fünften Staffel zu Navy CIS als stellvertretender Direktor (und später der Nachfolger von Lauren Holly als Direktor). Auch in den Navy CIS-Spin Offs Navy CIS: L.A. und NCIS: New Orleans ist er als Direktor zu sehen.

Quelle: [21]

Filmografie (Auswahl) Rocky Carroll

Filme
1989: Geboren am 4. Juli (Born on the Fourth of July)
1994: The Chase
1995: Crimson Tide – In tiefster Gefahr (Crimson Tide)
1996: Great White Hype – Eine K.O.Mödie (The Great White Hype)
1999: Best Laid Plans
2008: Der Ja-Sager (Yes Man)

Fernsehserien
1990: Law & Order (Folge 1x01)
2001–2003: The Agency – Im Fadenkreuz der C.I.A. (The Agency)
2004: Emergency Room – Die Notaufnahme (ER, Folge 10x17)
2004: Boston Legal (Folge 1x10)
2007: Grey's Anatomy (Folge 4x05)
seit 2007: NCIS
2009-2011: NCIS: Los Angeles
2014: NCIS: New Orleans

Quelle: [21]

Lauren Holly *(Navy CIS-Figur: Jennifer „Jenny" Shepard)*
(* 28. Oktober 1963 in Bristol, Pennsylvania) ist eine US-amerikanische Schauspielerin

Ihre ersten Schauspielerfahrungen machte Holly 1984 in zwei Episoden der Serie Polizeirevier Hill Street. Ein Jahr später beendete sie ihr Studium am Sarah Lawrence College mit einem Abschluss in englischer Literatur. Von 1986 bis 1989 spielte sie in der Serie All My Children. Nach weiteren kleinen Rollen gelang Holly 1992 der endgültige Durchbruch mit der Fernsehserie Picket Fences – Tatort Gartenzaun. In Folge drehte sie einige Kinofilme, meist Komödien. Von 2005 bis 2008 spielte sie in der Fernsehserie Navy CIS die Rolle der Jennifer „Jenny" Shepard.

Nach zwei gescheiterten Ehen mit Danny Quinn (1992 bis 1993) und Jim Carrey (1996 bis 1997), heiratete Holly 2001 Francis Greco, einen Investmentbanker. Sie hat drei Adoptivsöhne.

Quelle: [22]

Filmografie (Auswahl) Lauren Holly

1986: Die gnadenlose Clique (Band of the Hand)
1986–1989: All My Children (Fernsehserie)
1990: Ford Fairlane – Rock 'n' Roll Detective
1992–1996: Picket Fences – Tatort Gartenzaun (Picket Fences, Fernsehserie)
1993: Dragon – Die Bruce Lee Story (Dragon: The Bruce Lee Story)
1994: Dumm und Dümmer (Dumb & Dumber)
1995: Sabrina
1996: Mission: Rohr frei! (Down Periscope)
1996: Beautiful Girls
1997: A Smile Like Yours – Kein Lächeln wie Deins (A Smile Like Yours)
1997: Turbulence
1998: Vig
1999: An jedem verdammten Sonntag (Any Given Sunday)
1999–2000: Chicago Hope – Endstation Hoffnung (Chicago Hope, Fernsehserie, Folgen 6x01–6x22)
2000: Was Frauen wollen (What Women Want)
2000: Letzte Ausfahrt Hollywood (The Last Producer)
2001: Destiny – Einmal ganz oben stehen (Destiny)
2001: Jackie, Ethel, Joan: The Woman Of Camelot
2002: King of Texas

2002: Changing Hearts
2002: Talking to Heavens
2002: Santa Jr.
2002: Die Spur des Mörders (Pavement)
2004: Liebe zum Dessert (Just Desserts)
2004: U-Boat (In Enemy Hands)
2004: Caught in the Act
2005: Bounty Hunters
2005: Glück in kleinen Dosen (The Chumscrubber)
2005: The Pleasure Drivers
2005: Down and Derby
2005: The Godfather of Green Bay
2005–2008: Navy CIS (NCIS, Fernsehserie, Folgen 3x01–5x19)
2006: Fatwa
2006: Chasing 3000
2006: Raising Flagg
2006: CSI: Miami (Fernsehserie, Folge 2x07)
2008: Leverage (Fernsehserie, Folge 1x11)
2009: Crank 2: High Voltage (Crank 2: High Voltage)
2009: The Least Among You
2009: The Final Storm
2009: The Perfect Age of Rock 'n' Roll
2009: Before you say 'I do'
2009: Flashpoint – Das Spezialkommando (Flashpoint, Fernsehserie, Folge 3x07)
2010: Covert Affairs (Fernsehserie, Folge 1x06)
2010: You're So Cupid!
2011: Scream of the Banshee
2011: Rookie Blue (Fernsehserie, Folge 2x06)
2011: The Juggler
2011: Therapie in den Tod
2012: Alphas (Fernsehserie, 3 Folgen)
2012: Gedemütigt in Ketten – Nackt und hilflos (Layover aka Abducted)
seit 2013: Motive (Fernsehserie)
2014: Field of Lost Shoes
2014: The Town That Came A-Courtin'
2014: Abducted
2015: Marshall in the Miracle
2015: February

Quelle: [22]

Sasha Alexander *(Navy CIS-Figur: Caitlin ‚Kate' Todd)*

(* 17. Mai 1973 Los Angeles, Kalifornien) ist eine US-amerikanische Film- und Fernsehschauspielerin. Ihr bürgerlicher Name ist Suzana Drobnjaković. Ihr Künstlername ist Sasha Alexander, wobei Sasha ein Spitzname aus ihrer Kindheit ist und Alexander vom Namen ihres Bruders herrührt.

Alexanders Vater stammt aus Italien und ihre Mutter aus Serbien. Mit der Schauspielerei begann sie, als sie die weibliche Hauptrolle in einer Schulproduktion mit dem Titel Baby übernahm. Später arbeitete sie in New York bei Shakespeare- und Summer-Stock-Festivals mit. Die Rolle der Katherine in dem Stück Der Widerspenstigen Zähmung brachte ihr die Möglichkeit, in Großbritannien bei der Royal Shakespeare Company zu studieren.

Alexander machte einen Abschluss in Regie an der School of Cinema-Television, die zur University of Southern California gehört. Gleichzeitig spielte sie in mehreren – von den Kritikern gelobten – Independent-Filmen mit, die auf Festivals in ganz Amerika gezeigt wurden. Sie ist auch hinter der Kamera tätig, wie zum Beispiel bei der Produktion Lucky 13, bei der sie Regie führte, am Drehbuch mitschrieb, die Hauptrolle spielte und produzierte.

Am 18. September 1999 heiratete Alexander den Regisseur und Drehbuchautor Luka Pecel. Die Ehe wurde später annulliert. Am 12. Mai 2006 wurde sie Mutter einer Tochter. Vater des Kindes ist ihr späterer Ehemann, der Regisseur Edoardo Ponti, ein Sohn von Sophia Loren und Carlo Ponti. Mit ihm ist sie seit dem 11. August 2007 verheiratet. Am 20. Dezember 2010 kam das zweite gemeinsame Kind, ein Sohn, zur Welt.

In der Fernsehserie Wasteland hatte Alexander 1999 eine der Hauptrollen inne, die Serie kam auf eine Staffel. In der Jugendserie Dawson's Creek hatte sie eine Nebenrolle in der vierten Staffel. Größere Bekanntheit erlangte Alexander in der Serie Navy CIS in der sie zwei Jahre (2003 bis 2005) die Agentin Caitlin ‚Kate' Todd spielte. Nach der zweiten Staffel der Serie stieg Alexander aus, da ihr nach eigenen Angaben die Belastung der Dreharbeiten für noch viele weitere Folgen zu hoch war. Daher wurde sie „herausgeschrieben", ihr Charakter wurde ermordet. Dessen ungeachtet erschien sie in den Folgen 8x14 und 9x14 in Gedanken oder Erinnerungen. Die Szenen wurden jedoch nicht neu gedreht, stattdessen wurde unverwendetes Archivmaterial genutzt oder Szenen ihrer bisherigen Auftritte nachbearbeitet.

Seit Juli 2010 verkörpert sie in der Fernsehserie Rizzoli & Isles die Gerichtsmedizinerin Maura Isles.

Quelle: [23]

Filmografie (Auswahl) Sasha Alexander

Filme
1997: Battle of the Sexes (Kurzfilm)
1997: Visceral Matter
1999: Twin Falls Idaho
2001: Ball & Chain (Fernsehfilm)
2001: All Over the Guy
2003: Expert Witness
2005: Lucky 13
2006: Mission: Impossible III
2008: Der Ja-Sager (Yes Man)
2009: Er steht einfach nicht auf Dich (He's Just Not That Into You)
2009: Love Happens
2009: Play Dead
2009: The Karenskys (Fernsehfilm)
2011: Coming and Going
2013: The Girl from Nagasaki

Serien
1999: Wasteland
2000–2001: Dawson's Creek (Folgen 4x01–4x21)
2001: CSI: Den Tätern auf der Spur (CSI: Crime Scene Investigation , eine Folge)
2002: Friends (Folge 8x19)
2002: Greg the Bunny (eine Folge)
2002: Presidio Med (vier Folgen)
2003–2005: Navy CIS (NCIS, Folgen 1x01–3x02)
2006: E-Ring – Military Minds (E-Ring, Folge 1x13)
2006: The Nine – Die Geiseln (The Nine, eine Folge)
2009: Dark Blue (Folge 1x10)
2009: The Karenskys
2010: Dr. House (Folge 6x10)
seit 2010: Rizzoli & Isles
2015: Shameless (Folge 5x09)

Quelle: [23]

Emily Wickersham *(Navy CIS-Figur: Eleanor „Ellie" Bishop)*
(* 26. April 1984 Kansas) ist eine US-amerikanische Schauspielerin und Model.

Emily Wickersham wurde im US-Bundesstaat Kansas geboren und wuchs in Mamaroneck, New York auf. Sie war früher als Model für Abercrombie & Fitch tätig.

Ihre Schauspielkarriere begann Wickersham mit einem Auftritt in der Late Show with David Letterman. Im selben Jahr folgte die Rolle der Rhiannon Flammer in der Serie Die Sopranos, welche sie vier Folgen lang verkörperte. Im weiteren Verlauf ihrer Karriere hatte sie auch Rollen in den Filmen Remember Me – Lebe den Augenblick, Ich bin Nummer Vier und Gone inne. 2013 war sie für drei Folgen in der Serie The Bridge – America zu sehen. Seit November 2013 spielt sie die Eleanor „Ellie" Bishop in der Serie Navy CIS. Ursprünglich nur für einen dreiteiligen Handlungsbogen eingeplant, wurde sie nach dem Ende der Produktion dieser drei Episoden offiziell als Hauptdarstellerin unter Vertrag genommen.

Quelle: [47]

Filmografie (Auswahl) Emily Wickersham

2006–2007: Die Sopranos (The Sopranos, Fernsehserie, 4 Folgen)
2008: Vielleicht, vielleicht auch nicht (Definitely, Maybe)
2009: Taking Chance
2009: Criminal Intent – Verbrechen im Visier (Law & Order: Criminal Intent, Fernsehserie, Folge 8x14)
2009: Bored to Death (Fernsehserie, Folge 1x04)
2009: Trauma (Fernsehserie, Folge 1x04)
2010: Remember Me – Lebe den Augenblick (Remember Me)
2011: Ich bin Nummer Vier (I Am Number Four)
2011: Gossip Girl (Fernsehserie, Folge 5x01)
2012: Gone
2013: The Bridge – America (The Bridge, Fernsehserie, 3 Folgen)
seit 2013: Navy CIS (NCIS, Fernsehserie)
2014: Glitch

Quelle: [47]

Jennifer Esposito *(Navy CIS-Figur: Alexandra „Alex" Quinn)*

(* 11. April 1973 in Brooklyn, New York City) ist eine US-amerikanische Schauspielerin.

Esposito wurde als Kind einer Innenarchitektin und eines Datenverarbeitungsberaters an der Wall Street und ehemaligen Musikproduzenten geboren.

Sie träumte von einer Schauspielkarriere und besuchte das Lee Strasberg Institute in New York City.

Esposito bekam einige kleine Rollen im Fernsehen und Kino angeboten, wartete aber auf eine größere Rolle und arbeitete so lange als Kellnerin. Das Warten zahlte sich aus, da sie 1995 eine Rolle in der Fernseh-Seifenoper The City ergatterte. Mit dieser Rolle erregte sie die Aufmerksamkeit der Casting-Agentur der Serie Chaos City, die noch die Rolle der Freundin von Michael J. Fox' Charakter zu besetzen hatte. Doch mit der Zeit fand sie ihre Rolle unbefriedigend und verließ die Serie 1999. Seitdem spielte sie einige größere Rollen in bekannten Filmen. Spike Lee besetzte sie für eine Rolle in Summer of Sam.

2004 stand sie unter anderem für das Oscar-prämierte Episodendrama L.A. Crash mit einer Reihe bekannter Darsteller vor der Kamera. Weitere Filme waren unter anderem Sag kein Wort? mit Michael Douglas und New York Taxi. Von 2007 bis 2009 war sie als Andrea Belladonna neben Christina Applegate in der US-amerikanischen Sitcom Samantha Who? zu sehen.

Von 2010 bis 2012 spielte sie zusammen mit Tom Selleck in der Krimiserie Blue Bloods – Crime Scene New York. Seit 2016 übernimmt sie in Navy CIS die Hauptrolle von Special Agent Alexandra „Alex" Quinn.

Esposito war von Dezember 2006 bis Mai 2007 mit Schauspielkollege Bradley Cooper verheiratet. In der Late Show mit David Letterman gab Esposito im Oktober 2011 bekannt, dass sie seit 2009 an Zöliakie leidet.

Quelle: [54]

Filmografie (Auswahl) Jennifer Esposito

1995: The City
1996–1999: Chaos City (Spin City, Fernsehserie, 36 Episoden)
1997: Kiss Me, Guido
1998: Ich weiß noch immer, was du letzten Sommer getan hast (I Still Know What You Did Last Summer)
1998: Spike Lee's Spiel des Lebens

1998: In den Straßen von Brooklyn
1998: New York Undercover (Fernsehserie, drei Episoden)
1999: Der Junggeselle (The Bachelor)
1999: Summer of Sam
2000: Law & Order: Special Victims Unit (Fernsehserie, Episode 1x20)
2000: Boys Life 3
2000: Wes Craven präsentiert Dracula (Dracula 2000)
2001: Dangerous Connection - Im Netz der Verschwörung (The Proposal)
2001: Sag' kein Wort (Don't Say A Word)
2001: Made
2002: Meister der Verwandlung (Master of Disguise)
2002: Safecrackers oder Diebe haben's schwer (Welcome to Collinwood)
2002: Backflash
2002: Die Straßen von Philadelphia (Fernsehserie, Episode 1x11)
2003: Partners and Crime
2004: Für alle Fälle Amy (Judging Amy, Fernsehserie, acht Episoden)
2004: Breakin' All the Rules
2004: New York Taxi (Taxi)
2004: L.A. Crash (Crash)
2005: Snow Wonder
2006: Law & Order (Fernsehserie, Episoden 7x3, 17x22)
2006: Jesus, Mary and Joey
2007–2009: Samantha Who? (Fernsehserie, 35 Episoden)
2008: Conspiracy – Die Verschwörung (Conspiracy)
2008: American Crude
2009: The Broadroom
2009: Four Single Fathers
2010: The Wish List
2010–2012: Blue Bloods – Crime Scene New York (Blue Bloods, Fernsehserie, 44 Episoden)
2011: Mamitas
2011–2012: The Looney Tunes Show (Fernsehserie, 5 Episoden, Stimme)
2012: Bending the Rules
2014: Taxi Brooklyn (Fernsehserie, 10 Episoden)
2015: Mistresses (Fernsehserie, 12 Episoden)
2015–2016: The Affair (Fernsehserie, 5 Episoden)
seit 2016: Navy CIS (NCIS, Fernsehserie)

Quelle: [54]

Wilmer Valderrama *(Navy CIS-Figur: Agent Nicholas "Nick" Torres)*
(* 30. Januar 1980 in Miami, Florida) ist ein US-amerikanischer Schauspieler, Synchronsprecher und Filmproduzent. Bekannt wurde er durch seine Rolle als Fez in der Sitcom Die wilden Siebziger.

Wilmer Valderrama wurde als Sohn von Balvino und Sobeida Valderrama in Miami, Florida geboren. Er hat zwei Schwestern und einen Bruder. Im Alter von 3 Jahren zog er mit seiner Familie nach Venezuela und von dort aus, als er 13 war, nach Los Angeles.

Er sprach kein Englisch, lernte es aber schnell und begann Schauspielunterricht an der High School zu nehmen. 1999 machte er seinen Abschluss an der William Howard Taft High School.

Seine erste größere Rolle als Fez in der Fernsehserie Die wilden Siebziger war zugleich auch sein Durchbruch als Schauspieler. Die Rolle spielte er in allen acht Staffeln der Sitcom. Bei der Reality-TV-Show Yo Momma fungierte Valderrama als Produzent, Gastgeber und Drehbuchautor, sie kam auf 64 Folgen in 3 Staffeln.

Valderrama wurde 2003, 2005 und 2006 je mit einem Teen Choice Award ausgezeichnet.

Quelle: [55]

Filmografie (Auswahl) Wilmer Valderrama

1998: Four Corners
1998–2006: Die wilden Siebziger (That '70s Show, Fernsehserie, 200 Folgen)
2001: Summer Catch
2002: Keine Gnade für Dad (Grounded for Life, Fernsehserie, Folge 3x02)
2003: Party Monster
2004: Clifford's Really Big Movie (Stimme)
2004: La Torcedura
2005: The Darwin Awards
2006–2007: Yo Momma (Fernsehsendung)
2006: Longtime Listener
2006: Fast Food Nation
2006: Oh je, du Fröhliche (Unaccompanied Minors)
2006–2012: Meister Mannys Werkzeugkiste (Handy Manny, Fernsehserie, 100 Folgen, Stimme von Manny)
2007: El Muerto
2007: The Condor (Stimme)

2007: Save the Date
2008: Columbus Day
2008: Days of Wrath
2010: The Dry Land
2010: Die Zauberer vom Waverly Place (Wizards of Waverly Place, Fernsehserie, Folge 3x25)
2011: From Prada to Nada
2011: Larry Crowne
2011: NTSF:SD:SUV:: (Fernsehserie, Folge 1x10)
2011–2012: Royal Pains (Fernsehserie, 3 Folgen)
2012: Are You There, Chelsea? (Fernsehserie, Folge 1x08)
2012: Awake (Fernsehserie, 13 Folgen)
2012: Men at Work (Fernsehserie, Folge 1x06)
2012–2013: Raising Hope (Fernsehserie, 4 Folgen)
2012–2013: Suburgatory (Fernsehserie, 2 Folgen)
seit 2014: From Dusk Till Dawn: The Series (Fernsehserie)
2015: Minority Report (Fernsehserie, 10 Folgen)
2016: Grey's Anatomy (Fernsehserie, 5 Folgen)
2016: The Ranch (Fernsehserie, Folgen 1x18–1x20)
seit 2016: Navy CIS (NCIS, Fernsehserie)

Quelle: [55]

Duane Henry *(Navy CIS-Figur: Agent Clayton Reeves)*
(* 18. März 1985 in Birmingham, West Midlands, England)

Duane Henry ist ein englischer Schauspieler und lebt derzeit in Los Angeles, Kalifornien.

Quelle: [56]

Navy CIS: L.A.
Naval Criminal Investigative Service

Navy CIS: L.A. (NCIS: Los Angeles)

Navy CIS: L.A. (Originaltitel: NCIS: Los Angeles) ist der erste Ableger der US-amerikanischen Fernsehserie Navy CIS (Originaltitel: NCIS) und die dritte Serie im Serienuniversum von JAG – Im Auftrag der Ehre. Sie spielt im gleichen Serienuniversum wie Hawaii Five-0, da sowohl Kensi Blye als auch G. Callen und Sam Hanna dort als Agenten des NCIS Los Angeles auftauchen und die Ermittlungen unterstützen.

Am 5. November 2012 gab man bekannt, dass in einer späteren Doppelfolge der jetzigen Staffel ein weiteres NCIS-Team vorgestellt werden soll, was einem erneuten Spin-Off des JAG/NCIS-Franchise dienen soll.

Handlungsträger ist ein Team einer Undercovereinheit in Los Angeles, die dem Naval Criminal Investigative Service (NCIS) angehört. Die Hauptrollen sind G. Callen und Sam Hanna. Callen, der von seinem Vornamen nur weiß, dass er mit G anfängt, ist berüchtigt für seine Undercovereinsätze und arbeitet beim NCIS mit dem ehemaligen Navy SEAL Sam Hanna zusammen, der – auch wegen seiner fließenden Kenntnisse der arabischen Sprache – als Experte für den Nahen Osten gilt. Unterstützung bekommen Callen und Hanna von den Special Agents Kensi Blye und Dominic Vail, dem Techniker Eric Beal und dem Psychologen Nate „Doc" Getz, wobei Vail neu zum Team hinzugestoßen ist. Geleitet wird die Einheit von Henrietta „Hetty" Lange. Im Laufe der ersten Staffel scheidet der Charakter des Dominic Vail aus der Serie aus. Neu hinzu kommt Marty Deeks, ein Detective des LAPD.

Die Dreharbeiten begannen im Februar 2009. Die Charaktere wurden in der NCIS-Doppelfolge Legende vorgestellt und eingeführt. Diese Episoden waren ein sogenannter Backdoor-Pilot für die Serie, vergleichbar mit der Hauptserie NCIS, die ihren Backdoor-Pilot in der Serie JAG – Im Auftrag der Ehre mit zwei Episoden hatte. Während die Serie im Januar 2010 um eine zweite Staffel verlängert wurde, gab CBS im Mai 2011 die Produktion einer dritten Staffel in Auftrag. Eine vierte Staffel wurde darüber hinaus im März 2012 angekündigt. Am 27. März 2013 verlängerte CBS die Serie um eine fünfte Staffel, deren Ausstrahlung begann am 24. September 2013 und endete am 13. Mai 2014. Die Ausstrahlung der sechsten Staffel erfolgte vom 29. September 2014 bis 18. Mai 2015, die siebte Staffel lief von September 2015 bis Mai 2016 auf CBS. Im März 2017 verlängerte CBS den Vertrag um eine 9. Staffel.

Allgemein lässt sich eine große Ähnlichkeit zum Mutterformat erkennen. Dies wird vor allem durch die Nutzung eines Stil-Elements ersehen, welches zur Trennung einer Folge in einzelne Kapitel führt. Bei Navy CIS wird dies durch je ein Schwarz-Weiß-Bild, welches zumeist einfriert und von einem dumpfen Geräusch begleitet wird, das Ende eines Kapitels dargestellt, während wenige Sekunden darauf ein weiteres Bild des nächsten Kapitels erscheint, mit dem ebenfalls selbiges geschieht. Im Spin-Off Navy CIS: LA wird eine Kapiteleinteilung ebenfalls durch Schwarz-Weiß-Bilder gezeigt. Hier gibt es jedoch mehrere, schnell aufeinander gezeigte Bilder, die aussehen als wären sie von einer Foto-Kamera aufgenommen worden. Ein entsprechender Ton komplettiert die audio-visuelle Trennung.*Quelle: 10*

TV-Ausstrahlung

USA

Am 28. April und am 5. Mai 2009 wurde auf dem US-Sender CBS in einer Doppelfolge von Navy CIS das Team vorgestellt.

Seit dem 22. September 2009 wird NCIS: Los Angeles auf dem Sendeplatz hinter Navy CIS ausgestrahlt.

Die erste Folge der Serie erreichte in den USA 18 Millionen Zuschauer.

Die zweite Staffel startete am 21. September 2010 mit einer Doppelfolge und endete am 17. Mai 2011.

Die dritte Staffel wird seit dem 20. September 2011 ausgestrahlt.

Im März 2012 verlängerte CBS die Serie um eine vierte Staffel, die vom 25. September 2012 bis 14. Mai 2013 ausgestrahlt wurde. Die Ausstrahlung der fünften Staffel begann am 24. September 2013 und endete am 13. Mai 2014. Die Ausstrahlung der sechsten Staffel erfolgt seit dem 29. September 2014 in den USA auf CBS.

Die Ausstrahlung der sechsten Staffel erfolgte vom 29. September 2014 bis 18. Mai 2015 ebenfalls auf CBS. Die siebte Staffel lief vom September 2015 bis Mai 2016 auf CBS.

Quelle: 36

Erstausstrahlung und Einschaltquoten TV-Serie NCIS: Los Angeles in den USA

Staffel	Episoden	Premiere	Finale	Rang	Reichweite (Mio.)
1	24	22. Sep. 2009	25. Mai 2010	9	16,08
2	24	21. Sep. 2010	17. Mai 2011	7	16,54
3	24	20. Sep. 2011	15. Mai 2012	7	16,01
4	24	25. Sep. 2012	14. Mai 2013	4	17,31
5	24	24. Sep. 2014	13. Mai 2014	4	16,03
6	24	29. Sep. 2014	18. Mai 2015	27	11,72
7	24	21. Sep. 2015	02. Mai 2016	24	11,11
8	24	25. Sep. 2016	14. Mai 2017	11	12,51

Quelle: 39

TV-Ausstrahlung
Deutschland

Erstmals waren die Protagonisten des Spin-Offs in Deutschland am 25. Oktober 2009 und am 1. November 2009 in der Serie Navy CIS zu sehen, in der serienübergreifenden Episode „Legende" (Teil 1 und 2). Die reguläre Ausstrahlung der ersten Staffel erfolgt seit dem 24. Juli 2010 immer samstags um 20:15 Uhr bei Sat1.Im Schnitt erreichte die erste Staffel 2,08 Millionen Zuschauer mit einem Marktanteil von 7,6 %. In der Zielgruppe erreichte sie mit 1,10 Millionen Zuschauern 11,2 %. Die zweite Staffel startete am 8. Januar 2011 auf Sat. und endet mit der fünften Folge auf Grund schlechter Quoten am 5. Februar 2011. Vom 11. August bis zum 24. November 2011 wurden nun immer donnerstags die restlichen Folgen der zweiten Staffel gesendet. Im Durchschnitt erreichte die zweite Staffel 1,19 Millionen Zuschauer (10,0 Prozent) in der werberelevanten Zielgruppe und 2,34 Millionen (7,6 Prozent) des Gesamtpublikums. Sat1 sendet die dritte Staffel seit dem 16. Februar 2012. Nach einer Ausstrahlungspause zwischen dem 10. Mai 2012 und dem 28. Juni 2012 sendet Sat1 die restlichen Episoden seit dem 8.Juli 2012 auf einem neuen Sendeplatz am Sonntagabend um 21:15 Uhr. Am 26. August 2012 tauschten beide Serien "Hawaii Five-0" und "Navy CIS: L.A." einmalig den Sendeplatz, da das Serien-Crossover "Das Spiel mit dem Tod" mit dem ersten Teil in "Hawaii Five-0" um 21:15 Uhr und mit dem zweiten Teil in "Navy CIS: L.A." um 22:15 Uhr ausgestrahlt wurde. Am 7. April 2013 begann Sat.1 mit der Ausstrahlung der ersten elf Episoden der vierten Staffel. Die Ausstrahlung der letzten 13 Episoden fand vom 18. August 2013 bis zum 10. November 2013 statt. Am 5.Januar 2014 begann die Ausstrahlung der ersten 13 Episoden der Staffel Fünf auf Sat1; mit der Ausstrahlung der restlichen 11 Folgen wurde am 17.August 2014 begonnen und die Schlußfolge wurde am 2.November 2014 ausgestrahlt. Staffel 6 lief vom 4. Januar 2015 bis 8. November 2015 auf SAT1. Gegen Ende der 8. Staffel wechselte die Ausstrahlung auf den Sender 13th Street.

Erstausstrahlung und Einschaltquoten TV-Serie Navy CIS: L.A. in Deutschland

Staffel	Sendezeitraum	Reichweite ab 3 J. (Mio.)	Marktanteil ab 3 J. (%)	Reichweite 14–49 J. (Mio.)	Marktanteil 14–49 J. (%)
1	Juli bis Dezember 2010	ø 2,08	ø 7,6	ø 1,1	ø 11,2
2	Januar bis Februar 2011	ø 2,05	ø 6,2	ø 1,04	ø 08,8
2	August bis November 2011	ø 2,34	ø 7,6	ø 1,19	ø 10,0
3	Februar bis Mai 2012	ø 2,03	ø 9,2	ø 0,95	ø 10,1
3	Juli bis September 2012	ø 2,72	ø 9,1	ø 1,41	ø 11,4
4	April bis November 2013	ø 2,69	ø 8,4	ø 1,41	ø 11,0
5	Januar bis März 2014	ø 2,54	ø 9,5	ø 1,28	ø 11,9
6	Januar bis März 2015	ø 3,04	ø 8,7	ø 1,51	ø 11,2
7	April bis Oktober 2016	ø 2,26	ø 7,0	ø 0,99	ø 8,4

Quelle: [38]

DVD-Veröffentlichungen

In den USA erschien die erste Staffel am 31. August 2010. Die komplette zweite Staffel erschien am 23. August 2011 auf DVD in den USA. In Deutschland ist die erste Staffel in 2 Teilen am 31. März 2011 erschienen. Die zweite Staffel ist am 8. März 2012 wieder geteilt in zwei Teile auf DVD veröffentlicht worden. Die dritte Staffel erschien am 7. März 2013, ebenfalls in Halbstaffeln. Staffel 4 in 2 Teilen erschien am 8. Mai 2014. Staffel 5 in 2 Teilen erschien am 2. April 2015. Staffel 6 als Komplettbox erschien am 7. April 2016. *Quelle:* [38]

Hauptdarsteller Navy CIS: L.A.

Rollenname	Schauspieler	Synchronsprecher	Hauptrolle (Episoden)	Nebenrolle (Episoden)
Special Agent G. Callen	Chris O'Donnell	Sven Hasper	1.01–	
Special Agent Sam Hanna	LL Cool J	Sascha Rotermund	1.01–	
Special Agent Kensi Blye	Daniela Ruah	Natascha Geisler	1.01–	
Department Manager Henrietta „Hetty" Lange	Linda Hunt	Evelyn Gressmann	1.02–	1.01
Techniker Eric Beal	Barrett Foa	Tobias Nath	1.13–	1.01–1.12
Detective/LAPD Laison Officer Marty Deeks	Eric Christian Olsen	Robin Kahnmeyer	2.01–	1.19–1.20
Technikerin Nell Jones	Renée Felice Smith	Kaya Marie Möller	2.11–	2.04–2.10
Operational Psychologist Nate „Doc" Getz	Peter Cambor	Björn Schalla	1.01–1.24	2.01, 2.03, 2.14, 2.18, 3.20, 4.12, 5.02, 5.15, 6.04, 7.21
Owen Granger	Miguel Ferrer	Lutz Mackensy	5.01-	3.12–4.24
Director Leon Vance	Rocky Carroll	Leon Boden		1.01–3.01, 6.03
Special Agent Dominic Vail	Adam Jamal Craig	Marcel Collé	1.01–1.12	1.21
Department Manager Lara Macy	Louise Lombard	Peggy Sander	Backdoor-Pilot	
Special Agent Lauren Hunter	Claire Forlani	Katrin Fröhlich		2.23–3.03,3.23-3.24
Bahrooz Ali	Stefanie Malouf	Daniela Rosalba Molina		7.09

Quelle: [10]

Hauptfiguren Navy CIS: L.A.

G.Callen

NCIS Supervisory Special Agent. Sein Vorname ist nicht bekannt, von Freunden wird er „G" genannt. Er hatte eine bewegte Vergangenheit und arbeitete früher unter anderem für die CIA und das FBI. Er war in seiner Kindheit in 37 Pflegefamilien. Callen diente einst mit seinem guten Freund Leroy Jethro Gibbs. Es wird bekannt, dass er bereits bei verschiedenen Undercover Einsätzen auf der ganzen Welt unterwegs war und dadurch unter vielen Identitäten gelebt hat. Im Finale der ersten Staffel erfährt man, dass er eine ältere Schwester namens Amy hatte, die jedoch in jungen Jahren gestorben ist. Er isst oft Bananen, um sich zu beruhigen. Agent Callen spricht unter anderem Russisch, Polnisch, Tschechisch, Rumänisch, Deutsch, Italienisch, Spanisch, Französisch und Arabisch. Er ist im NCIS–Büro für Special Projects in Los Angeles stationiert.

Quelle: [10]

Sam Hanna

NCIS Senior Special Agent. Er ist ein ehemaliger SEAL und lebt noch deren Verhaltenskodex aus. Er ist Partner und ein guter Freund von Callen. Er hat ein Faible für Jungen aus gefährlichen Umgebungen, weil dies die Art der Umgebung ist, in der er aufgewachsen ist. Sein Vater wurde ermordet, als er jung war, weshalb er manchmal mit starken Emotionen an einen Fall herangeht. Ebenso versucht er ein väterliches Vorbild für den jungen Agenten Dominic Vail zu sein, dessen spätere Entführung und Tod für Sam Hanna eine schwere Belastung darstellen. Er liest und spricht fließend Arabisch, Japanisch und Spanisch. Des Weiteren ist er verheiratet und hat mindestens eine Tochter. Später wird bekannt, dass seine Frau Michelle eine ehemalige Agentin der CIA ist und für besondere Aufträge in den Dienst zurückgekehrt ist.

Quelle: [10]

Kensi Blye

Kensi ist NCIS Junior Field Agent. Kensi stammte aus einer Familie von Marines und war daher in ihrer Kindheit jedes Wochenende auf der Camp Pendleton Marine Base. Sie spricht fließend Portugiesisch und Spanisch, liest von den Lippen und kennt den Morse-Code. Ihr Lieblingsfilm ist Titanic, den sie mit ihren Freundinnen sah, als ihr Vater ermordet wurde.Zu ihrem Vater hatte sie ein sehr enges Verhältnis, er hat sie teilweise wie einen Sohn erzogen. Sie versucht in der 3. Staffel seinen Mörder zu finden, was sie dann auch schafft. Es wird bekannt, dass ihr Vater das Mitglied einer Spezialeinheit war und Geheimaufträge erledigte. Zu ihrer Mutter hatte sie jahrelang keinen Kontakt, erst nach der Aufklärung am Mord ihres Vaters nähern sich die beiden wieder an. Kensi ist Einzelkind. Sie war mit einem Marine verlobt, doch nach seiner Rückkehr aus dem Irak erleidet er eine Posttraumatische Belastungsstörung und verschwindet. Während ihres Einsatzes in Afghanisten treffen die beiden sich wieder. Sie erfährt, dass er inzwischen geheiratet und eine Tochter hat, seine Frau aber bei einem Drohnenangriff umgekommen ist. In der 4. Staffel verliebt sich Kensi in ihren Partner Deeks. In Staffel 5 verbringen die beiden eine Nacht mit einander. In der Folge "Humbug" in Staffel 6, gestehen sie sich endlich ihre Gefühle und kommen zusammen. In der 7. Staffel ziehen sie zusammen in Deeks Haus und reden sogar über das Heiraten und Kinder bekommen.

Quelle: [10]

Henrietta „Hetty" Lange

NCIS Special Agent in Charge, sie ist die Leiterin des Büros. Trotz ihrer kleinen Statur empfinden die anderen Kollegen großen Respekt. Sie hatte viele Begegnungen, Liebschaften und Beziehungen. Ebenso unterhält sie vielfältige Kontakte in die weltweite Politik, welche sie oft helfend einsetzt, um die Fälle ihres Teams voranzubringen. Außerdem ist sie eine passionierte Teetrinkerin und versucht jederzeit, auch die restlichen Mitglieder des Teams auf den Geschmack zu bringen. Sie kleidet sehr gern ihre Kollegen ein. Es wird nie ganz bekannt, wo und in welchen Positionen sie bereits auf der Welt gearbeitet hat, Rückschlüsse auf ihre früheren Tätigkeiten sind allerdings durch verschiedene Situationen möglich. So öffnet sie in einer Folge ihren Schreibtisch, wo diverse Ausweise und Führerscheine mit unterschiedlichen Namen sauber sortiert zu sehen sind. Weiterhin trifft sich Hetty mit einem ihrer Kontakte und wird von dieser Person als "Fürstin der Täuschung" bezeichnet. Bekannt ist, dass sie fließend Deutsch sprechen kann.

Quelle: [10]

Eric Beal

Er ist der Computerexperte und Technikfreak der Abteilung und die wichtigste Verbindung zwischen seinen Kollegen im Einsatz und der Zentrale. So manipuliert er oft Verkehrskameras und dringt in Netzwerke und Satelliten ein, um einen Vorteil für die Agenten zu gewinnen. Er ist mit Abby vom NCIS in Washington, D.C. befreundet. Ebenso beherrscht er die Gebärdensprache. Zu seinen Hobbys zählt das Surfen. Ins Büro kommt er ausschließlich in kurzen Hosen und Flip-Flops. Bei Außeneinsätzen des Teams ist er nur sehr selten dabei. In der Folge 2x09 behauptet er, er wäre zur Hälfte Deutscher.

Quelle: [10]

Marty Deeks

Er ist der NCIS/LAPD-Verbindungsoffizier. Er stößt bei gemeinsamen Undercover-Ermittlungen mit Sam Hanna zusammen. Hetty, die ihn schon lange Zeit beobachtete, erreicht mithilfe ihrer Kontakte, dass er zum NCIS versetzt wird. Gegenüber Callen verrät sie, dass Deeks als neuer Agent zum Team gehören soll. In der ersten Folge der zweiten Staffel wird seine LAPD-Partnerin Jess Traynor ermordet. In der zweiten Staffel wird Deeks vor Dienstbeginn in einem Convenience Shop niedergeschossen, überlebt aber. In der gleichen Folge erfährt man, dass er aus Notwehr seinen Vater angeschossen hat, als er elf Jahre alt war. In Folge 23 der zweiten Staffel bietet Hetty ihm eine Anstellung beim NCIS an, die er allerdings ablehnt, weil er Polizist ist und das mehr für ihn ist als nur ein Job. Bekannt ist, dass er die spanische Sprache beherrscht. Er verliebt sich während der vierten Staffel in Kensi und gesteht ihr mit einem Kuss seine Gefühle. In der fünften Staffel verbringen beide eine Nacht zusammen. In der 11. Folge der sechsten Staffel kommen beide nach einem Kuss auf einer Eisbahn schließlich zusammen. Im Verlauf der siebten Staffel ziehen beide sogar zusammen.

Quelle: [10]

Nell Jones

Ist wie Eric auch Computerexpertin und ist dessen Partnerin im NCIS–Büro. Sie trägt bei Außeneinsätzen eine Waffe (siehe 2.06) wenngleich sie keine Agentin ist. Außerdem ist sie hochintelligent, verrät aber die genaue Zahl ihres IQs nicht. Sie ist bereits seit mehreren Jahren mit Nate Getz befreundet, doch die genaue Beziehung der beiden ist noch nicht geklärt. Er ist außerdem der erste, der bemerkt, dass Nell Gefühle für Eric hat, die etwas mehr sind als nur freundschaftlich. Des Weiteren mag sie Blumen, Football und wurde von ihrer kleinen Schwester auf einer Datingsite angemeldet. Im Laufe der fünften Staffel ist sie an der Seite von Deeks öfter im Außenseinsatz und gerät dabei immer wieder in Schwierigkeiten, was Eric gar nicht gefällt.

Quelle: [10]

Owen Granger

Granger ist der Assistant Director vor Ort und überwacht das Team von Hetty von nun an. Er maßregelt Einsätze und gibt Anweisungen, die das Team nur widerwillig ausführt. Des Weiteren deutet er oft an, dass die Henrietta Lange - Zeit bald vorbei sei. Jedoch lässt er auch bei einigen Einsätzen seine Sympathie für Hetty Lange und ihr Team durchblicken und nimmt auch gelegentlich selber an Außeneinsätzen teil.

Quelle: [10]

Nebenfiguren Navy CIS: L.A.

Leon Vance

Der Direktor des NCIS sieht ab und zu nach dem Rechten, und lässt ansonsten Hetty freie Hand. Nachdem sich einige Dinge änderten, setzte Vance einen Direktor vor Ort ein.

Quelle: [10]

Lara Macy

Senior Special Agent. Sie war im Backdoor-Pilot Leiterin des Teams, wurde aber für die Serie durch Hetty Lange ersetzt. Sie war ein ehemaliger Marine Corps Military Police Officer und untersuchte den Mord an einem mexikanischen Drogendealer, der Gibbs' Familie getötet hatte. Leroy Jethro Gibbs wurde damals verdächtigt. In Folge 23 der 7. Staffel aus Navy CIS wird ihre Leiche verbrannt aufgefunden.

Quelle: [10]

Dominic Vail

Er kam als NCIS Junior Special Agent neu ins Team und verschwand in Folge dreizehn der ersten Staffel. Er wurde von mehreren unbekannten Entführern gefangen genommen. Später bekennt sich eine islamistische Terrorzelle zu seiner Entführung und fordert die Freilassung eines gefangenen Terroristen. Auf der Flucht vor seinen Entführern wird er auf dem Dach eines ehemaligen Kinos in L.A. erschossen. Er stirbt in den Armen seiner Kollegen Callen und Sam.

Quelle: [10]

Nate „Doc" Getz

Er war der Psychologe der Einheit, erstellt Profile der Verdächtigen und stand den Mitgliedern des Teams mit psychologischem Rat zur Seite. Er weiß, wie man Banjo und Mundharmonika spielt. Außerdem hört er gerne Jazz. Er machte oft viele Überstunden, weshalb er auch schon von Hetty darauf angesprochen wurde. In der dritten Folge der zweiten Staffel geht er freiwillig nach Kabul, um den Menschen dort zu helfen. In Folge 2.14 wird bekannt, dass er dort versucht hat, die Terrorzelle "Warriors for Islam" aufzuspüren. Im Verlauf der Folge arbeitet er wieder mit dem Team zusammen, da ihn eine Spur ins Oakville-Gefängnis (USA) führte. Außerdem wird bekannt, dass er Nell Jones schon länger kennt, obwohl er vor ihrer Zeit das Team verließ. In Folge 2.18 wird bekannt, dass er im Jemen stationiert ist, um den Anführer der „Warriors for Islam" im Auge zu behalten.

Quelle: [10]

Lauren Hunter

Special Agent Hunter war Leiterin des OSP während Hettys Abwesenheit. Sie wird von Hetty am Ende von Staffel 2 eingesetzt und vertritt diese bis Hetty in Staffel 3 zurückkehrt. Später stirbt sie bei der Zündung einer Autobombe durch das Chamäleon. Außerdem wird bekannt, dass ihre Vergangenheit der von Callen gleicht, da beide Waisenkinder waren und beide von Hetty "rekrutiert" wurden.

Quelle: [10]

Serien-Spin-off Navy CIS: L.A.

Navy CIS: L.A. wird während der sechsten Staffel der Serie Navy CIS erstmals ausgestrahlt. In der Pilot-Doppelfolge Legende tritt auch noch die Figur Special Agent Lara Macy, gespielt von Louise Lombard, auf. Nach diesen zwei Folgen wurde sie aber nicht in die Besetzung der Serie übernommen. Die Erstausstrahlung der beiden Pilotfolgen war in den USA am 28. April und 5. Mai 2009 auf CBS zu sehen. *Quelle: 10*

Staffel 1 (Episoden 1.1- 1.24) Navy CIS: L.A.

Nachdem Callen im Backdoor-Pilot von Navy CIS niedergeschossen wurde, kehrt er zum NCIS-Team in Los Angeles zurück und nimmt seine Arbeit als Undercover-Agent wieder auf. In der ersten Staffel werden überwiegend Undercovereinsätze durchgeführt, die aufgrund eines Mordes oder Terrorverdachts entstehen. In der dreizehnten Folge verschwindet Agent Vail spurlos. Trotz intensiver Suche finden die Agenten keine Spur. Erst zum Staffelende taucht Vail in Gefangenschaft von Terroristen wieder auf und wird beim Versuch, ihn zu befreien, erschossen. Des Weiteren ist Callen auf der Suche nach seiner Vergangenheit und seinem Vornamen.

Quelle: 10

Erstausstrahlung USA   22. September 2009 – 25. Mai 2010 auf CBS

Erstausstrahlung Deutschland 24. Juli 2010 – 18. Dezember 2010 auf Sat 1

Episoden Staffel 1 Navy CIS: L.A.

Nr.	Titel	Originaltitel	Premiere USA	Premiere D	Regisseur	Drehbuch
1.1	**Operation Dakota**	Identity	22. Sep. 2009	24. Juli 2010	J.Whitmore, Jr.	S.Brennan

Bei einer Verfolgungsjagd durch die Polizei wird Navy-Commander McGuire durch Gangster erschossen. Wie sich herausstellt, hat er offensichtlich für ein mexikanisches Drogenkartell gearbeitet und Satellitenaufnahmen weitergegeben, die dem Kartell Einzelheiten über eine konzertierte Militäraktion verraten haben. Durch die Entführung seiner Lieblingsnichte Emma wurde er unter Druck gesetzt. Callen und Sam stoßen bei der Verfolgung auf Luis, den leiblichen Vater von Emma. *Quelle: 10, 11*

Nr.	Titel	Originaltitel	Premiere USA	Premiere D	Regisseur	Drehbuch
1.2	**Der einzige leichte Tag**	The Only Easy Day	29. Sep. 2009	24. Juli 2010	T.O'Hara	R.S.Gemmill

Das Haus eines Drogendealers wird überfallen und eine Menge Geld wird gestohlen – zwei Tote bleiben zurück. Sam erkennt beim Sichten der Videoaufnahmen, dass es sich um SEALs handeln muss; einen davon erkennt er sogar. Das Team findet heraus, dass einer der Toten ein Undercover Cop gewesen ist, und Sam, selber ein SEAL, macht es schwer zu schaffen, dass seine ehemaligen Kameraden auf kriminellen Abwegen sind. *Quelle: 10, 11*

Episoden Staffel 1 Navy CIS: L.A.

Nr.	Titel	Originaltitel	Premiere USA	Premiere D	Regisseur	Drehbuch
1.3	Die Drohne	Predator	06. Okt. 2009	31. Juli 2010	T.Wharmby	D.Kalstein

Bei einer Manöverübung mit einer Drohne und scharfer Munition verliert Pilot Briggs die Kontrolle und muss hilflos mitansehen, wie einer seiner Freunde durch die explodierende Rakete ums Leben kommt. Die Drohne verschwindet vom Radar und ist vorerst spurlos verschwunden. Das NCIS-Team nimmt die Ermittlungen auf und findet sehr bald heraus, dass ein Hacker in das Computersystem der Drohne eingedrungen ist. Die Spuren führen zu einem Universitätscampus. *Quelle: 10, 11*

Nr.	Titel	Originaltitel	Premiere USA	Premiere D	Regisseur	Drehbuch
1.4	Beste Beziehungen	Search and Destroy	13. Okt. 2009	31. Juli 2010	S.Boyum	G.Grant

Ein ehemaliger Marine, nun Angestellter in einer privaten Sicherheitsfirma, soll im Irak einen Geschäftsmann ermordet haben. Als er am Flughafen von L.A. eintrifft, versuchen Mitarbeiter von Citdential Security, ihn auszuschalten – Flynn gelingt die Flucht, auf der er einen der Männer umbringt. Das NCIS-Team wird in die Ermittlungen eingeschaltet. In Callen wachsen immer mehr die Zweifel, dass Flynn des Mordes, dessen er beschuldigt wird, auch schuld ist. *Quelle: 10, 11*

Nr.	Titel	Originaltitel	Premiere USA	Premiere D	Regisseur	Drehbuch
1.5	Die Koreanerin	Killshot	20. Okt. 2009	07. Aug. 2010	D.Barrett	S.Brennan

Der Nordkoreaner Daniel Su, der an einer High-Tech-Ausrüstung für das Marine Corps arbeitet, wird ermordet. Anhand der Überwachungskameras kann das Team feststellen, dass der Täter eine Frau ist. Bald ist klar, dass es sich um Lee Wuan Kai handelt, eine Auftragskillerin in Diensten Nordkoreas. Wenig später gibt es eine weitere Leiche. Das Team geht davon aus, dass alle, die mit Daniel Su in enger Verbindung standen, auf der Abschussliste stehen. *Quelle: 10, 11*

Nr.	Titel	Originaltitel	Premiere USA	Premiere D	Regisseur	Drehbuch
1.6	Tinte in den Adern	Keepin' It Real	03. Nov. 2009	14. Aug. 2010	L.Libman	M.Pyken

Als ein junger Marine vom Dach eines Hotels, auf dessen Dachterrasse eine Party gefeiert wurde, fällt, stellt sich heraus, dass er bereits ohnmächtig über die Brüstung geworfen worden sein muss. Das NCIS-Team nimmt die Ermittlungen auf und stößt auf Falschgeld. Als Kensi und Callen undercover auf den Kopf der Falschgeldbande treffen, scheinen sie in einer Sackgasse gelandet zu sein. Schließlich ist es Agent Giordanos Geschick zu verdanken, dass sie den Mörder doch noch finden. *Quelle: 10, 11*

Nr.	Titel	Originaltitel	Premiere USA	Premiere D	Regisseur	Drehbuch
1.7	Alina	Pushback	10. Nov. 2009	21. Aug. 2010	P.Barclay	S.Brennan

Der neue Fall des NCIS-Teams, bei dem es um eine erschossene junge Frau geht, führt sie in Callens Vergangenheit. Zehn Jahre zuvor war er an einer von der CIA geleiteten Operation in Russland beteiligt, die gegen ein Syndikat der Russenmafia gerichtet war. Die Operation wurde verraten und Callen hatte Arkady als Verräter verdächtigt. Arkady, den sie schließlich ausfindig machen können, gelingt es, Callen davon zu überzeugen, dass nicht er der Verräter gewesen ist. *Quelle: 10, 11*

Episoden Staffel 1 Navy CIS: L.A.

Nr.	Titel	Originaltitel	Premiere USA	Premiere D	Regisseur	Drehbuch
1.8	**Paranoid**	Ambush	17. Nov. 2009	28. Aug. 2010	R.Holcomb	L.Sturman

Agent Renko, ehemaliger Partner von Callen, hat einen Informanten in einer militanten Gruppe. Als dieser umgebracht wird, findet das Team im Laufe der Ermittlungen heraus, dass Dragon-Panzerabwehrwaffen aus seinem Depot in Camp Pendleton gestohlen wurden. Schließlich können sie Private Riley dingfest machen, doch bei einem fingierten Gefangenentransport, in dem auch Callen sitzt, nimmt der Fall eine schreckliche Wende.
Quelle: 10, 11

Nr.	Titel	Originaltitel	Premiere USA	Premiere D	Regisseur	Drehbuch
1.9	**Das Phantom**	Random on Purpose	24. Nov. 2009	04. Sep. 2010	S.DePaul	S.Weed

Frank McEllon, ein Ingenieur, der an der SuperGravitation für U-Boote arbeitet, wird ermordet. Bei den Ermittlungen stößt das Team auf seine Frau, die die Scheidung eingereicht hat, und ihren jungen Liebhaber. Allerdings stellt sich nach kurzer Zeit die Unschuld der beiden heraus. Vance bringt Abby ins Spiel, die den Verdacht hat, dass es sich hier um einen Serienkiller handelt, der schon einige Morde ohne jeden erkennbaren Zusammenhang und ohne jedes Motiv begangen hat. Quelle: 10, 11

Nr.	Titel	Originaltitel	Premiere USA	Premiere D	Regisseur	Drehbuch
1.10	**Die Last der Schuld**	Brimstone	15. Dez. 2009	11. Sep. 2010	T.O'Hara	R.S.Gemmill

Im Irak wird ein ehemaliges Mitglied eines Bombenräumkommandos durch eine Bombe via Handyzündung umgebracht. Während der Ermittlungen stößt das Team auf eine weitere Bombe unter Hastings Kings Wagen, die er erfolgreich mit Sam entschärfen kann. Der gleiche Erfolg bleibt ihnen jedoch bei dem dritten Sprengsatz versagt, der kurz darauf in Olins Wagen explodiert, als er versucht, vor Sam und Callen zu flüchten. Nate findet durch gekonntes Kalkulieren schnell den wahren Täter. Quelle: 10, 11

Nr.	Titel	Originaltitel	Premiere USA	Premiere D	Regisseur	Drehbuch
1.11	**Durch die Wand**	Breach	05. Jan. 2010	18. Sep. 2010	P.Lang	R.S.Gemmill & S.Brennan

Als Officer Mostel Renny durch ein Auto, das die Mauer eines Stripclubs durchbricht, getötet wird, stirbt auch der Fahrer des Wagens. Das Team kommt schnell dahinter, dass der Clubbesitzer, Dallas, mit heimlich aufgenommenen Sexvideos hochgestellte Persönlichkeiten erpresst hat. Bei der Sicherstellung der Videos macht sich ein islamistischer Prediger verdächtig. So kurz vor der Lösung des Falls wird von oberster Stelle angeordnet, die Ermittlungen sofort einzustellen. Quelle: 10, 11

Episoden Staffel 1 Navy CIS: L.A.

Nr.	Titel	Originaltitel	Premiere USA	Premiere D	Regisseur	Drehbuch
1.12	**Aus einem anderen Leben**	Past Lives	12. Jan. 2010	25. Sep. 2010	E.Keene	D.Kalstein

Ein Taxifahrer wird auf offener Straße hingerichtet. Der Tote war ein ehemaliger Navy-Systemtechniker und hat einst mit einigen Komplizen fünf Millionen Dollar abgezweigt. Callen hat damals als Jason Tedrow verdeckt ermittelt und war maßgeblich an der Verhaftung der Männer beteiligt. Allerdings blieb das Geld spurlos verschwunden. Im Zuge der Ermittlungen besucht Callen seine ehemalige Freundin Kirsten – die Schwester eines der Verbrecher.

Quelle: [10, 11]

Nr.	Titel	Originaltitel	Premiere USA	Premiere D	Regisseur	Drehbuch
1.13	**Vermisst**	Missing	26. Jan. 2010	02. Okt. 2010	D.Barrett	G.Grant & M.Pyken

Nach einem gemeinsamen Karaoke-Abend, bei dem Dom nicht dabei gewesen ist, erhalten bei Dienstbeginn alle Team-Mitglieder von seinem Handy einen Notruf. Sie finden sein Auto mit Einschusslöchern und blutbeschmutzten Sitzen. Dom selbst ist spurlos verschwunden. Als sein Handy für kurze Zeit aktiviert wird, kann Eric ein Haus ausfindig machen, wo das Team die Leiche eines Südamerikaners findet – einer von drei Brüdern, die als Auftragsverbrecher bereits aktenkundig sind. *Quelle: [10, 11]*

Nr.	Titel	Originaltitel	Premiere USA	Premiere D	Regisseur	Drehbuch
1.14	**Der Holländer**	LD50	02. Feb. 2010	09. Okt. 2010	J.Frakes	S.Weed & R.S.Gemmill

Das Team untersucht rätselhafte Todesfälle von Menschen und Tieren, die in einem Lagerhaus gefunden worden sind. Bald ist klar, dass dort ein gefährlicher Erreger produziert worden ist. Die Spur führt überraschend zu einer demenzkranken alten Dame, die in ihrer Blütezeit in der Biowaffen-Forschung der Army tätig war. Der ‚Holländer', ein internationaler Terrorist, hat sie so schlau manipuliert, dass sie ihm das Gift hergestellt hat – es soll bei einer Auktion versteigert werden. *Quelle: [10, 11]*

Nr.	Titel	Originaltitel	Premiere USA	Premiere D	Regisseur	Drehbuch
1.15	**Banküberfall**	The Bank Job	09. Feb. 2010	16. Okt. 2010	T.O'Hara	D.Kalstein

In Bagdad ist ein Hilfskonvoi mit Geldern in Millionenhöhe überfallen worden. Das Team beginnt zu ermitteln und findet den Mann, der die Route des Transporters preisgegeben hat. Doch er ist schon tot. Bald kommen sie dahinter, dass eine Terrorgruppe aus dem Nahen Osten an ihre vom FBI eingefrorenen Konten gelangen will. Das Team heuert in Los Angeles eine auf Banküberfälle spezialisierte Truppe an, um die Sicherheitsprotokolle durch einen Insider einhalten zu können. *Quelle: [10, 11]*

Episoden Staffel 1 Navy CIS: L.A.

Nr.	Titel	Originaltitel	Premiere USA	Premiere D	Regisseur	Drehbuch
1.16	**Die perfekte Tarnung**	Chinatown	02. Mär. 2010	23. Okt. 2010	A.J.Levi	L.Sturman

Das Team untersucht den vermeintlichen Selbstmord eines chinesischstämmigen Lieutenant Commanders der Navy. Eric findet eine Videoaufzeichnung, in der alle Zweifel am Selbstmord ausgeräumt werden. Im Zuge der Ermittlungen finden sie heraus, dass die Schwester sich von der Familie losgesagt hat und unter anderem Namen einen Antiquitätenladen betreibt. Sie informiert Callen und Sam darüber, dass ihr Bruder schwul gewesen ist und in einer Beziehung gelebt hat.

Quelle: [10, 11]

Nr.	Titel	Originaltitel	Premiere USA	Premiere D	Regisseur	Drehbuch
1.17	**Der rasende Blitz**	Full Throttle	09. Mär. 2010	30. Okt. 2010	D.Barrett	J.C.Wilson

Ein Auto explodiert während eines illegalen Straßenrennens – James Rush, der Fahrer des Wagens, stirbt. Er war Mitglied der Navy und hat an einem geheimen Projekt mitgearbeitet. Die Geschwister des Toten, Angela und Keith, führen die Autowerkstatt ihres Vaters, der im Gefängnis sitzt, weiter, stecken jedoch in finanziellen Schwierigkeiten. Während Sam und Kensi ermitteln, muss Callen wegen seines Verhaltens im Straßenverkehr zur Verkehrsschule eines total durchgeknallten Lehrers. *Quelle: [10, 11]*

Nr.	Titel	Originaltitel	Premiere USA	Premiere D	Regisseur	Drehbuch
1.18	**Der kleine Bruder**	Blood Brothers	16. Mär. 2010	06. Nov. 2010	K.Gaviola	T.Clemente

Ein Marine Sergeant wird auf offener Straße von einer Gang mit automatischen Waffen erschossen. Bei den Ermittlungen entdeckt das Team Verbindungen zur Gangkriminalität der Stadt. Als Callen und Sam den Vater des Toten besuchen, erfahren sie, dass es einen jüngeren Bruder gibt, der sich einer Gang angeschlossen hat. Daraufhin geraten sie unter Waffenbeschuss. Die Spur führt zu einer Firma, die aus dem Krieg zurückgeführte Humvees wieder einsatzfähig macht. *Quelle: [10, 11]*

Nr.	Titel	Originaltitel	Premiere USA	Premiere D	Regisseur	Drehbuch
1.19	**Die letzte Runde**	Hand-to-Hand	06. Apr. 2010	13. Nov. 2010	P.Barclay	M.Pyken

Lance Corporal Daniel Zuna wird in einer Gasse neben einem Club verblutet aufgefunden. Die Ermittlungen ergeben, dass er viel Zeit in einem Sportstudio verbracht hat, in dem die verschiedensten Kampfkünste trainiert werden. Laut Autopsie ist er wegen einer Überdosis eines Medikamentes buchstäblich ausgeblutet. Sam schleust sich als erfahrener Ultimate Fight-Kämpfer in die Szene ein und stellt fest, dass es Zusammenhänge zu einer Gruppe von Marines gibt, die im Irak gedient hat. *Quelle: [10, 11]*

Episoden Staffel 1 Navy CIS: L.A.

Nr.	Titel	Originaltitel	Premiere USA	Premiere D	Regisseur	Drehbuch
1.20	**Die Reichen und die Schönen**	Fame	27. Apr. 2010	20. Nov. 2010	D.Smith	S.Weed

Lieutenant Brian Roth stürzt in einem Auto einen steilen Abhang hinunter. Der Wagen gehört Aubrey Darva, einem IT-Girl, das vermisst wird. Ihr Stiefvater, ein Immobilien-Milliardär iranischer Abstammung, wird von Kensi befragt. Die Ermittlungen ergeben, dass Roth einen Hinweis auf einen flüchtigen irakischen Offizier namens Jahiri hatte, der unter Saddam Hussein gearbeitet hat. Kensi, die im Haus der Darvas Nachforschungen anstellt, steht plötzlich besagtem Jahiri gegenüber. *Quelle: 10, 11*

Nr.	Titel	Originaltitel	Premiere USA	Premiere D	Regisseur	Drehbuch
1.21	**Im Herzen der Stadt**	Found	04. Mai 2010	27. Nov. 2010	J.Whitmore, Jr.	R.S.Gemmill

Das Video einer Dschihadisten-Gruppe taucht auf, in dem ein Terrorist auf Arabisch damit droht, Dom zu exekutieren, wenn nicht innerhalb von 24 Stunden der Terrorist Ala Adin Keshwar freigelassen wird. Das Team vermutet Dom im Nahen Osten oder im afrikanischen Raum. Drahtzieher der Entführung ist der Immobilienhai Kalil Abramson. Auf legalem Wege ist dem Mann in kurzer Zeit nicht beizukommen, also entscheidet Hetty, ihn mit einem Trick zum Reden zu bringen. *Quelle: 10, 11*

Nr.	Titel	Originaltitel	Premiere USA	Premiere D	Regisseur	Drehbuch
1.22	**Hettys Entscheidung**	Hunted	11. Mai 2010	04. Dez. 2010	S. DePaul	C.Miller

Zwei Flugzeug-Fans nehmen durch Zufall auf, wie ein Gefangenentransport überfallen und der berüchtigte Terrorist Ala Adin Keshwar befreit wird. Dieser Mann war Anlass zu Doms Entführung. Hetty, die sehr unter dem Tod von Dom leidet, reicht bei Vance ihre Kündigung ein. Er versucht, sie umzustimmen, jedoch ohne Erfolg. Callen merkt, dass etwas im Busch ist und versucht, Hetty ebenfalls umzustimmen, aber sie will ihrem Entschluss treu bleiben und sich aus dem Dienst zurückziehen. *Quelle: 10, 11*

Nr.	Titel	Originaltitel	Premiere USA	Premiere D	Regisseur	Drehbuch
1.23	**Aufgeflogen**	Burned	18. Mai 2010	11. Dez. 2010	S.Boyum	D.Kalstein

Callen wird von dem Informationshändler Keelson angerufen, der über seine wahre Identität und seine Vergangenheit mehr weiß als Callen selbst. Callen will mehr über seine Vergangenheit erfahren und lässt sich auf einen Deal ein, bei dem er bulgarischen Gangstern einen Datenstick zukommen lassen soll. Kurz darauf gibt es einen Hacker-Angriff auf das NCIS. Eric muss feststellen, dass der Hacker Zugriff auf alle Daten des NCIS weltweit hatte. *Quelle: 10, 11*

Episoden Staffel 1 Navy CIS: L.A.

Nr.	Titel	Originaltitel	Premiere USA	Premiere D	Regisseur	Drehbuch
1.24	Unter Beobachtung	Callen, G	25. Mai 2010	18. Dez. 2010	T.Wharmby	S.Brennan

Von Eric auf die Spur gebracht, findet das Team das Lagerhaus, in dem Keelson seine Informationen und seine Server aufbewahrt. Doch das Lagerhaus wird per Fernzündung zur Explosion gebracht, und Callen muss mit ansehen, wie die Akte, die sämtliche Informationen über ihn enthält, verbrennt. Hetty zieht Callen wegen seiner persönlichen Verwicklung von dem Fall ab und schickt Sam und Kensi zu weiteren Ermittlungen los. Das Rätsel um Callens wahre Identität ist noch nicht gelöst. *Quelle: 10, 11*

Staffel 2 (Episoden 2.25- 2.48) Navy CIS: L.A.

Staffel 2 beginnt da, wo Staffel 1 endete: auf dem Friedhof. Callen besucht das Grab seiner Schwester und wird dort von jemandem fotografiert. Er verfolgt denjenigen, verliert ihn allerdings auf dem Dach eines Kaufhauses. Er wacht auf, denn er träumte nur, was kurze Zeit vorher geschah. Deeks ist bei einem Undercovereinsatz für das LAPD verschwunden, nachdem der Wagen der Zielperson samt der Zielperson explodierte. Im Verlauf der Staffel gibt es immer wieder Folgen, die sich mehr auf die Vergangenheit eines Teammitglieds konzentrieren. Am Ende der Staffel kündigt Hetty und Lauren Hunter wird als neue Chefin vorgestellt. Das Team findet heraus, dass Hetty auf einer Mission in Rumänien ist, um mehr über Callens Vergangenheit zu erfahren.

Quelle: 10

Erstausstrahlung USA	21. September 2010 – 17. Mai 2011 auf CBS
Erstausstrahlung Deutschland	08. Januar – 18. Februar 2011 auf Sat 1

Episoden Staffel 2 Navy CIS: L.A.

Nr.	Titel	Originaltitel	Premiere USA	Premiere D	Regisseur	Drehbuch
2.25	Jagd ohne Ende	Human Traffic	21. Sep. 2010	08. Jan. 2011	J.Whitmore, Jr.	S.Brennan

Deeks ist im Undercover-Einsatz verschwunden. Als seine Partnerin, Detective Traynor, in ihren Wagen steigt, wird sie von einer Bombe getötet. In Unkenntnis, dass seine Tarnung bereits aufgeflogen ist, versucht Deeks, dem Menschenhändler Lazik ein Geschäft vorzuschlagen. Lazik macht ihm aber deutlich, dass er bereits weiß, dass Deeks ein Polizist ist. Im letzten Moment können Sam, Callen und Kensi eingreifen und die serbischen Gangster um Lazik unschädlich machen. *Quelle: 10, 11*

Episoden Staffel 2 Navy CIS: L.A.

Nr.	Titel	Originaltitel	Premiere USA	Premiere D	Regisseur	Drehbuch
2.26	Die schwarze Witwe	Black Widow	21. Sep. 2010	15. Jan. 2011	K.Woods	D.Kalstein

Deeks ist im Undercover-Einsatz verschwunden. Als seine Partnerin, Detective Traynor, in ihren Wagen steigt, wird sie von einer Bombe getötet. In Unkenntnis, dass seine Tarnung bereits aufgeflogen ist, versucht Deeks, dem Menschenhändler Lazik ein Geschäft vorzuschlagen. Lazik macht ihm aber deutlich, dass er bereits weiß, dass Deeks ein Polizist ist. Im letzten Moment können Sam, Callen und Kensi eingreifen und die serbischen Gangster um Lazik unschädlich machen. *Quelle: 10, 11*

Nr.	Titel	Originaltitel	Premiere USA	Premiere D	Regisseur	Drehbuch
2.27	Wüstenfeuer	Borderline	28. Sep. 2010	22. Jan. 2011	T.O'Hara	R.S.Gemmill

Ein Trupp Marines, der die zuständigen Behörden dabei unterstützt, gegen den Menschenschmuggel an der mexikanischen Grenze vorzugehen, wird angegriffen. Zwei Marines werden entführt. Kensi und Deeks verfolgen gemeinsam eine Spur in der Wüste. Eric stößt bei seinen Recherchen auf einen bekannten Textilfabrikanten. Von Sam und Callen zur Rede gestellt, gibt dieser zu, Schutzgelder an ein Kartell zu zahlen, damit seine Betriebe in Mexiko nicht niedergebrannt werden. *Quelle: 10, 11*

Nr.	Titel	Originaltitel	Premiere USA	Premiere D	Regisseur	Drehbuch
2.28	Der Schmuck der Königin	Special Delivery	05. Okt. 2010	29. Jan. 2011	T.Wharmby	G.Grant

Das erfährt, dass Corporal Thomas Porter in einem Parkhaus ermordet und ihm die Hand abgehackt wurde. Sam und Callen ermitteln in Camp Pendelton, wo das Opfer stationiert war. Kensi und Deeks befragen die Freundin des Opfers. Die Spur führt in einen großen Juwelen- und Schmuckmarkt. Und es scheint, als hätte Porter Ware zweifelhafter Herkunft an den Mann bringen wollen. Ein Juwelier wird tot von Sam und Callen aufgefunden. Auch ihm fehlt eine Hand. *Quelle: 10, 11*

Nr.	Titel	Originaltitel	Premiere USA	Premiere D	Regisseur	Drehbuch
2.29	Neun Stunden	Little Angels	12. Okt. 2010	05. Feb. 2011	S.DePaul	F.Military

Amanda, die Tochter von Commander Rehme, wird entführt. Sam nimmt diesen Fall außerordentlich persönlich, da ihm dasselbe bei einem Einsatz in Serbien widerfahren ist. Er macht es sich zur Aufgabe, Amanda lebend wiederzufinden. Die Vorgehensweise des Täters spricht für Lucas Maragos, der wegen dreier Fälle, in denen Mädchen entführt, lebendig begraben und qualvoll erstickt sind, verurteilt wurde. Deeks gegenüber, der ihn im Gefängnis aufsucht, spielt er jedoch den Unschuldigen. *Quelle: 10, 11*

Episoden Staffel 2 Navy CIS: L.A.

Nr.	Titel	Originaltitel	Premiere USA	Premiere D	Regisseur	Drehbuch
2.30	**Wer ist Tracy Keller?**	Standoff	19. Okt. 2010	11. Aug. 2011	D.Smith	J.C.Wilson

Tracy Keller nimmt in einem Navy-Rekrutierungsbüro Geiseln, um so Kontakt zu Callen aufzunehmen. Dessen Verwunderung ist groß, denn sie war früher einmal seine Partnerin. Tracy erzählt ihm von einer rechtsextremen Bruderschaft, die ihr angeblich nach dem Leben trachtet. Als sie aus dem Gebäude verschwinden, wird auf sie geschossen. Sam, der den Schützen stellen will, gerät unter Verdacht, einen Scharfschützen der Polizei, der tot auf dem Dach gefunden wird, erschossen zu haben. *Quelle: 10, 11*

Nr.	Titel	Originaltitel	Premiere USA	Premiere D	Regisseur	Drehbuch
2.31	**Neue Gesichter**	Anonymous	26. Okt. 2010	11. Aug. 2011	N.Barba	C.M.Kim

Auf den Treppenstufen eines Regierungsgebäudes wird ein Mitarbeiter von einem als Polizist verkleideten Mann erschossen. Die Spur führt das Team in eine Schönheitsklinik. Sie finden den Chef der Klinik tot vor. Im Zuge der Ermittlungen kommen sie dahinter, dass sich vier Terroristen, die auf der Fahndungsliste der USA stehen, das Gesicht operieren ließen, um nicht wiedererkannt zu werden. Die Ermittler machen sich auf die Suche und spüren das Versteck der Terroristen auf. *Quelle: 10, 11*

Nr.	Titel	Originaltitel	Premiere USA	Premiere D	Regisseur	Drehbuch
2.32	**Kopfgeld**	Bounty	09. Nov. 2010	18. Aug. 2011	F.Alcala	D.Kalstein

Das erfährt, dass Corporal Thomas Porter in einem Parkhaus ermordet und ihm die Hand abgehackt wurde. Sam und Callen ermitteln in Camp Pendelton, wo das Opfer stationiert war. Kensi und Deeks befragen die Freundin des Opfers. Die Spur führt in einen großen Juwelen- und Schmuckmarkt. Und es scheint, als hätte Porter Ware zweifelhafter Herkunft an den Mann bringen wollen. Ein Juwelier wird tot von Sam und Callen aufgefunden. Auch ihm fehlt eine Hand. *Quelle: 10, 12*

Nr.	Titel	Originaltitel	Premiere USA	Premiere D	Regisseur	Drehbuch
2.33	**Auch Spione werden alt – Teil 1**	Absolution (1)	16. Nov. 2010	25. Aug. 2011	S.DePaul	R.S.Gemmill

Das Team des NCIS L.A. muss den Tod des Antiquitätenhändlers Kurt Renner aufklären, der im Besitz eines Schwarzbuches mit Geheiminformationen aus dem Kalten Krieg war. Wie sich herausstellt, scheint es Renners Mörder auf die darin enthaltenen Daten abgesehen zu haben. Einzig Hetty weiß, dass Branston Cole, ein alter Freund aus ihrer aktiven Zeit als Spionin, mit dem mysteriösen Buch in Verbindung steht und beginnt, auf eigene Faust nach Renners Killer zu suchen – nichtsahnend, in welche Gefahr sie sich dabei beginnt. *Quelle: 10, 12*

Episoden Staffel 2 Navy CIS: L.A.

Nr.	Titel	Originaltitel	Premiere USA	Premiere D	Regisseur	Drehbuch
2.34	**Auch Spione werden alt – Teil 2**	Deliverance (2)	23. Nov. 2010	01. Sep. 2011	T.Wharmby	F.Military & S.Brennan

Die Suche nach Renners Buch, das Geheiminformationen aus dem Kalten Krieg enthält, geht weiter: Nach dem Tod von Branston Cole macht sich das NCIS-Team daran, das Buch so schnell wie möglich in die Finger zu bekommen, um weitere Todesopfer zu verhindern. Aufgrund von Hinweisen ist nun nämlich klar, dass sowohl der CIA als russische Agenten hinter den darin enthaltenen Informationen her sind. Als Eric und Nell schließlich einen Code entdecken, den das erste Todesopfer Renner vor seinem Tod versteckt hat, geht die Jagd nach dem ominösen Buch in die letzte Runde. *Quelle: 10, 12*

Nr.	Titel	Originaltitel	Premiere USA	Premiere D	Regisseur	Drehbuch
2.35	**Geheimes Wissen**	Disorder	14. Dez. 2010	08. Sep. 2011	J.Frakes	D.Kalstien & G.Grant

Ein früherer Officer des NCIS ist der einzige Überlebende einer tödlichen Schiesserei. Es stellt sich heraus, dass er unter einer posttraumatischen Belastungsstörung leidet. Im Zuge der Ermittlungen gelingt es Kensi, eine vertraute Beziehung zu dem Überlebenden aufzubauen, die möglicherweise dabei helfen kann, den Fall zu lösen. *Quelle: 10, 13*

Nr.	Titel	Originaltitel	Premiere USA	Premiere D	Regisseur	Drehbuch
2.36	**Projekt Overwatch**	Overwatch	11. Jan. 2011	15. Sep. 2011	K.Gaviola	L.Sturman

Die Pathologin Rose stößt bei der Obduktion eines Leichnams auf eine Navy-Kodierung und will das Navy CIS-Team informieren. Doch plötzlich dringen zwei Männern in die Pathologie ein und entwenden die Leiche. Die Ermittler kommen dem „Projekt Overwatch" auf die Spur – einer streng geheimen Navy-Operation, bei der Zielpersonen per Satellit auf einen Meter genau lokalisiert werden können. Das Projekt gerät in Gefahr, als ein Hacker in die dafür entwickelte Software eindringt. *Quelle: 10, 11*

Nr.	Titel	Originaltitel	Premiere USA	Premiere D	Regisseur	Drehbuch
2.37	**Kalte Zahlen**	Archangel	18. Jan. 2011	22. Sep. 2011	T.Wharmby	R.S.Gemmill & S.Brennan

Anscheinend ist eine hochgeheime Datei von den Servern des Pentagon gestohlen worden. Die Veröffentlichung dieser Datei auf einer Internet-Plattform wäre eine äusserst blamable Sache für das Verteidigungsministerium. Da die Datei verschlüsselt ist, fehlt nur noch der Entschlüsselungscode, um die Daten im Internet zu veröffentlichen. In einem Wettlauf mit dem FBI verfolgt das Team die Spur zu Ray Crossen, dem Betreiber der Internet-Plattform, den sie aber nur tot vorfinden. Der Entschlüsselungscode scheint der Dreh- und Angelpunkt zu sein. *Quelle: 10, 13*

Episoden Staffel 2 Navy CIS: L.A.

Nr.	Titel	Originaltitel	Premiere USA	Premiere D	Regisseur	Drehbuch
2.38	**Unter Brüdern**	Lockup	01. Feb. 2011	29. Sep. 2011	Jan Eliasberg	C.M.Kim & F.Military

Moe, der im Gefängnis seine Strafe verbüsst, wird im Zuge eines Aufnahmeritus einer Gang schwer zusammengeschlagen. Sam wird vom Krankenhaus als seine Kontaktperson informiert. Sam besucht Moe im Krankenhaus und erfährt, dass Moe im Auftrag des NCIS als „Spitzel" arbeitet, um die Hintermänner einer terroristischen Vereinigung zu entlarven. Sam beschwert sich bei Hetty über den Einsatz von Moe und geht undercover ins Gefängnis, um Moe zu beschützen. *Quelle: 10, 13*

Nr.	Titel	Originaltitel	Premiere USA	Premiere D	Regisseur	Drehbuch
2.39	**Alleingänge**	Tin Soldiers	08. Feb. 2011	06. Okt. 2011	T.O'Hara	R.S.Gemmill

Sam gibt die Schuld für Moes Tod den Alleingängen von Callen. Callen überrascht in seinem Haus einen Einbrecher. Wie sich herausstellt, scheint er im Auftrag von Arkady Kolchek, einem alten Bekannten von Callen, zu arbeiten. Als Callen Arkady zur Rede stellt, macht Arkady Callen auf Rameesh Nayam-Singh, einen indischen Unternehmer, aufmerksam, der angeblich mit gefälschten Computerchips handelt. Callen sieht eine Möglichkeit, seine privaten Ermittlungen mit offiziellen Ermittlungen zu verbinden. Gegen den anfänglichen Widerstand von Hetty wird Kensi als Handleserin bei Singh eingeschleust, da der Mann sehr abergläubisch sein soll. Nach und nach kommt das Team dahinter, dass Arkady über Niko, den Mann, der bei Callen eingebrochen ist, von Singh manipuliert wird. Niko arbeitet in Wahrheit nicht für Arkady, sondern für Singh. Drei Parteien scheinen es auf eine Lieferung gefälschter Computerchips abgesehen zu haben. Um ein Blutbad zu verhindern, soll Singh von Kensi dazu überredet werden, Ort und Datum der Lieferung zu verlegen. Singh kann vom Team dingfest gemacht werden, und Callen trifft im Los Angeles-Forum auf Arkady, und beide werden von Nikos Leuten unter Beschuss genommen. Ihnen geht die Munition aus, und in dieser verqueren Situation tauchen Sam und Deeks auf. Die Gangster werden ausgeschaltet, und Callen lässt Arkady laufen, weil der seiner Meinung nach auf freiem Fuss nützlicher für den NCIS ist als hinter Gittern. Zur Überraschung von Callen teilt Hetty diese Einsicht. *Quelle: 10, 13*

Nr.	Titel	Originaltitel	Premiere USA	Premiere D	Regisseur	Drehbuch
2.40	**Kurssturz**	Empty Quiver	15. Feb. 2011	13. Okt. 2011	J.Whitmore	D.Kalstein

Callen und Sam ermitteln undercover bei der California Highway Patrol, der CHP, als Motorrad-Polizisten gegen einen Ring korrupter Cops, der sich „California Gold Taxi Service" nennt und gegen entsprechende Bezahlung Aufträge für die Organisierte und nicht Organisierte Kriminalität erledigt. Anscheinend gibt es auch Verbindungen zu korrupten Militärangehörigen in Camp Pendleton. Die beiden lassen sich nach wie vor undercover auf einen Auftrag ein, den ihnen der zwielichtige Marchetti anbietet. Sie sollen einen Wagen samt Fahrer aus dem Verkehr ziehen. Bei dieser Massnahme werden sie in ein heftiges Feuergefecht verwickelt und es gelingt ihnen nicht, die Entführung des Trucks zu verhindern. Wie sich herausstellt, war die Ladung ein Atomsprengkopf, der zu einer Überholung transportiert werden sollte. Dem Pentagon wird ein Video zugespielt, auf dem eine anscheinend von Islamisten entführte Kernphysikerin zu sehen ist, die sagt, dass sie gekidnappt wurde, um den Sprengkopf scharf zu machen. Hetty drängt zur Eile. Der Gefechtskopf muss wiedergefunden werden. Dem Team kommt merkwürdig vor, dass Marchetti es mit arabischen Terroristen zu tun haben sollte. Denn er ist ein vorbestrafter Börsenspekulant und Betrüger. Nach und nach kommen sie dahinter, dass die Atomwaffe nur als Drohung dient. Durch die Veröffentlichung des Videos soll eine Panik ausgelöst werden, um einen Börsencrash hervorzurufen, an dem dann entsprechend verdient werden kann. Sie kommen Marchetti auf die Spur, und es stellt sich heraus, dass die entführte Physikerin mit ihm unter einer Decke steckt. Noch bevor das Video an die Öffentlichkeit gelangt, gelingt es Eric, das gesamte Internet mit einem Trojaner zum Absturz zu bringen. *Quelle: 10, 13*

Episoden Staffel 2 Navy CIS: L.A.

Nr.	Titel	Originaltitel	Premiere USA	Premiere D	Regisseur	Drehbuch
2.41	Zwei Kugeln	Personal	22. Feb. 2011	20. Okt. 2011	K.Woods	J.C.Wilson

Deeks platzt nach seinem täglichen Jogging in dem kleinen Supermarkt, in dem er täglich seinen Kaffee und seine Zeitung holt, in einen Raubüberfall. Er wird angeschossen und landet mit zwei Kugeln in der Brust im Krankenhaus. Das Team ist sehr betroffen und versucht mit Hochdruck, die Täter zu ermitteln. Während Kensi im Krankenhaus bei Deeks ist, gelingt es Eric, den Fluchtwagen aufzuspüren, und es stellt sich heraus, dass es kein Zufall war, sondern dass Deeks überwacht wurde und er die Zielperson war. Nach und nach kommt das Team dahinter, dass Deeks anscheinend nur der Köder war, um das restliche Team angreifbar zu machen. Callen scheint in eine Falle gelockt worden zu sein, und irgendwann wird klar, dass das wahre Ziel Kensi sein muss. *Quelle: 10, 13*

Nr.	Titel	Originaltitel	Premiere USA	Premiere D	Regisseur	Drehbuch
2.42	Ziel markiert	Harm's Way	01. Mär. 2011	27. Okt. 2011	T.Wharmby	S.Brennan

Abdul, der Mörder von Sams Ziehsohn Moe, nimmt aus dem Jemen Kontakt zu Sams Tarnidentität Hakeem Fayed auf. Durch Overwatch war der NCIS in der Lage, Abduls Schritte lückenlos zu verfolgen. Und so wissen sie, dass er sich in Sanaa aufhält. Der Bruder von Abdul, Saadat, scheint die Terror-Organisation „Krieger für den Islam" im Jemen zu leiten. Noch haben die Brüder keinen Kontakt aufgenommen, und so entscheidet Hetty, dass Sam als Hakeem Fayad undercover in den Jemen fliegt. Die „Krieger für den Islam" haben eine Geisel genommen, den Sohn eines einflussreichen saudischen Prinzen, und verlangen im Austausch die Freilassung von einem Dutzend Al-Quaida-Kämpfern, die in Rijad inhaftiert sind. Callen fliegt mit in den Jemen, um auf Sam aufzupassen. Zu seiner Überraschung stösst er im Hotel auf Nate, der von Hetty zu einem Spezialeinsatz im Jemen beordert wurde. *Quelle: 10, 13*

Nr.	Titel	Originaltitel	Premiere USA	Premiere D	Regisseur	Drehbuch
2.43	Freund oder Feind	Enemy Within	22. Mär. 2011	10. Nov. 2011	S.DePaul	L.Sturman

Ein Navy-Nachrichtendienstler stellt ein Dossier über einen venezuelanischen Politiker zusammen, der gemeinhin als proamerikanisch gilt, in dem er in einem völlig anderen Licht dargestellt wird. Der Nachrichtendienst-Offizier verschwindet nach der mysteriösen Übergabe eines Umschlags. Das Team ermittelt und stösst auf Attentatspläne, den venezuelanischen Politiker umzubringen. Sie halten es für denkbar, dass der Navy-Offizier, frustriert davon, dass niemand seine Analysen ernstnimmt, nun selbst versuchen wird, ein Attentat auf den Politiker zu verüben. Im Laufe der Ermittlungen stellen sie fest, dass der Nachrichtendienst-Offizier nur geschickt manipuliert und instrumentalisiert wurde, um nach erfolgtem Attentat als Sündenbock dazustehen. Hinter den Attentatsplänen steckt eine Hardliner-Fraktion aus Venezuela, die den in ihren Augen zu gemässigten Politiker aus dem Weg haben will. Dem Team gelingt es, das Attentat zu verhindern, den Nachrichtendienst-Offizier von jedem Verdacht reinzuwaschen. Deeks, der nach den Schüssen auf ihn unter Hettys genauerer Beobachtung steht, wird von Hetty dazu aufgefordert, an Fortbildungsmassnahmen teilzunehmen, damit aus ihm doch noch ein richtiger NCIS-Agent wird. Bei einem Schiesstraining mit Hetty und Kensi unterläuft ihm ein peinlicher Faux-pas. *Quelle: 10, 13*

Episoden Staffel 2 Navy CIS: L.A.

Nr.	Titel	Originaltitel	Premiere USA	Premiere D	Regisseur	Drehbuch
2.44	**Der Meisterdieb**	The Job	29. Mär. 2011	10. Nov. 2011	T.O'Hara	F.Military & C.M. Kim

Im Stützpunkt Pendelton wird in ein Lagerhaus eingebrochen, in dem hochsensibles Material gelagert wird. Da die beiden Einbrecher überrascht wurden, bleibt unklar, was sie gesucht haben. Das Team ermittelt und stösst auf einen hochintelligenten Kunstdieb. Kensi bricht in sein Haus ein, um sich von King erwischen zu lassen und sich so in sein Vertrauen einzuschleichen. King erschiesst vor den Augen Kensis den Mann, mit dem er zusammen in das Lagerhaus eingebrochen ist. Eine weitere Spur führt zu Patricia, einer Angestellten in einem Auktionshaus, die von King manipuliert wurde, um ihm bei schmutzigen Auktionsgeschäften behilflich zu sein. *Quelle: 10, 13*

Nr.	Titel	Originaltitel	Premiere USA	Premiere D	Regisseur	Drehbuch
2.45	**Ein letzter Test**	Rocket Man	12. Apr. 2011	17. Nov. 2011	D.Smith	R.Director

Der Teilhaber einer Firma, die sich auf Satellitentransporte ins All spezialisiert hat, kommt in einer Testkammer ums Leben. Der NCIS nimmt die Ermittlungen auf, weil es sich um hochgeheime Nanotechnologie handelt. Harlan Holt, der andere Teilhaber der Firma, wird von der Tochter des Opfers verdächtigt, ihren Vater umgebracht zu haben. Aber Holt hat für die Tatzeit ein Alibi. Eric beginnt seinen ersten Undercover-Einsatz als Techniker der FAA, untersucht die Testkammer und kommt dabei fast ums Leben. Es kristallisiert sich heraus, dass irgendjemand per Fernzugriff den Testablauf aktivieren muss. *Quelle: 10, 13*

Nr.	Titel	Originaltitel	Premiere USA	Premiere D	Regisseur	Drehbuch
2.46	**Plan B**	Plan B	03. Mai 2011	17. Nov. 2011	J.Whitmore, Jr.	D.Kalstein & J. C.Wilson

Ray Martindale, ein langjähriger Freund von Deeks, der auf die schiefe Bahn geraten ist und der von Deeks vor dem Knast bewahrt wird, indem er als Informant arbeitet, bringt den Waffenhändler Sanders mit seiner Aussage ins Gefängnis. Der NCIS sorgt für eine neue Identität und Ray scheint in Sicherheit zu sein. Da kommt Eric mit der Nachricht, dass auf Ray ein Anschlag verübt worden ist, und zwar mitten in Los Angeles. Das Team beginnt die Suche nach Ray, und Deeks sorgt mit seiner Tarnidentität Max für gehörige Irritation im Team. Rays Ehefrau Nicole scheint sich in Deeks alias Max verliebt zu haben, und allem Anschein nach beruht dieses Verhältnis auf Gegenseitigkeit. Kensi, Sam und Callen sind schwer irritiert über Deeks' bisher unbekannte Seite. *Quelle: 10, 13*

Episoden Staffel 2 Navy CIS: L.A.

Nr.	Titel	Originaltitel	Premiere USA	Premiere D	Regisseur	Drehbuch
2.47	**Die Kündigung**	Imposters	10. Mai 2011	24. Nov. 2011	J.P.Kousakis	R.S.Gemmill

Ein brennender Mann stirbt in einem Restaurant in Santav Monica. Da es sich um einen SEAL zu handeln scheint, wird das NCIS-Team eingeschaltet. Die Ermittlungen ergeben, dass er kein SEAL war, sondern ein Bauarbeiter mit elner Invalidenrente. Radioaktive Spuren deuten auf die vor einiger Zeit gestohlenen und nach wie vor verschwundenen Radiopharmaka hin. Die Spur führt über einen Aussteiger zu einem wirren Weltverbesserer, Shepherd, der mittels Internet-Blog die Revolution gegen das korrupte und autoritäre Regime der USA entfachen will. Als Zündfunke soll ihm die schmutzige Bombe dienen, die er bei einer Unterstützungsdemo für die US-Truppen in Afghanistan detonieren lassen willltionshaus, die von King manipuliert wurde, um ihm bei schmutzigen Auktionsgeschäften behilflich zu sein. *Quelle: 10, 13*

Nr.	Titel	Originaltitel	Premiere USA	Premiere D	Regisseur	Drehbuch
2.48	**Ferne Familie**	Familia	17. Mai 2011	24. Nov. 2011	J.Whitmore, Jr.	S.Brennan

Das Team kann sich mit der Nachfolgerin von Hetty nicht anfreunden und macht Hunter das Leben schwer. Hetty ist derweil in Prag und möchte jemandem namens Comescu eine Botschaft überbringen. Sie hinterlässt dabei, weil sie sich ihrer Haut erwehren muss, einige Leichen. Callen und Sams Versuche, in Erfahrung zu bringen, was wirklich hinter der Kündigung von Hetty steckt, scheitern an Hunters strikte Weigerung, Auskunft zu erteilen. Callen, der noch nicht weiss, dass Hetty in Prag ist, sucht sie mit Sam in einem ihrer Häuser und sie treffen auf ein Killer-Team, das sie ausschalten können. Director Vance schaltet sich ein, und mit Erics Hilfe stossen sie auf eine Datei, die den Codenamen Operation Comescu enthält. *Quelle: 10, 13*

Staffel 3 (Episoden 3.49-3.72) Navy CIS: L.A.

Callen und sein Team können Hetty aus den Fängen der rumänischen Familie Cumescu befreien. Zurück in Los Angeles bleibt sie vorerst zu Hause und beobachtet das Team aus der Ferne. In dieser Zeit vertritt Lauren Hunter Hettys Position. Nachdem Hunter eine Undercoveroperation in Europa antritt, übernimmt Hetty wieder ihren Posten in der Zentrale.
Im Verlauf der Staffel setzt Direktor Vance einen Assistant Director ein: Owen Granger. Dieser überwacht das Team um Callen sowie Hetty von nun an und setzt dabei strenge Maßstäbe. Im Staffelfinale taucht ein alter Feind von Callen wieder auf: Das Chamäleon. Dieser tötet zuerst Special Agent Mike Renko und später Lauren Hunter, die auf einmal wieder auftaucht. Des Weiteren hält er einen NSA-Agenten als Geisel gefangen. Im Austausch verlangt er seine Freiheit sowie 50 Millionen Dollar. Nachdem Granger darauf eingeht und die Übergabe stattfindet, erschießt Callen eiskalt seinen Erzfeind. Er wird daraufhin verhaftet und Hetty reicht erneut ihre Kündigung ein.

Quelle: [10]

| Erstausstrahlung USA | 20. September 2011 – 15. Mai 2012 auf CBS |
| Erstausstrahlung Deutschland | 16. Februar – 16. September 2012 auf Sat 1 |

Episoden Staffel 3 Navy CIS: L.A.

Nr.	Titel	Originaltitel	Premiere USA	Premiere D	Regisseur	Drehbuch
3.49	**Entscheidung am Schwarzen Meer**	Lange, H.	20. Sep. 2011	16. Feb. 2012	T.Wharmby	S.Brennan

Hetty erfährt im Gespräch mit Alexa, dem Oberhaupt der Comescu-Familie, von Callens Herkunft, seiner Verwandtschaft und dem Grund dafür, dass die Comescus versuchen, alle Mitglieder seiner Familie auszulöschen. Callen, Sam, Deeks und Kensi versuchen mittlerweile, eine Strategie zu entwickeln, in das schwerbewachte Haus zu gelangen, um Hetty zu retten. Indes stoßen Eric und Nell in der Kommandozentale auf eine Akte über die Comescu-Familie, die Hetty versteckt haben muss. *Quelle:* [10, 11]

Episoden Staffel 3 Navy CIS: L.A.

Nr.	Titel	Originaltitel	Premiere USA	Premiere D	Regisseur	Drehbuch
3.50	**Die Cyberattacke**	Cyber Threat	27. Sep. 2011	23. Feb. 2012	D.Smith	R.S.Gemmill

Dennis Calder, ein Computerspezialist, wird nach einer Wohltätigkeitsgala entführt. Kurz vor der Entführung wurde mit einem Programm, welches Calder entwickelt hat, ein Hackerangriff auf das Computersystem des Verteidigungsministeriums durchgeführt. Das Team beginnt mit seinen Ermittlungen und findet heraus, dass Calder sein eigenes Leben lebt – ohne Rücksicht auf seine Familie. Wenig später wird klar, dass Calders Sohn Shawn für den Hackerangriff verantwortlich ist. *Quelle: 10, 11*

Nr.	Titel	Originaltitel	Premiere USA	Premiere D	Regisseur	Drehbuch
3.51	**Die Herzdame**	Backstopped	04. Okt. 2011	01. Mär. 2012	Terrence O'Hara	D.Kalstein & S.Brennan

Während der Fahrt auf dem Highway explodiert das Auto von Sergeant Nelson Marcos – er ist sofort tot. Bei der Überprüfung von Marcos' Haus stoßen Sam und Deeks auf Charles Redman, der etwas von einer Bombe murmelt; kurz darauf fliegt der Schuppen im Garten in die Luft. Die Spur führt zum Clubbesitzer Calvin Winslow, der angeblich seinen Club benutzt, um die Gangs der Stadt mit Waffen zu beliefern. Kensi und Callen stoßen indes auf die rätselhafte Geliebte von Winslow. *Quelle: 10, 11*

Nr.	Titel	Originaltitel	Premiere USA	Premiere D	Regisseur	Drehbuch
3.52	**Arabischer Frühling**	Deadline	11. Okt. 2011	08. Mär. 2012	K.Woods	G.Grant

Eine junge Fernsehjournalistin wird in Dallas aus einem fahrenden Auto heraus erschossen. Sie hat über einen libyschen Freiheitskämpfer, der eine Art „Radio Freies Libyen" betreibt, berichtet. Während der Ermittlungen stellt sich heraus, dass Asad El-Libi nicht aus Libyen sendet, sondern sein provisorisches Studio irgendwo in Los Angeles haben muss. Über Erics Datenabgleiche kommen sie auf die Spur von Faraq Hijazi, einem engen Freund von Asad El-Libi, und die Spur wird heißer. *Quelle: 10, 11*

Nr.	Titel	Originaltitel	Premiere USA	Premiere D	Regisseur	Drehbuch
3.53	**Die schöne Charlene**	Sacrifice	18. Okt. 2011	15. Mär. 2012	J.P.Kousakis	J.C.Wilson

Bei einer Razzia, die auf ein mexikanisches Drogenkartell abzielt, kommen mehrere Polizisten ums Leben. Das Team nimmt die Ermittlungen auf und versucht dahinterzukommen, welche Verbindungen zwischen einem Drogenkartell und Al-Qaida besteht. Sie stoßen auf Eva, eine mexikanische Polizeichefin, die angibt, in Los Angeles gegen das Kartell zu ermitteln. Wie Eric herausfindet, sind ihre Motive allerdings nicht ganz uneigennützig: Ihr kleiner Bruder wurde vom Kartell umgebracht. *Quelle: 10, 11*

Episoden Staffel 3 Navy CIS: L.A.

Nr.	Titel	Originaltitel	Premiere USA	Premiere D	Regisseur	Drehbuch
3.54	**Der einsame Wolf**	Lone Wolf	25. Okt. 2011	22. Mär. 2012	J.Whitmore, Jr.	C.M.Kim

Stephanie Walters, eine ehemalige Angehörige des Navy-Nachrichtendienstes, wird auf offener Straße erschossen. Die Nachforschungen des Teams führen zu einer gemeinnützigen Organisation, die sich in der Dritten Welt um die Trinkwasserversorgung kümmert. Sie erfahren, dass Stephanie seit Längerem nicht mehr für die Organisation tätig war. Die Ermittler stoßen auf einen früheren NSA-Agenten und Hettys Bekannten Larry Basser. Stephanie war in seinem Auftrag in Afghanistan unterwegs. *Quelle: 10, 11*

Nr.	Titel	Originaltitel	Premiere USA	Premiere D	Regisseur	Drehbuch
3.55	**Maeko**	Honor	01. Nov. 2011	05. Apr. 2012	Tony Wharmby	J.L.Jaffe & R.S.Gemmill

Der Ex-Marine Connor Maslin überfällt in einem U-Bahnhof wie aus heiterem Himmel einen japanischen Touristen, der wenig später an seinen Verletzungen stirbt. Dem Team gelingt es, Maslin zu stellen. Beim Verhör gibt er an, dass der getötete Japaner hinter seiner japanischen Freundin her war, die sich gegen den Willen ihres Vaters auf ihn eingelassen hat. Während das Team Maslins Geschichte überprüft, überschlagen sich die Ereignisse. *Quelle: 10, 11*

Nr.	Titel	Originaltitel	Premiere USA	Premiere D	Regisseur	Drehbuch
3.56	**Tödliches Gold**	Greed	08. Nov. 2011	12. Apr. 2012	J.Eliasberg	F.Military

In der mexikanischen Wüste wird ein erschossener Navy-Angehöriger neben der Leiche eines bekannten britischen Waffenschmugglers gefunden. Der NCIS findet heraus, dass auf komplizierten Wegen Uran über Guatemala und Mexiko in die Staaten geschmuggelt worden ist. Bei den Ermittlungen stoßen sie überraschend auf den CIA Agenten Michael Saleh, der zusammen mit Sam immer wieder undercover im Sudan arbeitet. Zusammen nehmen sie die Fährte des verschwundenen Uran-Pulvers auf. *Quelle: 10, 11*

Nr.	Titel	Originaltitel	Premiere USA	Premiere D	Regisseur	Drehbuch
3.57	**Herz und Verstand**	Betrayal	15. Nov. 2011	19. Apr. 2012	K.Gaviola	F.Military

Im Sudan werden die Leichen von Michael und drei CIA-Agenten gefunden. Das Schicksal von Sam ist ungewiss. Callen fliegt in den Sudan, und das restliche Team versucht herauszufinden, ob es eine undichte Stelle bei der CIA gibt und wer dies sein könnte. Callen trifft auf einen Ermittler des Internationalen Gerichtshofes in Den Haag, Elmslie, der ihn bittet, Beweise gegen Ex-Gouverneur Khaled zu sammeln. Und auch Sam gelingt es indes, Beweismittel gegen Khaled zu beschaffent. *Quelle: 10, 11*

Episoden Staffel 3 Navy CIS: L.A.

Nr.	Titel	Originaltitel	Premiere USA	Premiere D	Regisseur	Drehbuch
3.58	**Zwei Arten Schuld**	The Debt	22. Nov. 2011	26. Apr. 2012	S.DePaul	D.Kalstein

Durch ein raffiniert eingefädeltes Täuschungsmanöver wird Deeks bei seinem eigentlichen Arbeitgeber, dem LAPD, eingeschleust, um einen Maulwurf aufzuspüren, der den Gangster Fisk über alle aktuellen Operationen der Polizei auf dem Laufenden hält. Die Dienstaufsicht ermittelt gegen Deeks, und Lieutenant Bates, sein Vorgesetzter beim LAPD, gibt ihm zu verstehen, dass er nicht allzu viel von ihm hält. Deeks ist dem Maulwurf schnell auf der Spur, doch dann wendet sich das Blatt. *Quelle: 10, 11*

Nr.	Titel	Originaltitel	Premiere USA	Premiere D	Regisseur	Drehbuch
3.59	**Wenn die Lichter ausgehen**	Higher Power	13. Dez. 2011	27. Mai 2012	K.Bray	J.Sachs

Aus einer Universität in Los Angeles wird ein Gerät gestohlen, das starke elektromagnetische Impulse auslösen kann. Es ist imstande, die gesamte moderne Welt mit ihren Computern und elektrischen Geräten lahmzulegen. In den falschen Händen, könnte dies verheerende Folgen haben. Das Team macht sich sofort an die Ermittlungen und stößt auf Professor Carlyle, den Erfinder des Geräts. Ist er das arme Opfer oder spielt der verrückte Professor eine ganz andere Rolle? *Quelle: 10, 11*

Nr.	Titel	Originaltitel	Premiere USA	Premiere D	Regisseur	Drehbuch
3.60	**Geschichte ohne Happy End**	The Watchers	03. Jan. 2012	03. Mai 2012	T.Wharmby	R.S.Gemmill

Durch einen Notruf von Hetty wird das Team von einer Überwachung abgezogen und findet Hetty im Bootshaus in Gegenwart von Owen Granger vor, der sich als neuer Assistant Director vorstellt. Auf seine Anordnung sollen sie den Tod von Brent Bolton untersuchen, der erschossen aufgefunden wurde. Er und seine Frau Mia sind in einem Forschungsinstitut angestellt, das auch für das Verteidigungsministerium arbeitet. Dem Team gelingt es, Nell undercover in das Institut einzuschleusen. *Quelle: 10, 11*

Nr.	Titel	Originaltitel	Premiere USA	Premiere D	Regisseur	Drehbuch
3.61	**Jada**	Exit Strategy	10. Jan. 2012	10. Mai 2012	D.Smith	G.Weidman

Auf Jada, die Schwester des sudanesischen Ex-Gouverneurs und mutmaßlichen Massenmörders Khaled, wird ein Anschlag verübt. Das Team vermutet natürlich, dass Khaled seine Schwester zum Schweigen bringen lassen will, um ihre Aussage vor dem Internationalen Gerichtshof zu verhindern. Zu ihrer Überraschung stellen sie fest, dass ein Ermittler des Gerichtshofes hinter dem Anschlag steckt. Doch auch Khaled darf nicht aus den Augen gelassen werden. *Quelle: 10, 11*

Episoden Staffel 3 Navy CIS: L.A.

Nr.	Titel	Originaltitel	Premiere USA	Premiere D	Regisseur	Drehbuch
3.62	**Partner**	Partners	07. Feb. 2012	08. Juli 2012	E.Lanueville	G.Grant & D.Kalstein

Zwei Kuriere des Diplomatischen Sicherheitsdienstes, Diane Dunross und Roger Clark, werden bei der Auslieferung einer Kiste überfallen. Noch vor dem Eintreffen des NCIS-Teams haben sie sich vom Tatort entfernt, weil ihr Chef, Gornt, sie zuerst zu dem Vorfall befragen wollte. Wie sich herausstellt, hat Diane den Wagen entgegen der Anweisungen während des Überfalls verlassen. Die Spur führt das Team zu einem Weingut. Dort finden Deeks und Kensi eine ominöse Kiste. *Quelle: 10, 11*

Nr.	Titel	Originaltitel	Premiere USA	Premiere D	Regisseur	Drehbuch
3.63	**Das Chamäleon**	Crimeleon	14. Feb. 2012	15. Juli 2012	T.O'Hara	F.Military

Immer wieder werden Menschen in Autos mit Benzin übergossen und angezündet. Das Team stößt auf einen alten Fall von Callen und Sam, bei dem sie eine Waffenschieber-Bande ausgeschaltet haben. Durch ein außerordentlich geschicktes Verwirrspiel ist es aber dem Kopf der Gang gelungen, aus dem Gefängnis zu fliehen. Das sogenannte Chamäleon operiert mit diversen Identitäten in unterschiedlichen Ländern und scheint ein äußerst intelligenter Verbrecher zu sein, den es zu fassen gilt. *Quelle: 10, 11*

Nr.	Titel	Originaltitel	Premiere USA	Premiere D	Regisseur	Drehbuch
3.64	**Agent Blye – Teil 1**	Blye, K. (1)	21. Feb. 2012	22. Juli 2012	J.Frakes	J.C.Wilson

Granger hat Kensi im Verdacht, die Mitglieder der angeblichen Scharfschützen-Ausbildungseinheit ihres Vaters, Donald Blye, durch einen fingierten Autounfall umzubringen. Es tauchen erdrückende Beweise gegen Kensi auf, und Granger nimmt sie in Gewahrsam. Das Team ermittelt unter Hochdruck, und so stoßen sie auf den ehemaligen Koordinator der Einheit, die unter der Leitung von Kensis Vaters Bedrohungen der nationalen Sicherheit der Vereinigten Staaten neutralisiert hat. *Quelle: 10, 11*

Nr.	Titel	Originaltitel	Premiere USA	Premiere D	Regisseur	Drehbuch
3.65	**Agent Blye – Teil 2**	Blye, K., (2)	28. Feb. 2012	29. Juli 2012	T.O'Hara	D.Kalstein

Kensi überlebt das Attentat, und noch bevor das Team eintrifft, verfolgt sie den Schützen. Es gelingt ihr, ihren Verfolger zu überrumpeln, dessen Auto zu stehlen und zu der Adresse zu fahren, die zuletzt im Navigationsgerät eingespeichert wurde. Deeks folgt ihr zu dem Haus und wird von Kensi gebeten, die Frau, die dort wohnt, in Sicherheit zu bringen. Es handelt sich um ihre Mutter Julia, mit der Kensi seit der Trennung von ihrem Vater Donald Blye nicht mehr gesprochen hat. *Quelle: 10, 11*

Episoden Staffel 3 Navy CIS: L.A.

Nr.	Titel	Originaltitel	Premiere USA	Premiere D	Regisseur	Drehbuch
3.66	**Der Drache und die Fee**	The Dragon and the Fairy	20. Mär. 2012	05. Aug. 2012	T.Wharmby	J.Sachs

Ein junger Mann, Tuan, sucht Schutz im vietnamesischen Konsulat, wo am nächsten Tag eine Süd-Ost-Asien-Konferenz stattfinden soll. Vor dem Gebäude wird Tuan aus einem vorbeifahrenden Auto niedergeschossen. Das Team stößt bei seinen Ermittlungen auf eine pro-demokratische Bewegung, die durch vorgetäuschte Anschläge in Misskredit gebracht werden soll. Die Spuren führen zu Menschenhändlern, die vietnamesische Näher ausbeuten, und dem Vietnam-Veteran James Cleary. *Quelle: 10, 11*

Nr.	Titel	Originaltitel	Premiere USA	Premiere D	Regisseur	Drehbuch
3.67	**Die Ehre der SEALs**	Vengeance	27. Mär. 2012	12. Aug. 2012	F.Military	J.Whitmore, Jr.

Ein Navy SEAL wird auf einem Schießübungsgelände tot aufgefunden. Die Untersuchungen ergeben, dass seine Wunden von einer unter SEALs gebräuchlichen Messerklinge stammen. Das Team ermittelt daher bei den Kameraden des Toten, die kurz davor sind, eine Geiselrettungsaktion in Afghanistan durchzuführen. Einer der Männer will mit einem vorgetäuschten Geständnis die Schuld auf sich nehmen, um ihre Mission nicht zu gefährden. Doch Sam durchschaut ihn und sucht den wahren Täter. *Quelle: 10, 11*

Nr.	Titel	Originaltitel	Premiere USA	Premiere D	Regisseur	Drehbuch
3.68	**Der Bombenleger**	Patriot Acts	10. Apr. 2012	19. Aug. 2012	D.Smith	J.L.Jaffe

Bei einem harmlosen Auffahrunfall wird auf der Ladefläche des Trucks von Gavin Knowles eine Bombe entdeckt. Das FBI nimmt den ehemaligen Marine fest und verkündet, einen Terrorakt verhindert zu haben. Das NCIS-Team beginnt mit seinen Ermittlungen und befragt Knowles' Freundin Mia. Unterdessen versucht FBI Agent Ambrose, jeden Kontakt zwischen NCIS und Knowles zu verhindern. Der Fund einer weiteren Bombe führt das Team jedoch auf eine heiße Spur. *Quelle: 10, 11*

Nr.	Titel	Originaltitel	Premiere USA	Premiere D	Regisseur	Drehbuch
3.69	**Das Spiel mit dem Tod** (Anm.[1])	Touch of Death	01. Mai 2012	26. Aug. 2012	Tony Wharmby	M.Fazekas, T.Butters & R.S.Gemmil

Sam und Callen sind mit Kelly und Williams von der Five-O-Task Force aus Hawaii auf einem Flug nach Los Angeles, der einen Pockenerreger transportiert. Kurz vor der Landung findet das Personal die Leiche von Sharon Walker und es gelingt ihnen nicht mehr, die Maschine unter Quarantäne zu stellen. Der Verdächtige, Jarrod Prodeman, kann entkommen und mit ihm die Spur zu seinen Auftraggebern. Fieberhaft bemüht sich das Team, mit der Verstärkung aus Hawaii eine Epidemie zu verhindern. *Quelle: 10, 11*

(Anm.[1]) Diese Geschichte ist eine Fortsetzung aus der Folge „Pa Make Loa" der Serie „Hawaii Five-0".

Episoden Staffel 3 Navy CIS: L.A.

Nr.	Titel	Originaltitel	Premiere USA	Premiere D	Regisseur	Drehbuch
3.70	**Die lieben Nachbarn**	Neighborhood Watch	08. Mai 2012	02. Sep. 2012	Robert Florio	C.M.Kim

Kensi und Deeks ermitteln undercover als Ehepaar in einer Vorort-Siedlung, in der sich ein russischer Schläfer befindet. Um ihn zu enttarnen, versuchen sie herauszufinden, um welchen von den Nachbarn es sich handelt: der ältere, grantige Mann, das schwule Pärchen, das eine Bäckerei betreibt, das attraktive junge Paar, oder die alleinstehende Mutter zweier lümmelhafter Jungen? Die lieben Nachbarn stellen das Undercover-Ehepaar Kenis und Deeks vor ungeahnte Herausforderungen. *Quelle: 10, 11*

Nr.	Titel	Originaltitel	Premiere USA	Premiere D	Regisseur	Drehbuch
3.71	**Die Rückkehr des Chamäleons – Teil 1**	Sans Voir (1)	15. Mai 2012	09. Sep. 2012	T.O'Hara	S.Brennan

Agent Renko ermittelt undercover im Umfeld eines dubiosen Waffenladens. Seine Tarnung scheint gefährdet und der Rettungsversuch des Teams gelingt nur unter schweren Opfern. Trotzdem bekommt das Team Wind von einem illegalen Waffendeal und stößt beim Treffpunkt auf ahnungslose junge Leute, die auf eine Kleinanzeige geantwortet haben, um Kisten zu schleppen. Für Callen wird die Ahnung zur Gewissheit: Das Chamäleon hat seine Hände im Spiel. *Quelle: 10, 11*

Nr.	Titel	Originaltitel	Premiere USA	Premiere D	Regisseur	Drehbuch
3.72	**Die Rückkehr des Chamäleons – Teil 2**	Sans Voir (2)	15. Mai 2012	16. Sep. 2012	T.O'Hara	S.Brennan

Das Chamäleon ist nach dem Mord an Hunter in Gewahrsam – doch damit ist das tödliche Spiel des Agenten noch nicht vorüber. Granger informiert das CIS-Team unterdessen, dass Atley, ein wichtiger Mann des NSA, entführt wurde, der heikle Regierungsgeheimnisse kennt. Callen und Hanna machen sich mit einigen Kollegen auf die Suche nach dem Vermissten – wieder gibt es Tote. Es wird entschieden, Atley gegen das Chamäleon auszutauschen – sollte er am Ende wirklich ungestraft davonkommen?. *Quelle: 10, 11*

Staffel 4 (Episoden 4.73 - 4.96) Navy CIS: L.A.

Erstausstrahlung USA   25. September 2012 – 14. Mai 2013 auf CBS

Erstausstrahlung Deutschland   07. April 2013 – 10. November 2013 auf Sat 1

Episoden Staffel 4 Navy CIS: L.A.

Nr.	Titel	Originaltitel	Premiere USA	Premiere D	Regisseur	Drehbuch
4.73	Codename Cherokee	Endgame	25. Sep. 2012	07. Apr. 2013	T.O'Hara	S.Brennan

Nachdem Callen vor laufenden Fernsehkameras das Chamäleon, Janvier, erschossen hat, wird er festgenommen. Gerade aus der Untersuchungshaft entlassen, wartet schon der Iraner Vaziri auf ihn. Vaziri versucht in Erfahrung zu bringen, zu welchem Preis Callen bereit ist, den Namen des CIA-Spions in Teheran, Cherokee, zu verraten. Atley hat Deeks und Hetty unterdessen preisgegeben, dass er über ein Dossier verfügt, das er Janvier verkaufen wollte ... *Quelle: 10, 11*

Nr.	Titel	Originaltitel	Premiere USA	Premiere D	Regisseur	Drehbuch
4.74	Die Ehemaligen	Recruit	02. Okt. 2012	14. Apr. 2013	J.Whitmore, Jr.	R.S.Gemmill

Bei einem Drohnenangriff in Afghanistan wird der pensionierte Marine Adams getötet. Allem Anschein nach hatte er sich dem Terroristen Al-Ahmadi angeschlossen, der dem Angriff im letzten Moment entkommen konnte. Das Team versucht herauszufinden, weshalb sich Adams in Afghanistan aufgehalten hat. Alle Zeugen halten es für ausgeschlossen, dass er sich zu einem Terroristen gewandelt haben könnte. Die Spur führt schließlich zu einer Firma, die mit gestohlenen Identitäten handelt. *Quelle: 10, 11*

Nr.	Titel	Originaltitel	Premiere USA	Premiere D	Regisseur	Drehbuch
4.75	Der fünfte Mann	The Fifth Man	09. Okt. 2012	21. Apr. 2013	J.P.Kousakis	D.Kalstein

Vier Männer, die sich bisher nie gesehen haben, treffen sich in einem Diner und werden in die Luft gesprengt. Einzige Gemeinsamkeit der Opfer: Sie waren Abonnenten eines Twitter-Accounts des Office of Naval Intelligence, dem Nachrichtendienst der Navy. Mit ihrer Hilfe, so erfahren Sam und Callen vom Betreiber des Twitter-Blogs Dr. Mathers, sollte ein geheimes Computerprogramm entwickelt werden, mit dem man terroristische Aktivitäten vorhersagen kann ... *Quelle: 44, 45*

Nr.	Titel	Originaltitel	Premiere USA	Premiere D	Regisseur	Drehbuch
4.76	Die Kandidatin	Dead Body Politic	23. Okt. 2012	28. Apr. 2013	T.Wharmby	J.L.Jaffe

Clay Everhurst wird auf nachts auf der Straße überfahren und tödlich verletzt. Aufzeichnungen einer Verkehrskamera zeigen, dass es sich um keinen Unfall handelt. Der Wahlkampfhelfer arbeitete für die Politikerin Monica Tenez, die für den Senat kandidiert. Da der Mord die nationale Sicherheit betreffen könnte, beginnt das Team zu ermitteln und erfährt, dass Everhurst aussteigen wollte. Wusste er etwas über die sozial engagierte Politikerin, das seinen Enthusiasmus zerstört hat? *Quelle: 10, 11*

Episoden Staffel 4 Navy CIS: L.A.

Nr.	Titel	Originaltitel	Premiere USA	Premiere D	Regisseur	Drehbuch
4.77	Die Spur des Pudels	Out of the Past	30. Okt. 2012	05. Mai 2013	D.Smith	F.Military

Sam bekommt nachts einen Anruf und hört eine aufgezeichnete Nachricht von Frank Turner. Der ehemalige CIA-Agent bittet ihn darin um Hilfe. Als Sam und das Team in Turners Loft eintreffen, finden sie ihn tot von der Decke hängend. Weit und breit ist keine Leiter zu finden, dafür läuft ein riesengroßer Pudel mit Afrofrisur in der Wohnung herum. Was Sam aber noch weit mehr irritiert: Er kannte Turner nur oberflächlich und hatte ihn vor acht Jahren zuletzt gesehen. *Quelle: 10, 11*

Nr.	Titel	Originaltitel	Premiere USA	Premiere D	Regisseur	Drehbuch
4.78	Quinn	Rude Awakenings	13. Nov. 2012	12. Mai 2013	K.Gaviola	F.Military

NCIS und CIA kommen zu spät: Nachdem die russischen Schläfer-Agenten bekannt sind, stoßen sie in deren Häusern auf Tote. Der verdächtige Waffenhändler Sidorov hat sich bereits in den Besitz der versteckten Nuklearwaffen gebracht. Das Team begibt sich mit CIA-Agent Snyder, einem alten Bekannten von Sam, auf Sidorovs Spur. Snyder will jemanden namens „Quinn" in Sidorovs Organisation einschleusen – eine geheimnisvolle Person, deren Identität im Team nur Callen und Hetty kennen ... *Quelle: 10, 11*

Nr.	Titel	Originaltitel	Premiere USA	Premiere D	Regisseur	Drehbuch
4.79	Die größte Welle	Skin Deep	20. Nov. 2012	26. Mai 2013	P.A.Kaufman	G.Grant

Auf dem Rückweg von einem Verkehrsunfall wird ein Krankenwagen überfallen. Der Verletzte wird aufgeschlitzt und getötet. Bei der Autopsie findet Rose heraus, dass das Opfer, Kevin Stone, ein Implantat in Bauchgegend hatte. Stone war Wissenschaftler in einem Labor für Meerestechnik und hat an einem geheimen Projekt gearbeitet, in dem es um die Entwicklung eines miniaturisierten Spionage- und Überwachungsroboters ging. Hatte sich Stone den Prototyp selbst eingepflanzt? *Quelle: 10, 11*

Nr.	Titel	Originaltitel	Premiere USA	Premiere D	Regisseur	Drehbuch
4.80	Opfer und Geheimnisse	Collateral	27. Nov. 2012	02. Jun. 2013	K.Woods	C.H.Coker

Der ehemalige CIA-Agent Victor Potter wird durch einen Bombenanschlag umgebracht. Hetty zieht den Fall an sich und verschwindet dann auf rätselhafte Weise. Die Ermittlungen des Teams enthüllen eine gemeinsame CIA-Vergangenheit von Hetty, Anschlagsopfer Potter und zwei weiteren Personen: Hettys Kollegen Owen Granger, und Brooks, einem weiteren Opfer des geheimnisvollen Mörders. Zu viert hatten sie bei einem Sondereinsatz in Pakistan ein Gründungsmitglied der Al-Kaida exekutiert. *Quelle: 10, 11*

Episoden Staffel 4 Navy CIS: L.A.

Nr.	Titel	Originaltitel	Premiere USA	Premiere D	Regisseur	Drehbuch
4.81	Am Ende des Regenbogens	The Gold Standard	11. Dez. 2012	09. Jun. 2013	T.Wharmby	J.C.Wilson

Am helllichten Tag überfallen kostümierten Männer auf offener Straße einen Goldtransporter und erbeuten Goldbarren im Wert von 70 Millionen Dollar. Wie sich herausstellt, war das Gold als Zinszahlung für einen Kredit Chinas an die USA gedacht. Bei dem Überfall kommt einer der Wachleute und einer der Gangster um. Bei seinen Ermittlungen findet das Team nach und nach alle, die mit dem Überfall zu tun hatten, exekutiert auf. Dann taucht ein Transporter mit Goldkisten auf … *Quelle: 10, 11*

Nr.	Titel	Originaltitel	Premiere USA	Premiere D	Regisseur	Drehbuch
4.82	Die Spinat-Spur	Free Ride	18. Dez. 2012	16. Jun 2013	J.Frakes	T.Clemente & R. S.Gemmil

An Weihnachten findet das Team keinen Frieden. Callen, Sam, Kensi und Deeks ermitteln nach dem grausamen Mord an einem NCIS-Agenten an Bord eines Luftfrachters auf hoher See. Nell und Eric müssen ihre Ferien hingegen im Hauptquartier in Los Angeles verbringen. Nur Hetty geht auf Reisen … *Quelle: 10, 11*

Nr.	Titel	Originaltitel	Premiere USA	Premiere D	Regisseur	Drehbuch
4.83	Die scharfe Cousine	Drive	08. Jan. 2013	23. Jun. 2013	S.DePaul	J.Sachs

Nachts bekommt Deeks einen Anruf von Jenny, einer obdachlosen Mandantin aus seiner Zeit als Pflichtverteidiger. Panisch teilt sie ihm mit, dass sie einem Autoschieberring auf der Spur ist. Während des Telefonats wird Jenny entführt und das Team beginnt zu ermitteln. Sam und Callen suchen einen alten Bekannten auf, der Autos ausschlachtet. Der willigt ein, Kensi als seine Cousine in einer Werkstatt einzuschleusen, die im Verdacht steht mit den Autoschiebern zu kooperieren. *Quelle: 10, 11*

Nr.	Titel	Originaltitel	Premiere USA	Premiere D	Regisseur	Drehbuch
4.84	Gewebe und Knochen	Paper Soliders	15. Jan. 2013	18. Aug. 2013	T.O'Hara	J.L.Jaffe

Antonia Prietto glaubt nicht an die Todesursache, die im Totenschein ihres Mannes vermerkt ist. Als der Privatdetektiv, den sie mit Nachforschungen betraute, umgebracht wird, übernimmt der NCIS den Fall. Im Laufe der Ermittlungen offenbart sich, dass Antonias Mann posthum Gewebe und Knochen entnommen wurden – entgegen seiner Patientenverfügung. Die Rechtsmedizinerin Rose gerät unter Verdacht. Doch es ergibt sich noch eine weitere heiße Spur. *Quelle: 10, 11*

Nr.	Titel	Originaltitel	Premiere USA	Premiere D	Regisseur	Drehbuch
4.85	Der Auserwählte	The Chosen One	29. Jan. 2013	01. Sep. 2013	P.A.Kaufman	C.H.Coker

Als das NCIS-Team eine Attacke auf einen Polizisten untersucht, kommt es einem geplanten Terroranschlag auf die Spur: In dem Lieferwagen, den der Beamte untersuchte, finden sich Spuren von Ammoniumnitrat – ein klarer Hinweis auf ein mögliches Bombenattantat. Während sich Eric und Nell an die Fersen eines tschetschenischen Verdächtigen heften, will Callen undercover in der Terrorzelle ermitteln. Bald schwebt nicht nur er in Lebensgefahr. *Quelle: 10, 11*

Episoden Staffel 4 Navy CIS: L.A.

Nr.	Titel	Originaltitel	Premiere USA	Premiere D	Regisseur	Drehbuch
4.86	**Kill House**	Kill House	05. Feb. 2013	25. Aug. 2013	L.Teng	D.Kalstein

Als ein Spezialkommando bei der versuchten Verhaftung eines mexikanischen Drogenbarons erschossen wird, geraten die Ausbilder der Beamten ins Visier des NCIS. Das Team ermittelt undercover bei den „Tactical Role Players" und hat bald deren Chef Inman im Verdacht, ein unsauberes Spiel zu spielen. Als schließlich ein Mitglied des TRP ermordet wird, muss der NCIS zu extremen Mitteln greifen – nicht ohne Folgen. *Quelle: 10, 11*

Nr.	Titel	Originaltitel	Premiere USA	Premiere D	Regisseur	Drehbuch
4.87	**Die menschliche Bombe**	History	19. Feb. 2013	08. Sep. 2013	J.Whitmore, Jr.	S.Sullivan

Durch Zufall wird das Team auf eine längst vergessene Terroristen-Gruppe, die „Gun Barrel Party", aufmerksam. Die Ermittlungen führen den NCIS zu dem Geschichts-Dozenten Roy Hale, der historisches Interesse an der Bombenleger-Organisation zeigt und sich intensiv mit ihr beschäftigt hat. Doch irgendetwas scheint der Gelehrte zu verbergen – wie ließe sich sonst erklären, dass sein Haus in die Luft fliegt? *Quelle: 10, 11*

Nr.	Titel	Originaltitel	Premiere USA	Premiere D	Regisseur	Drehbuch
4.88	**Eine Frage der Ehre**	Lohkay	26. Feb. 2013	15. Sep. 2013	D.C.Valentine	J.C.Wilson

In Afghanistan gewährte Yusef Sam Schutz. Nun ist es an Sam, sich zu revanchieren – denn Yusefs Neffe Amir ist nach einem Autounfall wie vom Erdboden verschluckt. Sams NCIS-Kollegen finden bald heraus, dass einer der Unfall-Beteiligten der bekannte Terrorist Habib war. Prompt fallen Yusef und Sam beinahe einem Anschlag zum Opfer. Das soll allerdings nicht die letzte gefährliche Situation sein, in die die beiden Freunde bei der Lösung des Rätsels um Amir geraten. *Quelle: 10, 11*

Nr.	Titel	Originaltitel	Premiere USA	Premiere D	Regisseur	Drehbuch
4.89	**Sidorovs Rückkehr**	Wanted	05. Mär. 2013	22. Sep. 2013	C.O'Donnell	R.S.Gemmill

Die rechte Hand Sidorovs tötet den Killer Varlamov. Das gefährdet die Tarnung von Sams Ehefrau Michelle, die innerhalb der Verbrecherorganisation von Sidorov undercover ermittelt. Zu allem Überfluss muss Sams Team auch noch mit dem verhassten Snyder zusammenarbeiten. Für Sam wird es im Laufe der Ermittlung allerdings brenzlig: Er gibt sich undercover als Michelles Freund aus und wird von Sidorov in eine Falle gelockt. *Quelle: 10, 11*

Nr.	Titel	Originaltitel	Premiere USA	Premiere D	Regisseur	Drehbuch
4.90	**Team Red (1)**	Red - Part 1	19. Mär. 2013	06. Okt. 2013	T.Wharmby	S.Brennan

Zwei Tote, die mit einem Kopfschuss hingerichtet wurden, geben dem NCIS-Team Rätsel auf: Ein Mordopfer ist ein Marine, der im Provinznest Moscow in Idaho sein Leben lassen musste. Bei dem anderen Toten handelt es sich um einen Terrorverdächtigen, der ein paar hundert Kilometer weiter weg getötet wurde. Die NCIS-Leute sollen mit dem Roten Einsatzteam des NCIS zusammenarbeiten, das unter der Leitung der Agentin Paris steht. Schon bald finden die Ermittler eine erste heiße Spur. *Quelle: 10, 11*

Episoden Staffel 4 Navy CIS: L.A.

Nr.	Titel	Originaltitel	Premiere USA	Premiere D	Regisseur	Drehbuch
4.91	Team Red (2)	Red - Part 2	26. Mär. 2013	13. Okt. 2013	T.Wharmby	S.Brennan

Callen und Sam stoßen zusammen mit dem Team Red in Idaho auf einige wichtige Hinweise im Fall des ermordeten Marines. Der Täter den die NCIS-Leute schon länger suchen, plant offensichtlich, sich von einem gewissen Ramirez nach Mexico schleusen zu lassen. Also wird Ramirez observiert in der Hoffnung, so auch Spears zu fassen zu bekommen. Der trifft sich unterdessen mit einem mysteriösen Mann, der sich als der Waffenhändler Tommy Kraus entpuppt. Von ihm geht ungeahnte Gefahr aus. *Quelle: 10, 11*

Nr.	Titel	Originaltitel	Premiere USA	Premiere D	Regisseur	Drehbuch
4.92	Zyanid	Purity	09. Apr. 2013	29. Sep. 2013	J.Sachs	E.Laneuville

Der Wasserspender in einem Nachtclub war mit Zyanid verseucht. Das kostete einen Navy-Angehörigen das Leben. Die Ermittlungen ergeben, dass das Attentat auf das Konto einer Vereinigung geht, die Amerika von Kriminellen, Kinderschändern und anderen unerwünschten Subjekten flächendeckend befreien will. Callen wird undercover in die Gruppe eingeschleust, fliegt aber auf. Wird er mit heiler Haut entkommen und einen Zyanid-Anschlag auf L.A.s Wasserversorgung verhindern können? *Quelle: 10, 11*

Nr.	Titel	Originaltitel	Premiere USA	Premiere D	Regisseur	Drehbuch
4.93	Die Musik des Todes	Resurrection	23. Apr. 2013	20. Okt. 2013	E.A.Pot	G.Grant & D.Kalstein

Der NCIS wird mit einem brenzligen Fall betraut: Sam und Callen sollen herausfinden, wer die Leiche eines Drogenbarons aus der Pathologie entwendet hat. Bei ihren Ermittlungen stoßen sie auf den DEA-Agenten Ness, der schon lange nach dem totgeglaubten Drogenboss Barbosa fahndet und nach dem Gespräch mit den Beamten vergiftet wird. Kensi und Deeks recherchieren unterdessen in Mexiko und werden Zeugen eines weiteren Mordes. Jetzt gilt es, ihren Informanten Javier zu schützen. *Quelle: 10, 11*

Nr.	Titel	Originaltitel	Premiere USA	Premiere D	Regisseur	Drehbuch
4.94	Raben und Schwäne	Raven & the Swans	30. Apr. 2013	27. Okt. 2013	R.Florio	R.S.Gemmil

Eine Frau wird von mehreren Männern in einem Parkhaus angegriffen, wehrt sich und kann zwei der Schläger ausschalten – an sich ist das kein Fall für den NCIS. Dennoch setzt Hetty ihr Team darauf an. Wie sich herausstellt, ist die Frau die Undercover-Agentin Grace Stevens, die den Unternehmer Vandenberg überführen soll: Er wird verdächtigt, unlautere Geschäfte mit dem Iran zu machen. Sam und Callen tun sich mit Grace zusammen, um den Geschäftsmann in eine Falle zu locken. *Quelle: 10, 11*

Episoden Staffel 4 Navy CIS: L.A.

Nr.	Titel	Originaltitel	Premiere USA	Premiere D	Regisseur	Drehbuch
4.95	Ein Freund wie Max	Parley	07. Mai 2013	03. Nov. 2013	J.P.Kousakis	C.H.Coker

Deeks hilft der Nachtclub-Hostess Monica, einem schießwütigen Verfolger zu entkommen. Die junge Frau und der Beamte kennen sich, da Deeks undercover in dem Club gegen dessen Besitzer Waaldt ermittelt. Monica ist seine Kontaktperson. Sie hat sich allerdings in Schwierigkeiten gebracht, da sie Waaldt Diamanten im Wert von zehn Millionen Dollar gestohlen hat. Durch einen geschickten Schachzug findet der NCIS heraus, wofür die Edelsteine eigentlich gedacht waren. *Quelle:* [10, 11]

Nr.	Titel	Originaltitel	Premiere USA	Premiere D	Regisseur	Drehbuch
4.96	Vertrauenssache	Descent	14. Mai 2013	10. Nov. 2013	T.O'Hara	F.Military

Sidorov fordert den NCIS erneut heraus: Im Grenzgebiet zwischen den USA und Mexiko lässt er eine Atombombe hochgehen. Zwei weitere besitzt er noch, die er zu möglichst hohen Preisen verkaufen will. Um das zu verhindern, befreien Kensi und Callen Sidorovs Zwischenhändler Janvier aus afghanischer Gefangenschaft. Mit seiner Hilfe wollen sie Sidorov eine Falle stellen. Sam und Michelle ermitteln währenddessen undercover in Sidorovs Umfeld. Ein riskantes Unterfangen. *Quelle:* [10, 11]

Staffel 5 (Episoden 5.97 - 5.120) Navy CIS: L.A.

Erstausstrahlung USA   24. September 2013 – 13. Mai 2014 auf CBS

Erstausstrahlung Deutschland   05. Januar 2014 – 02. November 2014 auf Sat 1

Episoden Staffel 5 Navy CIS: L.A.

Nr.	Titel	Originaltitel	Premiere USA	Premiere D	Regisseur	Drehbuch
5.97	**Ein Leben für die Rache**	Ascension	24. Sep. 2013	5. Jan. 2014	T.O'Hara	F.Military

Sam und Deeks waren in Sidorovs Gewalt schrecklichen Foltermethoden ausgesetzt, können aber von ihren Kollegen befreit werden. Um Sidorov zu täuschen und weiterhin undercover an ihm dranbleiben zu können, gibt Michelle vor, Sam und Deeks zu erschießen. Janvier kann unterdessen dazu gebracht werden, den Waffendeal mit Sidorov und Vaziri durchzuziehen. Allerdings gelingt es ihm, stiften zu gehen. Für den NCIS geht es nun Schlag auf Schlag. *Quelle: 10, 11*

Nr.	Titel	Originaltitel	Premiere USA	Premiere D	Regisseur	Drehbuch
5.98	**Der Absturz**	Impact	1. Okt. 2013	12. Jan. 2014	J.Frakes	S.Servi & R.S.Gemmill

Während Deeks immer noch mit den Folgen der Folter zu kämpfen hat, wartet auf das Team vom NCIS L.A. bereits ein neuer Fall: Der pensionierte Vice Admiral William Gardner stürzt mit seinem Privatjet auf dem Flughafen von L.A. ab. Mit an Bord war ein Enthüllungsjournalist. Es wird klar, dass der Absturz bewusst herbeigeführt wurde. Mussten die beiden sterben, weil sie drohten, Kriegsverbrechen publik zu machen, die private Sicherheitsfirmen im Auftrag der Regierung begingen? *Quelle: 10, 11*

Nr.	Titel	Originaltitel	Premiere USA	Premiere D	Regisseur	Drehbuch
5.99	**Omni**	Omni	8. Okt. 2013	19. Jan. 2014	L.Teng	K.Harimoto

Das Unternehmen Norris Bio Tech arbeitet an einem Impfstoff, der gegen das Gift Rizin wirkt und in den falschen Händen verheerende Folgen haben kann. Als der Firmeninhaber samt seines Ferraris in die Luft gejagt wird, nimmt der NCIS L.A. die Ermittlungen auf. Dabei erfahren Eric und Nell, dass das Verbrechersyndikat Omni an Norris Bio Tech beteiligt ist. Deeks steht unterdessen vor der Herausforderung, seine Diensttauglichkeit zu beweisen. *Quelle: 10, 11*

Episoden Staffel 5 Navy CIS: L.A.

Nr.	Titel	Originaltitel	Premiere USA	Premiere D	Regisseur	Drehbuch
5.100	**Schreibers Versprechen**	Reznikov, N.	15. Okt. 2013	26. Jan. 2014	T.Wharmby	S.Brennan

Die Ermittlungen in einem mysteriösen Fall führen Callen zurück in seine Kindheit: Ein abgeschnittener Finger, der in einem Wohnhaus gefunden wird, deutet nebst einer blutigen Botschaft darauf hin, dass Michael Reinhardt, der offenbar Callens Vater ist, entführt wurde. Offenbar ist Reinhardt in den Fängen der überlebenden Mitglieder des Comescu-Clans. Zusammen mit Sam und Granger will Callen die Geisel retten. Dabei geht jedoch einiges schief. *Quelle: 10, 11*

Nr.	Titel	Originaltitel	Premiere USA	Premiere D	Regisseur	Drehbuch
5.101	**Die ungeschriebene Regel**	Unwritten Rule	22. Okt. 2013	2. Feb. 2014	Larry Teng	J.C.Wilson & J.L.Jaffe

Als sie nach einem Langstreckenlauf das Ziel erreicht, wird Robin Henson entführt. Wie sich herausstellt, ist sie die Freundin des Ex-Navy-Drohnensoftwarespezialisten William Garrett, der inzwischen eine eigene Softwareschmiede führt. Offensichtlich haben er und sein Partner Oscar Balsam die Chinesen mit streng geheimen Programmen zur Konfiguration von Drohnen versorgt. Während der Ermittlungen wendet sich das Blatt jedoch, und das NCIS-Team stößt auf ein ungeheures Komplott. *Quelle: 10, 11*

Nr.	Titel	Originaltitel	Premiere USA	Premiere D	Regisseur	Drehbuch
5.102	**Big Brother**	Big Brother	29. Okt. 2013	9. Feb. 2014	S.DePaul	J.Lewis Jaffe

Als eine Special Task Force ein Drogenkartell hochnehmen will, gibt es ein Blutbad: Die Gangster müssen von dem Zugriff gewusst haben und töten mehrere Beamte. Offenbar hat ein Maulwurf die Gangster informiert. Die Ermittlungen ergeben allerdings, dass das 15-jährige Computergenie Cindy Chang von einem Kriminellen dazu missbraucht wurde, die Rechner der beteiligten Behörden zu hacken und so an die Informationen über den Zugriff zu gelangen. Ein Katz-und-Maus-Spiel beginnt. *Quelle: 10, 11*

Nr.	Titel	Originaltitel	Premiere USA	Premiere D	Regisseur	Drehbuch
5.103	**Der Giftzug**	The Livelong Day	5. Nov. 2013	16. Feb. 2014	D.Smith	J.Sachs

Auf einem Eisenbahngelände wird ein Mitarbeiter des Sicherheitsdienstes ermordet. Einige arabische Begriffe, die das Funkgerät des Opfers übertrug, sprechen für einen terroristischen Hintergrund. Eine erste Spur führt Sam und Callen zu Mitchell Rome, der einst für das Unternehmen arbeitete und wegen Drogenproblemen gekündigt wurde. Sein Mitbewohner Gil Bellamy, Sprengstoffexperte, ist ebenfalls verdächtig. Doch was hat der Privatermittler Anthony Trager mit der Sache zu tun? *Quelle: 10, 11*

Episoden Staffel 5 Navy CIS: L.A.

Nr.	Titel	Originaltitel	Premiere USA	Premiere D	Regisseur	Drehbuch
5.104	**Fallout**	Fallout	12. Nov. 2013	23. Feb. 2014	D.C.Valentine	J.C.Wilson

Aus der Energiebehörde werden sensible Daten gestohlen: Ein bewaffneter, vermummter Mann eignete sich die Standorte des US Miniature Integrated Nuclear Detection System an, das zur Terrorismusabwehr dient. In den Händen von Attentätern wären diese Informationen brandgefährlich. Das NCIS-Team setzt alles daran, den Täter zu finden. Ganz nebenbei muss es auch noch Hettys Karriere retten, denn sie ist auf unglückliche Weise mit dem Fall verbunden. *Quelle:* 10, 11

Nr.	Titel	Originaltitel	Premiere USA	Premiere D	Regisseur	Drehbuch
5.105	**Außer Kontrolle**	Recovery	19. Nov. 2013	2. Mär. 2014	P.A.Kaufman	G.Grant

Wer hat den Navy-Nachrichtendienstoffizier Gary Leonida umgebracht? Der Mann wurde tot im Pool der Entzugsklinik gefunden, in der er sich zur Behandlung befand. Kensi und Deeks schleusen sich undercover in das Krankenhaus ein und finden heraus, dass Leonida Drogen verabreicht wurden. Offensichtlich wollte ihn jemand gefügig machen, um an Details über Drohnen zu gelangen. Diese waren das Spezialgebiet des Opfers. Steckt jemand vom Klinikpersonal hinter dem Mord? *Quelle:* 10, 11

Nr.	Titel	Originaltitel	Premiere USA	Premiere D	Regisseur	Drehbuch
5.106	**Dünnes Eis**	The Frozen Lake	26. Nov. 2013	9. Mär. 2014	J.P.Kousakis	D.Kalstein

Einem Sicherheitsbeamten, der auf einem US-Militärstützpunkt in Bahrein getötet wurde, hat der Mörder einen USB-Stick mit brisanten Informationen über pakistanische Atomwaffen abgenommen. Alles deutet zunächst auf einen Gurkha hin. Doch auch der pakistanische Geheimdienst hat seine Finger im Spiel. Für den NCIS L.A. beginnt ein riskantes Katz-und-Maus-Spiel. *Quelle:* 10, 11

Nr.	Titel	Originaltitel	Premiere USA	Premiere D	Regisseur	Drehbuch
5.107	**Menschenhändler**	Iron Curtain Rising	10. Dez. 2013	16. Mär. 2014	T.Wharmby	J.Lewis Jaffe

Das FBI will den rumänischen Menschenhändler Zevlos verhaften, bekommt ihn aber nicht zu fassen. Zunächst soll der NCIS den Fall übernehmen, wird dann aber zurückgepfiffen. Sam, Callen und Deeks geben sich damit nicht zufrieden und ermitteln heimlich auf eigene Faust. Dabei decken sie brisante Verwicklungen auf. Kensi befindet sich unterdessen in Afghanistan, um einen Spezialeinsatz zu absolvieren. Noch ahnt sie nicht, was auf sie zukommt. *Quelle:* 10, 11

Episoden Staffel 5 Navy CIS: L.A.

Nr.	Titel	Originaltitel	Premiere USA	Premiere D	Regisseur	Drehbuch
5.108	**Lily**	Merry Evasion	17. Dez. 2013	23. Mär. 2014	K.Gaviola	K.Harimoto

Unbekannte überfallen Senator Lockharts Tochter Lily in ihrem Haus. Sam und Callen übernehmen den Fall und geraten dabei selbst in die Schusslinie: Die Täter verfolgen jeden ihrer Schritte mittels Handy-Ortung. Wie sich herausstellt, hat der Angriff etwas mit einem Vorfall aus Lockharts Vergangenheit zu tun. Unterdessen begegnet Kensi in Afghanistan Sabatino und erfährt, was mit ihrem Vorgänger geschehen ist. *Quelle: 10, 11*

Nr.	Titel	Originaltitel	Premiere USA	Premiere D	Regisseur	Drehbuch
5.109	**Hawala**	Allegiance	14. Jan. 2014	30. Mär. 2014	E.Laneuville	F.Military & A.Bartels

Weil er dabei ist, den Geldfluss einer Terrorzelle zu enthüllen, muss ein FinCEN-Agent sterben. Das NCIS-Team setzt alles daran die Verantwortlichen zu finden. In Afghanistan kümmern sich Kensi und Grainger um die Spurensuche, in L.A. heftet sich der Rest des Teams an die Fersen mehrerer Verdächtiger. Ohne Ehsan Navid hätten sie allerdings einige wichtige Hinweise übersehen. *Quelle: 10, 11*

Nr.	Titel	Originaltitel	Premiere USA	Premiere D	Regisseur	Drehbuch
5.110	**Die Akte Sabatino**	War Cries	4. Feb. 2014	17. Aug. 2014	J.Hanlon	R.S.Gemmill

Zwei Unternehmer, die im Auftrag des Militärs agierten, werden ermordet. Eine Zeugin verrät dem NCIS-Team, dass vermutlich noch ein Unternehmer im Visier des Killers ist. Sam und Callen machen ihn ausfindig, und er bestätigt die Vermutung der Zeugin. Weitere Ermittlungen ergeben, dass der gesuchte Mörder einige Frauen in Afghanistan tötete und alle umbringen will, die davon wissen. Das bringt auch Nell in Gefahr, die sein nächstes Opfer schützen soll. *Quelle: 10, 11*

Nr.	Titel	Originaltitel	Premiere USA	Premiere D	Regisseur	Drehbuch
5.111	**Tuhon**	Tuhon	25. Feb. 2014	24. Aug. 2014	C.Moore	D.Kalstein

Der Mord an einem Diplomaten führt Sam und Callen nach Mexico: Der ehemalige Killer Tuhon, mit dem es das Duo in seinem allerersten Fall zu tun hatte, soll in das Verbrechen verwickelt sein. Nun gilt es, den Mann aufzuspüren und herauszufinden, inwieweit er wirklich in die Sache involviert ist. Unterdessen versucht Kensi in Afghanistan immer noch aufzuklären, was es mit White Ghost auf sich hat. *Quelle: 10, 11*

Episoden Staffel 5 Navy CIS: L.A.

Nr.	Titel	Originaltitel	Premiere USA	Premiere D	Regisseur	Drehbuch
5.112	**Sechs Wochen Winter**	Fish Out of Water	4. Mär. 2014	31. Aug. 2014	T.O'Hara	J.Sachs

Auf einem Fischmarkt in Los Angeles geht eine Bombe hoch. Für die Ermittlungen schließen sich Sam und Callen mit einer DEA-Agentin zusammen, die undercover auf dem Markt ermittelt hat. Ging ein Drogendeal schief, oder handelte es sich um einen Terroranschlag? Kensi gelingt es unterdessen in Afghanistan, dem White Ghost ganz nah zu kommen. Doch als sie erstmals das Gesicht des gesuchten Verbrechers sieht, versagt sie. *Quelle: 10, 11*

Nr.	Titel	Originaltitel	Premiere USA	Premiere D	Regisseur	Drehbuch
5.113	**Zwischen den Fronten**	Between the Lines	18. Mär. 2014	7. Sep. 2014	D.Smith	J.C.Wilson

Vor laufender Kamera wird ATF-Agent Clark von einer Gang brutal hingerichtet. Clark ermittelte undercover in einem Fall von Waffenschmuggel. Deeks und seine Kollegen müssen nun schnell den Maulwurf enttarnen, der Clarks Identität preisgegeben hat – ansonsten könnten weitere Agenten sterben. Bei seinen Ermittlungen stößt der NCIS auf allerhand brisante Geheimnisse bei den ATF-Leuten, die in die Sache verwickelt sind. *Quelle: 10, 11*

Nr.	Titel	Originaltitel	Premiere USA	Premiere D	Regisseur	Drehbuch
5.114	**Lücken im System**	Zero Days	25. Mär. 2014	21. Sep. 2014	T.Wharmby	A.Bartels

Erics Kumpel Ira, ein begabter Hacker, wird in seiner eigenen Wohnung attackiert und angeschossen. Sam und Callen übernehmen den Fall und finden heraus, dass Ira an einer pikanten Sicherheitslücke in einem Computerprogramm namens „Zero Day" gearbeitet hat. Terroristen haben sich über diese Lücke Zugriff auf das russische Atomraketenprogramm verschafft und wollen nun eine der Waffen auf San Francisco niedergehen lassen. *Quelle: 10, 11*

Nr.	Titel	Originaltitel	Premiere USA	Premiere D	Regisseur	Drehbuch
5.115	**Vorsprung vor den Wölfen**	Spoils of War	1. Apr. 2014	28. Sep. 2014	F.Military	F.Military

Kensi wurde von den Taliban gekidnappt. Deeks, Sam und Callen reisen nach Afghanistan, um sie zu finden und zu befreien. Bald haben sie eine Spur, die zu einem Haus und schließlich zu einer Höhle führt. Dort finden sie nur noch ein Foto, das Kensi und Jack zeigt – ermordet. Doch Callen glaubt nicht an die Echtheit der Bilder und heftet sich weiterhin an die Fersen der Terroristen. Es kommt zum riskanten Showdown. *Quelle: 10, 11*

Episoden Staffel 5 Navy CIS: L.A.

Nr.	Titel	Originaltitel	Premiere USA	Premiere D	Regisseur	Drehbuch
5.116	**Wein für Millionen**	Windfall	8. Apr. 2014	5. Okt. 2014	E.Pot	G.Grant

Al Kaida hat Adrian Davis im Visier, der nach einer Haftstrafe wegen Unterschlagung wieder auf freiem Fuß ist. Während seiner Zeit im Irak hat er Gelder eines Aufbaufonds in die eigene Tasche gesteckt. Der NCIS will herausfinden, wo die Summe ist. Dazu befragen sie Gabriel Stanfill, einen Weingroßhändler und ehemaligen Geschäftspartner von Davis. Der gibt vor, von nichts zu wissen – und wird ermordet. Nun gilt es, Davis erneut dingfest zu machen, um an das Geld zu kommen. *Quelle: 10, 11*

Nr.	Titel	Originaltitel	Premiere USA	Premiere D	Regisseur	Drehbuch
5.117	**Drei Herzen**	Three Hearts	15. Apr. 2014	12. Okt. 2014	D.C.Valentine	D.Kalstein & K.Harimoto

Der NCIS-Agent Paulo Angelo arbeitet seit längerem undercover an der Überführung des Drogenbosses Brunson. Callen und Sam entführen den Kollegen, da der Verdacht besteht, dass er übergelaufen ist. Beim Verhör spielt er einige perfide Spielchen und gesteht schließlich, dass er Brunsons Geliebter Olivia ein neues Leben versprochen hat. Bei einem riskanten Einsatz, der zur Ergreifung Brunsons führen soll, tappen Sam und Callen in eine hinterlistig von Angelo ausgetüftelte Falle. *Quelle: 10, 11*

Nr.	Titel	Originaltitel	Premiere USA	Premiere D	Regisseur	Drehbuch
5.118	**Die Mauer**	One More Chance	29. Apr. 2014	19. Okt. 2014	T.Wharmby	D.J.North

Auf spektakuläre Weise werden Pläne für eine neuartige Drohne gestohlen. Chef-Ingenieurin bei dem Projekt ist Jessica Peyton, die Sam in Saudi Arabien schützte. Peytons Tochter Riley ist ebenfalls verschwunden, doch sie geht nicht von einer Entführung aus – angeblich sei das Mädchen bei seinem Vater. Sam beweist allerdings den richtigen Riecher und findet heraus, dass die Kleine tatsächlich gekidnappt wurde. Gibt es einen Zusammenhang mit den entwendeten Plänen? *Quelle: 10, 11*

Nr.	Titel	Originaltitel	Premiere USA	Premiere D	Regisseur	Drehbuch
5.119	**Alles für die Story**	Exposure	6. Mai. 2014	26. Okt. 2014	L.Teng	R.S.Gemmill

Auf einer Wohltätigkeitsveranstaltung des Militärs geht eine Bombe hoch. Die Reporterin Dana Steele verdächtigt öffentlich die Falschen der Tat – und muss dafür sterben. Für den NCIS wird es knifflig, denn die Quelle, die ihnen die Reporterin vor ihrem Tod genannt hat, entpuppt sich als Finte. Aber die Ermittler können ihren Mörder stellen: es ist der Sudanese Bakri Deng. Steckt er auch hinter dem Bombenanschlag? *Quelle: 10, 11*

Nr.	Titel	Originaltitel	Premiere USA	Premiere D	Regisseur	Drehbuch
5.120	**Das Boot (1)**	Deep Trouble (1)	13. Mai. 2014	02. Nov. 2014	L.Teng	R.S.Gemmill

Die Leiche eines U-Boot-Ingenieurs führt den NCIS zu einer Neonazi-Gruppierung namens Herrenvolk-Bruderschaft. Offensichtlich ist sie in Drogengeschäfte verwickelt und gab ein U-Boot bei Werft-Besitzer Charles Anderson in Auftrag. Das Wasserfahrzeug sollte einem kolumbianischen Drogenkartell in Einzelteilen geliefert werden. Callen und Sam gehen dem nach und finden im Hafen tatsächlich ein U-Boot, das randvoll mit hoch explosivem Ammoniumnitrat ist. *Quelle: 10, 11*

Staffel 6 (Episoden 6.121 - 6.144) Navy CIS: L.A.

| Erstausstrahlung USA | 29. September 2014 – 18. Mai 2015 auf CBS |
| Erstausstrahlung Deutschland | 04. Januar 2015 – 08. November 2015 auf Sat 1 |

Episoden Staffel 6 Navy CIS: L.A.

Nr.	Titel	Originaltitel	Premiere USA	Premiere D	Regisseur	Drehbuch
6.121	**Die Unterwasserbombe**	Deep Trouble (2)	29. Sep. 2014	4. Jan. 2015	D.Smith	R.S.Gemmill

Callen und Sam scheinen ihren Horrortrip im U-Boot überstanden zu haben – es legt ab. Fanatische Moslems haben aus dem Gefährt einen riesigen Unterwasser-Torpedo gemacht. Nach allerhand Überlegungen und Berechnungen haben die Gefangenen einen furchtbaren Verdacht: Der Flugzeugträger USS Van Buren im Hafen von San Diego soll in die Luft gejagt werden. *Quelle: 10, 11*

Nr.	Titel	Originaltitel	Premiere USA	Premiere D	Regisseur	Drehbuch
6.122	**Belagerungszustand**	Inelegant Heart	6. Okt. 2014	11. Jan. 2015	J.P.Kousakis	R.S.Gemmill

Der Cyber-Sicherheitsexperte Brian Bell wird tot in seinem Haus gefunden. Er trieb sich im Dark Net herum, einem digitalen Marktplatz für zwielichtige Geschäfte jeglicher Art. Dort legte er sich offenbar mit den falschen Leuten an. Während das Team diesen Hinweisen nachgeht und darüber hinaus noch die barsche Regierungsermittlerin Wallace hinhält, muss sich Hetty in Washington den unbequemen Fragen des Untersuchungsausschuss-vorsitzenden Thomas stellen. *Quelle: 10, 11*

Nr.	Titel	Originaltitel	Premiere USA	Premiere D	Regisseur	Drehbuch
6.123	**Die Dinosaurier**	Praesidium	13. Okt. 2014	18. Jan. 2015	D.Smith	E.Broadhurst & R.S.Gemmill

Hetty befindet sich immer noch in Washington und wird dort vom Kongressabgeordneten Thomas verhört. Um seinen Fragen zu entgehen wendet Hetty eine List an, die scheinbar misslingt. Doch von unerwarteter Stelle wurde eine Hilfsaktion eingefädelt. Außerdem gelingt es ihren Kollegen, einige Auftragsmörder auszuschalten, die Hetty töten sollten. Bei dem Versuch, deren Namen zu ermitteln, findet Eric heraus, dass Hettys Erzfeind Mattias in die ganze Sache verwickelt ist. *Quelle: 10, 11*

Episoden Staffel 6 Navy CIS: L.A.

Nr.	Titel	Originaltitel	Premiere USA	Premiere D	Regisseur	Drehbuch
6.124	Eiserne Reserve	The 3rd Choir	20. Okt. 2014	25. Jan. 2015	D.C.Valentine	D.Scanlon & R.S.Gemmill

In Washington soll Hetty vor dem Kongress Rechenschaft ablegen. Doch so einfach lässt sie sich nicht einschüchtern: Sie geigt den Abgeordneten die Meinung und verlässt die Hauptstadt in Richtung L.A.. Dort versucht Callen mit sehr unorthodoxen Methoden, Hettys Erzfeind Mattias ausfindig zu machen. Doch dieser ist dem NCIS immer einen Schritt voraus – und stellt dem Team lebensgefährliche Fallen. *Quelle: 10, 11*

Nr.	Titel	Originaltitel	Premiere USA	Premiere D	Regisseur	Drehbuch
6.125	Das schwarze Budget	Black Budget	27. Okt. 2014	1. Feb. 2015	D.Smith	F.Military

Ein Trupp schwer Bewaffneter stürmt die Buchhaltung des Verteidigungsministeriums und tötet alle anwesenden Mitarbeiter. Offenbar wollten die Kriminellen Informationen über Geheimoperationen erlangen. Als einziger Angestellter kann sich Milton Mulrooney retten – und ist nach dem Attentat spurlos verschwunden. Das Team findet heraus, dass er sich nach Mexiko abgesetzt hat und in Lebensgefahr schwebt. Als Eric und Nell Mulrooney finden, eskaliert die Situation. *Quelle: 10, 11*

Nr.	Titel	Originaltitel	Premiere USA	Premiere D	Regisseur	Drehbuch
6.126	Der Doppelgänger	SEAL Hunter	3. Nov. 2014	8. Feb. 2015	C.O'Donnell	S.Servi & F.Military

Sam wird bei einer Verkehrskontrolle vom FBI verhaftet: Angeblich soll er Leyla Walden ermordet haben. Granger, Eric und Nell hacken sich in den FBI-Computer und finden ein Überwachungsvideo, auf dem die Tatnacht zu sehen ist. Tatsächlich dringt ein Mann, der Sam sehr ähnlich sieht, in Leylas Haus ein. Auch Sams DNA hat man am Tatort sichergestellt. Doch Callen ist fest von Sams Unschuld überzeugt und setzt alles daran, sie auch zu beweisen. *Quelle: 10, 11*

Nr.	Titel	Originaltitel	Premiere USA	Premiere D	Regisseur	Drehbuch
6.127	Kunstflug	Leipei	10. Nov. 2014	15. Feb. 2015	D.Rodriguez	K.Harimoto

Der griechische Ex-Terrorist Elias Minas wird mittels einer Sprengstoff-Drohne getötet. Zunächst hat das Team einen ehemaligen Mitstreiter aus der Terrororganisation PK im Visier. Diese Spur entpuppt sich jedoch als falsch. Weitere Ermittlungen führen zu einer US-Freiheitskämpfer-Sekte, die gegen Großkonzerne mobil macht. Für sie baute Elias zuletzt zwei Drohnen. War das ein Fehler? *Quelle: 10, 11*

Nr.	Titel	Originaltitel	Premiere USA	Premiere D	Regisseur	Drehbuch
6.128	Der graue Mann	The Grey Man	17. Nov. 2014	22. Feb. 2015	J.Hanlon	A.Bartels

Ein Obdachloser wurde zunächst gefoltert und dann ermordet. Wie sich herausstellt, handelt es sich bei dem Mann um Harrison Goodsell, der als versierter Undercover-Agent für die CIA und die Marines arbeitete. Kensi und Deeks finden heraus, dass er in Verbindung zu einem mexikanischen Kartell stand. Was hatte der Mann mit den Kriminellen zu tun? *Quelle: 10, 11*

Episoden Staffel 6 Navy CIS: L.A.

Nr.	Titel	Originaltitel	Premiere USA	Premiere D	Regisseur	Drehbuch
6.129	**Alte Mauern**	Traitor	24. Nov. 2014	1. Mär. 2015	E.A.Pot	M.Udesky & R.S.Gemmill

Nach einem Autounfall kommt Granger ins Krankenhaus. Dort stellt man fest, dass ihm blauer Eisenhut verabreicht wurde, ein Gift. Bei den Ermittlungen finden seine Kollegen heraus, dass in der Dienststelle offenbar ein Maulwurf sitzt. Hetty riegelt das Gebäude ab, um alle Angestellten zu durchleuchten. Als der erste Todesfall eintritt und Eric sich mit Geldgeschäften verdächtig macht, spitzt sich die Lage zu. Doch ganz unerwartet outet sich der Maulwurf und stellt Forderungen. *Quelle: 10, 11*

Nr.	Titel	Originaltitel	Premiere USA	Premiere D	Regisseur	Drehbuch
6.130	**Felsen oder Feder?**	Reign Fall	8. Dez. 2014	8. Mär. 2015	C.Moore	J-C.Wilson

Ein Paparazzo stirbt durch einen Sprengsatz, der sich unter der Fußmatte vor CIA-Operationsleiterin Nicole Borders' Haus befand. Doch der Anschlag galt weder ihr noch dem Fotografen, sondern Borders' Lebensgefährten, Gunnery Sergeant Mike Johnson. Wie sich herausstellt, wurden bereits mehrere Militärangehörige durch solche Sprengfallen getötet – und wie Johnson hatten alle Söhne auf Militärakademien. Der Täter scheint also ein ganz klares Motiv zu haben. *Quelle: 10, 11*

Nr.	Titel	Originaltitel	Premiere USA	Premiere D	Regisseur	Drehbuch
6.131	**Humbug**	Humbug	15. Dez. 2014	15. Mär. 2015	T.Wharmby	K.Harimoto & A.Bartels

Drei als Weihnachtsmänner verkleidete Gangster überfallen eine IT-Sicherheitsfirma. Wie sich herausstellt, hantiert das Unternehmen mit hoch gefährlichen Computerviren, von denen einer bei dem Überfall auf einem USB-Stick erbeutet wurde. Nach der Verhaftung zweier Täter wird klar, dass Firmeninhaber Weber Dreck am Stecken hat, wovon Täter Nummer drei wusste. Der wertvolle Computervirus sollte ihn ruhig stellen. Doch er und der USB-Stick bleiben verschwunden. *Quelle: 10, 11*

Nr.	Titel	Originaltitel	Premiere USA	Premiere D	Regisseur	Drehbuch
6.132	**Projekt Spiral**	Spiral	5. Jan. 2015	22. Mär. 2015	L.Teng	D.Kalstein

Callen befindet sich grade in einem Undercover-Einsatz zur Ergreifung eines Waffenhändlers, als schwer bewaffnete Terroristen das Gebäude stürmen, in dem er als Angestellter Dienst tut. Die Situation ist äußerst brenzlig, da der Anführer der Gruppe eine Sprengstoffweste trägt und droht, alle mit in den Tod zu reißen. Callens Kollegen vom NCIS starten eine waghalsige Rettungsaktion, bei der sie Kopf und Kragen riskieren. *Quelle: 10, 11*

Episoden Staffel 6 Navy CIS: L.A.

Nr.	Titel	Originaltitel	Premiere USA	Premiere D	Regisseur	Drehbuch
6.133	**Der Mann aus Zarzis**	In The Line Of Duty	19. Jan. 2015	29. Mär. 2015	K.Gaviola	T.Clemente

Auf die US-Botschaft in Tunesien wird ein Anschlag verübt, bei dem Botschafterin Nancy Kelly beinahe ums Leben kommt. Callen und Sam werden nach Nordafrika geschickt, um das Verbrechen aufzuklären – insbesondere den Tod zweier Amerikaner, die umkamen, weil sie Kelly schützten. Als sie nach Los Angeles zurückkehren und Captain Beck befragen, der der Chef eines der Getöteten war, spitzt sich die Lage zu. *Quelle: 10, 11*

Nr.	Titel	Originaltitel	Premiere USA	Premiere D	Regisseur	Drehbuch
6.134	**Der Tunnel**	Black Wind	2. Feb. 2015	30. Aug. 2015	D.Smith	J.Sachs

Sam und Callen stehen vor einer Herausforderung: Sie müssen es irgendwie schaffen, die Quelle des Anthrax-Giftes ausfindig zu machen, bevor es als Waffe eingesetzt werden kann. Um sich ungestört, und vor allem unauffällig, auf die Suche machen zu können, gehen sie Undercover – als Food Truck Besitzer. *Quelle: 10, 11*

Nr.	Titel	Originaltitel	Premiere USA	Premiere D	Regisseur	Drehbuch
6.135	**Gesprengte Ketten**	Forest for the Trees	9. Feb. 2015	6. Sep. 2015	D.C.Valentine	G.Grant

Sam und Callen haben auf der Suche nach dem vermissten NSA-Agenten einen anonymen Tipp erhalten. Als sie diesem nachgehen wollen, werden sie jedoch von einer IS-Zelle gekidnappt. Als ein vermeintlicher Mitgefangener sich dann auch noch als Mitglied der IS-Zelle entpuppt, und nicht als NSA-Analyst, scheint die Situation ausweglos. *Quelle: 10, 11*

Nr.	Titel	Originaltitel	Premiere USA	Premiere D	Regisseur	Drehbuch
6.136	**Das Lächeln des Kriegers**	Expiration Date	23. Feb. 2015	13. Sep. 2015	T.Nightingall	D.Kalstein

Das Team soll die indische Atomwissenschaftlerin Ella an einem Treffpunkt abholen. Bei dem Auftrag, der eigentlich ein Routine-Job sein sollte, wird Sam jedoch von einer Kugel getroffen und schwer verletzt ins Krankenhaus gebracht. Natürlich setzt sein Team sofort alles daran, den Scharfschützen ausfindig zu machen, und erhält dabei brisante Informationen über Ella. *Quelle: 10, 11*

Episoden Staffel 6 Navy CIS: L.A.

Nr.	Titel	Originaltitel	Premiere USA	Premiere D	Regisseur	Drehbuch
6.137	**Drei Soldaten**	Savoir Faire	9. Mär. 2015	20. Sep. 2015	E.Laneuville	J.L.Jaffe

Einer von drei Soldaten der afghanischen Nationalarmee, die sich zur Ausbildung in L.A. befinden, wird erstochen am Strand aufgefunden. Alle Spuren führen zu einer Terrororganisation, die als Al Kaidas Vorläufer gilt. Als ein weiterer Soldat entführt wird, versucht der dritte unterzutauchen. Das Team kann ihn jedoch aufspüren und versuchen nun mit dessen Hilfe, den entführten Kollegen zu retten. *Quelle: 10, 11*

Nr.	Titel	Originaltitel	Premiere USA	Premiere D	Regisseur	Drehbuch
6.138	**Die rollende Bombe**	Fighting Shadows	23. Mär. 2015	27. Sep. 2015	T.Wharmby	A.Bartels

Special Agent G. Callen ist Soldat in einer Undercover-Einheit der Navy CIS. Gemeinsam mit seinem Partner Sam Hanna wird Callen zu geheimen Einsätzen abkommandiert, bei denen es um die Sicherheit der Vereinigten Staaten geht. *Quelle: 10, 11*

Nr.	Titel	Originaltitel	Premiere USA	Premiere D	Regisseur	Drehbuch
6.139	**Die Hacker**	Blaze of Glory	30. Mär. 2015	4. Okt. 2015	T.Wharmby	A.Bartels

Ein Lenkwaffentest eines Rüstungsunternehmens läuft anders als geplant. Hacker haben das System geknackt und die Rakete versenkt eine Motoryacht. Blaze, eine junge Studentin, soll dem Team helfen die offensichtlich jugendlichen Hacker aufzuspüren. Tatsächlich findet sie auf dem Laptop eines Hackers die gesuchte Software. Als die Drahtzieher davon Wind bekommen, nehmen sie Blaze als Geisel. *Quelle: 10, 11*

Nr.	Titel	Originaltitel	Premiere USA	Premiere D	Regisseur	Drehbuch
6.140	**Der richtige Mann**	Rage	13. Apr. 2015	11. Okt. 2015	F.Military	F.Military

Callen befindet sich auf einer Undercover-Mission: Er soll sich in die rechtsextreme rassistische Gruppierung Aryan Supreme Alliance einschleusen. Dies gelingt ihm nach einer fingierten Flucht aus dem Gefängnis und er wird von der Gang aufgenommen. Er scheint der perfekte Mann für einen Banküberfall. Doch die Situation läuft aus dem Ruder und Callen steht kurz davor, als Cop identifiziert zu werden. *Quelle: 10, 11*

Nr.	Titel	Originaltitel	Premiere USA	Premiere D	Regisseur	Drehbuch
6.141	**Schwarzes Gold**	Beacon	20. Apr. 2015	18. Okt. 2015	D.C.Valentine	F.Military

In seinem neuen Fall wird das Team hinters Licht geführt. Überwachungsvideos zeigen die Explosion eines Autos, bei der Arkady Kolcheck, ein ehemaliger KGB-Agent, ums Leben gekommen ist. Doch das Blatt wendet sich, als die Ermittlungen ergeben, dass Kolcheck den Anschlag überlebt hat und seine Yacht ein Öltanker mit einer Ladung im Wert von hundert Millionen Dollar ist. *Quelle: 10, 11*

Episoden Staffel 6 Navy CIS: L.A.

Nr.	Titel	Originaltitel	Premiere USA	Premiere D	Regisseur	Drehbuch
6.142	**Unter falscher Flagge**	Field of Fire	27. Apr. 2015	25. Okt. 2015	R.Florio	G.Grant

Das Navy CIS L.A.-Team steht vor einer Herausforderung. Der psychisch labile und unter einer posttraumatischen Belastungsstörung leidende Scharfschütze Connor ist aus dem Veteranenkrankenhaus geflohen. Connor wurden Medikamente verabreicht, die ihn extrem beeinflussbar machen. Daher läuft er nun Gefahr, von einer terroristischen Gruppe benutzt zu werden – um einen Anschlag auf Moslems zu verüben. *Quelle: 10, 11*

Nr.	Titel	Originaltitel	Premiere USA	Premiere D	Regisseur	Drehbuch
6.143	**Der Tanker**	Kolcheck, A	11. Mai 2015	01. Nov. 2015	J.Hanlon	J.C.Wilson

Am Strand werden die Leichen einiger Seeleute angespült. Wie sich herausstellt, handelt es sich um die Crew aus dem Öltanker, mit dem Arkady Kolcheck zu tun hatte. Doch nach dem anfänglichen Verdacht, Kolcheck hätte die Besatzung und auch Patrick und Ella Berkeley umgebracht, stellt sich heraus, dass jemand anderes dahinter steckt: der brutale, russische Gangster Karposev. *Quelle: 10, 11*

Nr.	Titel	Originaltitel	Premiere USA	Premiere D	Regisseur	Drehbuch
6.144	**Konstantin Chernoff**	Chernoff, K	18. Mai 2015	08. Nov. 2015	J.P.Kousakis	K.Harimoto

Da Anna, Arkady Kolchecks Tochter, vom russischen Gangster Karposev entführt wurde, machen sich Kolcheck und Hetty auf den Weg nach Russland, um nach ihr zu suchen. Doch Anna konnte sich offensichtlich selbst helfen – Karposev ist tot. Nun beginnt die Suche nach dessen Hintermännern: Es handelt sich um Vertreter des IS-Ölgeschäfts. *Quelle: 10, 11*

Staffel 7 (Episoden 7.145 - 7.168) Navy CIS: L.A.

Erstausstrahlung USA   21. September 2015 – 2. Mai 2016 auf CBS

Erstausstrahlung Deutschland   03. April 2016 – 16. Oktober 2016 auf Sat 1

Episoden Staffel 7 Navy CIS: L.A.

Nr.	Titel	Originaltitel	Premiere USA	Premiere D	Regisseur	Drehbuch
7.145	**Katz und Maus**	Deep TrouActive Measuresble (2)	21. Sep. 2015	3. Apr. 2016	J.P.Kousakis	R.S.Gemmill

Callen stellt auf eigene Faust Nachforschungen über seine Vergangenheit an, auf Kosten der Freundschaft zu Sam. Um an brisante Informationen über Kolcheck zu kommen, lässt sich Callen auf einen Deal mit Anatoli Kirkin ein: Er bricht in eine Villa an, um ein teures Gemälde zu stehlen, bei dessen Übergabe er die Informationen bekommen soll. Der Deal stellt sich aber als Falle heraus und Callen steht kurz davor als Gangster ausgeliefert zu werden – bis Sam und sein Team aufkreuzen. *Quelle: 10, 11*

Nr.	Titel	Originaltitel	Premiere USA	Premiere D	Regisseur	Drehbuch
7.146	**Der Schattenstaat**	Citadel	28. Sep. 2015	10. Apr. 2016	E.Laneuville	D.Kalstein

Das Team der Navy CIS findet heraus, dass es bei dem Einstellungsverfahren bei der DEA nicht mit rechten Dingen zugeht. Diejenigen, die bei ihrer Einstellung den Test nicht bestehen, bekommen das Angebot, gegen das Verrichten eines Gefallens doch noch eingestellt zu werden. Als Callen und Sam unter einem Vorwand an dem Test teilnehmen, identifizieren sie die Drahtzieherin dieses fragwürdigen Verfahrens, die damit einen regelrechten Schattenstaat aufgebaut hat. *Quelle: 10, 11*

Nr.	Titel	Originaltitel	Premiere USA	Premiere D	Regisseur	Drehbuch
7.147	**Miss Diaz und ihr Chauffeur**	Driving Miss Diaz	5. Okt. 2015	17. Apr. 2016	J.Hanlon	A.Bartels

Das peruanische Model Catalina Diaz schwebt in Lebensgefahr: Die junge Frau gehört zu den wenigen Überlebenden eines Massakers, das in den 90er Jahren in ihrer Heimat von General Alfredo Silva angerichtet wurde. Nun kandidiert Silva in Peru als Präsident und hat recht gute Chancen auf das Amt. Deswegen will er alle Überlebenden von damals töten lassen und schickt ein Killerkommando nach L.A., das Catalina finden und umbringen soll. *Quelle: 10, 11*

Episoden Staffel 7 Navy CIS: L.A.

Nr.	Titel	Originaltitel	Premiere USA	Premiere D	Regisseur	Drehbuch
7.148	**Der anonyme Anrufer**	Command & Control	12. Okt. 2015	24. Apr. 2016	T.O´Hara	K.Harimoto

Eigentlich wollten Sam und Callen nur gemütlich etwas essen, als ein mysteriöser Anrufer sie in ein perfides Spiel verwickelt. Der Unbekannte steckt den beiden, dass in der Nähe des Restaurants gleich eine Bombe hochgehen wird. Und tatsächlich – eine Bushaltestelle fliegt in die Luft. Das war nur der Auftakt einer Bomben-Schnitzeljagd quer durch die Stadt. Schließlich stellt der Anrufer eine ungeheuerliche Forderung: Sam und Callen sollen einen Diamantenraub begehen. *Quelle: 10, 11*

Nr.	Titel	Originaltitel	Premiere USA	Premiere D	Regisseur	Drehbuch
7.149	**Schuld daran ist Rio**	Blame it on Rio	19. Okt. 2015	1. Mai 2016	D.Smith	R.S.Gemmill

Bei seiner Überführung von Singapur nach L.A. entkommt der Verbrecher Rio Syamsundin. Tony DiNozzo, der den Kriminellen nach Washington überstellen sollte, ist nun in der Bredouille. Zusammen mit den Kollegen aus L.A. macht er sich auf die Jagd nach Syamsundin, die das Team quer durch die Stadt führt. Es gelingt den Beamten mehrmals, den Gesuchten zu stellen. Doch der Mann schafft es stets, zu entwischen. *Quelle: 10, 11*

Nr.	Titel	Originaltitel	Premiere USA	Premiere D	Regisseur	Drehbuch
7.150	**Unter Verdacht**	Unspoken	2. Nov. 2015	8. Mai 2016	D.C.Valentine	E.Broadhurst & F.Military

Mark Ruiz, ein alter Kumpel von Sam, gerät ins Visier des NCIS. Ruiz ist für das ATF an einem Fall rund um gestohlenen Sprengstoff dran. Bei einem fehlgeschlagenen Deal hat eine Kamera allerdings aufgezeichnet, wie Ruiz sich mit dem Geld davonmacht. Nun glauben Sams Kollegen, dass Ruiz das Geld einbehalten hat – seine Vergangenheit spräche dafür. Sam ist allerdings davon überzeugt, dass sein Freund keine krummen Dinger macht und setzt alles daran, das zu beweisen. *Quelle: 10, 11*

Nr.	Titel	Originaltitel	Premiere USA	Premiere D	Regisseur	Drehbuch
7.151	**Wer den Bären reizt**	An Unlocked Mind	9. Nov. 2015	22. Mai 2016	C.O`Donnell	F.Military

Der ehemalige Ingenieur David Ramsey ist nach einem Schicksalsschlag einer sektenartigen kirchlichen Gemeinschaft beigetreten. Als Ramseys Frau aus der Sekte flieht, wird der NCIS auf die Organisation angesetzt. Sie steht im Verdacht, mit einem chinesischen Spion zusammenzuarbeiten und ihren einflussreichen Mitgliedern brisante Informationen zu entlocken. Kensi und Deeks ermitteln undercover in der Gemeinde und finden Unglaubliches heraus. *Quelle: 10, 11*

Episoden Staffel 7 Navy CIS: L.A.

Nr.	Titel	Originaltitel	Premiere USA	Premiere D	Regisseur	Drehbuch
7.152	**Schwerer Abschied**	The Long Goodbye	16. Nov. 2015	29. Mai 2016	J.P.Kousakis	D.Kalstein

Jada Kahled soll ins Zeugenschutzprogramm aufgenommen werden, damit sie nicht ihrem kriminellen Bruder Tahir Khaled in die Hände fällt. Doch das Molina-Drogenkartell überfällt den Konvoi, mit dem Jada transportiert wird, und die Frau flieht. Das NCIS-Team ermittelt in unterschiedliche Richtungen, um den jüngsten Spross des Kartells zu fassen und Jada wiederzufinden. Doch bald stellt sich heraus, dass in diesem Fall nicht alles so ist, wie es scheint. *Quelle: [10, 11]*

Nr.	Titel	Originaltitel	Premiere USA	Premiere D	Regisseur	Drehbuch
7.153	**Ein Glücksfall**	Defectors	23. Nov.. 2015	5. Jun. 2016	D.Smith	J.L.Jaffe

Alles beginnt mit einem toten Taxifahrer: Im Wagen des verunglückten Mannes wird ein Zettel mit der phonetischen Umschrift des Namens Luqman Badr Al Din gefunden, eines gefährlichen Terroristen und IS-Anwerbers. Offenbar fuhr die junge Zahra Yacoob mit dem Taxi in Richtung Flughafen, um sich den Gotteskriegern anzuschließen. Der NCIS begibt sich auf die Suche nach den Leuten, die junge Menschen für den IS rekrutieren, und macht eine erschütternde Entdeckung. *Quelle: [10, 11]*

Nr.	Titel	Originaltitel	Premiere USA	Premiere D	Regisseur	Drehbuch
7.154	**Überall Feinde**	Internal Affairs	7. Dez. 2015	17. Jul. 2016	E.Pot	C.Mazero & R.S.Gemmill

Deeks gerät ins Visier der internen Ermittler da ihm angelastet wird, seinen ehemaligen Partner Francis Boyle getötet zu haben. Seine Team-Kollegen beginnen sofort mit eigenen Nachforschungen und finden heraus, dass Boyle nicht nur korrupt war und während seiner Dienstzeit eine Menge Geld beiseite geschafft hat, sondern dass er auch gerne Frauen verprügelt hat. Doch hat Deeks den Mann wirklich umgebracht? *Quelle: [10, 11]*

Nr.	Titel	Originaltitel	Premiere USA	Premiere D	Regisseur	Drehbuch
7.155	**Die Liste der Spione**	Cancel Christmas	14. Dez. 2015	24. Jul. 2016	P.A.Kaufman	J.C.Wilson

Weihnachten steht vor der Tür, doch für das Team vom NCIS L.A. ist von Besinnlichkeit nichts zu spüren. Sie müssen aufklären, wer Jason Lam getötet hat. Angeblich soll er für die Nordkoreaner gespitzelt haben. Wie es der Zufall will, wurde Mike Hobbs am selben Tag aus dem Gefängnis entlassen. Sein Verhör bleibt ergebnislos, doch Hobbs ist noch lange nicht vom Haken: Callen und Granger haben ihn mit einem Peilsender versehen, da sie ihm nicht trauen. *Quelle: [10, 11]*

Nr.	Titel	Originaltitel	Premiere USA	Premiere D	Regisseur	Drehbuch
7.156	**Verstrahlt**	Core Values	4. Jan. 2016	31. Jul. 2016	K.Gaviola	J.Sachs

Als Gunnery Sergeant Patterson beim Schießtraining unvermittelt zusammenbricht stellt sich heraus, dass er die Strahlenkrankheit hat. Offenbar war er bei seinem Nebenjob als Wachmann in einem Atomkraftwerk kurzzeitig einer hohen Strahlendosis ausgesetzt. Sam und Callen erfahren vor Ort von dem Wissenschaftler Leo Chadmont, dass es tatsächlich einen Bereich im Meiler gibt, der ein gewisses Risiko birgt. Noch ahnen die Agents nicht, welche Gefahr wirklich von dem Reaktor ausgeht. *Quelle: [10, 11]*

Episoden Staffel 7 Navy CIS: L.A.

Nr.	Titel	Originaltitel	Premiere USA	Premiere D	Regisseur	Drehbuch
7.157	**Silicon Beach**	Angels & Daemons	18. Jan. 2016	7. Aug. 2016	J.Hanlon	A.Bartels

Larry Overson, Ex-Navy-Mitarbeiter und Gründer des Unternehmens OverGuard, liegt tot im Hafen. Der Verdacht fällt auf den ehemaligen Kollegen des Toten, Mike Powell. Dieser berichtet, dass er gemeinsam mit Overson eine Software namens „Dämon" kreiert hat, die Millionen Nutzerdaten speichert, ohne dass die Nutzer es bemerken. Callen und Sam beginnen nun verdeckt in der Firma Flibbit zu arbeiten und stoßen auf viel mehr als nur unerlaubte Datennutzung. *Quelle: 10, 11*

Nr.	Titel	Originaltitel	Premiere USA	Premiere D	Regisseur	Drehbuch
7.158	**Die harte Lektion**	Come Back	25. Jan. 2016	14. Aug. 2016	E.Lanville	E.Broadhurst

Hetty beauftragt Kensi und Deeks damit, Jack Simon zu beschützen. Er ist aus Afghanistan angereist, um sich mit dem Zollbeamten Sy Riggs zu treffen. Dieser katalogisierte in dem Kriegsgebiet antike Gegenstände und wird verdächtigt, mit seinem Wissen Geschäfte zu machen. Dem scheint tatsächlich so – das legt zumindest ein Treffen zwischen Riggs und dem zwielichtigen Salib nahe. Doch dann wird Riggs ermordet, und der Täter hat es als nächstes auf Jack Simon abgesehen. *Quelle: 10, 11*

Nr.	Titel	Originaltitel	Premiere USA	Premiere D	Regisseur	Drehbuch
7.159	**Die schöne Russin**	Matryoshka (1)	8. Feb. 2016	21. Aug. 2016	D.Smith	K.Harimoto & R.S.Gemmill

Kirkin, ein enger Freund des NCIS, wird bei einem Spa-Besuch entführt. Wie sich herausstellt, hat Anna Kolchek den Mann gekidnappt. Wenn sie ihn nach Russland bringt, erfährt sie wo sich ihr Vater befindet – der totgeglaubte Arkady Kolchek. Das NCIS-Team will Anna bei ihrem Plan unterstützen und schleust sich in die russische Botschaft rein, um an nähere Informationen über Arkadys Aufenthaltsort zu kommen. Doch die nächsten Schritte sind noch riskanter. *Quelle: 10, 11*

Nr.	Titel	Originaltitel	Premiere USA	Premiere D	Regisseur	Drehbuch
7.160	**Russisch Roulette**	Matryoshka (2)	22. Feb. 2016	28.Aug. 2016	D.Smith	K.Harimoto & R.S.Gemmill

Callen, Sam und Anna wollen Arkady Kolchek aus der Gewalt seiner Geiselnehmer befreien und sind dafür nach Russland gereist. Während eines Gefangenentransports gelingt ihr Vorhaben: Kolchek und Sharov sind wieder frei. Nun müssen alle aus Russland entkommen. Dabei unterstützt sie Garrison, der schließlich endlich sein Geheimnis lüftet. *Quelle: 10, 11*

Nr.	Titel	Originaltitel	Premiere USA	Premiere D	Regisseur	Drehbuch
7.161	**Der zweite Maulwurf**	Revenge Deferred	29. Feb. 2016	4. Sep. 2016	R.Tunell	F.Military & C.Mazero

In Afrika treffen Sam und Callen Colonel Joaddan Salli, der wichtige Informationen für die beiden hat: Der Milizionär Thomas Karume weiß genau über Sam und seine Familie Bescheid – offenbar durch eine undichte Stelle beim NCIS. Außer Sam und Callen sind noch einige andere Leute hinter Karume her, doch dieser hat mächtige Unterstützer.Einer davon ist Tahir Khaled.Für Sam und Callen ist nun klar, dass Khaled ihr wahrer Feind ist. *Quelle: 10, 11*

Episoden Staffel 7 Navy CIS: L.A.

Nr.	Titel	Originaltitel	Premiere USA	Premiere D	Regisseur	Drehbuch
7.162	**Lange Leine**	Exchange Rate	14. März 2016	11. Sep. 2016	T.McKiernan	J.L.Jaffe

Bei einem Gefangenenaustausch entkommt der kubanische Spion Pena, der in Wahrheit gar kein Kubaner, sondern Russe ist, wie sich herausstellt. Hetty hat mitgeholfen, seine Identität zu verschleiern, da er über hochbrisante Informationen verfügt und nicht abgeschoben, sondern verhaftet werden sollte. Nun ist Pena allerdings auf der Flucht und hat Anna Kolchek als Geisel genommen. *Quelle: 10, 11*

Nr.	Titel	Originaltitel	Premiere USA	Premiere D	Regisseur	Drehbuch
7.163	**Das siebte Kind**	The Seventh Child	21. März 2016	18. Sep. 2016	F.Military	F.Military

Ein Zwillingspärchen in Bombenwesten will offenbar einen Anschlag in Los Angeles verüben. Während der eine Junge bei einem Autounfall ums Leben kommt, greift der NCIS den anderen in einem Wassertank auf – er wollte die Bombe deaktivieren. Die Ermittlungen ergeben, dass ein Reproduktionsmediziner in Mumbai von Leihmüttern gezielt Kinder für terroristische Gruppen austragen lässt, die diese dann zu fanatischen Selbstmordattentätern heranzüchten. *Quelle: 10, 11*

Nr.	Titel	Originaltitel	Premiere USA	Premiere D	Regisseur	Drehbuch
7.164	**Der Mann aus Seoul**	Seoul Man	28. März 2016	25. Sep. 2016	D.C.Valentine	J.Sachs

Das NCIS-Team soll eine Zusammenkunft hochrangiger Marineoffiziere aus den USA und asiatischen Allianz-Staaten bewachen. Schnell wird klar, dass mit der südkoreanischen Abordnung ein nordkoreanischer Maulwurf eingereist ist. Die Agents identifizieren schnell Kapitän Kang als den Spion und erleben eine Überraschung: Kang bittet um Asyl in den USA, da er seine erlangten Informationen nicht an Nordkorea weitergeben will und nun auf der Todesliste steht. *Quelle: 10, 11*

Nr.	Titel	Originaltitel	Premiere USA	Premiere D	Regisseur	Drehbuch
7.165	**Der Kopf der Schlange**	Head of the Snake	11. Apr. 2016	2. Okt. 2016	R.Florio	J.C.Wilson

Nate ist an einem Überfall auf einen Waffen- und Munitionstransport beteiligt – das zeigen zumindest Überwachungsaufnahmen. Sam und Callen heften sich an die Fersen der Bande. Callen fällt ihnen in die Hände und kann nicht einschätzen, auf welcher Seite Nate steht: Arbeitet er noch für den NCIS, oder unterstützt er Alisa, die die Gruppe anführt? Als nächstes will sie Sprengstoff stehlen und an die meistbietende Verbrecherorganisation in L.A. verkaufen. Callen soll dabei helfen. *Quelle: 10, 11*

Nr.	Titel	Originaltitel	Premiere USA	Premiere D	Regisseur	Drehbuch
7.166	**Jennifer Kim**	Granger, O.	18. Apr. 2016	9. Okt. 2016	D.Smith	K.Harimoto

Das NCIS-Team muss nordkoreanische Killer stoppen, die in den USA Spione ihres Landes ausschalten sollen. Die Namen der Zielpersonen stehen auf der „Hobbs-Liste". Eigentlich sollte Jennifer Kim sie töten, doch sie sah sich dazu nicht imstande. Als Callen und Sam mit Han Choi das letzte Opfer auf der Liste finden, stellt sich heraus, dass er ein getarnter Killer ist – und dass das Tötungskommando es in Wahrheit auf Jennifer Kim abgesehen hat, die Grangers Tochter ist. *Quelle: 10, 11*

Episoden Staffel 7 Navy CIS: L.A.

Nr.	Titel	Originaltitel	Premiere USA	Premiere D	Regisseur	Drehbuch
7.167	**Kein Rauch ohne Feuer**	Where there´s Smoke	25. Apr. 2016	16. Okt. 2016	J.Hanlon	A.Bartels

Ein Feuerwehrmann stirbt bei einem Brand in einer Fabrik. Seine Leiche wird in einem Spezial-Container gefunden, den das Verteidigungsministerium für die Aufbewahrung brisanter Dokumente nutzt. Da ein Überwachungsvideo Fragen zum Einsatz der Retter aufwirft, schleusen sich Sam und Callen undercover bei der Feuerwehr ein. Schon bald stoßen sie auf einige Ungereimtheiten in der Truppe und haben mit Brandermittler Hackett einen ersten Verdächtigen im Visier. *Quelle: 10, 11*

Nr.	Titel	Originaltitel	Premiere USA	Premiere D	Regisseur	Drehbuch
7.168	**Wie der Vater, so der Sohn**	Talion	2. Mai 2016	16. Okt. 2016	J.P.Kousakis	R.S.Gemmill

Sam wird von den Ereignissen im Sudan eingeholt: Tahir will sich an ihm rächen und stürmt deshalb mit einem Kumpanen die Militärakademie, in der Sams Sohn Aiden ausgebildet wird. Sam bricht mit dem Team sofort nach San Francisco auf, um die Sache zu regeln – ohne Erlaubnis von ganz oben. Vor Ort droht die Lage zu eskalieren. Daher lässt sich Kensi freiwillig als Geisel nehmen, doch auch Aiden beweist wahren Heldenmut. *Quelle: 10, 11*

Staffel 8 (Episoden 8.169 - 8.192) Navy CIS: L.A.

Erstausstrahlung USA   21. September 2015 – 2. Mai 2016 auf CBS

Erstausstrahlung Deutschland   03. April 2016 – 16. Oktober 2016 auf Sat 1 und 13th Street

Episoden Staffel 8 Navy CIS: L.A.

Nr.	Titel	Originaltitel	Premiere USA	Premiere D	Regisseur	Drehbuch
8.169	**Ein hochrangiges Ziel**	High-Value Target	25. Sep. 2016	23. Jan. 2017	T.McKiernan	R S.Gemmill

Einsatz am Flughafen: Das NCIS-Team muss den Inhalt eines Frachtcontainers überprüfen, der eigentlich Hilfsgüter für Syrien enthalten sollte, nun aber bis obenhin mit gestohlenen Blutbestrahlungsgeräten gefüllt ist. Die Agents kommen schnell dahinter, wer dafür verantwortlich ist – und müssen gleichzeitig um ihren Job zittern, denn die internen Ermittlungen wegen des Maulwurfs laufen immer noch auf Hochtouren. Es sieht so aus, als wäre das Team entbehrlich. *Quelle: 10, 11*

Nr.	Titel	Originaltitel	Premiere USA	Premiere D	Regisseur	Drehbuch
8.170	**Wer ist der Bauer?**	Belly of the Beast	25. Sep. 2016	30. Jan. 2017	T.O'Hara	R.S.Gemmill

In Syrien gelingt es Callen, Sam, Deeks und Kensi, Asakeem in ihre Gewalt zu bringen. Doch als sie mit dem Helikopter fliehen, werden sie abgeschossen und Kensi wird bei dem Absturz schwer verletzt. Damit nicht genug:. Asakeems Leute sind den Agents dicht auf den Fersen … Unterdessen hat Hetty mit Duggan zu kämpfen. Sie geht sogar so weit zu behaupten, dass sie der Maulwurf ist. *Quelle: 10, 11*

Nr.	Titel	Originaltitel	Premiere USA	Premiere D	Regisseur	Drehbuch
8.171	**Damengambit**	The Queen's Gambit	2. Okt. 2016	6. Feb. 2017	D.Smith	R.S.Gemmill

Die ehemalige Marine Corps-Mitarbeiterin Jasmine Garcia entführt den Afghanen Gabriel Mir vor einer Moschee in L.A. Die Ermittler Callen und Sam verhören Jasmine und erfahren, dass sie während ihrer Arbeit in Afghanistan auf amerikanische Frauen gestoßen ist, die als IS-Bräute bzw. Sklavinnen in das Land verkauft wurden. Gabriel Mir hatte Verbindungen zu dem Netzwerk, das Frauen nach Afghanistan verschleppt. *Quelle: 10, 11*

Episoden Staffel 8 Navy CIS: L.A.

Nr.	Titel	Originaltitel	Premiere USA	Premiere D	Regisseur	Drehbuch
8.172	**Schwarzmarkt**	Black Market	16. Okt. 2016	13. Feb. 2017	J.Hanlon	J.L.Jaffee

Der junge Homeland-Security-Agent Jessie stirbt auf einer Party. Offenbar war sein Drink vergiftet: Sam und Callen erkennen auf den Überwachungsvideos eine Frau, die etwas in Jessies Glas schüttet. Die Frau entpuppt sich als Ming Wah, eine Auftragskillerin der Triaden. Sie arbeitet mit dem Kriminellen Zhang Kiu zusammen, der gute Gründe hatte, Jessie und einen weiteren Homeland-Agent aus dem Weg zu räumen. *Quelle: [10], [11]*

Nr.	Titel	Originaltitel	Premiere USA	Premiere D	Regisseur	Drehbuch
8.173	**Noch 83 Tage …**	Ghost Gun	23. Okt. 2016	20. Feb. 2017	B.Boom	K.Harimoto

Musste Brandon Noah wegen seiner hohen Schulden sterben? Jemand hat den Navy-Maschinist, der seine Verbindlichkeiten unmöglich begleichen konnte, kaltblütig erschossen. Nell und Granger finden heraus, dass Brandon nebenbei in einer Autowerkstatt gejobbt und dort offenbar von illegalen Geschäften Wind bekommen hat … Sam kümmert sich unterdessen um den Ex-NCIS-Mitarbeiter Carl Brown, der angeblich der Maulwurf sein soll. *Quelle: [10], [11]*

Nr.	Titel	Originaltitel	Premiere USA	Premiere D	Regisseur	Drehbuch
8.174	**Carla**	Home Is Where the Heart Is	30. Okt. 2016	27. Feb. 2017	E.Pot	J.C.Wilson

Als Navy Commander George Owens in seiner Wohnung überfallen wird, kommt ihm Hausmeister Martin zu Hilfe. Martin scheint kampferprobt zu sein, denn er überwältigt den Eindringling wie ein Profi. In Martins Wohnung finden sich schließlich zahlreiche Waffen und Hinweise auf ein Mädchen namens Carla Stone. Offenbar hat Martin ein dunkles Geheimnis – und der NCIS verliert keine Zeit, um es zu lüften. Was sie herausfinden, sorgt für eine Überraschung bei den Agenten. *Quelle: [10], [11]*

Nr.	Titel	Originaltitel	Premiere USA	Premiere D	Regisseur	Drehbuch
8.175	**Unter Haien**	Crazy Train	6. Nov. 2016	6. Mär. 2017	D.C.Valentine	F.Military

Als man in einem Hai die sterblichen Überreste des NSA-Analysten Ted Larson findet, wird der NCIS eingeschaltet. Die Ermittlungen führen zunächst zu Larsons Kollegen Bruce Carter, der zusammen mit der NSA-Buchhalterin Jolene Townsend auf der Flucht ist: Irgendjemand hat es auf NSA-Mitarbeiter abgesehen, denn ihr Kollege Gary Dill ist seit einiger Zeit verschwunden. Bald ist dem NCIS auch klar, weshalb Carter, Townsend und Dill auf der Abschussliste gelandet sind. *Quelle: [10], [11]*

Episoden Staffel 8 Navy CIS: L.A.

Nr.	Titel	Originaltitel	Premiere USA	Premiere D	Regisseur	Drehbuch
8.176	Um die Ecke gedacht	Parallel Resistors	13. Nov. 2016	13. Mär. 2017	E.Laneuville	J.Sachs

Bei einem Quiz, dass die konkurrierenden Universitäten Whitley und Braddock veranstalten, erleidet der Student Yuri Volonev einen heftigen Stromschlag, als er auf den Buzzer drückt. Er fällt ins Koma. Volonev arbeitete an einem prestigeträchtigen Projekt, das offenbar einige Aufmerksamkeit erregte – jemand hat versucht, auf geheime Dateien Volonevs zuzugreifen. Als schließlich seine kleine Tochter entführt wird, muss der NCIS schnell handeln. *Quelle: 10, 11*

Nr.	Titel	Originaltitel	Premiere USA	Premiere D	Regisseur	Drehbuch
8.177	Russische Geheimnisse	Glasnost	20. Nov. 2016	20. Mär. 2017	J.P.Kousakis	A.Bartels

Callen wird einmal mehr mit seinem Vater Garrison konfrontiert, als dieser wegen eines Falles nach L.A. kommt. Die Russin Katerina, eine ehemalige KGB-Agentin, wurde radioaktiv vergiftet. Wie sich herausstellt, half Garrison ihr einst bei der Flucht aus der Sowjetunion. Doch die beiden verbindet weitaus mehr, wie Callen bald erfahren muss. Zunächst gilt es allerdings herauszufinden, wer Katerina nach dem Leben trachtet – und warum. *Quelle: 10, 11*

Nr.	Titel	Originaltitel	Premiere USA	Premiere D	Regisseur	Drehbuch
8.178	Wölfe vor der Tür	Sirens	27. Nov. 2016	27. Mär. 2017	J.Frakes	E.Broadhurst

Nach wie vor ermittelt das Team intern in Sachen Maulwurf. Carl Brown gab bereits zu, den NCIS infiltriert zu haben, ist allerdings nicht bereit, auszupacken. Nell soll ihm im Auftrag von Hetty noch einmal auf den Zahn fühlen. Unterdessen erschießt eine Unbekannte vor Callens Haustür zwei Männer. Wie sich herausstellt, ist sie auch in den Maulwurf-Fall verwickelt und braucht Hilfe – denn ihr Boss will sie töten. *Quelle: 10, 11*

Nr.	Titel	Originaltitel	Premiere USA	Premiere D	Regisseur	Drehbuch
8.179	Die Panama-Story	Tidings We Bring	18. Dez. 2016	3. Apr. 2017	J.Hanlon	C.Mazero

Kurz vor Weihnachten bekommt es das Team mit einem Entführungsfall zu tun: Lieutenant Commander Jennifer Morgan, eine Spezialistin für Cyber-Abwehr, ist spurlos verschwunden. Wie sich herausstellt, haben es die Entführer nicht direkt auf sie, sondern auf ihren Freund Gregory Jenkins abgesehen. Der Online-Journalist besitzt brisante Informationen zu Offshore-Konten in Panama. Eine Veröffentlichung würde den Drahtziehern das lukrative Geschäft zerstören. *Quelle: 10, 11*

Episoden Staffel 8 Navy CIS: L.A.

Nr.	Titel	Originaltitel	Premiere USA	Premiere D	Regisseur	Drehbuch
8.180	**Der allerletzte Trumpf**	Kulinda	8. Jan. 2017	10. Apr. 2017	T.McKiernan	K.Harimoto

Ein Anschlag wird verübt. Das Ziel: Stadtrat Tony Hill. Hierbei kommt einer der Bodyguards, Mark Newton – ehemaliger Navy-Reservist -, ums Leben. Der zweite Bodyguard überlebt und kann den Stadtrat in Sicherheit bringen. Während der Ermittlungen kommen interessante Details zu Tage: Beide Bodyguards waren bei der gleichen Sicherheitsfirma angestellt und diese wirkt alles andere als regelkonform. Immer mehr scheint es so, als sei gar nicht Hill das eigentliche Ziel gewesen. *Quelle: 10, 11*

Nr.	Titel	Originaltitel	Premiere USA	Premiere D	Regisseur	Drehbuch
8.181	**Der Frontalangriff**	Hot Water	15. Jan. 2017	24. Apr. 2017	D.Smith	A.Kousakis

Granger will Heather finden, da sie möglicherweise in Sachen Maulwurf weiterhelfen kann. Doch bevor es zu einem Verhör kommt, wird er verhaftet – jemand hat ihn in eine Falle gelockt. Dieser jemand hat es auf das gesamte Team abgesehen, denn nach und nach landen fast alle wegen angeblicher Delikte in Handschellen. Irgendwer scheint ein außerordentliches Interesse daran zu haben, die Identität des Maulwurfs geheim zu halten. *Quelle: 10, 11*

Nr.	Titel	Originaltitel	Premiere USA	Premiere D	Regisseur	Drehbuch
8.182	**Belagerung**	Under Siege	29. Jan. 2017	1. Mai 2017	R.Nadda	R.S.Gemmill

Ein Teil des Teams wird immer noch wegen hanebüchener Vorwürfe festgehalten, als sich plötzlich die Ereignisse überschlagen: Hetty lässt Carl Brown während eines Gefangenentransports befreien, um ihn zu verhören – ohne Ergebnis. Währenddessen gelingt es Deeks und Co., wieder auf freien Fuß zu kommen – doch dann wird Kensi entführt, und Hetty verschwindet spurlos. Allerdings ist inzwischen klar, wer der Maulwurf sein muss. *Quelle: 10, 11*

Nr.	Titel	Originaltitel	Premiere USA	Premiere D	Regisseur	Drehbuch
8.183	**Lügen gehört zum Job**	Payback	19. Feb. 2017	8. Mai 2017	T.O'Hara	J.L.Jaffe

Kensi befindet sich immer noch in der Gewalt von Sullivan, und das Team setzt alles daran, sie zu finden. Ihre Suche führt sie auch in eine Kirche, in der sie allerdings nicht Kensi, sondern Callens Ex-Freundin Joelle gefesselt vorfinden. Offenbar ist sie auch in die Maulwurf-Sache verwickelt. Außerdem versuchen die Agents weiterhin, Informationen aus Sabatino herauszupressen, doch der hält dicht. Dann kommt plötzlich Hilfe von unerwarteter Seite. *Quelle: 10, 11*

Episoden Staffel 8 Navy CIS: L.A.

Nr.	Titel	Originaltitel	Premiere USA	Premiere D	Regisseur	Drehbuch
8.184	**Alte Gauner**	Old Tricks	5. Mär. 2017	15. Mai 2017	T.Nightingall	A.Bartels

Der Navy-Mitarbeiter Warren Miller und sein Großvater Louis, ein Veteran, werden entführt. Zunächst nimmt das Team an, dass jemand an Warrens aktuellem Projekt interessiert ist und ihn deswegen gekidnappt hat. Doch in Wahrheit sind die Täter hinter Louis her, der angeblich eine wertvolle Goldmünze besitzt. Eine heiße Spur führt in das Veteranenheim, in dem Louis lebt: Einer seiner Mitbewohner hat keine wirklich weiße Weste. *Quelle: [10], [11]*

Nr.	Titel	Originaltitel	Premiere USA	Premiere D	Regisseur	Drehbuch
8.185	**Botschaft an Zeus**	Queen Pin	12. Mär. 2017	22. Mai 2017	E.Laneuville	J.C.Wilson

Sam schafft es, den Dealer Taylor auf seine Seite zu ziehen, um so an den Unterweltboss King heranzukommen. Dank Taylor gelingt es Sam, Kings Vertrauen zu gewinnen. Doch es gibt noch ein weiteres Schwergewicht in der Gangsterszene von L.A.: Zeus. Den will King mit Sams Hilfe aus dem Weg räumen. Parallel sind Nell und Kensi dem Mann auf der Spur, der Taylors Drogengeschäfte koordiniert hat. Sie ahnen jedoch nicht, in welchem Zusammenhang ihre Ermittlungen und Sams Fall stehen. *Quelle: [10], [11]*

Nr.	Titel	Originaltitel	Premiere USA	Premiere D	Regisseur	Drehbuch
8.186	**Zurück zur Natur**	Getaway	19. Mär. 2017	29. Mai 2017	T.Wharmby	E.Broadhurst

Bei einem Cyberangriff auf das Finanzamt werden wertvolle Daten gestohlen. Der Hauptverdächtige Logan Gorman wird ermordet, doch seine mutmaßlichen Komplizen, das Ehepaar Nelson, erfreut sich bester Gesundheit. Eric und Nell nehmen undercover die Verfolgung der beiden auf, während Sam und Anna eine weitere heiße Spur finden: Gorman hatte noch einen Mittäter, Trevor Young, in dessen Haus Sam und Anna eine interessante Entdeckung machen. *Quelle: [10], [11]*

Nr.	Titel	Originaltitel	Premiere USA	Premiere D	Regisseur	Drehbuch
8.187	**Last Minute nach Tokyo**	767	26. Mär. 2017	5. Dez. 2017	B.Boom	K.Harimoto

Nachdem auf einem Navy-Schiff ein Ingenieur getötet wurde, begeben sich Callen und Sam nach Tokio. Sie verfolgen den Kollegen des Mordopfers, der wahrscheinlich Pläne für einen Lenkwaffenzerstörer gestohlen hat. *Quelle: [10], [60]*

Episoden Staffel 8 Navy CIS: L.A.

Nr.	Titel	Originaltitel	Premiere USA	Premiere D	Regisseur	Drehbuch
8.188	**Rhytmus im Blut**	From Havana with Love	9. Apr. 2017	5. Dez. 2017	D.Smith	J.Sachs

Das NCIS-Team ermittelt gegen Rebecca Larmont, die als Subunternehmerin eine nukleare Angriffswaffe fürs Verteidigungsministerium baut. Ihr von ihr getrenntlebende Ehemann Victor Larmont behauptet, er habe Beweise dafür, dass Rebecca Navy-Geheimnisse an eine ausländische Regierung verkauft. Kensi und Deeks beschatten Victor undercover in dem kubanischen Nachtclub, in dem er arbeitet. *Quelle: 10, 60*

Nr.	Titel	Originaltitel	Premiere USA	Premiere D	Regisseur	Drehbuch
8.189	**Gold von gestern**	Battle Scars	23. Apr. 2017	6. Dez. 2017	J.Whitmore Jr.	J.L.affe & A.Bartels

Der Kriegsveteran Charles Langston entführt einen Sachbearbeiter für Veteranenangelegenheiten, der Mittel abgeschöpft hat. Das Team arbeitet mit alten Freunden von Hetty aus dem Vietnamkrieg zusammen, zu denen auch A.J. Chegwidden gehört, um den Verdächtigen aufzuspüren und herauszufinden, was dahintersteckt.. *Quelle: 10, 60*

Nr.	Titel	Originaltitel	Premiere USA	Premiere D	Regisseur	Drehbuch
8.190	**Hettys Helden**	Golden Days	30. Apr. 2017	6. Dez. 2017	R.Nadda	J.C.Wilson & L.A.Carlisle

Das Team arbeitet erneut mit Hettys alten Kollegen aus dem Vietnamkrieg zusammen, um gestohlenes Gold im Wert von über 40 Millionen Dollar aufzuspüren. Als sich Außenstehende in die Ermittlungen einmischen, wird es kompliziert. Deeks erhält unterdessen überraschende Neuigkeiten von Detective Whiting über seinen Fall. *Quelle: 10, 60*

Nr.	Titel	Originaltitel	Premiere USA	Premiere D	Regisseur	Drehbuch
8.191	**Der Atem des Todes**	Uncaged	7. Mai 2017	7. Dez. 2017	F.Military	F.Military

Nachdem sie Sams Frau Michelle aus ihrem Haus entführt haben, verlangen die Kidnapper die Freilassung von Sams Erzfeind Tahir Khaled. Deeks, Kensi, Callen und der Rest des Teams versuchen alles, um Michelle zu finden und zu befreien. *Quelle: 10, 60*

Episoden Staffel 8 Navy CIS: L.A.

Nr.	Titel	Originaltitel	Premiere USA	Premiere D	Regisseur	Drehbuch
8.192	**Auge um Auge**	Unleashed	14. Mai 2017	7. Dez. 2017	J.P.Kousakis	R.S.Gemmill

Nach Michelles Tod ermittelt Sam zusammen mit Callen auf eigene Faust. Sam will alles daran setzen, Tahir Khaled davon abzuhalten, seine Familie jemals wieder ins Visier zu nehmen. *Quelle: 10, 60*

Schauspieler der Serie Navy CIS: L.A.

Chris O'Donnell *(Navy CIS:L.A.-Figur: G. Callen)*
(eigentlich Christopher Eugene O'Donnell, * 26. Juni 1970 in Winnetka, Illinois) ist ein US-amerikanischer Schauspieler.

Chris O'Donnell wurde in Winnetka, Illinois als jüngster Sohn einer Großfamilie geboren. Erste Kontakte mit dem Showbusiness hatte Chris O'Donnell schon als 13-Jähriger durch das Arbeiten als Model. Ein weiterer Schritt in seiner Karriere waren erste Werbefilme, so unter anderem ein Auftritt in einem Spot für McDonald's.

In Hollywood machte er 1990 in seiner ersten Rolle in Verrückte Zeiten auf sich aufmerksam. In den nächsten Jahren wirkte O'Donnell dann in einigen großen Hollywood-Produktionen wie Der Duft der Frauen an der Seite von Al Pacino, Batman Forever und der John-Grisham-Verfilmung Die Kammer mit. Währenddessen studierte O'Donnel in Boston Wirtschaftswissenschaften. Dort lernte er auch seine jetzige Frau kennen.

Nach dem kommerziellen Misserfolg von Batman & Robin nahm er eine Auszeit, um sich seiner Familie zu widmen. Am 19. April 1997 heiratete er Caroline Fentress, mit der er fünf Kinder hat. Seine Auszeit vom Film nutzte O'Donnell, um in New York Theater zu spielen, wo er eine Rolle in dem Stück The Man Who Had All The Luck von Arthur Miller übernahm.

Seine bisher letzte Rolle in einem auch bei Kritikern erfolgreichen Filmprojekt hatte er in der Filmbiografie über den Sexualforscher Alfred Kinsey. Danach war O'Donnell in Gastrollen in der amerikanischen Krankenhausserie Grey's Anatomy und der Sitcom Two and a Half Men zu sehen.

Seit September 2009 ist er als Hauptdarsteller in der Krimi-Serie NCIS: Los Angeles auf dem US-Sender CBS zu sehen. Bei dieser handelt es sich um einen Ableger der Serie Navy CIS, in welcher O'Donnell eine Gastrolle in einem Backdoor-Pilot zur Einführung des neuen Teams hatte.

Quelle: [24]

Filmografie (Auswahl) Chris O'Donnell

1990: Verrückte Zeiten (Men Don't Leave)
1991: Grüne Tomaten (Fried Green Tomatoes)
1992: Der Duft der Frauen (Scent of a Woman)
1992: Der Außenseiter (School Ties)
1993: Die Drei Musketiere (The Three Musketeers)
1994: Operation Blue Sky (Blue Sky)
1995: Batman Forever
1995: Circle of Friends – Im Kreis der Freunde (Circle of Friends)
1995: Mad Love – Volle Leidenschaft (Mad Love)
1996: Die Kammer (The Chamber)
1996: In Love and War
1997: Batman & Robin
1999: Der Junggeselle (The Bachelor)
1999: Cookie's Fortune – Aufruhr in Holly Springs (Cookie's Fortune)
2000: Vertical Limit
2002: 29 Palms
2004: Two and a Half Men (Fernsehserie, Folge 1x18 An Old Flame with a New Wick)
2004: Kinsey – Die Wahrheit über Sex (Kinsey)
2005: The Sisters
2006: Grey's Anatomy (Fernsehserie, 9 Folgen)
2007: The Company – Im Auftrag der CIA (The Company, Fernsehserie, 6 Folgen)
2008: Kit Kittredge: An American Girl
2008: Max Payne
2009: Navy CIS (NCIS: Naval Criminal Investigative Service, Fernsehserie, 2 Folgen)
seit 2009: Navy CIS: L.A. (NCIS: Los Angeles, Fernsehserie)
2010: Cats & Dogs: Die Rache der Kitty Kahlohr (Cats & Dogs: The Revenge of Kitty Galore)
2012: Hawaii Five-0 (Gastauftritt)

Quelle: [24]

Auszeichnungen

1992: Nominierung für den Golden Globe für Der Duft der Frauen
1994: Nominierung für die Goldene Himbeere für Die drei Musketiere
1998: Blockbuster Entertainment Award für Batman Forever
1998: Zwei Nominierungen für die Goldene Himbeere für Batman & Robin
2015: Stern auf dem Hollywood Walk of Fame

Quelle: [24]

LL Cool J *(Navy CIS:L.A.-Figur: Sam Hanna)*

(* 14. Januar 1968 in Queens, New York City), auch bekannt unter den Namen Uncle L, The Future of the Funk, Nickelhead, G.O.A.T. („Greatest Of All Time"), Jack the Ripper, dessen echter Name James Todd Smith lautet, ist ein US-amerikanischer Rapper und Schauspieler. Die Abkürzung LL Cool J steht für „Ladies Love Cool James". Bekannt ist er sowohl für romantische Balladen wie I Need Love als auch für Hardcore-Rap wie I Can't Live Without My Radio.

LL Cool J wuchs in Queens, New York City, auf. Sein künstlerisches Schaffen wurde durch seine schwierige Kindheit geprägt. Mit vier Jahren sah er, wie sein eigener Vater seine Mutter und seinen Großvater anschoss. Als James älter wurde, entdeckte er seine Liebe zur Musik. Mit elf Jahren schrieb er seine ersten eigenen Texte und musizierte mit dem Equipment, das ihm sein Großvater gab. Mit 16 Jahren, im Jahre 1984, nahm er bei dem jungen Plattenlabel Def Jam seine ersten Tracks auf – darunter das besonders im Underground erfolgreiche Stück I Need A Beat. Aufgrund des Erfolgs beendete er seine Schulausbildung vorzeitig und widmete sich der Arbeit an seinem Debütalbum Radio, das im Herbst 1985 veröffentlicht wurde. Dank der beiden Hitsingles I Can't Live Without My Radio und Rock The Bells verbuchte das Album recht schnell kommerziellen Erfolg, der letztlich sogar mit Platin prämiert wurde. Zeitgleich musste LL Cool J sich aus den eigenen Reihen jedoch vorwerfen lassen, musikalisch zu sehr dem Mainstream-Pop verfallen zu sein.

1987 erschien das zweite Album mit dem Titel Bigger and Deffer, aus dem mit I Need Love eine der ersten erfolgreichen Pop-Rap-Kombinationen der späten 80er Jahre stammte. Dennoch hagelte es abermals Kritik an LLs Stil und nach der Veröffentlichung von Walking With a Panther (1989) wurde er im Apollo Theater in Harlem, New York, sogar von der Bühne gebuht.

Um sowohl sein Publikum als auch Kritiker von sich zu überzeugen, produzierte und veröffentlichte LL Cool J 1990 sein viertes Studioalbum mit dem Titel Mama Said Knock You Out, das bis heute als eines seiner härtesten Alben gilt und ihm vor allem die Sympathien aus dem eigenen Genre zurückbrachte. Mit The Boomin' System, Around The Way Girl und dem Titeltrack wurden immerhin drei Singles daraus ausgekoppelt. Letzterer wurde besonders durch die Performance beim MTV Unplugged-Konzert des Rappers bekannt.

Anfang der 90er Jahre versuchte sich LL erstmals auf dem Gebiet der Schauspielerei. So war er in den Filmen The Hard Way und Toys sowie als Protagonist seiner eigenen Sitcom Ein schrecklich nettes Haus (Originaltitel: In the House) auf der Leinwand bzw. im Fernsehen zu sehen. Parallel dazu veröffentlichte er zwei weitere Alben: 14 Shots To The Dome (1993) und das überaus erfolgreiche Mr. Smith (1995), welches allein in den USA zweimal Platin erhielt. Die Singles Doin' It und Loungin wurden zu Welthits.

Im Sommer 2002 erschien mit 10 LL Cool Js zehntes Album. Zu den erfolgreichen Singles aus dieser CD gehörten unter anderem Paradise (zusammen mit Amerie), die Neptunes-Produktion Luv U Better und das erfolgreiche Duett All I Have mit Jennifer Lopez. 2004 folgten mit Hilfe von Timbaland die Singles Headsprung und Hush sowie das Nachfolgealbum DEFinition.

Im April 2006 veröffentlichte er mit Todd Smith sein zwölftes Studioalbum. Nachfolgend kam dann das Album Exit 13 (Arbeitstitel war zuerst Todd Smith Pt.2: Back to Cool), das August 2008 veröffentlicht wurde. Im August 2012 kündigte er sein vierzehntes Album an, welches anfang Februar 2013 erscheinen wird. Die Single "Ratchet" und "Take it" wurden bereits im Oktober und November 2012 ausgekoppelt, besonders "Take it" (ft. Joe) erhielt sehr positive Bewertungen. Bei den 54. Grammy Awards 2012 war er als Host zu sehen. Bei den 55. Grammy Awards 2013 war er als Moderator zu sehen und präsentierte dort auch seine neue Single Whaddup zusammen mit Chuck D., dem Frontmann von Public Enemy. Außerdem wirkten der DJ Z-Trip, Tom Morello (Gitarrist Rage Against the Machine) und Travis Barker (Schlagzeuger von Blink 182) mit. Seit April 2015 moderiert er zusammen mit Chrissy Teigen die Fernsehsendung Lip Sync Battle auf dem amerikanischen Fernsehsender Spike.
Er ist seit 1995 verheiratet. Er ist Vater eines Sohnes und dreier Töchter.

Quelle: [25]

Filmografie (Auswahl) LL Cool J

1985: Krush Groove
1986: Wildcats
1991: Auf die harte Tour
1992: Toys
1995–1999: In the House (Fernsehserie)
1997: Touch
1998: Caught Up
1998: Halloween: H20 (Halloween H20: 20 Years Later)
1998: Woo
1999: Deep Blue Sea und Undercover – In Too Deep
1999: An jedem verdammten Sonntag
2000: 3 Engel für Charlie (Charlie's Angels)
2001: Kingdom Come
2002: Rollerball (2002)
2002: Deliver Us From Eva
2003: S.W.A.T. – Die Spezialeinheit
2004: Mindhunters
2005: Slow Burn und Edison
2006: Dr. House (Fernsehserie, Folge 2x01)
2006: Noch einmal Ferien (Last Holiday)
2006: Heartland
2007: 30 Rock (Fernsehserie, Folge 1x16)
2009: Navy CIS (Fernsehserie, 2 Folgen)
seit 2009: Navy CIS: L.A. (Fernsehserie)
2012: Hawaii Five-0 (Fernsehserie, Folge 2x21)
2013: Zwei vom alten Schlag (Grudge Match)
seit 2015: Lip Sync Battle (Fernsehsendung, Moderator)

Quelle: [25]

Daniela Sophia Korn Rua *(Navy CIS:L.A.-Figur: Kensi Blye)*

(* 2. Dezember 1983 in Boston, Massachusetts) ist eine portugiesisch-US-amerikanische Schauspielerin.

Ruah zog im Alter von fünf Jahren mit ihrer Familie nach Portugal, wo sie die St. Julian's School besuchte. Ihre Vorfahren waren teils jüdischer Abstammung, wobei dies im iberischen Kontext von Zwangkonversionen und Kryptojudentum (Stichwort: Marranen) im Einzelnen kompliziert darzustellen sein dürfte. Zu ihren Vorfahren zählt der berühmte „portugiesische Dreyfus" Artur Carlos de Barros Basto. Ihre erste Schauspielrolle erhielt sie im Alter von 16 Jahren nach einem Casting in der Fernsehserie Jardins Proibidos. Im Alter von 18 Jahren zog sie nach London, wo sie für 3 Jahre an der London Metropolitan University studierte. Nach dem Abschluss als Bachelor with Honours zog sie nach Portugal, wo sie Rollen in Fernsehserien, Kurzfilmen und am Theater spielte. 2007 gewann sie die erste Staffel von „Dança Comigo", der portugiesischen Version von Let's Dance. Im selben Jahr zog sie nach New York, um dort am Lee Strasberg Theatre and Film Institute zu studieren.

Ruah, die neben Englisch fließend Portugiesisch und Spanisch spricht, spielt seit 2009 in der US-amerikanischen Fernsehserie Navy CIS: L.A. die Hauptrolle der Kensi Blye. Ihr rechtes Auge erscheint durch einen Nävus Ota dunkler als ihr linkes.

Im Dezember 2013 wurden Ruah und ihr Verlobter, der Bruder ihres Serienpartners Eric Christian Olsen (Marty Deeks),Eltern eines Sohnes. Am 19. Juni 2014 heirateten die beiden in der portugiesischen Stadt Cascais. Im September 2016 wurde sie Mutter einer Tochter.

Quelle: [26]

Filmografie (Auswahl) Daniela Sophia Korn Rua

2000–2001: Jardins Proibidos (148 Folgen)
2001: Querida Mãe
2001–2002: Filha do Mar (168 Folgen)
2005–2006: Dei-te Quase Tudo (195 Folgen)
2006: Canaviais
2006–2007: Tu e Eu (197 Folgen)
2008: Blind Confession
2008: Casos da Vida
2009: Midnight Passion
2009: Springfield Story (The Guiding Light)
2009: Navy CIS (NCIS, 2 Folgen)
seit 2009: Navy CIS: L.A. (NCIS: Los Angeles)
2011 Hawaii Five-0 (Staffel 2 Episode 6)
2012: Red Tails

Quelle: [26]

Auszeichnungen (Auswahl) Daniela Sophia Korn Rua

2010: Globos de Ouro für ihre Darstellung in der Serie Navy CIS: L.A.
2010: Teen Choice Award-Nominierung in der Kategorie „Beste Schauspielerin: Action" *Quelle: [26]*

Linda Hunt *(Navy CIS:L.A.-Figur: Henrietta „Hetty" Lange)*
(* 2. April 1945 in Morristown, New Jersey) ist eine US-amerikanische Schauspielerin und Oscar-Preisträgerin

Linda Hunt studierte Regie an der Goodman Theatre School of Drama in Chicago. Sie hatte 1980 ihr Filmdebüt in der Musikkomödie Popeye – Der Seemann mit dem harten Schlag, in der sie neben Robin Williams auftrat. Im Jahr 1983 wurde ihr ein Oscar für ihre Verkörperung des männlichen Fotografen Billy Kwan in Peter Weirs Drama Ein Jahr in der Hölle als beste Nebendarstellerin verliehen. Hunt ist damit die erste und bisher einzige Frau, die für die Darstellung eines Mannes einen Oscar erhielt.

In dem Western Silverado spielte sie 1985 neben Kevin Kline, Scott Glenn und Kevin Costner, 1990 in Kindergarten Cop neben Arnold Schwarzenegger, in dem Horrorfilm Das Relikt 1997 neben Penelope Ann Miller und Tom Sizemore. Die Szenen mit ihr in der Westernkomödie Maverick (1994) fanden in der Endfassung des Films keine Verwendung. Hunt war 1993 in der Mini-Fernsehserie Space Rangers in einer Hauptrolle zu sehen.

In der Fernsehserie NCIS: Los Angeles (seit 2009) gehört sie zur Stammbesetzung.

Quelle: [27]

Filmografie (Auswahl) Linda Hunt
1980: Popeye – Der Seemann mit dem harten Schlag (Popeye)
1982: Ein Jahr in der Hölle (The Year of Living Dangerously)
1984: Der Wüstenplanet (Dune)
1985: Eleni
1985: Silverado
1987: Basements (Der stumme Diener/Das Zimmer) (Basements (The dumb waiter/The room))
1987: Warten auf den Mond (Waiting for the Moon)
1989: Die Teufelin (She-Devil)
1990: Kindergarten Cop
1991: Teen Agent – Wenn Blicke töten könnten (If Looks Could Kill)
1993: Space Rangers (6-teilige Fernsehserie)
1993: Twenty Bucks – Geld stinkt nicht – oder doch? (Twenty Bucks)
1992–1993: Younger and Younger
1994: Prêt-à-Porter
1996: American Shrimps (Eat Your Heart Out)
1996: Das Relikt (The Relic)

1997–2002: Practice – Die Anwälte (The Practice)
2001: Im Zeichen der Libelle (Dragonfly)
2005: Deine, Meine & Unsere (Yours, Mine and Ours)
2007: Schräger als Fiktion (Stranger Than Fiction)
2008: The Unit (The Unit)
seit 2009: Navy CIS: L.A. (NCIS: Los Angeles) (Fernsehserie)
2014: Scorpion (Fernsehserie, Episode 1x06)

Quelle: [27]

Auszeichnungen (Auswahl) Linda Hunt

Ein Jahr in der Hölle: Academy Award als beste Nebendarstellerin
Ein Jahr in der Hölle: Australian Film Institute Award als beste Nebendarstellerin
Ein Jahr in der Hölle: Australian Film Institute Jury Prize gemeinsam mit Peter Weir
Ein Jahr in der Hölle: Boston Society of Film Critics Award als beste Nebendarstellerin
Ein Jahr in der Hölle: Chicago Film Critics Association Award als beste Nebendarstellerin
Ein Jahr in der Hölle: New York Film Critics Circle Award als beste Nebendarstellerin
Ein Jahr in der Hölle: National Board of Review Award als beste Nebendarstellerin
Ein Jahr in der Hölle: Los Angeles Film Critics Association Award als beste Nebendarstellerin
Ein Jahr in der Hölle: Kansas City Film Critics Circle Award als beste Nebendarstellerin (zusammen mit Mia Farrow für Zelig)
Ein Jahr in der Hölle: Nominiert für den Golden Globe Award als beste Nebendarstellerin in einem Spielfilmdrama

Quelle: [27]

Barrett Foa *(Navy CIS:L.A.-Figur: Eric Beal)*
(* 18. September 1977 in Manhattan, New York City) ist ein US-amerikanischer Schauspieler

Barrett Foa wurde 1977 in Manhattan geboren. Da er bereits im Alter von drei Jahren ein Puzzle in Recordzeit zusammensetzten konnte, wurde er von der Dalton School aufgenommen. Dort verbrachte er seine letzten Schuljahre. Während er in Dalton war, verbrachte er alle vier Sommer im Interlochen Arts Camp in Michigan. Dort verfolgte er sein Interesse am Theater. Er studierte darauf Schauspiel an der University of Michigan, wo er sein Studium mit einem Bachelor of Fine Arts abschloss. Foa verbrachte ein Semester in der ganzen Welt und studierte Shakespeare und das Schauspielen an der RADA in London. Im Sommer arbeitete Foa bei einem Johnson-Liff Casting. Er verbrachte jeden Sommer in Theatergruppen, darunter im London Barn Playhouse, am Maine State Music Theater, am Music Theater of Wichita und an der Pittsburgh Civic Light Opera.

Nach dem College bekam Foa seine erste Rolle als Jesus in dem Off-Broadway-Revival Godspell. Danach spielte er in vielen anderen Produktionen mit. Sein Broadway-Debüt gab er 2001 in der Originalbesetzung des Musicals Mamma Mia!. Er verließ es nach sechs Monaten, um einen Drei-Monats-Job bei TheatreWorks in Palo Alto, Kalifornien anzunehmen, wo er die Rolle in einem neuen Musical annahm.
Nachdem er den Matt in The Fantasticks in St. Louis Muny gespielt hatte, wurde er ausgewählt, den Claudio in Viel Lärm um nichts am Hartford Stage und am Shakespeare Theater in Washington, D.C. zu spielen. Er spielte auch den Mordred in Camelot am Paper Mill Playhouse in New Jersey. Seine letzte Performance des Frederic in Pirates! spielte er in einer Version von Die Piraten von Penzance im Jahr 2007.

2009 sprach Foa für die Nebenrolle des Eric Beal in der Fernsehserie Navy CIS: L.A. vor. Im Januar 2010 wurde die Rolle dann zur Hauptrolle ausgebaut.

Barrett Foa ist homosexuell.

Quelle: [28]

Filmografie (Auswahl) Barrett Foa

2009: Numbers – Die Logik des Verbrechens (Numb3rs, eine Folge)
2009: Navy CIS (NCIS, zwei Folgen)
2009: The Closer (eine Folge)
2009–2010: Entourage (Fernsehserie) (zwei Folgen)
seit 2009: Navy CIS: L.A. (NCIS: Los Angeles)
2011: Submissions Only (eine Folge)
2011: Submissions Only (Fernsehserie, Folge 1x04)
2013: My Synthesized Life (Fernsehserie, 2 Folgen)

Quelle: [28]

Eric Christian Olsen *(Navy CIS:L.A.-Figur: Marty Deeks)*
(* 31. Mai 1977 in Eugene, Oregon, USA) ist ein US-amerikanischer Schauspieler.

Eric Christian Olsen wurde in Eugene, Oregon geboren, verbrachte aber seine Kindheit in Bettendorf, Iowa. Er stammt aus einer sportlichen Familie und so verwundert es auch nicht, dass er in der Highschool in Quad Cities, Iowa Mannschaftsführer des Eishockey-Teams wurde. Durch seine Schulleistungen erlangte er 1996 ein Stipendium für eine private Universität der Pepperdine University Malibu im Süden Kaliforniens, wo er als Medizinstudent sein Physikum ablegte.

Als er 1996 mit nur 500 Dollar nach Kalifornien kam, war er gezwungen irgendwie Geld zu verdienen und da er schon zu Schulzeiten seiner Leidenschaft der Schauspielerei nachging, versuchte er sich auf diesem Gebiet. Anfangs schlug er sich mit Fernsehwerbespots wie zum Beispiel für Whitey's ice cream durch, kurze Zeit später folgten erste Minirollen in Fernsehserien wie High Incident und Millennium. Seine nächste Rolle hatte er in Black Cat Run bevor er zum ersten Mal die Hauptrolle des Artus in König Artus in L.A. (Arthur's Quest) erlangte.

Mit Hilfe der ersten Hauptrolle war es nun einfacher an größere Rollen zu erlangen. So konnte er 1999 in der hoch gelobten Serie Sechs unter einem Dach (Get Real) als Cameron Green glänzen und wurde so einem größeren Publikum bekannt, bevor die Serie nach nur 22 Episoden eingestellt wurde. Einer Karriere stand von nun an nichts mehr im Weg, so dass es nicht mehr allzu lange dauerte bis er einem Millionenpublikum in Nicht noch ein Teenie-Film (Not Another Teen Movie) als Austin bekannt wurde.

Seit 2010 ist er als Marty Deeks in einer der Hauptrollen der Serie Navy CIS: L.A. zu sehen.

Seit 2006 ist Olsen mit der Schauspielerin Sarah Wright zusammen, sie heirateten im Juni 2012.

Mitte August 2013 kam ihr Sohn auf die Welt Im August 2016 wurde die gemeinsame Tochter geboren.

Quelle: [29]

Filmografie (Auswahl) Eric Christian Olsen

1997: The X-Factor: Das Unfassbare in Folge The Viewing (Beyond Belief: Fact or Fiction)
1998: Black Cat Run – Tödliche Hetzjagd (Black Cat Run) (Fernsehfilm)
1999: König Artus in L.A. (Arthur's Quest) (Fernsehfilm)
1999: Turks in Folge Friends & Strangers (Fernsehserie)
1999: Emergency Room – Die Notaufnahme (S05/E21) in Folge Ein Feind fürs Leben (Emergency Room: Responsible Parties) (Episode)
1999: Sechs unter einem Dach (Get Real) (Fernsehserie)
2001: Ruling Class (Fernsehfilm)
2001: Pearl Harbor
2001: Smallville (S01/E06) in Folge Blinde Augen sehen mehr (Smallville: Hourglass) (Episode)
2001: Nicht noch ein Teenie-Film! (Not Another Teen Movie)
2002: Local Boys
2002: Hot Chick – Verrückte Hühner (The Hot Chick)
2002: 24 – Twenty Four (S02/E07) in Folge 14:00 Uhr - 15:00 Uhr (24: 2:00 p.m.-3:00 p.m.)
2002: Mean People Suck
2003: Dumm und dümmerer (Dumb and Dumberer: When Harry Met Lloyd)
2004: Final Call – Wenn er auflegt, muss sie sterben (Cellular)
2004: Death Valley (Mojave)
2005: Tru Calling (Fernsehserie)
2006: The Loop (Fernsehserie)
2006: Der letzte Kuss (The Last Kiss)
2006: Bierfest (Beerfest)
2007: Lizenz zum Heiraten (License to Wed)
2007: Sexy, clever und über 40 (Write & Wrong)
2007: The Comebacks
2008: Sunshine Cleaning
2008: Eagle Eye
2009: Mein Vater, seine Frauen und ich (The Six Wives of Henry Lefay)
2009: Fired Up!
2009-2010: Community (Fernsehserie, 4 Folgen)
seit 2010: Navy CIS: L.A. (Fernsehserie)
2010: Plan B für die Liebe (The Back-Up Plan)
2011: The Thing
2012: Celeste & Jesse Forever

Quelle: [29]

Renée Felice Smith *(Navy CIS:L.A.-Figur: Nell Jones)*

(* 16. Januar 1985) ist eine US-amerikanische Film- und Fernsehschauspielerin. Sie besuchte eine Highschool auf Long Island und studierte an der zu der New York University gehörenden Tisch School of the Arts. Nach einigen kleineren Rolle erlangte Renée Felice Smith 2010 die Rolle der Technikerin Nell Jones in der CBS-Serie Navy CIS: L.A.. *Quelle: 30*

Filmografie (Auswahl) Renée Felice Smith

2008: Viralcom (eine Folge)
2010: Untitled Wyoming Project (Fernsehfilm)
seit 2010: Navy CIS: L.A. (NCIS: Los Angeles)
2011: Detachment (Film)

Quelle: 30

Miguel Ferrer *(Navy CIS:L.A.-Figur: Owen Granger)*

(* 7. Februar 1955 in Santa Monica, Kalifornien) ist ein US-amerikanischer Schauspieler.

Miguel Ferrer ist der älteste Sohn (von insgesamt fünf Geschwistern) des Oscar-Preisträgers José Ferrer und der Sängerin und Schauspielerin Rosemary Clooney.
Als Teenager begann er, sich für Musik zu interessieren, und fing eine Karriere als Studiomusiker an. Er spielte Schlagzeug auf Keith Moons Album Two Sides of the Moon. Sein Bandkollege Bill Mumy verschaffte ihm seine erste Fernsehrolle in der Serie Sunshine. Miguel Ferrer spielte einen Schlagzeuger und nahm die Rolle nur an, weil Bill Mumy ihn überredete.
1983 erhielt Ferrer eine kleine Rolle als Kellner in dem Film Hochzeit mit Hindernissen. Im Star-Trek-Film Star Trek III: Auf der Suche nach Mr. Spock spielte er den Navigator des Raumschiffs Excelsior. Seitdem wirkte er in vielen Filmen mit, gewöhnlich in der Rolle des Bösewichts, unter anderem in Robocop (1987) und in Mein wunderbarer Cadillac (1988), in dem er einen finsteren Motorradfahrer spielte. In Deep Star Six (1989) war er als verrückter Wissenschaftler zu sehen, in Revenge – Eine gefährliche Affäre als Weggefährte Kevin Costners und neben Bridget Fonda in dem Agententhriller Codename: Nina (1993). Er spielte den Commander Harbinger in Hot Shots! Der zweite Versuch (1993) und wirkte in Stephen King's The Stand – Das letzte Gefecht (1994) in der Rolle des Lloyd Henreid mit. In dem Thriller The Night Flier (1997), ebenfalls nach Stephen King, war er ebenfalls zu sehen. In Der Manchurian Kandidat (2004) spielte er einen Offizier der U.S. Army, der die Hauptfigur (Denzel Washington) herausfordert. Sein bekanntester Film war Traffic – Macht des Kartells (2000) von Steven Soderbergh, der unter anderen als „Bester Film" für einen Oscar nominiert war.
Zu den vielen Fernsehserien, in denen er Gastauftritte hatte, gehören: Magnum, Miami Vice, CHiPs, Will & Grace, Superman: The Animated Series, Geschichten aus der Gruft und Twin Peaks. Von 2001 bis 2007 spielte er in Crossing Jordan – Pathologin mit Profil die Rolle des Dr. Garret Macy. 2003 hatte er sein Bühnendebüt in der Off-Broadway-Produktion

The Exonerated. 2005 kam sein Film Cool & Fool – Mein Partner mit der großen Schnauze in die amerikanischen Kinos. Bei den 41. Grammy Awards 1999 war er in der Kategorie Best Spoken Word Album for Children nominiert für Disneys The Lion King II, Simba's Pride Read-Along. Ferrer spielt Golf und fährt gerne Ski. Jedes Jahr ist er Mitorganisator eines Wohltätigkeits-Golfturnier für die Kinderklinik der UCLA. Mit Bill Mumy, Bill Murray und ihrer gemeinsamen Band The Jenerators spielt er vereinzelt Club-Konzerte.

Miguel Ferrer ist geschieden und hat zwei Söhne aus der Ehe mit Leilani Sarelle. Sein Cousin ist der Schauspieler George Clooney. Sein Bruder Gabriel Ferrer ist mit der Sängerin Debby Boone verheiratet. Zu dem Schauspieler Mel Ferrer bestand dagegen kein Verwandtschaftsverhältnis. Mit der Schauspielerin Dominique Dunne war er eng befreundet und bei ihrem Begräbnis einer ihrer Sargträger.

Quelle: [31]

Filmografie (Auswahl) Miguel Ferrer

1983: Hochzeit mit Hindernissen (The Man Who Wasn't There)
1984: Star Trek III: Auf der Suche nach Mr. Spock (Star Trek III: The Search for Spock)
1984: Flashpoint – Die Grenzwölfe (Flashpoint)
1987: RoboCop
1988: Mein wunderbarer Cadillac (Valentino Returns)
1989: Deep Star Six
1989: Shannon – Sein schwerster Fall (Shannon's Deal, Fernsehfilm)
1990: Revenge – Eine gefährliche Affäre (Revenge)
1990–1991: Twin Peaks (Fernsehserie)
1990: Das Kindermädchen (The Guardian)
1993: Codename: Nina (Point of No Return)
1993: Hot Shots! Der zweite Versuch (Hot Shots! Part Deux)
1994: Mac Millionär – Zu clever für 'nen Blanko-Scheck (Blank Check)
1994: Stephen King's The Stand – Das letzte Gefecht (The Stand)
1996: Alf – Der Film (Project: ALF, Fernsehfilm)
1997: The Night Flier
2000: Traffic – Macht des Kartells (Traffic)
2001–2007: Crossing Jordan – Pathologin mit Profil (Crossing Jordan, Fernsehserie)
2004: Der Manchurian Kandidat (The Manchurian Candidate)
2007: Bionic Woman (Fernsehserie)
2009: Wrong Turn at Tahoe
2009: Lie to Me (Fernsehserie, 1 Folge)
2009: Medium – Nichts bleibt verborgen (Medium, Fernsehserie, Folge 4x15)
2009: CSI: Den Tätern auf der Spur – (CSI: Crime Scene Investigation, Fernsehserie, 1 Folge)
2010: Hard Ride to Hell
2011: Desperate Housewives (Fernsehserie)
seit 2012: Navy CIS: L.A. (NCIS: Los Angeles, Fernsehserie)
2013: Iron Man 3
2013: 4 Assassins

Quelle: [31]

Rocky Carroll *(Navy CIS:L.A.-Figur: Leon Vance)*
(* 8. Juli 1963 in Cincinnati, Ohio) ist ein US-amerikanischer Schauspieler

1981 schloss er die „School for the Creative and Performing Arts" ab und er entschloss sich seine Schauspielererfahrung zu vertiefen. Nachdem er die Webster University, Conservatory of Theatre Arts in St. Louis mit dem BFA-Grad abgeschlossen hat, zog er nach New York. Dort wirkte er in Joseph Papps „Shakespeare on Broadway" mit. Als Mitglied von Joe Papps Shakespeare-Serie half er mit die Tore für Farbige zu öffnen indem er Rollen verkörperte die selten von schwarzen Schauspielern gespielt wurden.

Aufgrund seiner Wurzeln im Theater spielt er weiterhin aktiv in Theaterstücken mit. Später entschließt er sich zum Fernsehen und Kino zu gehen. So hat er eine Hauptrolle als Dr. Keith Wilkes in der Fernsehserie Chicago Hope. Dort spielte er bereits mit Lauren Holly und Mark Harmon zusammen, welche beide nachher bei Navy CIS zu sehen waren. Er selber kommt erst im Laufe der fünften Staffel zu Navy CIS als stellvertretender Direktor (und später der Nachfolger von Lauren Holly als Direktor). Auch in den Navy CIS-Spin Off's Navy CIS: L.A. und Navy CIS: New Orleans ist er als Direktor zu sehen.

Quelle: [21]

Filmografie (Auswahl) Rocky Carroll

Filme
1989: Geboren am 4. Juli (Born on the Fourth of July)
1994: The Chase
1995: Crimson Tide – In tiefster Gefahr (Crimson Tide)
1996: Great White Hype – Eine K.O.Mödie (The Great White Hype)
1999: Best Laid Plans
2008: Der Ja-Sager (Yes Man)

Fernsehserien
1990: Law & Order (Folge 1x01)
2001–2003: The Agency – Im Fadenkreuz der C.I.A. (The Agency)
2004: Emergency Room – Die Notaufnahme (ER, Folge 10x17)
2004: Boston Legal (Folge 1x10)
2007: Grey's Anatomy (Folge 4x05)
seit 2007: NCIS
2009-2011: NCIS: Los Angeles
2014: NCIS: New Orleans

Quelle: [21]

Louise Lombard *(Navy CIS:L.A.-Figur: Lara Macy)*

(* 13. September 1970 im London Borough of Redbridge, England; eigentlich Louise Maria Perkins) ist eine britische Filmschauspielerin

Louise Lombard, fünftes von sechs Kindern, studierte zunächst Fotografie am St. Martin's College in London, und begann nach ihrem Abschluss mit der Schauspielerei. Seit den späten 1980er Jahren steht Lombard sowohl in britischen als auch US-amerikanischen Produktionen vor der Kamera. 1993 gewann sie in Schweden einen Preis für die Beste fremdsprachige TV-Persönlichkeit. Sie ist Mutter eines Sohnes und bekam im Sommer 2010 eine Tochter. Lombard wirkte in 52 Episoden von CSI: Den Tätern auf der Spur als Sofia Curtis mit.

Quelle: [32]

Filmografie (Auswahl) Louise Lombard

1998: Talos – Die Mumie (Tale of the Mummy)
1999: Die Bibel – Esther (Esther)
2001: Claim (Ellen Brachman)
2003: Du stirbst nur zweimal (Second Nature)
2004–2011: CSI: Den Tätern auf der Spur (CSI: Crime Scene Investigation)
2004: Hidalgo (Hidalgo)
2005: The Call
2009: Stargate Universe
2009: Navy CIS (NCIS)
2010: Miami Medical (Fernsehserie, eine Folge)
2010: Stargate Universe (Fernsehserie, vier Folgen)
2011: Un Africain en hiver
2011: Perception (Kurzfilm)
2012: The Mentalist (Fernsehserie, eine Folge)
2012: Rogue (Fernsehfilm)
2012: Dripping in Chocolate (Fernsehfilm)
2012: The Selection (Fernsehfilm)
2014: Star-Crossed (Fernsehserie, vier Folgen)
2014: Perception (Fernsehserie, eine Folge)
2014: Grimm (Fernsehserie, drei Folgen)

Quelle: [32]

Adam Jamal Craig *(Navy CIS:L.A.-Figur: Dominic Vail)*

Filmschauspieler

Adam Jamal Craig ist am besten für seine Rolle des Special Agent Dominic Vail in der Fersehserie Navy CIS: L.A. bekannt. Außerdem hatte er weitere Auftritte in The Office, Heroes, Crossing Jordan, Las Vegas und The O.C.

Quelle: [33]

Peter Cambor *(Navy CIS:L.A.-Figur: Nate „Doc" Getz)*
(* 28. September 1978 ist ein amerikanischer Schauspieler)

Von 2009-2010 trat er als Hauptdarsteller in der TV-Serie Navy CIS: L.A. in der Rolle des operativen Psychologen Nate Getz auf. In der zweiten Saison erschien er nur in 3 Folgen als Gaststar auf. Cambor spielte in der ehemaligen ABC-Sitcom Notes from the Underbelly für zwei Saisons mit. Im Jahr 2002 spielte er in den Filmen BisUp to the Roof und The J2-Projekt. Seit 2012 hat er die Hauptrolle in der TBS-Serie Wedding Band.

Quelle: [34]

Claire Forlani *(Navy CIS:L.A.-Figur: Lauren Hunter)*
(* 1. Juli 1972 in Twickenham als Claire Antonia Forlani) ist eine britische Schauspielerin.

Forlani, die Tochter einer Britin und eines Italieners, begann bereits im Alter von elf Jahren mit einem Tanz- und Dramastudium an der Londoner Arts Educational School. Während ihres sechsjährigen Studiums sammelte sie auch Theatererfahrung.

1991 erlangte Forlani erste TV-Erfahrung in den britischen TV-Serien Press Gang und Shrinks sowie in der Fernsehproduktion Tod in den Augen.
1993 entschieden sich Forlanis Eltern nach San Francisco umzuziehen, um die Karriere ihrer Tochter besser fördern zu können. Ihre erste Rolle in einer US-amerikanischen Produktion erlangte sie noch 1993 in der für das TV produzierten Miniserie John F. Kennedy - Wilde Jugend (J.F.K.: Reckless Youth), bevor sie 1994 im Kinofilm Police Academy 7 – Mission in Moskau mitwirken durfte. Es folgten einige Nebenrollen in Serien und Filmen, wie z. B. 1996 in The Rock – Fels der Entscheidung bevor sie ihre erste Hauptrolle in Garage Sale, einem Independentfilm bekam.

Ihren Durchbruch schaffte Forlani allerdings erst 1998 mit dem Film Rendezvous mit Joe Black, der ihr eine Nominierung für den Saturn Award einbrachte. 2006 gehörte sie zum Ensemble der dritten Staffel von CSI: NY.

Am 8. Juni 2007 heiratete Forlani den Schauspieler Dougray Scott im Haus ihrer Eltern im italienischen Pievebovigliana.

Quelle: [35]

Filmografie (Auswahl) Claire Forlani

Fernsehserien
2006–2010: CSI: NY (elf Folgen)
2011: Navy CIS: L.A. (NCIS: Los Angeles, zwei Folgen)
2011: Camelot (zehn Folgen)

Filme
1992: Tod in den Augen (Gypsy Eyes)
1992: John F. Kennedy – Wilde Jugend (J.F.K.: Reckless Youth)
1994: Police Academy 7 - Mission in Moskau (Police Academy: Mission to Moscow)
1995: Mallrats
1996: Garage Sale
1996: The Rock – Fels der Entscheidung (The Rock)
1996: Basquiat
1997: Wie ich zum ersten Mal Selbstmord beging (The Last Time I Committed Suicide)
1998: Into My Heart
1998: Basils Liebe (Basil)
1998: Rendezvous mit Joe Black (Meet Joe Black)
1999: Mystery Men
2000: Magicians
2000: Boys, Girls & a Kiss (Boys and Girls)
2001: Startup (Antitrust)
2001: Going Greek
2002: Triggermen
2003: Northfork
2003: Gone Dark (The Limit)
2003: Das Medaillon (The Medallion)
2004: Memron
2004: Bobby Jones – Die Golflegende (Bobby Jones: Stroke of Genius)
2005: Ripley Under Ground
2005: Hooligans
2005: Shadows in the Sun (Vengo a prenderti)
2006: Schwerter des Königs–Dungeon Siege (In the Name of the King: Dungeon Siege Tale)
2007: Nora Roberts – Lilien im Sommerwind (Carolina Moon, Fernsehfilm)
2007: Hallam Foe – This Is My Story (Hallam Foe)
2008: Flashbacks of a Fool
2008: Beer for My Horses
2009: Not Forgotten – Du sollst nicht vergessen (Not Forgotten)
2011: Ice – Der Tag, an dem die Welt erfriert und Love's Kitchen – Ein Dessert zum Verlieben
2013: Another Me – Mein zweites Ich (Another Me)
2016: Precious Cargo

Quelle: [35]

.

Navy CIS: New Orleans
Naval Criminal Investigative Service

Navy CIS: New Orleans (NCIS: New Orleans)

Navy CIS: New Orleans (Originaltitel: NCIS: New Orleans) ist eine US-amerikanische Krimiserie, die von dem Ermittlerteam der in New Orleans ansässigen Außenstelle des Naval Criminal Investigative Service (NCIS) handelt.

Das Ermittlerteam untersucht wie in der Mutterserie Navy CIS Verbrechen, welche mit der United States Navy und dem United States Marine Corps sowie deren Angehörigen zu tun haben. In der elften Staffel von Navy CIS wurde die Serie als Backdoor-Pilot eingeführt, das später von CBS als Serie bestellt wurde.

In den Vereinigten Staaten läuft die Serie genau wie Navy CIS und Navy CIS: L.A. auf CBS. Der Backdoor-Pilot lief bereits während der elften Staffel von Navy CIS als Doppelfolge. Die reguläre erste Folge strahlte CBS genau elf Jahre nach der Pilotfolge von Navy CIS, am 23. September 2014, aus. Im September 2015 begann in den USA die Ausstrahlung der zweiten Staffe. Das Finale wurde am 17.Mai 2016 auf CBS ausgestrahlt.
Für Deutschland hat sich Sat.1, wie bereits bei Navy CIS und Navy CIS: L.A., die Ausstrahlungsrechte gesichert und eine Ausstrahlung bei der Programmpräsentation angekündigt. Am 14. September 2014 wurde bei Sat.1 der Backdoor-Pilot gezeigt; die reguläre Ausstrahlung begann am 12. April 2015 und endete am 23. August 2015. Im Durchschnitt verfolgten 0,96 Millionen (8,3 Prozent) der werberelevanten Zielgruppe und 2,07 Millionen (6,6 Prozent) des Gesamtpublikums die erste Staffel.

Quelle: [51]

Hauptdarsteller Navy CIS: New Orleans

Rollenname	Schauspieler	Synchronsprecher	Hauptrolle (Episoden)	Nebenrolle (Episoden)
Special Agent Dwayne Cassius „King" Pride	Scott Bakula	Frank Röth	1.01–	
Special Agent Meredith „Merri" Brody	Zoe McLellan	Ulrike Stürzbecher	1.01–2.24	
Special Agent Christopher LaSalle	Lucas Black	Leonhard Mahlich	1.01–	
Dr. Loretta Wade	CCH Pounder	Ulrike Johannson	1.01–	
Sebastian Lund	Rob Kerkovich	Kim Hasper	1.01–	
Patton Plame	Daryl Mitchell	Matti Klemm	2.01–	1.04, 1.07-1.08, 1.11-1.12, 1.14-1,16, 1.18-1.19, 1.23
Sonja Percy	Shalita Grant	Nicole Hannak	2.01–	1.17, 1.21-1.23
Tammy Gregorio	Vanessa Ferlito	Nicole Hannak	3.01–	1.17, 1.21-1.23

Quelle: [51]

Serien-Spin-off Navy CIS: New Orleans

In der elften Staffel von Navy CIS (Folge 252 und 253, New Orleans Teil 1 und Teil 2) wurde die Serie als Backdoor-Pilot eingeführt, das später von CBS als Serie bestellt wurde.

Quelle: [51]

Staffel 1 (Episoden 1.1- 1.23) Navy CIS: New Orleans

Erstausstrahlung USA   23. September 2014 – 12. Mai 2015 auf CBS

Erstausstrahlung Deutschland 12. April 2015 – 23. August 2015 auf Sat 1

Episoden Staffel 1 Navy CIS: New Orleans

Nr.	Titel	Originaltitel	Premiere USA	Premiere D	Regisseur	Drehbuch
1.1	**Das gestiefelte Bein (1)**	Musician Heal Thyself	23. Sep. 2014	12. Apr. 2015	M.Zinberg	J.Lieber

Im Hafen von New Orleans wird in einer Kiste mit Garnelen ein Bein mit einem Navy-Stiefel daran gefunden, wenig später taucht auch der Rest der Leiche auf. Es handelt sich um Petty Officer Calvin Parks, der im Hafen für die Materialbeschaffung der Navy gearbeitet hat. Der Vorarbeiter beschreibt ihn als höflich und fleissig, äussert aber den Verdacht, er habe wieder Fühlung mit einer Gang aufgenommen, der er als Jugendlicher angehört habe. Tatsächlich findet sich an Calvins Leiche eine frische Gang-Tätowierung, doch keine der als Täterkreis infrage kommenden rivalisierenden Gangs will etwas mit der Tat zu tun haben. Dem ehrgeizigen Councilman Hamilton kommt die Situation wie gerufen, um sich mit der Neugründung einer Sondereinheit „Gangkriminalität" politisch zu profilieren. Special Agent Pride nimmt sich den Fall sehr zu Herzen, da ihn mit Calvin Parks und dessen Vater eine lange Freundschaft verbindet. Auf Calvin Parks' Computer finden sich Daten, die darauf hindeuten, dass für die Navy bestimmte Lieferungen aus Guatemala deutlich leichter in New Orleans eintreffen, als sie abgeschickt worden sind. Pride und sein Team vermuten Schmuggelaktivitäten. Dr. Wade stellt inzwischen fest, dass Calvins vermeintlich frisches Banden-Tattoo erst nach seinem Tod gestochen worden sein kann, vermutlich als Ablenkungsmanöver. Die Zusammensetzung der Tinte führt das Team zu einem Tätowierer, der wiederum auf den Vorarbeiter im Hafen verweist. Tatsächlich bestätigt sich der Verdacht, dass Calvin Parks hinter Schmuggelaktivitäten gekommen war und deshalb sterben musste. Der Fall führt jedoch potentiell noch weiter, nämlich zu Councilman Hamilton, in dessen Wahlbezirk der Hafen liegt, und der offenbar nicht nur vom Schmuggel finanziell, sondern auch vom Gangunwesen politisch profitiert. Beweise hierfür gibt es jedoch noch keine. *Quelle:* [51, 52]

Episoden Staffel 1 Navy CIS: New Orleans

Nr.	Titel	Originaltitel	Premiere USA	Premiere D	Regisseur	Drehbuch
1.2	**Das gestiefelte Bein (2) - Das Pestschiff**	Carrier	30. Sep. 2014	12. Apr. 2015	J.Whitmore, Jr.	G.Glasberg

Die „Geronimo", ein Schiff der Navy, macht nach mehreren Wochen auf See Halt im Hafen von New Orleans. Die Besatzung bekommt frei und geht auf Landgang. Einer der Seeleute feiert in einer Bar und verhält sich sehr merkwürdig. Er geht raus auf die Strasse, um Luft zu schnappen, wird von einem Taxi angefahren und stirbt. Anfangs wird vermutet, dass er zuviel getrunken oder Drogen genommen hat, aber die Ursache für sein komisches Verhalten, liegt ganz woanders. Agent Pride und sein Team finden heraus, dass sich der Seemann mit der Beulenpest infiziert hat. Natürlich vermutet man, aufgrund der Inkubationszeit, dass der Ansteckungsherd auf dem Schiff sein muss. Man stellt das ganze Schiff auf den Kopf. Sie finden auch eine Ratte, aber es stellt sich heraus, dass das Tier nicht infiziert ist. Ausserdem ist der Bakterienstamm aussergewöhnlich aggressiv und kann unmöglich in der Natur vorkommen. Am Ende stellt sich heraus, dass die Bakterien aus einem Forschungslabor der Navy in Lima stammen. Die Spur führt zu einem gewissen Dr. Hufcutt. Er besitzt einen Pharmakonzern, der in finanzielle Schwierigkeiten geraten ist. Aufgrund seiner Reputation hatte er Zugang zu dem Labor in Lima, konnte die Bakterien klauen und hat einige Muffins damit vergiftet. Es hat sich auf der „Geronimo" auch niemand gewundert, als er mit dem Hubschrauber an Bord gebracht wurde. Dr. Hufcutt wollte danach auf einer internationalen Tagung in Jackson noch mehr Menschen infizieren, die Opfer dann mit seinen Medikamenten behandeln lassen und einen von ihm entwickelten Impfstoff auf den Markt werfen. Zum Glück kann ihm Agent Pride mit seinem Team noch rechtzeitig das Handwerk legen. Quelle: 51, 53

Nr.	Titel	Originaltitel	Premiere USA	Premiere D	Regisseur	Drehbuch
1.3	**Auf der Flucht**	Breaking Brig	7. Okt. 2014	19. Apr. 2015	T.Wharmby	L.Arent

Drei Häftlinge, Dalton, Babakow und Nash sollen mit einem gepanzerten Bus ins Militärgefängnis gebracht werden. Auf dem Weg dorthin, kommt es jedoch zu einem verhängnisvollen Unfall und die drei können fliehen. Wie sich nach und nach herausstellt, ist der Unfall aber nicht zufällig passiert. Er war vorher akribisch geplant. Die drei haben auf der „Birmingham" zwar in Einzelzellen gesessen, aber sie konnten über den Lüftungsschacht wunderbar miteinander kommunizieren. Einen Mithäftling, der auch mit im Bus sass, und die beiden Wachleute haben sie kurzerhand umgebracht und sind jetzt auf der Flucht. Ausserdem haben sie die Waffen der Wachleute und sind somit unberechenbar. Anfangs bleiben sie spurlos verschwunden, aber dann hat es in der Nähe in einem unbewohnten Haus eine Schiesserei geben, bei der ein Streifenpolizist umgekommen ist. Schnell ist klar, dass es die flüchtigen Häftlinge waren. An dem Fall hat man auch an höchster Stelle Interesse. Babakow kennt nämlich den Namen eines Staatsverräters. Man hat ihn diesbezüglich auch schon verhört und davon hat Nash Wind bekommen. Deshalb ist Babakow zu einer Bedrohung für ihn geworden. Auch er kennt den Namen des Staatsfeindes und hat mit Babakow Geschäfte gemacht. Er hat die Flucht geplant, um an Babakow ranzukommen, bevor er selbst auffliegt. Als klar wird, dass Babakow seinen Namen bei den Verhören nicht verraten hat, erschiesst er ihn. Am Ende kann das NCIS- Team Nash aufspüren. Dummerweise kann er Brody in seine Gewalt bringen und Pride ist gezwungen, ihn zu erschiessen. Deshalb bekommt er leider Ärger, er hatte nämlich die klare Anweisung Nash lebend gefangen zu nehmen, weil nur er den Namen des Staatsfeindes kennt. Pride macht aber klar, dass ihm das Leben seiner Leute wichtiger ist, und dass er immer wieder so handeln würde Quelle: 51, 53

Episoden Staffel 1 Navy CIS: New Orleans

Nr.	Titel	Originaltitel	Premiere USA	Premiere D	Regisseur	Drehbuch
1.4	**Der Ring**	The Recruits	14. Okt. 2014	24. Apr. 2015	O.Scott	S.Humphries

Petty Officer T.J. Blake wird erschossen im Zimmer der Studentin Natalie Lane gefunden. Am Abend zuvor lernten sich beide auf einer Party im Studentinnenwohnheim kennen. Natalie beteuert, nichts mit dem Mord zu tun zu haben, und ihre Freundin Tilda stützt ihre Aussage. In dem Söldner Max Wolf, der noch eine Rechnung mit Blake offenhatte, findet Pride schnell den ersten Verdächtigen. Doch Wolf hat ein Alibi – und pikante Informationen über Natalie. *Quelle: 51, 52*

Nr.	Titel	Originaltitel	Premiere USA	Premiere D	Regisseur	Drehbuch
1.5	**Der Fluch der Orchidee**	It Happened Last Night	21. Okt. 2014	3. Mai 2015	A.Brown	J.Bernstein

Chief Warrant Officer William Reed wird tot in einem Bayou gefunden, seine Frau Marilyn ist wie vom Erdboden verschluckt. Ihr Bruder Oliver Huntington gerät schnell ins Visier der Ermittler, kann aber glaubhaft belegen, dass Marilyn entführt wurde. Nun fordern die Kidnapper ein horrendes Lösegeld, doch der eigentlich wohlhabende Oliver hat massive Geldprobleme – und der Fall wird immer mysteriöser. *Quelle: 51, 52*

Nr.	Titel	Originaltitel	Premiere USA	Premiere D	Regisseur	Drehbuch
1.6	**Das erste Kapitel**	Master of Horror	28. Okt. 2014	10. Mai 2015	T.O'Hara	S.Shapiro

Kurz vor Halloween wird die Navy-Richterin Melanie Herman brutal ermordet und auf einem Friedhof abgelegt. Außerdem hat ihr der Mörder eine Niere entfernt – und sie seinem nächsten Opfer, Lieutenant Commander Abram, eingesetzt. Pride und sein Team finden heraus, dass die Toten John Neville wegen sexueller Nötigung verurteilt hatten. Der Mann ist seit Kurzem wieder frei. Will er sich für seine Verurteilung rächen? *Quelle: 51, 52*

Nr.	Titel	Originaltitel	Premiere USA	Premiere D	Regisseur	Drehbuch
1.7	**Der Glanz des Silbers**	Watch Over Me	11. Nov. 2014	17. Mai 2015	J.Hayman	D.Appelbaum

Commander Darby Wilson und seine Assistentin werden tot aufgefunden. Zuerst sieht es so aus, als ob die beiden eine Affäre hatten und deswegen sterben mussten. Doch offenbar hat der Mord etwas mit Wilsons Job zu tun: Er war Verbindungsoffizier in einer High-Tech-Firma, die Waffensysteme für die Navy produziert. Ein Video mit einem fehlgeschlagenen Waffentest, das Wilson wohl versehentlich erhielt, scheint der Schlüssel zu seinem Mörder zu sein. *Quelle: 51, 52*

Episoden Staffel 1 Navy CIS: New Orleans

Nr.	Titel	Originaltitel	Premiere USA	Premiere D	Regisseur	Drehbuch
1.8	**Wer ist Maria Garcia?**	Love Hurts	18. Nov. 2014	31. Mai 2015	M.Pressman	J.Bernstein

Petty Officer Jonathan Bell wird ermordet. Der Tod des Mannes, der für einen hohen General arbeitete, gibt Rätsel auf: Die Leiche wurde von drei Patronen getroffen – aus zwei verschiedenen Waffen. Schnell fassen die Ermittler einen vermeintlichen Täter. Der Mann gesteht Schüsse auf den Officer, für den tödlichen Treffer ist er aber gar nicht verantwortlich, wie sich herausstellt. Liegt der Schlüssel zur Lösung des Falls doch in Bells Online-Flirt mit der mysteriösen Maria Garcia? *Quelle: 51, 52*

Nr.	Titel	Originaltitel	Premiere USA	Premiere D	Regisseur	Drehbuch
1.9	**Ein Sumpf aus Hass**	Chasing Ghosts	25. Nov. 2014	07. Juni 2015	J.Whitmore, Jr.	J.I.Kidd & S.Winton

Ein Einbrecher wird von der Polizei verfolgt und stürzt dabei dummerweise vom Dach eines Hauses. Er ist auf der Stelle tot. Normalerweise wäre das kein Fall für unser Team, aber bei dem Einbrecher wird ein Revolver gefunden, der einem Angehörigen der Navy gehört. Zwar wurde die Seriennummer rausgefeilt, aber Dank Sebastians Hilfe, finden sie heraus, dass der Revolver einem gewissen Chief Petty Officer Jakob Tralow gehört. Bei dem Namen schrillen bei Wade sofort alle Alarmglocken. Chief Petty Officer Jakob Tarlow wurde nämlich bereits vor 40 Jahren gelyncht und aufgehängt. Das war der erste Fall, in den Wade involviert war, und er hat sie bis heute nicht losgelassen. Ausserdem hat sie sich damals mit Hannah, der Frau des Opfers, angefreundet und ihr versprochen den Mord an ihrem Mann aufzuklären. Inzwischen ist Hannah an Leberkrebs erkrankt und wird nicht mehr lange leben. Der Fund des Revolvers gibt Wade die Hoffnung, den Fall nach all den Jahren doch noch aufklären und ihr Versprechen einlösen zu können. Damals deutete alles auf eine rassistische Gruppierung hin, die Jakob schon mehrmals angegriffen hatte. Aber man konnte den Mitgliedern der Gruppe damals nichts nachweisen. Nach einigen Recherchen könnte aber auch der Vater von Councilman Hamilton in die Sache verwickelt sein. Doch auch diese Spur führt letztendlich in eine Sackgasse. Es sieht so aus, als hätten die Rassisten nichts mit dem Mord an Jakob Tarlow zu tun. Am Ende führt die Spur in eine ganz andere Richtung und zwar zu Jakobs bestem Freund Paul. Der hatte, bevor sich Jakob und Hannah verlobten, eine kurze Affäre mit Hannah. Nach einem Handgemenge mit den Rassisten, hat er Jakob von seiner heimlichen Liebe erzählt. Es kam zu einer Auseinandersetzung und dabei ist Jakob unglücklicherweise ums Leben gekommen. Danach hat Paul versucht, die Tat zu vertuschen und hat Spuren gelegt, die darauf hindeuten sollten, dass die rassistische Gruppe Jakob gelyncht und auf dem Gewissen hat. Am Ende konnte Wade also doch noch ihr Versprechen einlösen, aber besonders stolz ist sie darauf nicht. *Quelle: 51, 53*

Episoden Staffel 1 Navy CIS: New Orleans

Nr.	Titel	Originaltitel	Premiere USA	Premiere D	Regisseur	Drehbuch
1.10	**Der Mann im Loch**	Stolen Valor	16. Dez. 2014	14. Juni 2015	D.Smith	L.Arent

Im Militärmuseum wird die Leiche von Bud Samuels gefunden. Er war früher bei der Navy und versuchte in den letzten Jahren Typen, die sich damit rühmen beim Militär zu sein, und dort Geld abkassieren, das Handwerk zu legen. Dadurch hat er sich natürlich eine Menge Feinde gemacht. Und richtig, die Spur führt zu einem gewissen Len Browers. Er hat auch damit geprahlt bei den Streitkräften zu sein. Unser Team ermittelt seine Adresse, aber als sie ihn dingfest machen wollen, schafft er es abzuhauen. Sie entdecken in seiner Wohnung eine Militärjacke und anhand der DOD- Identifikationsnummer finden sie raus, dass sie einem gewissen Zack Chase gehört. Er war als Kampfmittelbeseitiger in Afghanistan, und hatte die Aufgabe dort Landminen zu räumen. Bei einem dieser Aufträge soll er ums Leben gekommen sein, aber seine Leiche wurde nie gefunden. Durch den Fund der Jacke wird nun neue Hoffnung geweckt, dass er vielleicht doch noch lebt. Er soll die Jacke nämlich kurz vor der Explosion, bei der er gestorben sein soll, getragen haben. Man schafft es Len Bowers zu schnappen und es stellt sich heraus, dass er sich tatsächlich im Museum mit Bud gestritten hat. Aber es war kein Mord, sondern ein tragischer Unglücksfall. Jetzt bleibt nur noch die Frage, wo Zack ist. Len erzählt dem Team, dass er die Jacke von Hameed, einem Teppichimporteur, gekauft hat. Die Spur führt also zurück nach Afghanistan und schon bald wird klar, dass Zack bei der Explosion nicht umgekommen ist, sondern von Rebellen entführt wurde. Pride, der die Hoffnung ihn lebend zu finden, nie aufgegeben hat, schafft es am Ende Zack aus den Händen der Rebellen zu befreien. *Quelle:* [51, 53]

Nr.	Titel	Originaltitel	Premiere USA	Premiere D	Regisseur	Drehbuch
1.11	**Der Köder**	Baitfish	6. Jan. 2015	21. Juni 2015	L.Libman	J.Lieber

Das NCIS-Team untersucht eine tödliche Explosion während einer Navy-Benefizgala und finden heraus, dass Special Agent Pride das Ziel des Anschlags war … *Quelle:* [51, 53]

Nr.	Titel	Originaltitel	Premiere USA	Premiere D	Regisseur	Drehbuch
1.12	**Der Schatz im Golf**	The Abyss	13. Jan. 2015	28. Juni 2015	S.Humphrey	T.O'Hara

Mitten auf dem offenen Meer treibt ein Forschungsboot mit zwei Leichen an Bord. Das dritte Mitglied des Forschungsteams und Tochter des Navy Admirals Adam Huntley Anna ist spurlos verschwunden. Agent Abigail Borin ruft den NCIS New Orleans zu Hilfe. Können die Agents Anna aufspüren? Oder hat diese möglicherweise selbst etwas mit den Morden zu tun? *Quelle:* [51, 52]

Episoden Staffel 1 Navy CIS: New Orleans

Nr.	Titel	Originaltitel	Premiere USA	Premiere D	Regisseur	Drehbuch
1.13	**14 letzte Tage**	The Walking Dead	3. Feb. 2015	05. Juli 2015	E.Ornelas	D.Appelbaum

Der Navy Therapeut Gabriel Lin bricht beim Joggen zusammen und wird ins Krankenhaus eingeliefert. Anfangs können die Ärzte nicht feststellen, was ihm fehlt. Aber nach weiteren Untersuchungen finden sie heraus, dass er mit Polonium 210 vergiftet wurde. Er ist also unheilbar krank und hat nur noch kurze Zeit zu leben. Gabriel sucht seinen alten Freund Pride auf und bitten ihn darum, den Verbrecher zu finden, der ihm das angetan hat. Wade untersucht Gabriel eingehend und findet heraus, wann genau er vergiftet wurde. An dem Tag an dem er mit dem Polonium in Berührung gekommen ist, hat er im Loft seines Vaters übernachtet. Die Spur führt zu seinem Bruder Cam. *Quelle: 51, 53*

Nr.	Titel	Originaltitel	Premiere USA	Premiere D	Regisseur	Drehbuch
1.14	**Der unsichtbare Schütze**	Careful What You Wish For	10. Feb. 2015	12. Juli 2015	J.Hayman	S.Shapiro

Auf dem Weg zu einer Gerichtsverhandlung wird ein Anschlag auf Navy-Admiral Pack ausgeführt. Admiral Pack bleibt unverletzt, doch NCIS-Agent Hackett, der zusammen mit Brody zum Personenschutz des Admiral abgestellt war, wird durch einen aus grosser Entfernung abgegebenen Schuss aus einem Jagdgewehr tödlich getroffen. Admiral Pack war unlängst Anfeindungen seitens der Werftarbeiter-Gewerkschaft ausgesetzt, da er Schiffswartungsaufträge aus New Orleans abgezogen und damit Hunderte von Arbeitsplätzen gefährdet hatte. Schnell stellt sich jedoch heraus, dass der Mordanschlag mit hoher Wahrscheinlichkeit nicht Pack, sondern Agent Hackett gegolten hatte. Agent Brody, die vor Jahren bereits wegen Zögerns in einer kritischen Situation ins Visier der Dienstaufsicht geraten war, muss sich erneut Befragungen durch Agent Anson unterziehen. *Quelle: 51, 53*

Nr.	Titel	Originaltitel	Premiere USA	Premiere D	Regisseur	Drehbuch
1.15	**Maskenball**	Le Carnivale de la Mort	17. Feb. 2015	19. Juli 2015	T.Wharmby	J.I.Kidd & S.Winton

Während auf den Strassen der Karneval von New Orleans tobt, wartet Special Agent Prides Vater Cassius im Staatsgefängnis auf seine jährliche Bewährungsanhörung. Pride hat sich bisher stets geweigert, sich für die Entlassung seines Vaters auszusprechen, da er davon überzeugt ist, dass Cassius nur im Gefängnis vor sich selbst sicher sein kann. Umso mehr erbost es ihn, dass seine Tochter Laurel ohne sein Wissen mit Cassius Kontakt aufgenommen und ihn sogar im Gefängnis besucht hat. Währenddessen wird auf den Strassen des feiernden New Orleans der Navy Petty Officer Toussaint Patrice erstochen aufgefunden. Toussaint soll vor einem Mann geflohen sein, der mit einem Messer bewaffnet war und eine Narrenmaske trug – zur Zeit des Mardi Gras kaum ein hilfreicher Hinweis. Kurz zuvor war Toussaint in einem Club in einen Streit geraten. Wie die Überwachungsbilder zeigen, war er zu diesem Zeitpunkt jedoch bereits verletzt – und hatte eine Gasmaske bei sich. *Quelle: 51, 53*

Episoden Staffel 1 Navy CIS: New Orleans

Nr.	Titel	Originaltitel	Premiere USA	Premiere D	Regisseur	Drehbuch
1.16	**Unter Brüdern**	My Brother's Keeper	24. Feb. 2015	26. Juli 2015	O.Scott	C.Ambrose Idee: C.Ambrose, J.I.Kidd & S.Winton

Petty Officer Maggie Barringer wird vor dem Gebäude überfahren, in dem sie arbeitet. Sie hinterlässt zwei minderjährige Pflegekinder, den temperamentvollen Danny und seinen kleinen Bruder CJ. Zunächst deutet einiges darauf hin, dass Danny seine Pflegemutter aus Frust über die bisher nicht erfolgte Adoption getötet hat. Doch die Spuren am Tatort weisen schließlich in eine ganz andere Richtung. *Quelle: 51, 52*

Nr.	Titel	Originaltitel	Premiere USA	Premiere D	Regisseur	Drehbuch
1.17	**Das Syndikat**	More Now	10. Mär. 2015	02. Aug. 2015	B.Rooney	C.Silber

Der Arzt Dr. Freddy Barlow und seine Freundin Pam Shore werden in einem Strandhaus in Charleston, South Carolina, aus nächster Nähe erschossen. Während die örtliche Polizei von einem schiefgelaufenen Einbruch ausgeht, steht für Agent Pride ausser Zweifel, dass sein alter Intim-Feind Paul Jenks, genannt „Köderfisch", für die Tat verantwortlich ist. Jenks scheint es sich zur Aufgabe gemacht zu haben, das zerfallene Verbrechenssyndikat der Broussards wieder zum Leben zu erwecken. Die Obduktion von Dr. Barlow ergibt, dass er offenbar häufig mit Substanzen zu tun hatte, die bei der Herstellung von illegalen Drogen verwendet werden. Zudem scheint er von einem Unbekannten per E-Mail wiederholt vor Paul Jenks gewarnt worden zu sein. Der Unbekannte entpuppt sich als Frank Broussard, der im Bundesgefängnis von Slidell auf seinen Prozess wartet. Pride versucht, mit ihm einen Handel abzuschliessen – Informationen über Jenks gegen Reduzierung der Anklagen – doch Frank wird im Gefängnis ermordet, bevor der Handel zustandekommt. *Quelle: 51, 53*

Nr.	Titel	Originaltitel	Premiere USA	Premiere D	Regisseur	Drehbuch
1.18	**Das Herz will, was es will**	The List	24. Mär. 2015	09. Aug. 2015	M.Zinberg	L.Arent

Petty Officer Peter Karp wird während einer Kostümparty in einem New Orleanser Stripclub in einem Separee erschossen. Erste Untersuchungen ergeben, dass der Täter sich offenbar durch eine manipulierte Hintertür Zugang zu dem Club verschafft hat und somit nicht am offiziellen Eingang auf Waffen untersucht worden ist. Der Mörder hat ausserdem einen Fussabdruck hinterlassen – ohne jedes Profil, aber mit Sporen eines Mooses. Die anfängliche Annahme, dass der Täter Hilfe von innerhalb des Clubs gehabt haben könnte, bestätigt sich nicht. Karp ist offenbar mit einer sehr alten und schlecht gewarteten Waffe erschossen worden, die, wie die ballistische Untersuchung zeigt, bereits in zwei anderen Mordfällen benutzt worden ist. Allen drei Mordopfern ist gemeinsam, dass sie irgendwann ein Verbrechen begangen haben, für das sie durch Formfehler oder mangels Beweisen nicht zur Rechenschaft gezogen werden konnten. Das mit Kohlenstaub verunreinigte Moos aus dem Fussabdruck am Tatort führt Pride und sein Team in den Stadtteil Holy Cross, der seinerzeit durch den Hurrikan Katrina schwer in Mitleidenschaft gezogen wurde und nach dem Sturm kaum öffentliche Mittel zum Wiederaufbau erhielt, was zu einem Zusammenbruch der Wirtschaft und der öffentlichen Ordnung führte. *Quelle: 51, 53*

Episoden Staffel 1 Navy CIS: New Orleans

Nr.	Titel	Originaltitel	Premiere USA	Premiere D	Regisseur	Drehbuch
1.19	**Der Insider**	The Insider	7. Apr. 2015	09. Aug. 2015	J.Whitmore, Jr.	G.Glasberg

Bei der Einwanderungskontrolle am Flughafen New Orleans stirbt Petty Officer First Class Felix Armstrong an einem Herzinfarkt. Armstrong war in Guantanamo stationiert und kam mit einem Charterflug aus Havanna. Während Doc Wade zusammen mit Sebastian und ihrem neuen Lehrling Danny die Autopsie vorbereitet, dringt ein unbekannter Mann ein und versucht mit Waffengewalt, die Leiche Felix Armstrongs an sich zu bringen. Obwohl Wade versucht, die Situation zu entschärfen, kommt es zu einem Schusswechsel mit einem Sicherheitsmann, und Danny wird bei dem Versuch, den Unbekannten zu entwaffnen, angeschossen. Wie Pride und sein Team herausfinden, war Armstrong seit einem Tag eigenmächtig abwesend. Auch bleibt völlig unklar, was er in New Orleans wollte. Während Wade und Sebastian versuchen, Dannys Leben zu retten, nimmt Pride Verhandlungen mit dem Erpresser auf. Mit einiger Mühe gelingt es dem Team, den Täter als Marcus Martel zu identifizieren. Bei einer Durchsuchung seiner Wohnung findet sich ein Foto von ihm selbst zusammen mit Felix und Martels Bruder Nathan. Nathan war Navy-SEAL und wurde vor zehn Monaten getötet, die Details jedoch werden von der Navy geheim gehalten. Wie sich zeigt, hat Martel immer wieder erfolglos versucht, Einzelheiten über den Tod seines Bruders in Erfahrung zu bringen. Wie Armstrongs Vorgesetzter widerstrebend preisgibt, hat Armstrong offenbar Tausende streng geheimer Dokumente auf einen Datenstick geladen, um seinem Freund Martel die gewünschten Informationen übergeben zu können. Um den Datenstick ausser Landes bringen zu können, hat Armstrong ihn nach Art eines Drogenkuriers verschluckt – und nun ist klar, wonach Martel auf der Suche ist. Da auch das FBI mittlerweile ein gesteigertes Interesse an der Geiselnahme entwickelt, sieht Pride seine einzige Chance, die Situation unblutig zu beenden, darin, persönlich mit Martel in Kontakt zu treten. *Quelle:* [51, 53]

Nr.	Titel	Originaltitel	Premiere USA	Premiere D	Regisseur	Drehbuch
1.20	**Baby Lou-Lou**	Rock-A-Bye-Baby	14. Apr. 2015	16. Aug. 2015	E.Keene	J.I.Kidd & S.Winton

Navy Commander Josh Newman und sein Mann Marlon Hart haben gemeinsam die kleine Lou-Lou adoptiert. Doch eines Tages wird das Baby entführt. Zunächst gerät die Leihmutter in Verdacht, da sie sich zunehmend schwertat, das Kind nach der Geburt abzugeben. Dann deutet alles darauf hin, dass die Chinesin Chen Han Lou-Lou an sich genommen hat. Sie hatte ein Verhältnis mit Marlon und wurde von Zeugen als Nanny der Kleinen identifiziert. *Quelle:* [51, 52]

Nr.	Titel	Originaltitel	Premiere USA	Premiere D	Regisseur	Drehbuch
1.21	**Filmriss**	You'll Do	28. Apr. 2015	16. Aug. 2015	A.Riley	S.Humphrey

Während Chris LaSalles Beziehung mit seiner alten Jugendliebe Savannah sich rundherum erfreulich entwickelt, gerät sein manisch-depressiver Bruder Cade wieder einmal in Schwierigkeiten: Nach einem Abend in einer Bar, an dem Cade trotz seiner Medikation nicht wenig Alkohol getrunken hat, wacht er nach einem Filmriss wieder auf und findet seine Freundin Windi ermordet im Kofferraum seines Wagens vor. Cade hat keine Erinnerung an die Tat, die – so Dr. Wade – in einer Art bizarrem, möglicherweise erotischem Ritual ausgeführt worden ist. Cade gibt an, Windi habe in der Zeit vor der Tat häufiger von Angst vor einem ehemaligen Partner gesprochen. Eine Durchsuchung von Windis Wohnung scheint dies zu bestätigen, denn in einem Rauchmelder ist eine Überwachungskamera versteckt. Die Spur führt zu dem einschlägig bekannten Reid Gorie, der bereits wegen ähnlicher Vergehen mehrfach vorbelastet ist. *Quelle:* [51, 53]

Episoden Staffel 1 Navy CIS: New Orleans

Nr.	Titel	Originaltitel	Premiere USA	Premiere D	Regisseur	Drehbuch
1.22	**Vorboten**	How Much Pain Can You Take	5. Mai 2015	23. Aug. 2015	T.O'Hara	C.Silber & C.Ambrose

Paul Jenks alias Baitfish fängt nun erst so richtig an, dem NCIS das Leben schwer zu machen: Bei einem Anschlag auf die Beamten tötet er zwei Polizisten, als nächstes Überfällt er einen Lkw, der wertvolle Antiquitäten aus dem Irak geladen hat. Doch der Coup geht daneben. Zur Überraschung aller stellt sich Baitfish schließlich dem NCIS. Pride hofft, dass er über ihn an Sasha Broussard herankommt, doch das gestaltet sich schwieriger als erwartet.. *Quelle:* [51, 52]

Nr.	Titel	Originaltitel	Premiere USA	Premiere D	Regisseur	Drehbuch
1.23	**Sturm über der Stadt**	My City	12. Mai 2015	23. Aug. 2015	J.Hayman	Jeffrey Lieber Idee: J.Lieber & Z.Strauss

Kurz bevor er von einem Attentäter ermordet wurde, sprach Baitfish Pride gegenüber von einem Sturm, der über die Stadt hereinbrechen wird. Einen ersten Hinweis auf die drohende Katastrophe liefern vier illegale Einwanderinnen: Offenbar plant die westafrikanische Terrorgruppierung „Niger Delta Renegades" einen Anschlag in den USA. Der NCIS muss nun schnellstmöglich herausfinden, was die Kriminellen geplant haben. *Quelle:* [51, 52]

Staffel 2 (Episoden 2.24- 2.47) Navy CIS: New Orleans

Erstausstrahlung USA   22. September 2015 – 17. Mai 2016 auf CBS

Erstausstrahlung Deutschland   10. Januar 2016 – 16. Januar 2017 auf Sat 1

Episoden Staffel 2 Navy CIS: New Orleans

Nr.	Titel	Originaltitel	Premiere USA	Premiere D	Regisseur	Drehbuch
2.24	Der Feind im Inneren	Sic Semper Tyrannis	22. Sep. 2015	10. Jan. 2016	J.Whitmore,Jr.	J.Lieber

Auf einen Militärkonvoi, der einen Flugkörper eskortiert, wird ein Bombenanschlag verübt. Spuren am Tatort führen zum Ex-Navy-Soldaten Mark Yaden. Als Pride und sein Team ihn stellen, begeht er Selbstmord. Mit Lorettas Hilfe finden die Agents heraus, dass Yaden einer separatistischen Miliz angehörte. Doch das ist nicht alles: Wie es aussieht, versammeln sich Milizen aus dem ganzen Land in New Orleans, um einen großen Coup durchzuziehen. Pride taucht undercover in die Szene ein. Quelle: 51, 52

Nr.	Titel	Originaltitel	Premiere USA	Premiere D	Regisseur	Drehbuch
2.25	Operation Sawback	Shadow Unit	29. Sep. 2015	17. Jan. 2016	J.Hayman	C.Silber

Der Journalist und Blogger Jonah Penn wird auf der Terrasse seines Hotelzimmers ermordet – offenbar, weil er über brisante Informationen die Navy S.E.A.L.s betreffend verfügte. Die Elite-Truppe sollte bei einer Mission in Bolivien die Volksarmee im Örtchen San Martel entmachten. Doch es kam zu einem Massaker durch einen S.E.A.L.. Das suggeriert zumindest ein Foto, das dem NCIS zugespielt wird. Doch in diesem Fall ist nichts, wie es auf den ersten Blick scheint. Quelle: 51, 52

Nr.	Titel	Originaltitel	Premiere USA	Premiere D	Regisseur	Drehbuch
2.26	Der Sonne so nah	Touched by the Sun	6. Okt. 2015	24. Jan. 2016	L.Arent	E.Ornelas

Bei einer Flugshow der Navy stürzt Lieutenant Lindsey Garrett mit ihrem Kampfjet ab. Alles deutet darauf hin, dass die junge Pilotin den Crash vorsätzlich verursacht hat. Doch Loretta will sich mit der Selbstmord-Theorie nicht abfinden: Bei der Obduktion stellt sie einige seltsame Veränderungen in Lindseys Organen fest, die auf ein Neurotoxin schließen lassen. Auch die Recherchen, die Pride und sein Team anstellen, fördern einige beunruhigende Wahrheiten über Lindsey zu Tage. Quelle: 51, 52

Episoden Staffel 2 Navy CIS: New Orleans

Nr.	Titel	Originaltitel	Premiere USA	Premiere D	Regisseur	Drehbuch
2.27	**Im Angesicht des Todes**	I Do	13. Okt. 2015	31. Jan. 2016	T.Wharmby	S.Humphrey

Airforce Lieutenant Max Griggs wird beim Hochzeits-Empfang eines Navy Petty Officers tot aufgefunden. Kurios: Keiner der Gäste kennt ihn. Pride und sein Team finden heraus, dass Griggs Drohnenpilot war und zahlreiche Gegner in der Antikriegs-Lobby hatte. Außerdem spionierte er mit einer Mini-Drohne Militäreinrichtungen aus. Scheinbar verfügte er über eine brisante Information, die ihn das Leben kostete. *Quelle: 51, 52*

Nr.	Titel	Originaltitel	Premiere USA	Premiere D	Regisseur	Drehbuch
2.28	**Die Spur des Mörders**	Foreign Affairs	20. Okt. 2015	7. Feb. 2016	L.Belsey	S.Golden & K.Wyscarver

Wurde Lieutenant Lachlan Colston Opfer einer Verwechslung? Das Mitglied der Royal Australian Navy, das im Rahmen eines Austauschprogramms in den USA war, wurde ermordet. Zuerst sieht es so aus, als hätte der Mordanschlag seinem US-Tauschpartner Lieutenant Brad Ryder gegolten, der derzeit in Australien weilt. Offenbar hatte er horrende Wettschulden. Doch dann führt eine heiße Spur ausgerechnet zu Ryders Noch-Freundin Cheryl Eastman. *Quelle: 51, 52*

Nr.	Titel	Originaltitel	Premiere USA	Premiere D	Regisseur	Drehbuch
2.29	**Wahnsinn für 5 Dollar**	Insane in the Membrane	27. Okt. 2015	14. Feb. 2016	L.Libman	D.Appelbaum

Auf der Flucht vor einem bewaffneten Mann stürzt Petty Officer Kelsy Weaver von einem Hausdach in den Tod. Allerdings gab es den Mann nicht – die junge Frau stand unter dem Einfluss einer neuartigen Designerdroge und hatte schwere Halluzinationen. Um herauszufinden, woher die Drogen kommen und wer dafür sorgt, dass sie in New Orleans in Umlauf kommen, gehen Pride und sein Team ein hohes Risiko ein. Das, was die Ermittler herausfinden, ist mehr als schockierend. *Quelle: 51, 52*

Episoden Staffel 2 Navy CIS: New Orleans

Nr.	Titel	Originaltitel	Premiere USA	Premiere D	Regisseur	Drehbuch
2.30	Das gestohlene Herz	Broken Hearted	3. Nov. 2015	21. Feb. 2016	E.Keene	Z.Strauss & G.Heinemann

Der junge Navy-Kryptologe Max PinZO wartet im Krankenhaus in New Orleans auf eine Herztransplantation. In der Nacht vor der Operation ermordet ein Unbekannter vier Navy-Angehörige, um das Spenderherz in seine Gewalt zu bringen und zu zerstören. Für PinZO ist dies ein schwerer Schlag, denn aufgrund seiner extrem seltenen Blutgruppe ist die Wahrscheinlichkeit, rechtzeitig ein neues Spenderherz für ihn zu finden, gleich null. PinZO arbeitet unter der Anleitung von Brodys Mutter Olivia, einer erfahrenen Kryptologin, an einem Programm, das das sogenannte „Dark Web" lahmlegen soll, was es Terroristen und Kriminellen extrem schwermachen würde, verdeckte Geschäfte zu betreiben. Im Verlauf der Ermittlungen stellt sich jedoch heraus, dass nicht das für Max PinZO bestimmte Spenderherz vernichtet worden ist, sondern das eines IT-Managers, der als Komplize mit dem unbekannten Täter zusammengearbeitet hat. Die Wahrscheinlichkeit, dass PinZOs Spenderherz noch existiert, ist hoch, sollte es jedoch nicht innerhalb der nächsten sieben Stunden gefunden werden, wäre es nicht mehr transplantationsfähig. Mit Olivia Brodys tatkräftiger aber nervtötender Unterstützung gelingt es dem Team, auf die Spur des seit zwei Jahren untergetauchten Schwerkriminellen Thomas Dolan zu kommen. Der schwer herzkranke Dolan benötigt eine Herztransplantation und hat die gleiche extrem seltene Blutgruppe wie PinZO. Es liegt nahe, dass das Spenderherz in seinem Auftrag gestohlen worden ist, doch da er Räumlichkeiten, Geräte und einen Chirurgen braucht, der die Operation durchführen kann, gelingt es dem NCIS-Team, seine Spur aufzunehmen. Als das Team im improvisierten OP eintrifft, ist Dolan, der fünf Menschenleben geopfert hat, um sein eigenes zu retten, bereits tot. Das NCIS-Team unternimmt einen letzten verzweifelten Versuch, das Spenderherz zu retten, doch der Versuch einer Transplantation schlägt fehl und Max PinZO stirbt noch auf dem Operationstisch.. Quelle: 51, 53

Nr.	Titel	Originaltitel	Premiere USA	Premiere D	Regisseur	Drehbuch
2.31	Die Entschuldigung	Confluence	10. Nov. 2016	28. Feb. 2016	E.Ornelas	J.Lieber & K.Beattie

Kurz bevor er vor Gericht gegen den Waffenhändler Hugo Garza aussagen kann, wird Don Lambert in seinem Auto in die Luft gejagt. Nun kann nur noch sein ehemaliger Partner Marc Maslow Garza hinter Gitter bringen. Das Problem: Maslow sitzt in Texas im Gefängnis und besteht darauf, von Pride persönlich nach New Orleans chauffiert zu werden. Letzterer ahnt noch nicht, welche ungeheuerlichen Dimensionen der Fall annehmen wird. Quelle: 51, 52

Nr.	Titel	Originaltitel	Premiere USA	Premiere D	Regisseur	Drehbuch
2.32	Dunkle Nacht	Darkest Hour	17. Nov. 2015	6. März 2016	M.Zinberg	L.Arent

Frankie Alvarez wartet auf ihren Verlobten, Petty Officer Nick Benton. Plötzlich erhält sie einen beunruhigenden Anruf: Sie hört Nicks Stimme und Kampfgeräusche, doch Nick selbst spricht nicht mit ihr. Dann fällt in ganz New Orleans der Strom aus. Verzweifelt wendet sich Frankie an Pride und sein Team, denn sie ist sich sicher, dass Nick etwas zugestoßen ist. Eine Mailboxnachricht von ihm, die kurz nach dem Stromausfall aufgezeichnet wurde, liefert einen ersten Hinweis. Quelle: 51, 52

Episoden Staffel 2 Navy CIS: New Orleans

Nr.	Titel	Originaltitel	Premiere USA	Premiere D	Regisseur	Drehbuch
2.33	**Besser spät als nie**	Billy and the Kid	24. Nov. 2015	13. März 2016	M.L.Belli	S.Humphrey

Während des Hurrikans Katrina 2005 wird LaSalle, damals noch einfacher Polizist, zum Schauplatz einer Schießerei gerufen. Bevor das Opfer Phil Hart stirbt, gibt er einen Hinweis auf den Täter: Er hatte ein blaues, unförmiges Tattoo – genau wie der Mann, der im aktuellen Fall des NCIS drei Menschen erschossen hat. LaSalle stellt sofort eine Verbindung zu dem zehn Jahre zurückliegenden Mord her und beginnt auf eigene Faust zu ermitteln. *Quelle:* [51, 52]

Nr.	Titel	Originaltitel	Premiere USA	Premiere D	Regisseur	Drehbuch
2.34	**Das dunkle Herz**	Blue Christmas	15. Dez. 2015	20. März 2016	T.Wharmby	Z.Strauss

Das Weihnachtsfest rückt immer näher und gerade zu dieser besinnlichen Zeit trägt sich eine Serie von Einbrüchen zu. Alle Beweisstücke deuten auf Wades Adoptivsohn Danny hin. Um nichtsdestotrotz Weihnachtsstimmung aufkommen zu lassen, beschliesst das Team zu wichteln, was zwangsläufig in Diskussionen endet. *Quelle:* [51, 53]

Nr.	Titel	Originaltitel	Premiere USA	Premiere D	Regisseur	Drehbuch
2.35	**Staatenlos**	Sister City, Part 2	5. Jan. 2016	17. Okt. 2016	J.Hayman	C.Silber

Ducky und Jimmy transportieren die Leiche von Anton Pavlenko nach New Orleans – zumindest denken das die drei Russen, die den Wagen der beiden anhalten. In Wahrheit ist der Tote längst auf anderem Wege in den Süden gebracht worden. Sein Tod hängt offenbar mit dem Projekt „Manta Ray" zusammen, das Blye Industries im Auftrag der Navy durchführt. Doch der Firmenchef Jenner Blye ist verschwunden und scheint außerdem etwas verborgen zu haben. *Quelle:* [51, 52]

Nr.	Titel	Originaltitel	Premiere USA	Premiere D	Regisseur	Drehbuch
2.36	**Kojoten**	Undocumented	19. Jan. 2016	24. Okt. 2016	F.Toye	D.Appelbaum

Was zunächst aussieht wie ein Suizid entpuppt sich als Mord. Doch wer hatte einen Grund, Petty Officer Mateo Ortega zu erdrosseln und anschließend von einer Brücke zu stürzen? Der NCIS ermittelt, dass Ortega Kontakte zum honduranischen Gang-Boss Barrios hatte. Offenbar waren sie als Schleuser tätig und brachten Menschen von Mittelamerika in die USA. Auch Mateos Familie scheint in die Geschäfte involviert zu sein. Doch dann wird Barrios ebenfalls erdrosselt aufgefunden. *Quelle:* [51, 52]

Episoden Staffel 2 Navy CIS: New Orleans

Nr.	Titel	Originaltitel	Premiere USA	Premiere D	Regisseur	Drehbuch
2.37	**Mardi Gras**	Father´s Day	9. Feb. 2016	31. Okt. 2016	D.Smith	S.Humphrey

Während des Mardi Gras werden Bürgermeister Hamilton und Pride entführt. Beide kommen in einem Keller zu Bewusstsein, wo sie von Mike Spar festgehalten werden. Er beschuldigt sie, vor 25 Jahren den Mord an seiner Ehefrau Patricia vertuscht zu haben. Pride war damals einfacher Polizist und beginnt nun anhand der Argumente Spars an dem Ausgang des alten Falles zu zweifeln. Daher nimmt er Hamilton in die Mangel. Sein Team sucht unterdessen fieberhaft nach ihm. *Quelle:* [51, 52]

Nr.	Titel	Originaltitel	Premiere USA	Premiere D	Regisseur	Drehbuch
2.38	**Der geimnisvolle Held**	No Man´s Land	16. Feb. 2016	7. Nov. 2016	J.Whitmore, Jr.	C.Humphris

Als Hospital Corpsman Nolan Griffith in einem Zug beherzt in eine Schießerei eingreift und einen weiteren Navy-Angehörigen rettet, ist die Verwunderung groß: Griffith ist eigentlich seit 2012 in der Gewalt des Terroristen Aman Bashir. Doch es gelang ihm, unerkannt in die USA einzureisen – und Bashir ins Land zu schmuggeln. Angeblich arbeitet Griffith im Auftrag der CIA, doch Pride und sein Team haben zunehmend Zweifel an seiner Geschichte. *Quelle:* [51, 52]

Nr.	Titel	Originaltitel	Premiere USA	Premiere D	Regisseur	Drehbuch
2.39	**Das Team geht vor**	Second Chances	23. Feb. 2016	14. Nov. 2016	T.Blake	Z.Strauss

Der Bauleiter einer Navy-Baustelle wird getötet und eine nicht unerhebliche Menge TNT wird entwendet. Offenbar steckt der Sprengstoffexperte Julian Kaufman dahinter. Da dieser ums Leben kommt, muss Prides Team ohne seine Informationen weiter recherchieren und findet heraus, dass das TNT zur Kokainherstellung benutzt wird. Als sie das Labor stürmen, befindet sich auch Sonja unter den Drogenproduzenten. Hat sie ihre Kollegen etwa die ganze Zeit an der Nase herumgeführt? *Quelle:* [51, 52]

Nr.	Titel	Originaltitel	Premiere USA	Premiere D	Regisseur	Drehbuch
2.40	**Funkstille**	Radio Silence	1. März 2016	21. Nov. 2016	T.Blake	L.Arent & G.Heinemann

Die Irak-Veteranin Kayla Anderson arbeitet inzwischen als Radiomoderatorin und wirbt in ihrer Sendung regelmäßig für ihre Organisation „Youth Stripes", die sich um schwierige Jugendliche kümmert. Als ihr ehemaliger Captain James Grant in der Live-Sendung anruft, um zu spenden, wird er während des Gesprächs erschossen. Bald darauf erhält Kayla die Drohung, dass sie das nächste Opfer sein wird. Die Spur zum Täter führt in ihre Dienstzeit im Irak. *Quelle:* [51, 52]

Episoden Staffel 2 Navy CIS: New Orleans

Nr.	Titel	Originaltitel	Premiere USA	Premiere D	Regisseur	Drehbuch
2.41	**Die Wahrheit über Emily**	If it bleeds, it leads	15. März 2016	28. Nov. 2016	B.Rooney	D.Appelbaum

Als Chief Warrant Officer Evan Babish überfahren wird und stirbt, glaubt Brody nicht an einen Unfall: Es gibt zu viele Parallelen zum Tod ihrer Schwester Emily, der ebenfalls als Autounfall zu den Akten gelegt wurde. Die Ermittlungen ergeben tatsächlich eindeutige Gemeinsamkeiten zwischen den beiden Todesfällen – unter anderem, dass Babish und Emily beide beim Houston Globe beschäftigt waren und dort an brisanten Enthüllungs-Geschichten arbeiteten. Wurde ihnen das zum Verhängnis? *Quelle:* [51, 52]

Nr.	Titel	Originaltitel	Premiere USA	Premiere D	Regisseur	Drehbuch
2.42	**Mittel zum Zweck**	Means to an End	22. März 2016	5. Dez. 2016	A.Riley	C.Silber

Nachdem Prides Tochter Laurel beim Joggen im Wald überfallen wird, vertraut sie sich ihrem Vater an und berichtet, dass sie bereits seit Tagen von einem Van verfolgt wird. Pride ist in Alarmstellung und es gelingt ihm, den Van ausfindig zu machen. Er stellt fest, dass alle Orte, an denen er sich üblicherweise aufhält, überwacht werden. Die Verfolger haben es offensichtlich auf ihn und nicht auf Laurel abgesehen. *Quelle:* [51, 52]

Nr.	Titel	Originaltitel	Premiere USA	Premiere D	Regisseur	Drehbuch
2.43	**Second Line**	Second Line	5. Apr. 2016	12. Dez. 2016	T.Wharmby	N.Myatt

Lieutenant Darren Murray wird auf dem Beerdigungsumzug für Lieutenant Boyd umgebracht. Offenbar hat er nicht an dem Umzug teilgenommen, sondern aus einiger Entfernung Fotos gemacht. Prides Team findet heraus, dass Murrays Tod mit Grabrauben aus jüngster Zeit in Verbindung steht – aus zahlreichen Familiengruften wurden wertvolle Artefakte und in einem Fall sogar Gebeine entwendet. Ist Murray den Tätern etwa auf die Schliche gekommen? *Quelle:* [51, 52]

Nr.	Titel	Originaltitel	Premiere USA	Premiere D	Regisseur	Drehbuch
2.44	**Der Skandal**	Collateral Damage	19. Apr. 2016	19. Dez. 2016	J.Whitmore, Jr.	C.Humphries

Pride und sein Team bekommen es mit einem heiklen Fall zu tun: Navy Lieutenant Rebecca Peterson bricht tot im Hotelzimmer des Drei-Sterne-Generals Matthews zusammen. Offenbar wurde sie mit Arsen vergiftet. Alles deutet darauf hin, dass Rebecca und der General eine Affäre hatten – und Matthews die junge Frau ermordet hat, um seine Karriere nicht mit diesem nach Navy-Regeln illegitimen Verhältnis zu gefährden. Neue Informationen führen jedoch zu einer dramatischen Wende. *Quelle:* [51, 52]

Episoden Staffel 2 Navy CIS: New Orleans

Nr.	Titel	Originaltitel	Premiere USA	Premiere D	Regisseur	Drehbuch
2.45	**Blitz in der Küche**	Help Wanted	3. Mai 2016	2. Jan. 2017	T.O`Hara	S.Humphrey

Die Navy-Schiffsköchin Danielle Jarrett kocht während ihres Landurlaubs für ihren Vater in dessen Restaurant. Als es dort eine Explosion gibt, bei der Danielle schwer verletzt wird, werden Pride und sein Team hinzugezogen. Ursache für den Unfall war ein manipulierter Gasbrenner. Die Agents haben sofort mehrere Verdächtige im Auge, doch jede dieser Spuren erweist sich als Sackgasse. Dann stoßen sie auf eine grausame Wahrheit. *Quelle: 51, 52*

Nr.	Titel	Originaltitel	Premiere USA	Premiere D	Regisseur	Drehbuch
2.46	**Offene See**	The Third Man	10. Mai 2016	9. Jan. 2017	B.Rooney	D.Appelbaum & Z.Strauss

Der Navy-Taucher James Greene wird auf offener See während eines Tauchgangs ermordet. Sein Begleiter, Lieutenant Buckley, liegt schwer verletzt im Boot. An die Angreifer kann er sich nur dunkel erinnern, da er unter Schock steht. Doch Pride gelingt es, die Ereignisse zusammen mit Buckley zu rekonstruieren und gelangt auf die Spur eines jungen Paares, das ziemlich üble Absichten hat. *Quelle: 51, 59*

Nr.	Titel	Originaltitel	Premiere USA	Premiere D	Regisseur	Drehbuch
2.47	**Der Feind in meinem Bett**	Sleeping with the Enemy	17. Mai 2016	16. Jan. 2017	J.Hayman	C.Silber

Am frühen Morgen geht eine Bombe hoch, die offenbar aus dem geschmuggelten Oktogen-Sprengstoff gebaut wurde. Die Explosion lässt darauf schließen, dass es sich nur um einen kleinen Sprengsatz handelte – das restliche Oktogen ist also noch im Umlauf. Unterdessen ahnt Brody, dass Russo in die Sache verstrickt ist, und informiert Pride und das Team. Sie entwickeln einen riskanten Plan, um den Homeland Security-Mann zu stoppen. *Quelle: 51, 59*

Schauspieler der Serie Navy CIS: New Orleans

Scott Stewart Bakula *(Navy CIS: New Orleans-Figur: Cassius „King" Pride)*
(* 9. Oktober 1954 in St. Louis, Missouri) ist ein US-amerikanischer Schauspieler.

Geboren als Sohn eines Anwaltes begann Bakula früh mit der Musik und spielte während seiner College-Zeit in einer Band. Danach begann er ein Jura-Studium an der Universität von Kansas, das er jedoch vorzeitig beendete.
1983 debütierte Bakula am Broadway in der Rolle des Joe DiMaggio in dem Stück Marilyn, An American Fable. Bestand sein Fernsehdebüt noch aus Fernsehwerbespots für Kaffee und Limonade, so spielte er im Broadway-Musical Romance, Romance die Hauptrolle und wurde 1988 für einen Tony Award nominiert, was ihm 1989 einen Vorteil bei der Vergabe der Hauptrolle als Dr. Sam Beckett verschaffte, die er in der Fernsehserie Zurück in die Vergangenheit (engl. Quantum Leap; auf Deutsch „Quantensprung") zusammen mit Dean Stockwell spielte. Für die Verkörperung des zeitreisenden Wissenschaftlers in der Serie gewann er 1992, neben drei weiteren Nominierungen, einen Golden Globe und wurde zudem viermal für einen Emmy als bester Schauspieler nominiert. Wegen schlechter Einschaltquoten wurde die Serie jedoch 1993 abgesetzt. Daraufhin hatte Bakula eine kleine, aber nicht unbedeutende Rolle in der Sitcom Murphy Brown inne.
Es folgten mehrere Fernsehfilme, aber auch Nebenrollen in Kinofilmen wie Color of Night (neben Bruce Willis) und Eine fast anständige Frau (mit Kirstie Alley). 1999 spielte er in dem Oscar-prämierten Kinofilm American Beauty den homosexuellen Nachbarn von Kevin Spacey. Im Jahr 2001 folgten Auftritte in Stürmische Zeiten und Role of a Lifetime.
Von 2001 bis 2005 spielte er die Figur des Captain Jonathan Archer in der Science Fiction-Fernsehserie Star Trek: Enterprise.
Im April 2006 verkörperte er die Rolle des Charlie Anderson im Musical Shenandoah, das im historischen Ford's Theatre in Washington aufgeführt wurde.
2014 erhielt Scott Bakula eine der Hauptrollen in der Serie NCIS: New Orleans, einen Ableger der Serie NCIS.

Aus seiner 1981 geschlossenen Ehe mit Krista Neumann gingen zwei Kinder hervor. 1995 ließ sich das Paar scheiden. 1993 hatte Bakula beim Dreh des Films Unmoralisches Begehren die Schauspielerin Chelsea Field kennengelernt und ging mit ihr eine Beziehung ein, aus der später zwei weitere Söhne hervorgingen. Das Paar heiratete 2009 nach 15 Jahren Beziehung.
Scott Bakula hat zwei Geschwister, Brad und Linda.

Quelle: [54]

Filmografie (Auswahl) Scott Stewart Bakula

1986: I-Man – Die Kampfmaschine aus dem All (I-Man)

1986–1988: Mann muss nicht sein (Designing Women, Fernsehserie, 5 Folgen)

1986–1987: Gung Ho (Fernsehserie, 9 Folgen)

1987: Matlock (Fernsehserie, Doppelfolge)

1988: Eisenhower and Lutz (Fernsehserie)

1989–1993: Zurück in die Vergangenheit (Quantum Leap, Fernsehserie, 89 Folgen)

1990: Eine fast anständige Frau (Sibling Rivalry)

1991: Armadillo Bears – Ein total chaotischer Haufen (Necessary Roughness)

1993: SOS über dem Pazifik (Mercy Mission: The Rescue of Flight 771)

1994: Color of Night

1993–1996: Murphy Brown (Fernsehserie, 13 Folgen)

1995: Lord of Illusions

1995: The Invaders – Invasion aus dem All (The Invaders, zweiteiliger Fernsehfilm)

1996–1997: Das Seattle Duo (Mr. & Mrs. Smith, Fernsehserie, 13 Folgen)

1997: Danny, der Kater (Cats Don't Dance, Synchronstimme von Danny)

1998: Zweite Liga – Die Indianer von Cleveland sind zurück (Major League: Back to the Minors)

1999: Tom Clancys Netforce

1999: American Beauty

2000: Ketten der Vergangenheit (Above Suspicion)

2001: Das Haus am Meer (Life as a House)

2001: Stürmische Zeiten (What Girls Learn, Fernsehfilm)

2001–2005: Star Trek: Enterprise (Fernsehserie, 98 Folgen)

2006–2010: The New Adventures of Old Christine (Fernsehserie, 4 Folgen)

2008: Boston Legal (Fernsehserie, Folge 4x13)

2008: State of the Union (Fernsehserie, 4 Folgen)

2009–2010: Chuck (Fernsehserie, 7 Folgen)

2009: Der Informant! (The Informant!)

2009–2011: Men of a Certain Age (Fernsehserie)

2011: Source Code (Stimme)

2012: Desperate Housewives (Fernsehserie, 5 Folgen)

2012: Law & Order: Special Victims Unit (Fernsehserie, Folge 14x7)

2013: Liberace – Zu viel des Guten ist wundervoll (Behind the Candelabra)

2013: Two and a Half Men (Fernsehserie, Folge 10x20)

2014–2015: Looking (Fernsehserie, 8 Folgen)

2014: NCIS (Fernsehserie, Folge 11x18 und 11x19)

seit 2014: NCIS: New Orleans (Fernsehserie)

Quelle: [54]

Zoe McLellan *(Navy CIS: New Orleans-Figur: Meredith „Merri" Brody)*
(* 6. November 1974 in La Jolla, Kalifornien) ist eine US-amerikanische Film- und Fernsehschauspielerin.

Sie absolvierte eine Schauspielausbildung in Seattle. 1995 spielte sie eine ihrer ersten Rollen in dem Oscar-nominierten Spielfilm Mr. Holland's Opus als Mädchen 4 an der Seite von Richard Dreyfuss. Über Episodenrollen in Fernsehserien wie Unter Verdacht – Der korrupte Polizist, Diagnose: Mord, Sliders – Das Tor in eine fremde Dimension oder Star Trek: Raumschiff Voyager (als Tal Celes in Staffel 6) sowie Auftritten in Fernseh- und Kinofilmen wie Home Invasion (1997) und Der Feind in meinem Haus (1999) kam sie 2000 in die Verfilmung des Pen-&-Paper-Rollenspiels Dungeons & Dragons, in der sie die Marina Pretensa spielte.

Von 2001 bis 2005 hatte sie als Petty Officer Jennifer Coates eine ständige Rolle in der Serie JAG – Im Auftrag der Ehre. Von 2007 bis 2009 spielte sie eine der Hauptrollen in der US-amerikanischen Fernsehserie Dirty Sexy Money.

Von 2014 bis 2016 spielte sie eine Hauptrolle in NCIS: New Orleans. Nach der zweiten Staffel verließ sie die Serie.

Quelle: [55]

Lucas York Black *(Navy CIS: New Orleans-Figur: Christopher LaSalle)*
(* 29. November 1982 in Decatur, Alabama) ist ein US-amerikanischer Filmschauspieler.

Lucas Black ist das jüngste von drei Kindern von Larry und Jan Black.

1994, im Alter von zwölf Jahren, spielte Black seine erste Rolle in Das Baumhaus an der Seite von Kevin Costner und Elijah Wood. Die Nebenrolle verhalf ihm nur ein Jahr später, 1995, zu einer Hauptrolle in der kurzlebigen Fernsehserie American Gothic. Nach dem Schulabschluss, im Jahr 2001, begann er Meeresbiologie zu studieren.

Seit 2010 ist er mit Maggie O'Brien verheiratet. Zusammen haben sie eine Tochter und einen Sohn.

Quelle: [56]

Filmografie (Auswahl) Lucas York Black

1994: Das Baumhaus (The War)
1996: Das Attentat (Ghosts of Mississippi)
1995–1996: American Gothic – Prinz der Finsternis (American Gothic, Fernsehserie, 22 Folgen)
1996: Sling Blade – Auf Messers Schneide (Sling Blade)
1997: Mein Freund Flash (Flash)
1997: Chicago Hope – Endstation Hoffnung (Chicago Hope, Fernsehserie, eine Folge)
1998: Akte X – Der Film (The X Files)
1999: Our Friend, Martin (Sprechrolle)
1999: Verrückt in Alabama (Crazy in Alabama)
2000: All die schönen Pferde (All the Pretty Horses)
2000: The Miracle Worker – Wunder geschehen (The Miracle Worker)
2003: Unterwegs nach Cold Mountain (Cold Mountain)
2004: Friday Night Lights – Touchdown am Freitag (Friday Night Lights)
2004: Killer Diller
2004: Deepwater
2005: Jarhead – Willkommen im Dreck (Jarhead)
2006: The Fast and the Furious: Tokyo Drift
2009: Am Ende des Weges – Eine wahre Lügengeschichte (Get Low)
2010: Legion
2010: Tough Trade (Fernsehfilm)
2011: Sieben Tage in Utopia (Seven Days in Utopia)
2013: 42 – Die wahre Geschichte einer Sportlegende (42)
2014: Navy CIS (NCIS, Fernsehserie, Folgen 11x18–11x19)
seit 2014: Navy CIS: New Orleans (NCIS: New Orleans, Fernsehserie)
2015: Fast & Furious 7 (Furious 7)

Auszeichnungen Lucas York Black

- einen Saturn Award
- vier Young-Artist-Award-Nominierungen, davon einmal ausgezeichnet
- drei YoungStar-Award-Nominierungen, davon einmal ausgezeichnet

Quelle: [56]

Carol Christine Hilaria Pounder *(Navy CIS: New Orleans-Figur: Dr. Loretta Wade)* (* 25. Dezember 1952 in Georgetown, Guyana) ist eine Film- und Fernsehschauspielerin.

Ihr Filmdebüt gab sie in dem preisgekrönten Film Hinter dem Rampenlicht (All That Jazz). Danach hatte sie in vielen anderen erfolgreichen Filmen kleinere Nebenrollen.

Vorrangig hat Pounder sich immer auf ihre Karriere als Fernsehschauspielerin konzentriert. Seit den frühen 1980er Jahren hatte sie einige Gastauftritte in der Serie Polizeirevier Hill Street und in anderen erfolgreichen Serien wie Miami Vice, L.A. Law – Staranwälte, Tricks, Prozesse, Akte X – Die unheimlichen Fälle des FBI und Zurück in die Vergangenheit. International bekannt wurde sie als Marianne Sägebrechts Co-Star in Out of Rosenheim. Von 1994 bis 1997 wurde sie dann für eine längere Periode von Gastauftritten in der Serie Emergency Room – Die Notaufnahme engagiert. Nach diesem Engagement folgten kleine Gastauftritte, wie in Practice – Die Anwälte oder Law & Order: Special Victims Unit.

Ab 2002 spielte sie in der vielfach wegen ihrer offenen Zurschaustellung von Gewalt kritisierten Fernsehserie The Shield – Gesetz der Gewalt eine Hauptrolle neben Michael Chiklis und Glenn Close. 2009 erhielt sie für ihren Gastauftritt als Mrs. Curtin in der Serie Eine Detektivin für Botswana (Folge 4: Das afrikanische Herz) ihre vierte Emmy-Nominierung. 2009 bis 2014 spielte Pounder mit einer wiederkehrenden Nebenrolle in der Serie Warehouse 13. Seit September 2014 ist sie im Navy-CIS-Spin-off Navy CIS: New Orleans in einer Hauptrolle als Loretta Wade zu sehen.

Sie lieh vielen Zeichentrickfiguren ihre Stimme, wie zum Beispiel in Gargoyles – Auf den Schwingen der Gerechtigkeit oder Die Liga der Gerechten.

Quelle: [57]

Filmografie (Auswahl) Carol Christine Hilaria Pounder

Filme
1979: Hinter dem Rampenlicht (All That Jazz)
1985: Die Ehre der Prizzis (Prizzi's Honor)
1986: Letzte Ruhe (Resting Place, Fernsehfilm)
1987: Out of Rosenheim (Out of Rosenheim – Bagdad Cafe)
1988: Um jeden Preis (Run Till You Fall)
1990: Grüße aus Hollywood (Postcards from the Edge)
1990: Psycho IV – The Beginning
1993: Aufruhr in Little Rock (The Ernest Green Story)
1993: Benny und Joon (Benny & Joon)
1993: Sliver
1993: RoboCop 3
1995: Ritter der Dämonen (Tales from the Crypt: Demon Knight)
1996: Haus der stummen Schreie (If These Walls Could Talk)

1997: Im Körper des Feindes (Face/Off)
1997: Besucher aus dem Jenseits – Sie kommen bei Nacht (House of Frankenstein)
1999: End of Days – Nacht ohne Morgen (End of Days),
1999: Tage voller Blut – Die Bestie von Dallas (To Serve and Protect)
2000: Eine Liebe in Brooklyn (Disappearing Acts)
2001: Boykott (Boycott)
2004: Redemption – Früchte des Zorns (Redemption: The Stan Tookie Williams Story)
2009: Avatar – Aufbruch nach Pandora (Avatar)
2009: Orphan – Das Waisenkind (Orphan)
2013: Chroniken der Unterwelt – City of Bones (The Mortal Instruments: City of Bones)

Fernsehserien
1981–1986: Polizeirevier Hill Street (Hill Street Blues, 3 Folgen)
1985: The Atlanta Child Murders (Miniserie)
1986: Rache ist ein süßes Wort (If Tomorrow Comes, Miniserie)
1986–1992: L.A. Law – Staranwälte, Tricks, Prozesse (L.A. Law, 4 Folgen)
1987–1988: Women in Prison (13 Folgen)
1989: Miami Vice (Folge 5x21)
1990: Zurück in die Vergangenheit (Quantum Leap, Folge 3x07)
1993: Wildes Land (Return to Lonesome Dove, Miniserie)
1992: Die Bill Cosby Show (The Cosby Show, Folge 8x20)
1994: Birdland (Folge 1x05)
1994: Akte X – Die unheimlichen Fälle des FBI (The X-Files, Folge 2x05)
1994: Gargoyles – Auf den Schwingen der Gerechtigkeit (Gargoyles, 2 Folgen, Stimme)
1994–1997: Emergency Room – Die Notaufnahme (ER, 24 Folgen)
1996–1998: Millennium – Fürchte deinen Nächsten wie Dich selbst (MillenniuM, 5 Folgen)
2001–2010: Law & Order: Special Victims Unit (5 Folgen)
2001: Practice – Die Anwälte (The Practice, 2 Folgen)
2002–2008: The Shield – Gesetz der Gewalt (The Shield, 89 Folgen)
2004–2006: Die Liga der Gerechten (Justice League, 9 Folgen, Stimme)
2005: Numbers – Die Logik des Verbrechens (NUMB3RS, Folge 1x03)
2009: Eine Detektivin für Botswana (The No. 1 Ladies' Detective Agency, Folge 1x04)
2009–2014: Warehouse 13 (29 Folgen)
2013–2014: Sons of Anarchy (14 Folgen)
2014: Navy CIS (NCIS, 2 Folgen)
seit 2014: Navy CIS: New Orleans (NCIS: New Orleans)

Quelle: [57]

Daryl Mitchell *(Navy CIS: New Orleans-Figur: Patton Plame)*
(* 16. Juli 1965 in Bronx, New York City, New York) ist ein US-amerikanischer Schauspieler.

Nach einer Karriere im Hip-Hop in den 1980er Jahren mit Groove B. Chill, hatte Mitchell auch Erfolge als Schauspieler. Er spielte unter anderem in den Filmen House Party und der Fortsetzung House Party 2, Galaxy Quest – Planlos durchs Weltall, 10 Dinge, die ich an dir hasse und in den Sitcoms Nachtschicht mit John und Veronica mit.

Er ist seit einem Motorradunfall 2001 von der Hüfte abwärts gelähmt. Nach seinem Unfall spielte er von 2002 bis 2004 in der Serie Ed – Der Bowling-Anwalt einen Bowlingbahn-Mitarbeiter, der seit einem Unfall im Rollstuhl sitzt.

Filmografie (Auswahl) Daryl Mitchell

1990: House Party
1991: House Party 2
1993–1996: The John Larroquette Show
1996: Immer Ärger mit Sergeant Bilko (Sgt. Bilko)
1996: Mister Bombastic (A Thin Line Between Love and Hate)
1997: Die Zahnfee (Toothless)
1997: The Way We Are (Quiet Days in Hollywood)
1997–2000: Veronica (Fernsehserie)
1998: Verliebt in Sally (Home Fries)
1999: 10 Dinge, die ich an dir hasse (10 Things I Hate About You)
1999: Galaxy Quest – Planlos durchs Weltall (Galaxy Quest)
2000: Lucky Numbers
2001: Ritter Jamal – Eine schwarze Komödie (Black Knight)
2002: The Country Bears
2002–2004: Ed – Der Bowling-Anwalt (Ed, Fernsehserie)
2006: Inside Man
2007: The Game
2009: Brothers
2010: Die Zauberer vom Waverly Place (Wizards of Waverly Place, Fernsehserie)
2010: Desperate Housewives (Fernsehserie, Folge 6x14)
2012: The Cleveland Show (Fernsehserie, Folge 3x19, Stimme)
2014: See Dad Run (Fernsehserie, Folge 3x02)
seit 2014: Navy CIS: New Orleans (NCIS: New Orleans, Fernsehserie)

Quelle: [58]

Quellennachweis

Texte

[1] Wikipedia, abgerufen am 21.11.2011, 23.7.2012, 24.6.2013, 15.5.2014, 15.10.2014, 15.10.2015, 28.11.2016, 1.11.2017
via http://de.wikipedia.org/wiki/Navy_CIS

[2] TV-Sender Sat 1, abgerufen am 21.11.2011, 23.7.2012, 24.6.2013, 15.5.2014, 15.10.2014, 15.10.2015, 28.11.2016, 1.11.2017
via www.fernsehserien.de/navy-cis/episodenguide

[3] Private NCIS Fan Site mit öffentlichem Forum, abgerufen am 21.11.2011, 23.7.2012, 24.6.2013, 15.5.2014, 15.10.2014, 15.10.2015
via www.ncisfanwiki.com/page/Deutsche+NCIS-Zitate

[4] Private Fan-Seite NavyCIS.de mit öffentlichem Forum, abgerufen am 21.11.2011, 23.7.2012, 24.6.2013 und 15.5.2014
via www.navy-cis.de/ncis_episoden.php?menu=1000

[5] Private Webseite World of NCIS mit öffentlichem Forum, abgerufen am 21.11.2011, 23.7.2012, 24.6.2013 und 15.5.2014
via www.worldofncis.de/board.php?boardid=5&sid=856a719cde4432f2bf50a2e488421242

[6] NCIS FAQ der privaten Fan-Seite NavyCIS.de, abgerufen am 21.11.2011
via http://www.navy-cis.de/ncis_faq.php

[7] Back-Cover Angaben Serienerfolg: Serienfans.tv und Wikipedia, abgerufen am 21.11.2011, 23.7.2012, 24.6.2013, 15.5.2014, 15.10.2014, 15.10.2015, 28.11.2016, 1.11.2017
via www.serienfans.tv/index.php?section=news&id=4522
      http://de.wikipedia.org/wiki/Navy_CIS

[8] Wikipedia, abgerufen am 23.07.2012
via http://en.wikipedia.org/wiki/NCIS_(season_9), ins Deutsche übersetzt

[9] NCIS Fanwiki, abgerufen am 23.07.2012, 24.6.2013 und am 13.5.2014
via http://www.ncisfanwiki.com/page/NCIS+Quotes, ins Deutsche übersetzt

[10] Wikipedia, abgerufen am 03.12.2012, 24.6.2013, 16.10.2014, 15.10.2015, 28.11.2016, 1.11.2017
via http://de.wikipedia.org/wiki/NCIS:_Los_Angeles

[11] TV-Sender Sat 1, abgerufen am 03.12.2012, 24.6.2013, 16.10.2014, 15.10.2015, 28.11.2016, 1.11.2017
via www.fernsehserien.de/navy-cis-l-a/episodenguide/

[12] TV-Sender ORF, abgerufen am 03.12.2012
via www.fernsehserien.de/navy-cis-l-a/episodenguide/

[13] TV-Sender 3+, abgerufen am 03.12.2012, 24.6.2013, 15.10.2014, 15.10.2015, 28.11.2016, 1.11.2017
via www.fernsehserien.de/navy-cis-l-a/episodenguide/

[14] Wikipedia, abgerufen am 03.12.2012, 13.5.2014, 15.10.2015, 28.11.2016, 1.11.2017
via http://de.wikipedia.org/wiki/Mark_Harmon

[15] Wikipedia, abgerufen am 03.12.2012, 13.5.2014, 15.10.2015, 28.11.2016, 1.11.2017
via http://de.wikipedia.org/wiki/Michael_Weatherly

[16] Wikipedia, abgerufen am 03.12.2012, 13.5.2014, 15.10.2015, 28.11.2016, 1.11.2017
via http://de.wikipedia.org/wiki/Pauley_Perrette

[17] Wikipedia, abgerufen am 03.12.2012, 13.5.2014, 15.10.2015, 28.11.2016, 1.11.2017
via http://de.wikipedia.org/wiki/Cote_de_Pablo

[18] Wikipedia, abgerufen am 03.12.2012, 13.5.2014, 15.10.2015, 28.11.2016, 1.11.2017
via http://de.wikipedia.org/wiki/Sean_Murray

[19] Wikipedia, abgerufen am 03.12.2012, 13.5.2014, 15.10.2015, 28.11.2016, 1.11.2017
via http://de.wikipedia.org/wiki/David_McCallum

[20] Wikipedia, abgerufen am 03.12.2012, 13.5.2014, 15.10.2015, 28.11.2016, 1.11.2017
via http://de.wikipedia.org/wiki/Brian_Dietzen

[21] Wikipedia, abgerufen am 03.12.2012, 13.5.2014, 15.10.2015, 28.11.2016, 1.11.2017
via http://de.wikipedia.org/wiki/Rocky_Carroll

[22] Wikipedia, abgerufen am 03.12.2012, 13.5.2014, 15.10.2015, 28.11.2016, 1.11.2017
via http://de.wikipedia.org/wiki/Lauren_Holly

[23] Wikipedia, abgerufen am 03.12.2012, 13.5.2014, 15.10.2015, 28.11.2016, 1.11.2017
via http://de.wikipedia.org/wiki/Sasha_Alexander

[24] Wikipedia, abgerufen am 03.12.2012, 16.10.2014, 15.10.2015, 28.11.2016, 1.11.2017
via http://de.wikipedia.org/wiki/Chris_O'Donnell

[25] Wikipedia, abgerufen am 03.12.2012, 16.10.2014, 15.10.2015, 28.11.2016, 1.11.2017
via http://de.wikipedia.org/wiki/LL_Cool_J

[26] Wikipedia, abgerufen am 03.12.2012, 16.10.2014, 15.10.2015, 28.11.2016, 1.11.2017
via http://de.wikipedia.org/wiki/Daniela_Ruah

[27] Wikipedia, abgerufen am 03.12.2012, 16.10.2014, 15.10.2015, 28.11.2016, 1.11.2017
via http://de.wikipedia.org/wiki/Linda_Hunt

[28] Wikipedia, abgerufen am 03.12.2012, 16.10.2014, 15.10.2015, 28.11.2016, 1.11.2017
via http://de.wikipedia.org/wiki/Barrett_Foa

[29] Wikipedia, abgerufen am 03.12.2012, 16.10.2014, 15.10.2015, 28.11.2016, 1.11.2017
via http://de.wikipedia.org/wiki/Eric_Christian_Olsen

[30] Wikipedia, abgerufen am 03.12.2012, 16.10.2014, 15.10.2015, 28.11.2016, 1.11.2017
via http://de.wikipedia.org/wiki/Renée_Felice_Smith

[31] Wikipedia, abgerufen am 03.12.2012, 16.10.2014, 15.10.2015, 28.11.2016, 1.11.2017
via http://de.wikipedia.org/wiki/Miguel_Ferrer

[32] Wikipedia, abgerufen am 03.12.2012, 16.10.2014, 15.10.2015, 28.11.2016, 1.11.2017
via http://de.wikipedia.org/wiki/Louise_Lombard

[33] Wikipedia, abgerufen am 03.12.2012, 16.10.2014, 15.10.2015, 28.11.2016, 1.11.2017
via http://en.wikipedia.org/wiki/Adam_Jamal_Craig

34 Wikipedia, abgerufen am 03.12.2012, 16.10.2014, 15.10.2015, 28.11.2016, 1.11.2017
via http://en.wikipedia.org/wiki/Peter_Cambor

35 Wikipedia, abgerufen am 03.12.2012, 16.10.2014, 15.10.2015, 28.11.2016, 1.11.2017
via http://de.wikipedia.org/wiki/Claire_Forlani

36 Wikipedia, abgerufen am 03.12.2012, 16.10.2014, 15.10.2015, 28.11.2016, 1.11.2017
via http://de.wikipedia.org/wiki/NCIS_(Fernsehserie)#Ausstrahlung

37 Wikipedia, abgerufen am 03.12.2012, 16.10.2014, 15.10.2015, 28.11.2016, 1.11.2017
via http://de.wikipedia.org/wiki/Naval_Criminal_Investigative_Service

38 Wikipedia, abgerufen am 04.12.2012, 15.10.2014, 16.10.2014, 15.10.2015, 28.11.2016, 1.11.2017
via http://de.wikipedia.org/wiki/Navy_CIS:_L.A.#Ausstrahlung

39 Wikipedia, abgerufen am 04.12.2012, 15.10.2014, 16.10.2014, 15.10.2015, 28.11.2016, 1.11.2017
via http://en.wikipedia.org/wiki/Ncis_los_angeles#Episodes

40 Wikipedia, abgerufen am 04.12.2012, 15.10.2014, 16.10.2014, 15.10.2015, 28.11.2016, 1.11.2017
via http://en.wikipedia.org/wiki/NCIS_(season_10)

41 CBS, abgerufen am 04.12.2012, am 24.6.2013 und am 14.5.2014, ins Deutsche übersetzt
via http://www.cbs.com/shows/ncis/episodes/

42 Spoiler TV, abgerufen am 04.12.2012, ins Deutsche übersetzt
via http://www.spoilertv.com/2012/11/ncis-episode-1009-devils-trifecta-press.html

43 Spoiler TV, abgerufen am 04.12.2012, ins Deutsche übersetzt
via http://www.spoilertv.com/2012/12/ncis-episode-1010-you-better-watch-out.html

44 Wikipedia, abgerufen am 04.12.2012 und am 24.6.2013
via http://en.wikipedia.org/wiki/NCIS:_Los_Angeles_(season_4)

45 CBS, abgerufen am 04.12.2012 und am 24.6.2013, ins Deutsche übersetzt
via http://www.cbs.com/shows/ncis_los_angeles/episodes

46 Spoiler TV, abgerufen am 04.12.2012, ins Deutsche übersetzt
via http://www.spoilertv.com/2012/11/ncis-los-angeles-episode-409-gold.html

47 Wikipedia, abgerufen am 13,05.2014, 16.10.2014, 15.10.2015, 28.11.2016, 1.11.2017
via http://de.wikipedia.org/wiki/Emily_Wickersham

48 Wikipedia, abgerufen am 13,05.2014, ins Deutsche übersetzt.
via http://en.wikipedia.org/wiki/NCIS_(season_11)#Episodes

49 Wikipedia, abgerufen am 09.05.2015, ins Deutsche übersetzt.
via http://en.wikipedia.org/wiki/NCIS_(season_12)

50 Wikipedia, abgerufen am 09.05.2015, ins Deutsche übersetzt.
via http://www.thefutoncritic.com/listings/20150421cbs02/

[51] Wikipedia, abgerufen am 15.10.2015, 28.11.2016, 1.11.2017
via https://de.wikipedia.org/wiki/Navy_CIS:_New_Orleans

[52] TV-Sender Sat 1, abgerufen am 15.10.2015, 28.11.2016, 1.11.2017
via http://www.fernsehserien.de/navy-cis-new-orleans/episodenguide/

[53] TV-Sender 3+, abgerufen am 15.10.2015, 28.11.2016, 1.11.2017
via http://www.fernsehserien.de/navy-cis-new-orleans/episodenguide/

[54] Wikipedia, abgerufen am 27.10.2015, 28.11.2016, 1.11.2017
via https://de.wikipedia.org/wiki/Scott_Bakula

[55] Wikipedia, abgerufen am 27.10.2015, 28.11.2016, 1.11.2017
via https://de.wikipedia.org/wiki/Zoe_McLellan

[56] Wikipedia, abgerufen am 27.10.2015, 28.11.2016, 1.11.2017
via https://de.wikipedia.org/wiki/Lucas_Black

[57] Wikipedia, abgerufen am 27.10.2015, 28.11.2016, 1.11.2017
via https://de.wikipedia.org/wiki/CCH_Pounder

[58] Wikipedia, abgerufen am 27.10.2015, 28.11.2016, 1.11.2017
via https://de.wikipedia.org/wiki/Daryl_Mitchell

[59] Wikipedia, abgerufen am 28.11.2016 und ins Deutsche übersetzt
via https://en.wikipedia.org/wiki/NCIS:_New_Orleans_(season_2)#Episodes

[60] TV-Sender 13th Street, abgerufen am 1.11.2017, 1.11.2017
via www.fernsehserien.de/navy-cis-l-a/episodenguide/

Weitere für die Recherche dieses Buches benützte Quellen:

Offizielle NCIS-Behördenseite: www.ncis.navy.mil/Pages/publicdefault.aspx

TV-Sender SKY (13th.Street.de): www.13thstreet.de/serien/navy-cis

TV-Sender Sat 1: http://www.sat1.de/filme_serien/ncis/

CBS Broadcasting: www.cbs.com/shows/ncis/

Privates Forum navy-cis.de: www.forum.navy-cis.de/

Serienjunkies.de. www.serienjunkies.de/ncis/

TV-Serieninfos: www.tvsi.de/krimiserien/navy_CIS.php

NCIS FAN private Webseite: www.ncisfan.org/

Fotos

Klaus Hinrichsen

Das große
Navy CIS - Buch 2017

Das NCIS TV-Serienbuch: Navy CIS Staffel 1-14
Navy CIS: L.A. Staffel 1-8   Navy CIS: New Orleans Staffel 1-2

Alle Rechte vorbehalten
© November 2017
Klaus Hinrichsen
***
Herstellung und Verlag: Books on Demand GmbH, Norderstedt
Printed in Germany

ISBN: 978-37460-174-40

Weitere Crime Scene - Bücher

CSI: Vegas - Das Buch zur TV-Serie C.S.I.: Crime Scene Investigation Las Vegas DVD Staffel 1 - 14
ISBN: 978-3734788734 - 152 Seiten - EUR 12,90

CSI: Miami - Das Buch zur TV-Serie C.S.I.: Miami DVD Staffel 1 - 10
ISBN: 978-3-8482-4179-8 - 100 Seiten - EUR 9,90

CSI: New York - Das Buch zur TV-Serie C.S.I.: NY DVD Staffel 1 - 9
ISBN: 978-3-7322-7970-8 - 120 Seiten - EUR 12,90

Lightning Source UK Ltd.
Milton Keynes UK
UKHW031340171218
334146UK00006B/339/P